Entrée clandestine

Crimes et mensonges dans les services secrets canadiens

Andrew Mitrovica

Entrée clandestine

Crimes et mensonges dans les services secrets canadiens

traduit de l'anglais par
Jean Bouchart d'Orval

ÉDITIONS TRAIT D'UNION
284, square Saint-Louis
Montréal (Québec)
H2X 1A4
Tél. : (514) 985-0136
Téléc. : (514) 985-0344
Courriel : editionstraitdunion@qc.aira.com

Mise en pages : Andréa Joseph [PAGEXPRESS]
Maquette de la couverture : CS Richardson

Sauf indication contraire, les photographies intérieures proviennent de la collection de l'auteur.

Données de catalogage avant publication (Canada)

Mitrovica, Andrew

Entrée clandestine : crimes et mensonges dans les services secrets canadiens

Publl. aussi en anglais sous le titre : Covert entry.
Comprend des réf. bibliogr. et un index.

ISBN 2-89588-013-1

1. Service canadien du renseignement de sécurité. 2. Abus de la police – Canada. 3. Service secret – Canada. 4. Corruption policière – Canada. 5. Service canadien du renseignement de sécurité – Pratique déloyale. I. Titre.

UB271.C3M5714 2002 363.25'931'0971 C 2002-941498-9

DISTRIBUTEURS EXCLUSIFS

POUR LE QUÉBEC ET LE CANADA
Édipresse inc.
945, avenue Beaumont
Montréal (Québec)
H3N 1W3
Tél. : (514) 273-6141
Téléc. : (514) 273-7021

POUR LA FRANCE ET LA BELGIQUE
D.E.Q.
30, rue Gay-Lussac
75005 Paris
Tél. : 01 43 54 49 02
Téléc. : 01 43 54 39 15

Nous remercions le Conseil des Arts du Canada de l'aide accordée à notre programme de publication.

Nous bénéficions d'une subvention d'aide à l'édition de la SODEC.

SODEC Québec

La traduction d'*Entrée clandestine* d'Andrew Mitrovica a été rendue possible grâce à l'appui financier du Conseil des Arts du Canada.

Pour en savoir davantage sur nos publications, visitez notre site www.traitdunion.net

Dépôt légal : 4e trimestre 2002
Bibliothèque nationale du Québec
Bibliothèque nationale du Canada
ISBN 2-89588-013-1

À Sharon, Sabrije et S.B.

Agitez. Agitez.

Frederick Douglass

PRÉFACE

Cet ouvrage que vous vous apprêtez à lire provoquera en vous une gamme d'émotions allant du choc à l'incrédulité, de la frustration à la colère. Dire simplement que ce livre soulève des questions importantes et fondamentales, ce serait minimiser son importance. Ce n'est pas un autre roman d'espionnage épicé. Non. Les événements relatés dans ces pages ont réellement eu lieu il y a quelques années, au Canada, vécus par des gens réels. L'existence d'un service de renseignements dans une démocratie est en soi une contradiction et un «mal nécessaire». Un «mal», car on a dû donner à cette organisation des pouvoirs extraordinaires qui nient les idéaux démocratiques, mais «nécessaire», car il y a malheureusement des gens qui n'hésitent pas à abuser de la souplesse du système et, dans certains cas, vont jusqu'à commettre des actes de terrorisme afin de promouvoir leur cause. Ce n'est pas la première fois que nous sommes confrontés à ces défis. Dans les années 70, à la suite d'activités illégales des services de sécurité de la Gendarmerie royale du Canada (GRC), le Service canadien du renseignement de sécurité (SCRS) et son «chien de garde», le Comité de surveillance des activités de renseignement de sécurité (CSARS), ont été créés afin d'empêcher que cela ne se reproduise. Quelque trente ans plus tard, nous y voici encore une fois. Le tout apparaît comme un film de série B dans lequel on nous servirait ce cliché de mauvais goût: «l'histoire est condamnée à se répéter».

Ce livre parle de l'échec systémique de tous les mécanismes de protection mis en place afin de protéger les droits individuels et collectifs des Canadiens. Les coupables : le SCRS, le CSARS et, en définitive, le gouvernement canadien. Andrew Mitrovica pose ici des questions qui ne peuvent être laissées sans réponse. Nous ne possédons peut-être pas tous les détails ni toutes les versions de chaque histoire racontée ici, mais nous avons l'essentiel. Il est malheureux que personne n'ait agi lors de ses premiers avertissements. Quand, en 1999 et en 2000, Mitrovica signait une série d'articles dénonçant la mauvaise gestion du SCRS, l'exécutif de cet organisme lança immédiatement une contre-offensive par l'entremise de ses amis universitaires et journalistes afin de dénigrer et de banaliser ces articles accablants. Une chasse à l'homme fut instaurée sur le plan interne afin de trouver « la » fuite. Dans le monde du renseignement, parler à un journaliste est une faute impardonnable. Toutefois, les articles continuaient de paraître. Jamais dans l'histoire de la GRC et du SCRS autant de personnes n'ont parlé au même journaliste en si peu de temps. Comment expliquer la chose? Si un individu à l'emploi d'une organisation parle à un journaliste, on peut toujours dire qu'il se trouve une « tête folle » dans les rangs. S'il y en a deux, on a vraiment de la malchance. Mais plus de douze en dix-huit mois... La sonnette d'alarme devrait retentir et devrait accorder une attention sérieuse à la gestion de cette organisation. Toutefois, ce ne fut pas suffisant pour que le CSARS commence à poser des questions ou entreprenne une révision majeure. Et le SCRS? On y refuse toujours d'admettre qu'il y a un problème et on n'a jamais appliqué la solution la plus évidente de toutes, qui est de commencer par une introspection sérieuse et de revoir les pratiques de gestion corporative. Jusqu'à ce jour, ses dirigeants ne comprennent toujours pas pourquoi tant de gens sont prêts à risquer leur carrière seulement pour être entendus.

Mais qui suis-je? Je suis un témoin provenant de ce milieu. J'en ai fait partie pendant plus de vingt et un ans. Je suis l'un de ceux qui ont fait la transition entre la GRC et le SCRS en 1984 et je suis parti en mai 2000, épuisé de parler à de sourdes oreilles. J'ai débuté comme policier pour devenir plus tard agent de renseignements senior et cadre intermédiaire. J'ai été choqué de lire les révélations contenues dans ce livre, mais non surpris. En parcourant ces pages, j'ai revécu toute la frustration et la rage que j'avais éprouvées lorsque je travaillais dans ce milieu. De toutes ces émotions, une en particulier est demeurée à la fin : la tristesse. Tristesse pour mes collègues restés derrière. Tristesse pour le portrait peu reluisant présenté ici d'une organisation à laquelle j'ai donné plus de deux décennies de ma vie et en laquelle je crois toujours. Tristesse parce que je ne peux réfuter ce qui est écrit dans ce livre. Tristesse pour la trahison commise par la haute direction du SCRS, qui me frappe comme des actes commis contre moi personnellement (et je suis sûr de ne pas être le seul à ressentir la chose ainsi). Ces personnes ont trahi tout ce pourquoi nous avons travaillé. Comme mes anciens collègues, j'étais motivé par un idéal, celui de « rendre cette société meilleure et plus sûre ». La lecture des preuves accablantes d'actes criminels et d'abus commis par les gens qui étaient responsables de maintenir les plus hautes normes d'éthique pour l'organisation est très difficile pour tous. Lorsque j'ai servi dans cette organisation, j'ai eu le privilège de travailler avec les professionnels les plus intelligents et les plus honnêtes que l'on puisse imaginer : les « soldats » de première ligne qui composent le vrai SCRS. Ce sont eux qui vont souffrir le plus et non les coupables. Plusieurs cadres supérieurs ont déjà pris leur retraite avec de grosses primes en sus (avantage qu'on se donne quand on fait partie du cercle des initiés) et ne seront pas tenus responsables de ce qu'ils ont fait.

Pour ma part, je ne peux rien ajouter au récit de Mitrovica. Je n'ai jamais rencontré ou connu John Farrell et je n'ai participé à aucune des opérations mentionnées dans ce livre. Il est évident pour moi que cet homme n'était pas un informateur, mais bel et bien un agent à la solde du SCRS. L'identité des informateurs est le plus grand secret du SCRS. Un informateur n'assisterait pas aux opérations du SOS ou ne serait pas invité au mariage de la fille d'un des patrons du SCRS. Je peux seulement fournir au lecteur un certain contexte, une vision partielle de l'environnement dans lequel l'action se déroule. Je vais tenter d'expliquer, sans rien excuser, pourquoi ces actions ont pu avoir lieu sans que personne les dénonce plus tôt. À cette fin, je dois, dans un premier temps, fournir des explications sur les défis auxquels un agent de renseignements fait face dans le cadre de son travail. Cela aidera à comprendre comment les opérations sont gardées secrètes même pour les autres agents de renseignements du SCRS. Ensuite, je vais présenter le mode de gestion ainsi que l'atmosphère de travail qui prédomine au SCRS depuis sa création. Cela devrait expliquer quelque peu comment ces choses ont pu se dérouler si longtemps et comment la haute direction a pu établir ces mécanismes de contrôle imposés à ses employés. Enfin, je fournirai une brève critique du régime de dysfonctionnement qui régit et gouverne présentement la communauté du renseignement au Canada, avec ses conséquences pour les Canadiens et les Canadiennes.

Travailler dans la zone brumeuse

Être un agent de renseignements, c'est vivre deux vies à la fois. Au début de la carrière, on arrive du monde «normal». On se joint à un monde de secrets et d'intrigues qui change constamment et qui ne se révèle que partiellement même si on y travaille durant des décennies. Toute la journée, on poursuit des fanatiques, des personnes qui ont commis des crimes contre l'humanité, des espions, des criminels internationaux, etc. On lit des rapports sur des atrocités, des mensonges et des chambardements politiques, avec des détails qui n'ont pas été révélés au public, tout en essayant de trouver un sens à tout cela à la lumière de ses responsabilités. On doit ensuite retourner chez soi, à sa famille, sans dire un mot de ce que l'on sait sur la réalité cachée de ce monde.

Ce travail consiste à trouver de l'information et à l'analyser sans jamais procéder à des arrestations. Il consiste à compiler des données et à surveiller des activités afin de passer de l'information à d'autres agences ou fonctionnaires gouvernementaux, sans comprendre, quelquefois, pourquoi rien n'est fait. Pour obtenir de l'information sur les sombres activités de la société, on doit négocier avec des gens qui se sont salis, tout en demeurant propre soi-même et sans perdre de vue sa tâche. Occasionnellement, on croise une personne honnête qui fournit de l'information pour des raisons louables et sans motif inavoué, mais la plupart du temps on fait affaire avec des traîtres, des transfuges, des menteurs et pire encore.

Les rencontres avec les informateurs se font dans une «zone brumeuse» à la frontière du monde dit «normal» et du monde interlope. Les enquêteurs sont envoyés seuls avec leur formation et leurs aptitudes personnelles et ils doivent conserver la maîtrise de la situation. Parfois, motivés par un désir légitime de réussir à la tâche mais faisant face à un système apathique gardé par des opportunistes politiques, ils peuvent perdre de vue la distinction entre le bien et le mal. Ils peuvent même être tentés de prendre des «raccourcis». Afin de prévenir cela, les agents de renseignements comptent sur un système de soutien et de balises pour les guider. Coéquipiers, mentors d'expérience, superviseurs éclairés, gestion modèle et institution de vérification indépendante n'en sont que quelques exemples. Ces deux dernières sont le sujet de ce livre. Si celles-ci échouent ou, pire, nous guident mal, on est alors seul à chercher son chemin. Et si l'on tombe, leur conduite ne justifie pas nos actions, mais elles ne possèdent certainement pas l'autorité morale de nous discipliner sans agir également contre elles-mêmes. Il n'est pas suffisant de dire «nous ne savions pas» ou de jouer sur les mots au sujet des détails de leurs actions ou inactions. La direction ou son absence vient du haut et non du bas. Cela est la thèse fondamentale de ce livre et l'épicentre du problème. Le manque d'éthique et de responsabilité est inhérent à l'exécutif du SCRS, et des corrections sérieuses doivent être apportées. Ou bien on travaille à corriger le problème ou bien on en devient une partie.

L'environnement et la gestion

J'ai mentionné que je n'avais aucune connaissance de John Farrell ni de ses activités au SCRS. Cela vaut probablement pour la plupart des employés du SCRS. Ce manque de savoir peut s'expliquer par un concept qui est appliqué par tous les services de renseignements du monde: «le besoin de savoir». Le principe veut que, si l'on est affecté à un dossier, à un projet ou à un bureau en particulier, on n'aura pas accès aux autres groupes d'enquête et on ne devrait pas connaître leurs activités. Par exemple, si je suis affecté au bureau russe, je n'aurai pas accès à l'information ou aux dossiers du bureau chinois. La raison principale est d'assurer une sécurité serrée des opérations, de prévenir toute fuite d'information et d'assurer un meilleur contrôle des dommages si la sécurité devait échouer. Malheureusement, ce principe peut être perverti afin de cacher à nos collègues des activités ou des pratiques illicites. Encore une fois, il ne s'agit pas ici d'excuser quoi que ce soit, mais d'expliquer le contexte.

Dans une autre perspective, ce qui est malheureusement et tristement connu de tous les employés, agents et non-agents, ce sont les maintes instances de mauvaise gestion des ressources, à la fois financières et humaines. Cela a créé une atmosphère de travail empoisonnée depuis la création du SCRS en 1984. Dès le début, nous étions condamnés à avoir des ennuis. Les auteurs des incidents sur lesquels a enquêté la Commission royale McDonald dans les années 70, ainsi que ceux qui les avaient ordonnés, ont été laissés en place pour devenir la nouvelle classe dirigeante du SCRS. Il faut toutefois être précis: ce ne sont pas tous les gestionnaires et superviseurs qui sont mauvais ou à blâmer. Au contraire, fort heureusement, un bon nombre de gestionnaires vaillants et honnêtes se trouvent aux échelons inférieurs de l'organisation. Un excellent travail y est fait et plusieurs incidents ont été prévenus grâce à eux. Toutefois, sur une base quasi quotidienne, nous entendons parler d'abus de la part des dirigeants et de mauvaises utilisations de leurs pouvoirs discrétionnaires, ainsi que de traitements de faveur accordés aux privilégiés du système. Comment en sommes-nous arrivés à un climat où dominent le népotisme, le chantage, l'intimidation et la peur des représailles? Parce que le SCRS se doit d'opérer à l'abri des regards publics, un environnement de travail et des pratiques de gestion exceptionnelles ont été accordés à sa haute direction. Le SCRS est considéré comme un «employeur distinct». En d'autres termes, plusieurs des règles et pratiques imposées par le Conseil du trésor et la Commission de la fonction publique ne s'appliquent pas au SCRS. Encore une fois, le voile du secret donne une occasion à la direction du SCRS de se comporter sans crainte des regards indiscrets.

Un autre problème est le mécanisme de nomination des cadres supérieurs. La source de ce problème se trouve dans la Loi sur le SCRS. L'article 8 (1) de cette loi dit ceci: «[...] le directeur a le pouvoir exclusif de nommer les employés et, en matière de gestion du personnel du Service [...]» Autrement dit, il a été donné au directeur l'ultime autorité de nommer qui il veut comme gestionnaire, contournant ainsi les normes de sélection. Gravir l'échelle corporative est souvent plus fonction d'avec qui vous buvez, jouez au golf ou couchez que de votre expérience, votre intégrité ou votre connaissance du travail. Évidemment, ces pratiques se retrouvent ailleurs aussi. Cette prérogative a été donnée à d'autres organisations gouvernementales, mais pas sur une échelle aussi grande qu'au SCRS. Comme il n'y a que deux niveaux de supervision sous celui de la gestion supérieure et même si le processus de sélection est basé pour eux sur la compétition, les dés sont pipés dès le départ car les nouveaux superviseurs seront choisis plus pour l'influence ou les contacts qu'ils apporteront à leur nouveau patron que pour leur compétence.

Mitrovica ne révèle que la pointe de l'iceberg. Les exemples d'abus touchent tous les domaines, de l'utilisation de la «clause de mobilité» afin de forcer des gens à quitter le SCRS (tous les agents de renseignements sont tenus par contrat, et ce pour toute leur carrière, à accepter toute relocalisation à la demande du SCRS; un refus entraîne un congédiement immédiat), aux décisions intempestives d'un sous-directeur opérationnel (deuxième dans la hiérarchie du SCRS) qui s'est entêté contre la GRC simplement afin d'asseoir son autorité et a ainsi mis en péril l'une des plus importantes enquêtes du SCRS. D'ailleurs, cette compétition personnelle a sérieusement miné les relations entre les deux organisations, une situation qui subsiste encore aujourd'hui. La discrimination est aussi chose courante. Par exemple, il n'y a jamais eu au SCRS plus d'une femme à l'exécutif. Les femmes y sont promues au besoin afin de sauver les apparences. David Beazley, qui est mentionné dans ce livre et qui fut le directeur général de la région opérationnelle la plus importante pendant plus de huit ans, était craint et redouté. Durant tout son «règne», il n'y a pas eu un seul francophone à la gestion de la région de Toronto. Les vues de M. Beazley étaient bien connues de la haute direction, mais il la servait bien et, pour cela, il était protégé.

Mais pourquoi tant de gens parlent-ils maintenant et pourquoi ne l'ont-ils pas fait avant? Quelques-uns l'ont fait avant et ils en ont payé le prix. D'autres n'ont été que soupçonnés de parler et ils aussi ont payé le prix. Pour fonctionner dans le secret, le SCRS s'est coupé des regards inquisiteurs, mais, ce faisant, il a aussi isolé ses employés de tout appui extérieur. Dans un environnement régi par l'autorité de la Loi sur les secrets officiels et où chaque personne est endoctrinée dans la culture du secret, toute révélation à des gens de l'extérieur est considérée comme un danger à la sécurité nationale et place l'individu en situation d'être poursuivi en cour criminelle (l'arrivée de la Loi antiterroriste (projet de loi C-36) a rendu les choses encore pires). Donc, vers qui peut-on se tourner? Notre association ou notre syndicat? Les deux ont été castrés et n'ont absolument aucun pouvoir. Une étude informelle effectuée en 1998 par l'association des employés révélait que 93% des griefs présentés avaient été résolus en faveur de la direction du SCRS; pour les autres 7%, les gens ont retiré leur plainte. Un avocat? Nous ne pouvons parler à un avocat, du moins pas librement. Recueillir et présenter des preuves documentées d'injustices ou de méfaits? La direction du SCRS refuse systématiquement l'accès à tout document pertinent, alléguant le besoin de protéger la sécurité nationale. Une demande d'accès à l'information est réduite à des pages blanches, tant on a coupé dans le contenu pour des raisons de sécurité. Et si vous insistez pour utiliser votre propre avocat, les avocats du SCRS, payés par le gouvernement, vont simplement faire traîner le dossier assez longtemps pour épuiser tous vos fonds personnels et vous forcer à abandonner. La presse? Offense majeure. Le CSARS? Le comité «chien de garde» (*watchdog*) est couramment désigné au SCRS comme étant le «chien de compagnie» (*lapdog*) de l'organisation. Nous avons tous appris il y a longtemps que cette solution équivalait à un suicide de carrière (certains ont essayé et ont aussi payé le prix). Donc, on est seul. Seul à faire face aux abus et à espérer que, d'une manière quelconque, on ne sera pas entraîné dans leurs filets de tricherie et de supercherie. Pour continuer à fonctionner dans cet environnement, il n'y a que deux options; la première est de développer une attitude de détachement et des mécanismes de reniement, l'autre est de partir.

Surveillance. Quelle surveillance?

Finalement, la question la plus importante n'est pas: «Pourquoi cela est-il survenu?» mais bien: «Comment cela est survenu?» Nous nous devons de comprendre les fautes ou actions (ou inactions) commises si nous voulons empêcher que cela ne se reproduise. Pourquoi les mécanismes de protection mis en place par le gouvernement en 1980-84 n'ont-ils pas pu prévenir une telle situation outrageuse? La gestion de Postes Canada n'a pas de comité de surveillance, mais, pour la gestion du SCRS, le CSARS devait monter la garde. Où était-il? Où est-il? Pourquoi faut-il que ce soit un journaliste qui, malgré toutes les difficultés d'accéder à l'information confidentielle, finisse par être celui qui informe la direction du CSARS par les journaux du matin de ce qui se passe au SCRS? Le fait est que le CSARS n'est pas à la hauteur. Les jeunes analystes du CSARS sont laissés seuls face aux vieux agents de renseignements du SCRS, responsables de la «liaison» avec le CSARS. Ces agents de renseignements ont des années d'expérience dans la manipulation des sources et les jeunes analystes ne peuvent rivaliser avec eux. Pire, un membre de ce groupe responsable de la liaison m'expliquait que, depuis 1987, Reid Morden, alors directeur du SCRS, avait obtenu de la direction du CSARS que son autorité et son mandat soient limités seulement aux activités opérationnelles du SCRS. Tout ce qui concerne une «décision d'un gestionnaire» est hors juridiction. Cette logique prévalant, tout peut être réduit à une «décision d'un gestionnaire». Donc, la direction du CSARS peut-elle toujours prétendre avoir la situation en main? Elle a si souvent tiré d'affaire le SCRS que de reconnaître les fautes de celui-ci serait avouer sa propre inefficacité. «Protéger» le SCRS est devenu un réflexe quasi inconscient afin d'éviter de faire face à une vérité plus dure : sa propre incompétence.

Je suis d'accord avec les conclusions de Mitrovica relativement au CSARS. Proprement dirigé, financé et constitué, le CSARS pourrait jouer un rôle vital dans la gestion du délicat équilibre entre une démocratie ouverte et l'obligation de maintenir ce «mal nécessaire» qu'est un service de renseignements tout en protégeant les droits individuels et collectifs. De nouvelles procédures permettraient au CSARS d'avoir accès à de l'information non filtrée. Par exemple, les employés du SCRS devraient être interviewés une fois par année (comme en Australie) ou pouvoir communiquer avec le CSARS sans crainte de représailles ou d'intimidation. Le CSARS a été créé avec de bonnes intentions. Il a même fait l'objet d'éloges et d'études comme modèle institutionnel par d'autres pays. Son existence devait fournir l'assurance au public canadien qu'aucun abus ne serait commis au nom de la sécurité nationale ou d'aucune cause afférente. Voilà l'esprit des conclusions de la Commission royale McDonald. Il est trop facile d'accepter, dans ce domaine, que «la fin justifie les moyens». Cela ne doit pas être toléré. Mais si le CSARS échoue, qui donc jouera son rôle?

Il est facile de réduire ce livre ou ses critiques à de simples lamentations vindicatives. Toutefois, tout lecteur objectif verra rapidement ce qu'il en est. Un vieux proverbe arabe dit: «Quand le sage montre la lune, l'idiot regarde son doigt.» Ce qui est en cause ici est plus important que les incidents: c'est la recherche et la mise en place d'un processus efficace permettant à une société démocratique d'établir les mécanismes nécessaires afin de contrôler un chien dangereux. Lâcher celui-ci sans le contrôle adéquat mène à la catastrophe. C'est pourquoi nous devons prendre au sérieux le travail de Mitrovica et y accorder toute l'attention requise. Certains tenteront de défendre les actions du SCRS et de justifier son mode de fonctionnement. Pour ma part, je m'interroge sérieusement sur l'intégrité de ces ténors quand il est connu que des actes aussi graves et même criminels ont été commis. Ce qui est en cause ici, c'est la culture nationale de la démocratie canadienne. Ne rien faire est aussi dangereux, car ce problème ne disparaîtra pas et ne peut que devenir plus aigu.

À la fin, ce livre nous laisse entrevoir des nuages menaçants. Sombre présage qui fait écho à mes vingt-cinq années d'expérience dans le domaine: y a-t-il encore assez de courage et d'intégrité intellectuelle chez nos élites universitaires et gouvernementales pour répondre à ces questions importantes?

À la lumière des événements du 11 septembre 2001 et des pouvoirs extraordinaires qui ont été donnés à des agences comme le SCRS, cette question est maintenant des plus impératives et des plus cruciales. L'histoire du monde est souillée d'événements affreux provoqués par des gens, parfois même d'honnêtes citoyens, agissant au nom d'une «cause juste». Ne laissons pas cela arriver ici… encore une fois.

Michel Juneau-Katsuya
Ex-agent de renseignements et ex-gestionnaire du SCRS
P.D.G. du Groupe NorthGate

INTRODUCTION

Ce livre traite de secrets et d'espions. Il raconte aussi l'histoire des mensonges et des crimes commandés et tolérés par des fonctionnaires de haut rang au nom de la sécurité nationale du Canada. *Les Services secrets canadiens* ont vu le jour en 1999, alors que, en tant que journaliste d'enquête au *Globe and Mail*, je promenais un regard critique sur l'agence d'espionnage canadienne, le Service canadien du renseignement de sécurité (SCRS).

Je me suis rapidement rendu compte de la profonde ignorance des Canadiens quant au mandat, aux pouvoirs, aux ressources et à la direction du service de renseignements qui est censé nous protéger d'ennemis de plus en plus indiscernables tant à l'intérieur qu'à l'extérieur du pays. En plus de cette déprimante réalité, j'ai aussi découvert l'énormité de la difficulté de percer l'espace de suffisance qui s'est formé autour du SCRS. La destruction du mur de Berlin a semblé dissoudre la guerre froide et ses menaces cataclysmiques pour le monde. Au Canada, nous avons tiré un grand réconfort de l'idée rassurante mais illusoire que notre réputation internationale d'agent de la paix nous immunisait contre les conséquences souvent coûteuses du terrorisme et de l'espionnage. Nous nous sommes aussi réconfortés avec l'idée que le Canada était un refuge, tant au sens littéral que figuré : il paraissait improbable que les architectes de la terreur puissent ou désirent exporter en Amérique du Nord les monstrueux conflits qui hantent le reste du globe.

Tout cela a basculé le 11 septembre 2001. On compte vingt-quatre Canadiens parmi les trois mille cinquante quatre civils qui ont péri aux États-Unis au cours de ces attaques d'une choquante férocité contre le cœur des affaires et de l'armée. L'électrochoc transmis par ce massacre perpétré à notre porte a sorti les Canadiens de leur état d'hébétude et mis en évidence le fait que dans les bas-fonds du renseignement les enjeux peuvent être de taille. Ces événements ont aussi mis en lumière le fait que la sécurité des Canadiens dépend, dans une large mesure, de la compétence du SCRS à détecter, surveiller et éradiquer les dangers qui se profilent autour de nous. Ma visite non autorisée à l'intérieur du monde cloîtré du service de renseignements ne m'inspire pas confiance.

* * *

L'agence de renseignements canadienne est née en 1984 des restes discrédités du service de renseignements de la GRC. Alors qu'il cherchait à recueillir des renseignements sur le mouvement souverainiste du Québec, le service s'était fait prendre à brûler des granges, à voler de la dynamite et à perpétrer d'autres actes illégaux. Le rapport final de la commission McDonald sur les méfaits de la GRC, publié en 1981, faisait porter une partie du blâme pour ces transgressions sur les mœurs insulaires de la police et sur le fait qu'elle n'avait pas à rendre de comptes. Le rapport recommandait d'exclure complètement la GRC du renseignement. On y recommandait que le gouvernement fédéral la remplace par une agence de renseignements civile – le Service canadien du renseignement de sécurité – dont le mandat serait une combinaison de ceux du Federal Bureau of Investigation (FBI) et de la Central Intelligence Agency (CIA) et qui se concentrerait sur la sécurité domestique[1].

---

1. À la fin des années soixante-dix, la GRC a fait l'objet de deux enquêtes qui se sont penchées sur les infractions commises par les forces policières. Le Premier ministre du Québec a chargé un avocat de Québec, Jean Keable, d'enquêter sur les crimes de la GRC au Québec. Pour émousser le travail de

On a confié à la nouvelle agence des pouvoirs extraordinaires afin de protéger «les intérêts nationaux du Canada et la sécurité des Canadiens[2]». En fait, la capacité du SCRS d'envahir la vie des Canadiens est sans rivale dans le gouvernement. S'il décide, en secret, que vous constituez une menace à la sécurité nationale, le SCRS peut écouter vos conversations téléphoniques à la maison et au travail. Il peut déployer une armée de surveillants pour épier et enregistrer vos moindres déplacements vingt-quatre heures par jour et sept jours par semaine. Il peut intercepter et lire votre courrier sans que vous le sachiez. Il peut s'introduire dans votre demeure et votre bureau pour y installer des appareils d'enregistrement audio et vidéo dernier cri. Si vous êtes dans leur collimateur, votre famille, vos amis et vos voisins peuvent faire l'objet de cet examen suffocant. Rien de votre vie passée, présente ou future n'est exclu. À toutes fins utiles, la loi qui a créé le SCRS a simplement légalisé les tactiques de l'ancien service.

Cependant, lors de l'adoption de la loi, on a assuré les Canadiens que, dans l'exercice de ces pouvoirs, le SCRS respecterait l'état de droit. Il devait se débarrasser des renégats de l'ancien service et faire entrer une nouvelle génération d'agents de renseignements qui seraient un modèle de probité pour toutes les agences de renseignements de la planète. On projetait l'image d'enthousiastes diplômés universitaires jouissant d'une envergure intellectuelle certaine, nouvellement embauchés et entraînés pour analyser le niveau de risque que comportent pour le pays les espions

la commission Keable, Ottawa a mis sur pied sa propre commission d'enquête, dirigée par le juge David McDonald, de la cour suprême de l'Alberta. Les deux enquêtes ont démontré que les policiers fédéraux avaient, au nom de la sécurité nationale, violé les lois pendant des décennies. Ils ont ouvert le courrier sans mandat, détruit des pièces à conviction, allumé des incendies criminels, perpétré une multitude de vols et d'entrées par effraction illégales et se sont livrés à des campagnes de désinformation.

2. La loi C-9, qui créait le SCRS, a été présentée à la Chambre des communes le 18 janvier 1984 par le Solliciteur général, Robert Kaplan. Le premier directeur du Service était Ted D'Arcy Finn, un bureaucrate de carrière. Son bras droit était Archie Barr, un ancien membre supérieur du service de sécurité de la GRC qui a émergé blanchi de l'enquête McDonald. Les autres fonctionnaires de haut niveau, Ray Lees, Harry Brandes, John Venner et William MacIver, étaient également d'anciens officiers de haut rang de la GRC.

ennemis, les terroristes, les néonazis, les syndicats du crime organisé de même que les nouveaux immigrants déterminés à importer au Canada des conflits parfois incendiaires. Mais, dans son empressement à se mettre à l'ouvrage, le SCRS s'est tourné vers les «dinosaures» de la GRC et ceux-ci ont fini par mener le jeu.

Deux chiens de garde veillent sur les nouvelles recrues et les vétérans : le Comité de surveillance des activités de renseignement de sécurité (CSARS), qui, par l'entremise du Solliciteur général, fait rapport au Parlement sur la conduite et la performance de l'agence, et l'Inspecteur général, qui constitue les yeux et les oreilles du Solliciteur général dans le service de renseignements. Les deux ont le pouvoir de vérifier systématiquement les dossiers du service et d'examiner les mandats judiciaires et les affidavits sur lesquels s'appuient ces mandats.

Sur le terrain, la plus grande partie du budget annuel de deux cents millions de dollars et des deux mille cent employés est concentrée dans les deux principaux départements : la lutte antiterroriste (CT) et le contre-espionnage (CI). Des membres des unités de surveillance physique, le service des «surveillants», soutiennent régulièrement des opérations menées par des agents de renseignements des départements CT et CI. Le Service dispose d'officiers de liaison en poste à Washington, Londres, Paris, Rome et Tel-Aviv, et peut mener des opérations clandestines modestes à l'étranger afin de recueillir des renseignements.

De nombreuses recrues ont entrepris leur carrière dans le département des enquêtes de sécurité, qui procède à des vérifications de sécurité sur les employés du gouvernement, ou dans les départements de recherche et d'analyse du Service, où ils suivent les tendances globales pour prédire – avec des succès très variables – les menaces qui se profilent pour la sécurité nationale du Canada.

En effet, après le dégel des relations entre l'Est et l'Ouest il y a plus d'une décennie, le SCRS a redirigé vers les activités antiterroristes une partie des ressources autrefois utilisées pour débusquer les espions ennemis. Selon le directeur actuel du SCRS, Ward Elcock, toutes les organisations terroristes majeures du monde sont implantées ici. Elcock soutient que les terroristes utilisent couramment ce pays pour recueillir des fonds, entretenir des comptes bancaires et planifier des opérations. Dans un rapport de juin 2002, il a déclaré que les terroristes ne se servaient plus du Canada comme base de soutien logistique mais comme «base pour préparer des attaques terroristes». Sur un ton plus menaçant, il a déclaré que ce pays «risquait d'être la cible directe ou indirecte d'un réseau terroriste». En conséquence, on a injecté davantage de ressources dans la lutte antiterroriste.

Elcock réitère souvent pour les Canadiens cette assertion effrayante. Un autre de ses refrains familiers est que le service de renseignements qu'il dirige se comporte de façon professionnelle, qu'il obéit à la loi et que les Canadiens n'ont pas à s'en inquiéter. Il prétend que sous sa gouverne le service maintient fermement le cap sur son mandat essentiel et n'a pas vraiment besoin des agences de surveillance pour s'assurer qu'il exerce sa puissance avec circonspection et discrétion.

Malheureusement, de telles assurances sur la conduite du SCRS sont très peu fondées sur ce qui se passe vraiment dans la forteresse qui lui sert de quartier général, juste à l'extérieur d'Ottawa, et dans des bureaux régionaux ailleurs au pays. Derrière la façade laborieusement érigée, j'ai découvert un service de renseignements encore balbutiant et rongé par le gaspillage, l'extravagance, la prodigalité, la paresse, le népotisme, l'illégalité, la corruption et l'incompétence. Loin de servir de merveilleux exemple aux autres agences de renseignements, le SCRS et sa direction impérieuse demeurent tributaires des habitudes destructrices de son prédécesseur. Il en résulte que l'avenir du Service et la sécurité des Canadiens sont menacés. Dans le sillage des événements du 11 septembre 2001, l'exhumation de la vérité à laquelle je me suis livré dans le cadre de ce livre m'a bouleversé et beaucoup inquiété.

* * *

Ce livre raconte principalement le voyage, long d'une décennie, d'un jeune homme nommé John Farrell à travers les milieux du renseignement au Canada.

Arrivé à l'âge de trente-quatre ans, Farrell avait connu sa part de problèmes. Cadet de treize enfants ayant grandi dans un grand ensemble de la banlieue est de Toronto, il a le physique d'un boxeur poids lourd léger. Il n'a pas mené ses combats dans le ring mais dans la rue, dans la cours de l'école et à la taverne, généralement quand on avait franchi la ligne invisible qu'il traçait dans le sable autour de lui. Ses mains sont couvertes de cicatrices, mais son visage demeure étonnamment non affecté par la violence. Il dissimule bien son tempérament volcanique sous de belles manières et sous les éclairs de son sourire engageant.

Alors que Farrell était adolescent, sa famille fut ravagée par les abus de drogue et d'alcool. Il trouva un refuge temporaire dans l'amour de sa mère, à l'école et dans l'Église catholique, les seuls éléments constants dans sa vie. Mais il a aussi pris sa revanche sur le monde qui l'avait blessé. En compagnie d'une petite bande de scélérats, il a planifié et exécuté une pléthore de larcins. Leurs victimes étaient des entreprises du voisinage, des livreurs, des commis de magasin et, à l'occasion, des passants. Les jeunes brigands étaient dévoués et loyaux les uns envers les autres. Leur serment du silence a été mis à l'épreuve par les parents et la police, mais ils n'ont jamais faibli.

Farrell a appris à vivre une double vie et à jouer n'importe quel rôle à n'importe quel moment. Caméléon naturel, il pouvait passer d'un masque à l'autre et il a réussi à convaincre ses professeurs et les prêtres de témoigner de son caractère en sa faveur après avoir été finalement pris et condamné pour ses crimes. Même maintenant, il peut être généreux et gentil, mais aussi bestial et égoïste, dévoué et travaillant, paresseux et négligent, ouvert et chaleureux, secret et froid, grégaire et brillant, fourbe et stoïque, savant et sage, ainsi que stupide et à courte vue. Ce sont là les contradictions mêmes qui ont fait de Farrell un employé doué de Postes Canada et du SCRS. Postes Canada et le SCRS étaient si anxieux d'embaucher cet ancien chef de gang – et d'organiser sa transition harmonieuse vers le monde de l'espionnage, des repaires clandestins et des secrets – qu'Ottawa lui a accordé le pardon et a effacé son casier judiciaire.

Farrell s'est engagé dans la vie clandestine de son propre gré et avec enthousiasme. En 1989, alors qu'il était inspecteur pour la Société canadienne des postes, l'ex-voleur apprit que, pendant que des cadres supérieurs protégeaient des gestionnaires qui avaient fraudé les contribuables de plusieurs centaines de milliers de dollars, ils dépensaient des sommes incalculables pour espionner les employés des postes et leurs chefs syndicaux. Farrell fut nommé comme agent de renseignements de Postes Canada à la division de Toronto alors qu'il n'avait que vingt et un ans ; sa tâche consistait à colliger des renseignements sur les chefs syndicaux gênants et leurs familles. Il a minutieusement monté des dossiers remplis de détails intimes à leur sujet. Avec la collaboration de firmes privées spécialisées en matière de sécurité, il a pris au piège des employés postaux qui tiraient au flanc. Il affirme que tout cela lui était ordonné par ses supérieurs.

Farrell a joint les rangs du SCRS, comme le lui enjoignait son patron à la société d'État. Pour un service d'espionnage qui assurait publiquement les Canadiens de la légalité de ses opérations, le recrutement de Farrell était une hypocrisie. Il a œuvré au sein du service de renseignements jusqu'en 1999. Au fil de ses années mouvementées avec le SCRS, il en mis en pratique les dures et durables leçons qu'il avait apprises durant sa jeunesse. La seule différence était que Farrell était maintenant un brigand payé par le gouvernement.

On lui confia quelques-unes des tâches les plus dangereuses du Service, y compris la direction des opérations quotidiennes du programme ultrasecret d'interception du courrier mis sur pied par le SCRS dans le sud de l'Ontario. Il excellait à accomplir les tâches promptement et sans attirer l'attention de manière indue, des qualités essentielles pour un agent de renseignements. Sa capacité de réussir là où d'autres agents du SCRS avaient parfois échoué lamentablement et de manière embarrassante le rendit précieux aux yeux de ses supérieurs.

On accueillit Farrell au cœur même du Service des opérations spéciales (SOS). Le SOS représente l'occasion de réaliser le faible et irréaliste espoir de presque tout agent de jouer un rôle dans le monde palpitant des romans de John le Carré. C'est dans ce corps d'élite que les hommes et les femmes du SCRS ont vraiment l'occasion de jouer aux espions. Pendant près de six ans, à partir de 1994, Farrell a œuvré avec cette unité dans la région du pays la plus vaste et la plus riche en suspects : Toronto. Farrell est devenu le confident et recevait ses ordres des agents les plus haut placés à Toronto, dont Don Lunau et Ray Murphy, les vétérans du renseignement qui dirigeaient le SOS dans la ville.

Farrel n'eut aucune difficulté à se sentir chez lui dans le SOS. Sa ruse, son charme, sa force, sa fourberie et son appétit insatiable pour l'argent constituaient un cocktail de qualités parfaitement mélangées et aptes à lui assurer le succès dans le service d'espionnage canadien. Farrell et le SCRS étaient faits l'un pour l'autre.

* * *

Le SCRS souhaitera sans doute prendre ses distances par rapport à Farrell ou l'écarter du revers de la main comme s'il n'était qu'un acteur sans grande importance qui exagère maintenant le rôle qu'il a joué au sein des services secrets canadiens. Mais Farrell n'était ni une source ni un informateur; il était un fantassin résolu qui œuvrait dans les tranchées de l'agence. Son adhésion au SOS n'était connue que des autres membres de cette unité et des agents de renseignements occupant des postes supérieurs à Toronto et à Ottawa, y compris Keith McDonald, qui est la tête dirigeante du SOS, Ward Elcock et son ancien bras droit, Tom Bradley.

Le SCRS sait que Farrell était un membre infatigable de la fraternité secrète. Il connaît la mémoire prodigieuse de Farrell, étayée par des notes détaillées, des documents et d'autres souvenirs essentiels qu'il a enfouis durant ses années avec le SCRS. Il sait que Farrell est un homme extraordinairement brillant qui a décroché des diplômes en criminologie et en éducation alors qu'il travaillait pour l'agence. On lui a confié le travail sale parce que le Service avait confiance qu'il ne parlerait jamais publiquement de sa carrière clandestine. C'était un mauvais calcul.

Lors des quelque cent cinquante heures d'interview consacrées à ce livre, Farrell ne s'est livré que rarement à des spéculations. Il a scrupuleusement décrit seulement ce qu'il savait. Quand sa mémoire était incertaine, il me l'a signalé et, lorsqu'il ne connaissait pas la réponse à mes questions, il me l'a avoué. Il a produit des documents minutieusement catalogués qui soutiennent ses révélations sur ses années passées à Postes Canada et au SCRS. Il a voyagé avec moi, à la recherche des gens et des lieux qui ont de l'importance dans son histoire. Il m'a guidé dans une visite de Toronto qui ferait l'envie de quiconque est intéressé par le monde de l'espionnage.

Nous avons visité les douze repaires clandestins qu'il a loués sous une variété de noms pour le SCRS à l'intérieur et en périphérie de Toronto et qui étaient (et, dans certains cas, qui sont encore) utilisés par le Service pour espionner de possibles terroristes, des suspects en matière de renseignements et des missions diplomatiques. Nous avons aussi repéré les traces laissées par deux espions russes qui avaient emprunté l'identité de deux bébés canadiens décédés et qui se sont méticuleusement forgé une histoire au Canada avant d'en être expulsés en 1996. L'opération clandestine, dont le nom de code était Opération Coupe Stanley, figure au rang des plus fameuses comédies policières de la courte histoire du SCRS et Farrell se trouvait au beau milieu de la mêlée puisque, pendant plus de deux ans, il a tenu cette paire d'espions sous sa surveillance étroite pour le compte du service.

Qu'est-ce qui a poussé Farrell à parler? Au début, ce fut le sentiment d'avoir été trahi. En échange de sa loyauté et de son dévouement, dit-il, ses supérieurs s'étaient engagés à le récompenser avec un emploi permanent au sein de l'unité SOS en tant qu'agent de renseignements à part entière. Il a rempli sa part du contrat, travaillant même la nuit et les week-ends afin de décrocher le diplôme universitaire requis et de compléter les cours recommandés pour l'entraînement. Mais il s'est vu repoussé en touche et finalement mis à pied. «J'ai accompli ce que m'avait ordonné le service d'espionnage de ce pays sans question ni hésitation et ils m'ont abandonné», dit Farrell. Mais un sentiment de trahison, même s'il est amer, n'est pas suffisant pour pousser quelqu'un à courir le risque que court Farrell en dévoilant quelques-uns des secrets les plus intimes du SCRS. Farrell en est venu à la décision que le public avait le droit de connaître la vérité sur un service de renseignements responsable de la plus lourde tâche de tout gouvernement: la protection de ses citoyens. Les événements du 11 septembre l'ont confirmé dans sa résolution de dire la vérité, ne serait-ce que pour apaiser sa conscience.

Il s'en trouvera peut-être pour affirmer que les actions criminelles que des hauts fonctionnaires du gouvernement ont ordonné à Farrell de commettre, bien que troublantes, sont tolérables ou même justifiées dans le cadre de la prétendue lutte antiterroriste. Mais permettre au gouvernement et à ses agents de violer la loi de leur propre chef sans avoir à craindre les conséquences ou la censure, c'est exposer le système démocratique à des répercussions incalculables.

* * *

Les fonctions de Farrell au sein du SCRS pulvérisent l'illusion que ce service a renoncé aux comportements criminels qui avaient provoqué la disparition du Service de sécurité de la GRC. Son histoire constitue aussi un acte d'accusation à l'endroit de la direction du SCRS et de ses maîtres politiques, qui n'ont jamais cessé de répéter aux Canadiens que l'agence d'espionnage civile était basée sur l'intégrité, le professionnalisme et le profond respect des droits et libertés de chaque Canadien.

Ainsi, Farrell sait combien des agents incompétents du SCRS ont compromis certaines des opérations les plus délicates du service et même ses prétendus triomphes. Il connaît les abus des deniers publics commis par des agents de renseignements supérieurs qui ont installé leurs enfants en âge d'aller à l'université à Ottawa ou à Toronto dans des appartements payés par le Service pour servir de postes d'observation dans le cadre d'opérations ultrasecrètes. Il connaît les soûleries des agents en devoir, qui sont tolérées par le Service. Il connaît l'identité du cadre supérieur du SCRS qui lui a demandé d'«obtenir» une copie d'un examen d'admission pour les recrues de la GRC afin de s'assurer que sa fille décroche une place dans la police fédérale. Il connaît l'identité du cadre supérieur du SCRS qui lui a ordonné de voler une clé de la Couronne dans une station postale de Toronto (une clé de la Couronne est une clé spéciale qui permet aux facteurs d'entrer librement dans les maisons de rapport et les édifices à bureaux). La clé a été utilisée par une pléthore d'agents du SCRS.

Il connaît l'identité du fonctionnaire supérieur du SCRS qui lui a ordonné d'intercepter le courrier de centaines de Canadiens sans le mandat requis. Il connaît l'identité du fonctionnaire supérieur du SCRS qui lui a ordonné de voler les carnets de notes d'un autre employé du SCRS qui menaçait de siffler la fin de la récréation pour les agents du Service coupables de méfaits. Il sait comment le SCRS a privatisé l'administration de son programme d'interception du courrier en le transférant essentiellement à un ancien agent de la GRC et cadre de Postes Canada qui a dirigé l'opération depuis son domicile dans un des quartiers-dortoirs d'Ottawa.

Farrell en sait bien davantage.

Ward Elcock et compagnie ne peuvent pas balayer Farrell comme étant une aberration ou une défaillance temporaire de jugement du SCRS ni comme le malheureux résidu des «maux grandissants» du Service. L'attirance qu'avait le service d'espionnage pour Farrell et la cour qu'il lui a faite étaient la conséquence naturelle de la croyance qu'entretenaient les fonctionnaires supérieurs du service de renseignements qu'ils étaient au-dessus de la loi et n'avaient aucun compte à rendre.

L'histoire de Farrell soulève des questions dérangeantes sur la rectitude du service de renseignements du Canada et sa direction, mais elle est aussi une mise en accusation des agences de surveillance, qui n'ont cessé d'assurer les Canadiens que le SCRS lui rendait des comptes. En particulier, elle révèle la naïveté et l'ineptie du CSARS et de ses dirigeants, qui s'accrochent encore à la croyance que, puisque son maigre noyau d'enquêteurs a accès aux dossiers du service de renseignements, ils savent exactement ce qui se passe au SCRS. Comme bien d'autres choses dans le monde ambigu de l'espionnage, les assurances du CSARS sont un mirage.

* * *

Le récit de Farrell sur l'incompétence, la corruption et la transgression de la loi au sein du SCRS est un antidote contre les voix qui, dans le sillage primaire des atrocités du 11 septembre, exigent que l'agence d'espionnage et la police soient armées de plus de ressources pour mener la guerre contre le terrorisme. Un fait demeure: malgré tous leurs pouvoirs effrayants, leur magie technologique et leurs budgets multimilliardaires, la soupe à l'alphabet que sont les services de renseignements du Canada, des États-Unis, de la Grande-Bretagne et de l'Europe n'a pas réussi à prévenir la catastrophe.

Le 11 septembre représente un fiasco désastreux en ce qui trait au renseignement. L'ingénieuse attaque terroriste a pris des années de planification, elle comprenait d'innombrables conspirateurs sur au moins trois continents et exigeait un mélange létal de logistique et de fanatisme. Au sénateur américain Richard Shelby qui lui demandait d'expliquer ce qui n'avait pas fonctionné, le directeur de la CIA, George Tenet, insistait sur le fait que l'infrastructure de trente milliards de dollars du renseignement des

États-Unis n'était pas un échec: «Quand les gens utilisent le mot "faillite", ce mot signifie absence d'orientation, d'attention et de discipline, et cela n'était pas le cas en ce qui concerne nos activités et celles du FBI ici et dans le monde.» Peu après ces remarques visant à se disculper, de nombreuses preuves sont venues démontrer que tant le FBI que la CIA ont négligé de donner suite à des renseignements qui auraient pu empêcher l'attaque du 11 septembre.

Entre-temps, le SCRS, la GRC et le Solliciteur général Lawrence MacAulay, le ministre auquel doivent rendre des comptes les deux agences, ont exprimé leur soulagement quand il est apparu qu'il n'y avait pas de filière canadienne liée aux événements. Les terroristes ont été capables de frapper avec précision et sans avertissement sur le sol américain, et les responsables de la vaste communauté du renseignement de l'Occident s'en sont tirés relativement indemnes.

En fait, l'ironie est que le 11 septembre a été une aubaine pour les services de renseignements, y compris le SCRS. Les budgets consacrés au renseignement ont poussé comme des champignons après les attaques terroristes. Ottawa a fait pleuvoir trois cent trente-quatre millions de dollars neufs (répartis sur les cinq prochaines années) dans les coffres du SCRS et des corps policiers et s'est empressé de faire adopter sa loi prétendument antiterroriste, la loi C-36, qui armait la police de nouveaux pouvoir d'arrestation, de détention et d'interrogation de suspects terroristes. Pour la première fois au Canada, la police peut procéder à des «arrestations préventives» sur simple soupçon qu'une personne est sur le point de mener une attaque terroriste. On peut détenir les suspects et les forcer à témoigner devant un juge lors d'une «audience d'investigation» secrète même s'ils ne font l'objet d'aucune accusation. La police peut maintenant détenir des gens soupçonnés de terrorisme jusqu'à soixante-douze heures sans porter d'accusation et elle peut arrêter quiconque est soupçonné de détenir des informations pertinentes à ses enquêtes. Il est devenu beaucoup plus aisé pour la police d'obtenir des mandats pour s'adonner à l'écoute électronique. Elle va sûrement devoir s'en remettre au concours du SCRS pour l'aider à identifier de telles cibles et de tels suspects. L'histoire de Farrell amène une question inévitable: le service est-il à la hauteur de la tâche?

Dans son désir de réarmer le SCRS, dans la longue foulée du 11 septembre, le gouvernement libéral de Jean Chrétien a répété son petit mantra: les Canadiens ne devraient pas s'inquiéter de ce que le service d'espionnage civil ou la police puissent abuser des énormes pouvoirs dont ils jouissent. Cette assurance a été reprise en écho par Maurice Archdeacon, l'inspecteur général du SCRS, qui rapportait sur un ton optimiste, au début de 2002, que le service d'espionnage menait ses opérations en conformité avec la loi et «de manière efficace et professionnelle». Archdeacon a déclaré être inquiet de ce que «les droits et les libertés des Canadiens» puissent être menacés puisque le SCRS est sorti du 11 septembre plus robuste que jamais. La carrière de Farrell dans le service souligne admirablement bien que pendant des années le SCRS a non seulement dilapidé les ressources mais qu'il a aussi régulièrement violé la loi en traitant les droits et libertés des Canadiens comme une nuisance.

* * *

Dans les mois ayant précédé le 11 septembre, il était déjà évident que le SCRS était dans l'eau chaude. J'ai écrit une kyrielle de comptes rendus de première page qui ont révélé la profondeur et l'envergure de la crise: des documents et des disquettes informatiques contenant des informations ultrasecrètes sont tombées dans les mains de «drogués» et de passants. Des agents doubles étaient peut-être tapis au sein du SCRS. Plus d'une centaine d'agents et d'ex-agents ont formé une compagnie pour poursuivre le service afin de récupérer des salaires et des bénéfices. Un fonctionnaire supérieur des services de renseignements a illégalement obtenu des informations confidentielles sur un employé du SCRS. Un fonctionnaire supérieur du SCRS a délibérément détruit de possibles pièces à conviction en rapport avec l'enquête du service sur l'explosion du 23 juin 1985 de l'avion assurant le vol 182 d'Air India, dans lequel 329 personnes ont trouvé la mort. On a mené une chasse aux sorcières dommageable pour le moral afin d'éradiquer les agents qui transmettaient des informations à la presse. Des agents subalternes ont accusé des cadres supérieurs de népotisme et de favoritisme dans l'attribution des promotions. L'ancien psychologue en chef du service a accusé des cadres supérieurs d'avoir fait pression sur lui pour qu'il révèle des informations médicales confidentielles sur des employés gênants. Un agent de renseignements de trente-cinq ans, Michel Simard, a publiquement qualifié le SCRS de «trou de rats[3]».

Des précisions sont aussi apparues concernant un fiasco en matière de renseignement qui a mis en danger la vie de plusieurs personnes – une défaillance infiniment plus sérieuse que la présence d'espions lunatiques. Le service était apparemment dans le coma tandis qu'Ahmed Ressam, un Algérien de trente-trois ans vivant à Montréal, planifiait l'exécution des ordres d'Oussama Ben Laden. Ce terroriste bien entraîné projetait de s'infiltrer aux États-Unis à partir du Canada et de faire exploser une bombe dans l'aéroport international de Los Angeles bondé de gens pendant que s'écrouleraient les derniers instants du millénaire.

Ce n'est pas le SCRS mais un agent des douanes américaines qui a arrêté Ressam alors qu'il tentait, dans un véhicule loué, d'entrer dans l'État de Washington depuis la Colombie-Britannique, le 14 décembre 1999. Les experts sont d'accord sur le fait que l'arrestation de Ressam fut un coup de chance dans lequel le SCRS n'a rien eu à voir, même si le terroriste avait vécu au Canada depuis 1994, année où il était arrivé, muni d'un faux passeport français. Il a alors facilement obtenu un passeport canadien authentique sous un nom usurpé. Muni de son nouveau passeport, Ressam a pu faire la navette à volonté entre l'Europe et l'Afghanistan sans trop attirer l'attention du SCRS.

Les articles que j'ai écrits ont suscité l'ire d'Elcock et de Bradley. Les deux hommes ont rédigé et envoyé des lettres furieuses à mes éditeurs sur ces reportages. À la fin de 1999, le SCRS cessa de répondre à mes questions. On me reprochait d'avoir, dans le cours de mon enquête, appelé des agents du

3. En mai 2002, une cour fédérale a ordonné au SCRS de compenser financièrement Simard pour son salaire perdu alors que le Service l'avait suspendu sans solde à la suite de ses remarques peu flatteuses. Dans son jugement, la Commission des relations de travail dans la fonction publique a affirmé que le SCRS avait agi de manière trop dure en le suspendant et en l'empêchant de participer à une cérémonie en l'honneur des fonctionnaires fédéraux qui avaient complété trente-cinq ans de service.

SCRS à leur domicile afin de leur poser des questions, alors que des fonctionnaires du département des relations publiques du service m'avait interdit de le faire. Elcock et Bradley sont devenus si exaspérés par les révélations que leur porte-parole en chef a laissé entendre que moi et le *Globe and Mail* poursuivions une «vendetta» contre le Service.

Leur réaction est édifiante. Elle provient d'une mentalité d'assiégés qui définit de plus en plus le SCRS et alimente ses réactions parfois hystériques à la critique et à la dissension. L'exposition publique du linge sale du service – et il y en a beaucoup – n'est pas tolérée par les galonnés supérieurs du SCRS. Ils n'épargnent aucun effort pour se débarrasser des agents qui laissent filtrer vers la presse des histoires peu flatteuses sur le Service et ils mènent des chasses aux sorcières qui ont entamé le moral des troupes – et qui ont eu d'autres conséquences pires. Au début des années 1990, Pierre Leduc, un agent de renseignements expérimenté de Montréal, fut accusé d'avoir rencontré un reporter de la télévision francophone pour lui transmettre des informations confidentielles. On a repoussé le plaidoyer d'innocence de Leduc et il fut suspendu. Le SCRS a reconnu son erreur uniquement quand Leduc a fourni des preuves indubitables démontrant qu'il jouait au golf le jour où, selon le SCRS, il rencontrait le reporter. Mais l'exonération tardive de Leduc était accompagnée d'un fort prix à payer. Il souffre maintenant d'un désordre intestinal potentiellement fatal déclenché en grande partie par les accusations qu'ont maintenant retirées le Service. Le SCRS ne s'est jamais excusé.

Non content de faire taire les siens, le SCRS a également tenté de bâillonner les journalistes, en essayant vigoureusement de discréditer les reportages sérieux soulevant d'importantes et nécessaires questions sur sa gestion et sa direction. Ses efforts sont une honte. À la conférence annuelle de la Canadian Association for Security and Intelligence Studies, à la fin de 2000 – qui a réuni des agents de renseignements, des universitaires et des journalistes venus de partout dans le monde –, Phil Gibson, un ancien reporter devenu porte-parole du SCRS, a encouragé les participants qui n'avaient pas digéré mon reportage à écrire à mes éditeurs pour exprimer leur mécontentement. Son plaidoyer inhabituel fut accueilli par des applaudissements et des sifflements enthousiastes de la part des espions assemblés et de leurs alliés universitaires.

Il y avait une voix dissidente digne de mention. Reg Whitaker, une autorité en matière de sécurité et de renseignements à l'université York de Toronto, a descendu en flammes la supplication de Gibson en la qualifiant d'«épouvantable». Lorsque le *Globe* a écrit au SCRS pour se plaindre de l'indécence d'un fonctionnaire qui manigance une campagne de dénigrement épistolaire, Bradley répondit de curieuse manière. Il prétendit que les remarques de Gibson étaient protégées par la Charte canadienne des droits et libertés. «En somme, écrivit Bradley, il ne viendra d'ici ni sanction disciplinaire, ni excuse, ni assurances.»

Les cadres supérieurs du SCRS ne réservent pas leur mépris aux seuls journalistes d'enquête. Des membres du Parlement qui ont par le passé posé des questions tout à fait raisonnables sur les dépenses et la conduite du service se sont vus repoussés avec des réponses sèches et souvent sommaires. Elcock a montré un penchant pour cette expression insipide, «la sécurité nationale», en refusant avec insistance de répondre à leur questions. Lors d'une comparution parlementaire particulièrement éprouvante, le 26 mai 1999, il a eu cet échange révélateur avec le député progressiste-conservateur Peter Mackay sur la question de savoir qui décide ce que veut dire la sécurité nationale quand il s'agit de répondre aux questions des élus:

Mackay: Vous portez donc simplement un jugement péremptoire à savoir si la révélation d'informations constitue une menace à la sécurité nationale.

Elcock: Bien, en bout de piste, Monsieur le Président, en tant que gardien de l'information, si vous le permettez, je me demande qui d'autre déciderait si la sécurité nationale est en jeu ou non.

Voilà: Elcock croit être l'unique «gardien de l'information». Selon Elcock, le gardien des secrets est un carriériste de la fonction publique, un non-élu. Elcock seul décide de ce que vous pouvez ou ne pouvez pas savoir sur le SCRS.

Il y a aussi eu des frictions entre Elcock et le CSARS. Plusieurs membres des agences de surveillance de l'agence de renseignements ont publiquement exprimé leur frustration devant son dédain pour l'organisme de supervision. S'adressant en 1999 à une conférence organisée par le CSARS, Elcock a mis ses hôtes dans l'embarras en avançant devant l'auditoire que le seul bon coup de l'agence de surveillance dont il pouvait se souvenir avait été de rappeler au service de renseignements de construire un nouveau quartier général. Pour Ron Atkey, ancien président du CSARS, la remarque acerbe d'Elcock n'était pas une surprise. Cela concordait parfaitement avec la vision que se faisait Elcock de l'organisme de surveillance qu'est le CSARS : un irritant mineur et presque sans rapport. Atkey servit cette rebuffade tranchante au directeur du SCRS : « Monsieur Elcock semble avoir fait peu de cas du processus de supervision établi par la loi et, en fait, de toute forme d'examen politique. » Paule Gauthier, membre du CSARS et ancienne présidente du Barreau canadien, emploie un langage plus réservé pour décrire ses rapports épineux avec Elcock ; elle laisse entendre que le directeur du SCRS est très occupé et connaît lui aussi des jours plus difficiles. Mais elle aussi a occasionnellement croisé le fer avec celui qui se décrit comme le gardien des secrets du Canada.

Les rapport entre Elcock et David Peel, un ancien inspecteur général du CSARS, constituent peut-être le meilleur exemple du mépris envers les agences qui surveillent le service d'espionnage canadien. Le travail de Peel était simple : s'assurer que le SCRS suive la loi. Ses relations de travail avec Elcock étaient si tendues que les deux ne se parlèrent à peu près pas durant les quatre ans que Peel a été en fonction, à partir du début de 1996. Elcock était irrité du fait que Peel, un distingué et respecté diplomate de carrière, avait eu la témérité d'insister pour que l'Inspecteur général soit tenu au courant des informations qu'il estimait pertinentes à son mandat. Elcock refusa à Peel l'accès à ces informations ; l'Inspecteur général en référa à celui qui était alors Solliciteur général, Herb Gray, et il prévalut.

Après cela, Elcock refusa de parler à Peel et délégua cette tâche à son lieutenant, Jim Corcoran. « J'éprouvais un problème particulier avec Elcock, dit Peel dans une longue interview à sa demeure de Rockcliffe Park, un quartier très huppé d'Ottawa. Il n'a pas apprécié que je l'emporte et nous ne nous sommes jamais vraiment bien entendu après cela. Il a alors cessé de me rencontrer personnellement. » Peel a conclu qu'Elcock et d'autres fonctionnaires supérieurs s'opposaient à toute supervision digne de ce nom. « On éprouve le sentiment qu'ils [le SCRS] peuvent s'en tirer avec n'importe quoi... Ils n'étaient pas ouverts comme ils le devraient à l'examen par quelqu'un qui aurait dû être leur ami, dit-il. Je sentais que l'Inspecteur général devrait être quelqu'un qui coopère avec le Service et avec qui le Service coopère ; je sentais que c'était dans l'intérêt des deux services et du ministre de travailler ensemble plutôt que d'être à couteaux tirés. »

Peel affirma aussi qu'Elcock laissait souvent le Solliciteur général dans le noir sur ce que tramait le service, malgré des instructions écrites stipulant que le directeur du SCRS devait tenir au courant de son travail clandestin le ministre responsable du Service. « Une partie de mes difficultés avec lui vient du fait que j'estimais qu'il ne tenait pas le ministre assez bien informé des enjeux et des problèmes ainsi que de ce qu'accomplissait le Service, alors que le ministre avait, en termes généraux, émis des directives établissant qu'il voulait être informé de telles choses », dit Peel. Elcock s'est déjà plaint que le SCRS était accablé sous le nombre de ceux qui voulaient mettre leur nez dans ses affaires et que cela consommait trop des ressources et du temps du Service. En fait, lors de la comparution parlementaire de 1999, Elcock a décrit la vérification annuelle du CSARS comme étant « onéreuse ». Ses moqueries à l'endroit des contrôles ont été permises par un défilé de Solliciteurs généraux qui ont effectivement abdiqué leur responsabilité politique face aux agissements du SCRS. Ils ont plutôt préféré placer leur confiance aveugle en Ward Elcock. Peel a laissé entendre que les fonctionnaires supérieurs du SCRS avaient réussi pendant des années à esquiver leur responsabilité dans les faillites du service de renseignements. « Il leur est possible d'esquiver leur responsabilité personnelle quand les choses vont mal, affirme l'ancien Inspecteur général. Je ne crois pas que le service rende les comptes qu'il devrait rendre. »

Pourquoi cela est-il arrivé? Une des raisons se trouve dans la nature du patron politique du SCRS. On considère généralement que le Solliciteur général est un membre moins important du cabinet. Sans poids réel, ce poste a attiré peu de politiciens (à l'exception peut-être de James Kelleher et, dans une moindre mesure, Herb Gray) dotés de la vigueur intellectuelle et de la détermination nécessaires pour défier la formidable bureaucratie qui gouverne le service de renseignements du Canada. Ces ministres débutants sont souvent plus enclins à s'intéresser au fonctionnement et aux machinations de la GRC, à cause de sa plus grande visibilité publique. Bien que le SCRS jouisse de pouvoirs d'intrusion immenses, la plupart des Canadiens y voient peu de rapport avec leur vie quotidienne. Dans le monde myope de la politique, puisque le SCRS n'apparaît pas sur les écrans radar du public, mieux vaut le laisser parfaitement tranquille.

Comme plusieurs de ses prédécesseurs, Lawrence MacAulay est un fervent dévot de l'attitude «positive» selon laquelle ceux qui supervisent le SCRS ne doivent pas voir de mal. Sa tactique favorite consiste à répéter, quand on le questionne à l'intérieur ou à l'extérieur de la Chambre des communes, qu'il ne peut s'impliquer dans les opérations quotidiennes du SCRS.

Notre gouvernement traite les questions de renseignements comme si elles étaient sans importance ou même idiotes. Quels secrets le Canada pourrait-il bien avoir à protéger? Tel est le refrain. Avec son haussement d'épaules coutumier, Jean Chrétien a un jour déclaré à un attroupement de reporters qu'il ne pouvait pas comprendre pourquoi on faisait tant de cas de l'habitude déconcertante du SCRS d'égarer des informations hautement confidentielles, puisque de toute façon la plupart des secrets du Canada finissaient toujours par être divulgués. Cela provoqua des gloussements partout à la ronde. La jovialité de Chrétien envoie un signal silencieux mais clair au public, au Solliciteur général, au SCRS, à l'Inspecteur général et aux journalistes: les espions, le SCRS, les secrets, tout cela n'est que matière à rigoler un peu.

Le 11 septembre 2001, Chrétien et le pays ont connu un réveil brutal. Mais après avoir publiquement assuré les Canadiens qu'Ottawa se joindrait à la guerre contre le terrorisme, inonderait le SCRS et la police de ressources et de pouvoirs accrus, et désignerait l'ancien ministre de Affaires extérieures comme le nouveau tsar en matière de sécurité, le Premier ministre semble être retombé dans sa confortable somnolence.

Le manque d'intérêt de Chrétien pour le rôle durable du Canada dans la guerre du renseignement est, je crois, bien accueilli par les hommes et les femmes qui dirigent le SCRS. Cela leur envoie le signal qu'ils ont carte blanche. Confortablement installée dans son édifice de six étages, l'aile exécutive du SCRS se comporte comme si on ne pouvait la récuser, à l'abri de tout compte à rendre, de toute discipline et de toute réforme. Cette suffisance a donné naissance à une atmosphère d'impunité au SCRS.

Cette atmosphère d'impunité est fondée sur ce qu'on appelle au sein du service d'espionnage «la loi des usages et coutumes»: si vous avez une façon d'accomplir les choses, alors les moyens – légaux ou non – sont justifiés.

En tant qu'agent dévoué de la guerre clandestine contre le terrorisme et les espions, John Farrell était un partisan de «la loi des usages et coutumes». Il est aussi le premier agent du SCRS à discuter ouvertement et en détail de son travail hautement confidentiel pour le Service. Qu'on le condamne ou qu'on l'applaudisse pour avoir brisé le silence, Farrell offre son histoire pour que les Canadiens puissent mieux comprendre ce qui, au nom de la sécurité nationale, se passe vraiment au cœur du service d'espionnage du Canada.

Il comprend le risque qu'il prend en sortant du rang et en dévoilant les tromperies, les folies et les illégalités dont il a été témoin et auxquelles il a participé au SCRS. Les gardiens des secrets du Canada doivent maintenant répondre de bien des choses.

1
JEKYLL ET HYDE

Il existe des prisons plus invitantes que le grand ensemble que John Farrell appelait jadis son chez-lui. La vie à Parma Court, juste en retrait de l'achalandée Avenue Victoria Park, dans l'est de Toronto, peut parfois être aussi dure que la vie dans n'importe quelle prison. Dans ce coin populeux et jonché d'ordures de la tentaculaire ville, la peur et l'intimidation font souvent la loi.

Érigé durant les années soixante afin de fournir un abri aux familles pauvres, le complexe urbain appartenant au gouvernement laisse paraître son âge. Des fenêtres brisées sont recouvertes de morceaux de contreplaqué, de vieux journaux ou de drapeaux canadiens. La lessive pend au-dessus des balcons, tournée vers de grandes étendues de gazon qui se transforment lentement en poussière. Un petit clan de durs du voisinage écumant une petite cour arrière toise du regard un intrus avec suspicion. Le paysage à l'intérieur des murs couverts de graffitis n'est pas plus invitante. L'odeur de la marijuana flotte à la ronde. Le beuglement des télévisions et de la musique énervante remplit les corridors. Parfois, des voix colériques et des aboiements de chien percent le vacarme électronique.

Farrell était un jeune garçon durant les années soixante-dix. Il jetait un regard par la fenêtre du 45 Wakunda Place et regardait des hommes affublés de masques de ski, afin de dissimuler leur identité, s'activer à vendre de la drogue dans la rue. La pharmacie illégale de Parma Court était ouverte vingt-quatre heures par jour, afin de pourvoir aux besoins des drogués de Toronto. Il a vu des querelles éclater quand des transactions de drogue tournaient au vinaigre. De courtes batailles à coups de couteau se déroulaient sous son perchoir privé et parfois des coups de feu résonnaient à travers le complexe, suivis du hurlement strident des sirènes de police. «La plupart des nuits, c'était comme un western dans Parma Court. J'ai grandi dans un environnent de drogue et de crime, raconte-t-il. Dès l'âge de sept ans, je savais ce qui se passait. Je suis né dans ce monde.»

Quand il ressent une nostalgie, Farrell retourne encore à son ancien domicile de Parma Court. Lors d'une récente visite, il a revu les pavés qu'il avait placés dans le petit jardin en face de la demeure de ses parents, souvenirs d'un passé pas très lointain. Il a ramassé un de ces pavés et l'a dépoussiéré doucement de ses mains. Plus d'une fois, il a frappé à la porte de son ancienne demeure, maintenant occupée par des étrangers. Mais quand on répond, il n'entre jamais.

C'est dans ce petit monde ennuyeux et misérable que la grosse famille de Farrell a affronté les vicissitudes de la vie. C'est également là que Farrell a affûté les nombreux talents qui devaient plus tard bien le servir dans son travail clandestin pour Postes Canada et le SCRS.

* * *

John Joseph Farrell est un enfant du jour du Souvenir, né le 11 novembre 1967 dans le triste hôpital East General de Toronto. L'arrivée de Joseph – le treizième enfant de la famille de Mary et Joseph – fut célébrée avec la même excitation et le même émerveillement que celle de tous ses frères et sœurs. John arrivait après neuf filles, trois garçons et plusieurs fausses couches. Pour ses parents, des catholiques de souche irlandaise, les enfants étaient des bénédictions sans partage dans leur dure vie et cela leur donnait de l'espoir.

Les parents de Joseph ont quitté Terre-Neuve en 1946, à la recherche d'une vie nouvelle et plus prometteuse au Canada.

Mary, une belle femme avec un sourire lumineux et des yeux verts, s'est rendue à Montréal dans le vain espoir de devenir infirmière. Joseph, qui avait servi dans la marine britannique durant la guerre, a rejoint sa femme à Montréal après s'être infiltré illégalement au Canada en bateau. Homme fort au visage rude et ciselé, Joseph avait un faible pour la bouteille, en partie à cause des séquelles de la guerre sur son mental et son corps. Son dos blessé devint, avec le temps, une mosaïque de longues et hideuses cicatrices, disgracieux résidu de plusieurs opérations. La douleur constante le clouait souvent au lit.

Dans les années soixante, les Farrell ont déménagé à Toronto, dans leur ingrate quête de travail. La famille était réduite à s'entasser dans une maison semi-détachée de quatre chambres à Parma Court, où le loyer subventionné par le gouvernement était de cent quatre-vingts dollars par mois. Quinze personnes partageaient une seule salle de bains et des lits improvisés emplissaient la petite demeure, ce qui laissait peu de place pour l'intimité. Le budget était toujours serré. Joseph encaissait une pension d'invalidité de neuf cents dollars par mois du ministère des Anciens Combattants, ce qui représentait souvent tout ce sur quoi la famille devait compter.

Le stress constant lié à un compte en banque vide suivait les Farrell comme une ombre allongée dans le soleil du soir. John connut les humiliations débilitantes pour l'âme qui accompagnent souvent les privations et le besoin. Les membres de sa famille portaient des vêtements effilochés achetés bon marché dans une friperie. Il y avait le pèlerinage hebdomadaire à l'église Notre-Dame-de-Fatima pour une boîte de nourriture et, occasionnellement, un jouet. Il s'y ajoutait les regards désapprobateurs et les railleries des voisins. Même à Parma Court, une famille de treize enfants détonnait.

La pauvreté a engendré une colère larvée qui explosait dans d'effroyables combats à l'école publique O'Connor, où les enfants Farrell étaient inscrits. John se battait tous les jours dans la salle de cours et durant la récréation. Il faisait face à n'importe qui, quel que fussent leur poids, leur taille ou leur niveau scolaire. Il se faisait souvent tabasser sérieusement, mais il connaissait les conséquences à long terme si l'on présentait l'autre joue: «Il fallait se tenir debout, car si on ne le faisait pas, on nous marchait dessus et on était rejeté comme faible.»

À la maison, les accès aigus de frustration, les cris et les récriminations étaient courants, en plus des bagarres entre les enfants pour la nourriture et le lait en poudre. John se cachait souvent dans la chambre qu'il partageait avec son frère aîné, couvrant ses oreilles contre les railleries dont ses sœurs abreuvaient leur père «paresseux» qui passait la plus grande partie de son temps au lit à cuver des médicaments contre la douleur.

On avait plusieurs fois arrêté Joseph Farrell en train de voler de la viande pour nourrir sa famille. Quelques-uns des frères et sœurs de John commencèrent une lente et néfaste descente en périphérie du crime et des drogues. Un de ses frères volait des voitures pour subvenir à une coûteuse accoutumance à la drogue, en plus d'allumer des incendies et de vandaliser des propriétés. Alors que John avait neuf ans, ce même frère cambriola un magasin Canadian Tire et fut emprisonné.

À un moment donné, sa sœur aînée, Carmelita, succomba aux blessures émotionnelles et psychiatriques qui ont marqué sa brève existence. C'est John qui découvrit son corps dans la baignoire remplie de sang, entourée des chats qu'elle aimait. Josephine, la suivante en âge, s'enleva elle aussi la vie, victime d'un cocktail létal de drogues et d'alcool. John trouva un jour un de ses frères recroquevillé et tout nu dans la noirceur d'un coin du sous-sol: il redescendait de l'euphorie de la drogue.

Même en bas âge, John craignait de tomber lui aussi victime des maladies psychiatriques débilitantes et des dépendances qui avaient conduit à la mort plusieurs de ses frères et sœurs. L'école publique ne lui offrait aucun refuge. Malgré son intelligence vive, il fut relégué dans une classe spéciale d'éducation avec plusieurs de ses amis en difficulté. Encore un enfant pauvre et stupide de Parma Court, pensait-on en silence. John utilisait toutes les ruses pour éviter de se présenter à l'école, d'où il s'absentait jusqu'à quarante jours par mois. La police et les représentants de l'école se sont souvent rendus à son domicile et on le suspendit souvent pour cause d'absentéisme et parce qu'il se comportait comme un voyou. Alors qu'il approchait de la puberté, ses combats devenaient plus intenses et son humeur plus déprimée.

Sa mère l'a expédié à une école catholique plus éloignée de la maison et surtout de son groupe d'amis, dans l'espoir que Notre-Dame-de-Fatima, avec son quota quotidien d'instruction religieuse, mènerait son fils vers des eaux plus tranquilles. Elle fut désappointée. Ses bulletins accusaient régulièrement une longue et lamentable liste de D et de F.

Il arriva à l'école Heron Valley Junior Public School et son absentéisme s'aggrava. La santé de son père se détériora alors et John était en chute libre. Il rata sa huitième année lamentablement et commença à tremper dans la petite délinquance, volant dans des épiceries et dérobant des pizzas avec une bande d'amis. Farrell fut arrêté après avoir volé un gant de base-ball dans un magasin à rayons. On l'accusa de vol à l'étalage. On lui imposa une sentence suspendue et une remise de peine temporaire. Un professeur déclara à Mary que son fils serait bientôt en prison ou s'accrocherait à l'arrière d'un camion à ordures pour le reste de ses jours. John n'opposa aucune protestation et accepta son sort, comme s'il avait été décidé par des forces hors de son contrôle.

En dernier recours, Mary obtint que son fils cadet reprenne sa huitième année à l'école Notre-Dame-de-Fatima. Là, ses espoirs et sa persévérance furent récompensés. Farrell commença à s'extirper du bourbier qui avait marqué sa jeunesse. Mais ce ne fut ni un prêtre, ni une bonne sœur, ni Dieu, ni une éducation décente qui le tira de l'abîme ; ce fut le basket-ball.

Agile, doté d'un jeu de pieds rapide, avec une prodigieuse habileté à marquer des points, John découvrit finalement quelque chose où il excellait. Il se mit à fréquenter l'école régulièrement. Dans les corridors, on le vantait comme l'étoile montante de l'équipe de basket. Ses instructeurs et ses coéquipiers comptaient sur lui pour les mener au succès et il se montra à la hauteur du défi. Son humeur s'allégea et ses notes s'améliorèrent. Sa mère y voyait un miracle et le cadeau d'un Dieu patient et aimant. John, lui, n'en mettait pas tant. Derrière l'image d'une étoile de basket aux larges épaules et au sourire brillant, une autre vérité se profilait. L'adolescent n'avait confiance en personne et il était convaincu que sa bonne fortune ne durerait pas.

John réussit à terminer son cours élémentaire en 1983, malgré des performances scolaires peu impressionnantes. Sous l'insistance de sa mère, il s'inscrivit à Neil McNeil, une école secondaire catholique pour garçons où son frère Greg étudiait. L'école fut fondée en 1958 par les Frères Spiritans. Pour la mère de John, l'enseignement chrétien y apparaissait comme la rédemption, et la devise de l'école, *Fidelitas in Arduis* (la force dans les temps durs), semblait parfaitement décrire la jeunesse de son fils. L'uniforme était obligatoire et on insistait sur la discipline et le décorum.

La perspective de mettre chaque jour un blazer bourgogne, une cravate rayée et des pantalons gris n'était pas très attrayante pour John, et l'adhésion stricte de l'école à l'instruction et aux règles religieuses étaient une abomination pour un jeune homme dans une passe rebelle. Une attirance fit pencher la balance. Une école catholique pour filles se trouvait à un jet de pierre de Neil McNeil. Les filles devinrent bientôt les compagnes constantes de Farrell, attirées par sa belle allure, par son esprit et par le goût de l'aventure.

Vêtu de la cravate et du blazer usagés de Greg, et d'un pantalon neuf, John marcha bientôt dans les corridors de Neil McNeil, à l'atmosphère d'église avec des murs constellés de portraits de prêtres et d'évêques à l'allure sévère. D'autres portraits montraient le côté moins formel et plus exubérant d'une école qui avait peine à contenir l'énergie cinétique d'un milliers de jeunes hommes. John Candy, le comédien à l'allure de chérubin et au sourire éternel, l'étoile de Hollywood, visitait régulièrement son alma mater pour en chanter les louanges et les vertus. Il semblait être la parfaite incarnation d'un garçon de McNeil : poli, correct et courtois, mais pourtant espiègle et rebelle.

John se mit à aimer l'école. Il joignit les rangs de l'équipe bantam de basket-ball et en devint le leader. Ses notes étaient médiocres, mais il s'appliquait et travaillait fort pour gagner le respect de ses professeurs exigeants. Traditionnellement, les professeurs de Neil McNeil ont essayé d'inculquer une conscience sociale élargie à des garçons habituellement intéressés par les sports, les filles, les boutons et les voitures. La charité, la responsabilité et le redressement des injustices sont les ingrédients majeurs du programme de l'école.

Ainsi, chaque vendredi matin, en neuvième année, John mettait son uniforme et sa cravate, plantait sur ses épaules une pancarte et se dirigeait vers Kingston Road, tout près, pour protester contre le travail à Litton Industries, une firme électronique de la banlieue de Toronto impliquée dans la construction du système de missiles de croisière américain. Il se joignait à vingt ou trente camarades d'école sous la pluie, sous le soleil ou sous la neige, pour protester silencieusement contre l'implication de cette firme dans l'industrie de l'armement. Au début, il se sentait tout drôle d'arpenter le trottoir avec sa pancarte – «Laisser tomber les armes de vos mains» – devant les automobilistes et les piétons qui passaient. À vrai dire, il ne connaissait pas grand-chose aux concepts de destruction mutuelle assurée, de prolifération des armes et de désarmement. Mais il sentait que son action était juste et importante. Il était également entêté et persévérant là où les autres perdaient intérêt.

Son premier et grand amour à l'école fut le basket-ball. Ses albums de promotion sont truffés d'éclatantes descriptions de ses prouesses sur le terrain – trophées du joueur le plus utile, du champion compteur, de championnat d'équipe – et ils contiennent des photos de lui entre ciel et terre tandis que le ballon poursuit sa trajectoire entre le bout de ses doigts et le panier.

Le basket-ball est le sport des pauvres. Tout ce qu'il faut, c'est un ballon, un cerceau et une réserve inépuisable d'énergie. À Parma Court, il jouait jusque tard dans la nuit sur un court en béton surnommé «le Carré noir», près du centre communautaire, où on forgeait des arceaux à partir de maillons de chaîne. Aux yeux des autres, John semblait jouer seul, mais dans son imagination il était presque toujours en compagnie de son dieu du basket, Larry Bird, l'imposante étoile des Celtics de Boston.

De l'époque de ses jours d'école surgit un souvenir particulier. Un beau matin d'octobre, alors que le soleil évanescent présageait l'inévitable arrivée de l'hiver, Mary Farrell dit à son fils qu'elle voulait aller magasiner. Sa récompense, s'il acceptait de l'accompagner, serait une demi-journée de congé de l'école. John accepta sur-le-champ. Ils sautèrent dans le métro et se dirigèrent vers Yonge Street, cette rue animée de Toronto. Là, Mary emmena son fils dans un magasin de sport et lui acheta une coûteuse paire de baskets et un nouveau ballon. Ce jour-là, il n'était pas question de choses usagées pour John Farrell. «C'était incroyable, dit-il. Les souliers lui coûtèrent 130 $. Ils étaient fabriqués en France. Ils s'appelaient Top Ten. Maman paya en liquide. J'ai presque pleuré dans le magasin.»

* * *

Alors que l'école était finalement devenue un refuge pour John, les déboires financiers de la famille intervinrent à nouveau. Joseph commettait des larcins pour arriver à joindre les deux bouts. Mary travaillait comme blanchisseuse et acceptait de la lessive des voisins pour amasser assez d'argent pour maintenir le ménage à flot. L'école elle-même faisait face à un resserrement budgétaire et annonça qu'elle se mettrait à exiger des frais de mille deux cents dollars par année. Il devenait improbable que la famille Farrell puisse avoir les moyens d'envoyer ses deux garçons à Neil McNeil. Amer et plein de ressentiment, John explosa sur le terrain de basket durant une partie contre des rivaux de W. A. Porter Collegiate. Alors qu'il s'avançait vers le panier pour un point facile, il fut poussé par-derrière et percuta un mur. On n'appela pas de punition. Furieux, Farrell affronta l'arbitre. « Il m'a dit de la fermer et m'a traité de bébé, raconte Farrell. Je me suis avancé et je l'ai frappé sur la tête. Il est tombé et il a commencé à me tirer par les cheveux. Son nez était à ma portée et je l'ai mordu. J'ai craché ce que j'avais mordu. Le sang giclait partout sur le terrain. C'était une catastrophe. »

Une mêlée impliquant les deux équipes et plusieurs spectateurs fit rage jusqu'à ce que la police arrive. Aucune accusation ne fut portée, mais John fut suspendu de l'équipe de basket pour un an. Le fruit de son travail s'était évaporé en un instant.

Les deux aspects du tempérament de John avaient été mis à nu sur le terrain : l'athlète dévoué et industrieux qui commençait à exceller à l'école et à trouver sa place parmi les camarades et les professeurs se heurtait au jeune homme bouillant et impatient de Parma Court qui se servait de ses poings pour régler les différends. Il semblait qu'il fût destiné à avoir un pied fermement rivé au ciel et l'autre en enfer.

L'inquiétude de ne pouvoir payer les frais de scolarité le rongeait. Il fut impliqué dans d'autres batailles violentes et ses notes en souffrirent. Son frère Art, devenu employé d'entretien à la Ville, offrit de contribuer, mais ce n'était pas suffisant. L'école vint alors à sa rescousse, offrant à Farrell une bourse pour couvrir ses frais.

Ce fut un point tournant pour John, qui détestait dépendre des autres. Il avait travaillé fort à l'école et sur le terrain de basket, mais il devait pourtant s'en remettre encore à la charité des autres. Il décida alors que, s'il ne pouvait gagner de l'argent, il n'accepterait pas les contributions.

* * *

Mac Bromley, le directeur du centre communautaire O'Connor, était attiré par John Farrell. Le garçon était charismatique, pensait Bromley, et il possédait un style qui captivait les enfants. Durant l'été 1985, il offrit à Farrell un travail : superviser le gymnase durant les week-ends alors que les enfants jouaient au basket. Il était payé six dollars quatre-vingts cents de l'heure.

Mais la confiance de Bromley en Farrell fut trahie. Avec ses amis de Parma Court, Farrell s'introduisit par effraction dans le centre communautaire O'Connor en brisant la vitre d'une porte. La bande vola tout ce sur quoi elle put mettre la main : argent, beurre d'arachide, lait, œufs. L'un des garçons aspergea le gymnase du contenu de boîtes de Corn Flakes et de Rice Krispies. On éventra des sacs de lait et brisa de la vaisselle. La nourriture était destinée aux enfants d'une garderie subventionnée par le gouvernement et située à côté du gymnase, mais Farrell et sa bande n'éprouvaient aucun regret. À la fin du carnage de deux heures, le centre était en ruine.

À seize ans, Farrell était le chef naturel de la bande. Les huit membres venaient de Parma Court. Ils n'étaient pas seulement des petits durs du voisinage, mais des truands qui planifiaient leurs coups et ils exécutèrent une série d'introductions par effraction, d'agressions et de vols. Ils faisaient aussi le commerce des drogues douces. Farrell était un excellent voleur : patient, adroit et imaginatif, il ne montrait que rarement de la nervosité. Un jour, utilisant des masques d'Halloween comme déguisement, la bande vola un livreur de pizza dans le lobby d'un immeuble. Comme il résistait, Farrell s'empara d'un cordon téléphonique en métal et l'enroula serré autour du cou de l'homme. Ce dernier leur donna la pizza, suppliant Farrell de ne pas le tuer.

Brandissant des pieds-de-biche, le gang se fraya une entrée dans un dépanneur et déroba des billets de loterie et des cigarettes. Ils défoncèrent le panneau du toit d'un restaurant et s'y glissèrent, pour en sortir caisse de bière sur caisse de bière. Ils attiraient dans une entrée d'immeuble déserte les yuppies et les étudiants qui s'aventuraient à Parma Court en quête de drogue, et ils leur volaient leur argent et leurs bijoux.

À l'école, Farrell était toujours une étoile, mais dans la rue c'était un escroc. Ses professeurs ne savaient pas grand-chose de sa double vie et son confesseur, Mgr Colin Campbell, de l'église de Notre-Dame-de-Fatima, était également ignorant de la nature du genre Jekyll et Hyde de Farrell. Tous les dimanches, Farrell assistait à la messe, souvent seul, et il allumait deux cierges: l'un pour son père et l'autre pour la paix de sa famille. Bien qu'il se confessât régulièrement au père Campbell, il demeurait discret quant à la liste accablante et croissante de ses péchés. Sur l'insistance d'un travailleur social, John et sa famille recherchèrent aussi l'aide psychosociale séculière, mais les séances au General Hospital dégénéraient en bagarres incontrôlables, où on s'invectivait et se frappait. Pourtant, John continuait d'allumer ses cierges à l'église, gardant toujours dans ses prières le souhait d'une inaccessible harmonie familiale.

Il aurait dû allumer un cierge pour lui-même. La police était impatiente de mettre la main au collet de quiconque était responsable de l'intrusion dans le centre communautaire et elle soupçonnait Farrell d'en être l'âme dirigeante. À une heure du matin, le 24 septembre 1985, deux agents de police se présentèrent chez Farrell. Le martèlement de la porte et les cris réveillèrent sa mère. Surprise, elle enfila sa robe de chambre et ses pantoufles. Farrell bondit hors du lit comme un lapin effrayé. Lui et sa mère fatiguée affrontèrent la police. «J'ai frappé l'un des policiers au visage et le combat s'est engagé. Je n'irais nulle part avec eux, dit-il.» La police dut faire appel à des renforts pour le maîtriser.

On ramassa trois autres membres du gang à Parma Court et on les traîna tous à la division 54, où ils passèrent quelques heures en prison. C'était la première expérience de Farrell en prison. Il prétend n'avoir pas été effrayé: l'emprisonnement était un site de passage, comme un baptême ou la perte de la virginité. Lui et son gang furent accusés d'un tas d'infractions, y compris le vol avec effraction. Personne n'a trahi qui que ce soit. Farrell passa une nuit inconfortable à la prison de Regent Park, où on prit ses empreintes digitales et sa photographie. Le lendemain matin, il fut relâché après avoir reconnu les faits et il retourna à la maison nu-pieds. Son seul regret était d'avoir peiné sa mère. Il savait qu'il devrait lui demander pardon et tout raconter au père Campbell au confessionnal. Ce devait être une longue confession.

* * *

On accusa Farrell devant un tribunal pour adultes et il fit face à une sérieuse peine d'emprisonnement. Son frère Art réussit à ce que l'assistance judiciaire paie Peter Scully, un des meilleurs criminalistes de Toronto, pour le défendre. Bien habillé et avec Scully à ses côtés pour le représenter, Farrell comparut devant le juge Ted Wren. À la demande de Scully, il raconta au juge Wren qu'il avait du remords et accepta de payer pour la restitution. Le père Campbell vint témoigner en faveur de John, tout comme le père Joe Kelly, l'aumônier de l'école secondaire, qui implora le juge de se monter clément. Une condamnation criminelle, dit-il, empêcherait le talentueux athlète et le fidèle assistant à la messe de se mériter une bourse très prisée lui permettant d'aller à l'école aux États-Unis. Même Mac Blombey, le superviseur du centre communautaire, eut un mot gentil pour Farrell, témoignant qu'il était un travailleur diligent.

L'offensive de charme fonctionna. Le juge Wren laissa tomber quelques-unes des plus sérieuses accusations et permit à Farrell de plaider de façon à s'en tirer face à certaines autres. Dans un rapport avant sentence présenté à la cour, le nouvel agent de probation de Farrell, Barbara Mancini, fournit de brillants témoignages de la famille, des amis et des professeurs. Elle insista sur le fait que Farrell était un jeune homme talentueux qui ne faisait pas usage de drogue et qui souhaitait continuer à travailler avec les enfants dans le futur. Le 31 octobre 1985, Farrell se vit accorder une libération conditionnelle et imposer une période de dix-huit mois de probation. On lui ordonna de rencontrer Mancini deux fois par mois et d'exécuter cent quatre-vingts heures de travail communautaire. Bien qu'il se soit vu affligé d'un casier judiciaire, il put éviter le sort de ses complices, qui furent tous condamnés à des peines d'emprisonnement.

Mancini était convaincue que Farrell était de retour sur le droit chemin. «Il semble que le système de justice criminelle, écrivait-elle dans son rapport présentence, ait eu un effet positif sur le sujet et qu'il puisse servir de moyen de dissuasion contre tout autre acte criminel.» L'agent de probation ne pouvait savoir que Farrell allait bientôt enfreindre de nouveau la loi, ni que lorsqu'il le ferait ce serait au nom du gouvernement du Canada.

* * *

Sa vague de crimes de l'été et son arrestation firent réfléchir Farrell sur la direction troublante que prenait sa vie. Quand il retourna à Neil MacNeil pour entamer sa douzième année, il se lança plus que jamais dans sa première passion réelle, le basket-ball. Il passait des heures à s'exercer et à tenter d'améliorer son jeu, dans l'espoir qu'un collège américain lui offrirait une bourse lucrative. Il pensait que le basket-ball était son billet de sortie de Parma Court.

Farrell persuada le malheureux Mac Bromley d'installer un gros réflecteur sur le court de Black Square, afin de pouvoir jouer au basket après la tombée du jour. Mais ses voisins commencèrent à se plaindre qu'ils entendaient le bruyant battement du ballon de Farrell jusqu'à tôt le matin. On installa une minuterie pour éteindre le réflecteur automatiquement à onze heures chaque soir, signalant ainsi la fin de la journée de basket de Farrell.

Farrell était aussi animé d'une détermination renouvelée pour obtenir de bonnes notes en classe. Ses professeurs connaissaient son intelligence innée mais aussi son impatience pendant les cours. Son esprit vagabondait sans but ou sautait d'une idée à l'autre. Tout comme il l'avait fait sur le court de basket, il dut apprendre à ralentir le rythme et à se concentrer. Ses bulletins reflétèrent l'amélioration. En onzième année, sa moyenne était de soixante et un. Ses professeurs firent la remarque que Farrell faisait «de gros efforts, mais peu de progrès». Une année plus tard, sa moyenne dépassait quatre-vingts et ses professeurs le louangeaient en tant «qu'étudiant consciencieux» animé d'un «désir évident d'apprendre» et à qui c'était «un plaisir d'enseigner». Son dossier scolaire indique qu'il n'a manqué que trois jours en douzième année. Cela préparait ce qui était auparavant impensable: Farrell était pressenti pour la liste d'honneur du principal.

Bien que Farrell eût retrouvé son aplomb à l'école, sa vie familiale demeurait épouvantable. Sa mère était fatiguée des cris et des engueulades nocturnes violentes avec Joseph et elle voulait se mettre à l'abri de tout cela, avec les trois enfants qui allaient encore à l'école : John, Greg et une fille, Mary Lou. Sa solution était simple : déménager. Il y avait là un gros risque pour une mère seule qui gagnait peu en faisant des ménages et en lavant les vêtements d'inconnus. Farrell s'inquiétait de devoir s'éloigner des amis avec lesquels il avait grandi et sur lesquels il pouvait compter, mais il décida de suivre sa mère dans un appartement de Pharmacy Avenue comportant deux chambres à coucher. Son frère Art fut si fâché de la séparation qu'il saccagea la demeure de Parma Court.

John devait désormais aider à payer l'épicerie et le loyer. Il parcourut les petites annonces, en quête d'un emploi à temps partiel, et entoura une annonce de la compagnie La Baie. Le magasin à rayons cherchait un agent de prévention des pertes, c'est-à-dire quelqu'un qui pourrait attraper les voleurs. L'ancien leader de gang avec un casier judiciaire demanda une interview et on l'embaucha sur-le-champ.

Qui de mieux qu'un voleur pour capturer un voleur ? L'emploi allait à Farrell comme un gant. Lui et son gang avaient écumé plusieurs magasins de Toronto, en quête de bonnes occasions de voler des vêtements, de la nourriture, des disques compacts et même des appareils électroménagers. Ils avaient mis au point leur technique en l'exerçant sous le regard attentif de gardes soupçonneux. Ils travaillaient seuls, en paires ou en groupe. Ils furent rarement pris.

Farrell pouvait reconnaître l'apparence d'un voleur. Il pouvait repérer l'amateur nerveux tout autant que le professionnel aguerri. Il connaissait leurs maniérismes particuliers, leurs tics, leur démarche, leurs regards révélateurs, même le genre de vêtements qu'ils portaient pour dissimuler leur butin. Lors du bref cours d'entraînement, il fut brillant. Sa compétence, il ne l'avait pas acquise dans un manuel d'instructions mais en volant les magasins mêmes dont on lui confiait maintenant la protection. Farrell avait changé de camp, mais cela ne le gênait pas. « J'avais l'avantage, car je savais comment jouer ce jeu, dit-il. J'étais désormais le gardien. Je pensais : "Si vous ne pouvez les battre, joignez-vous à eux. »

Sa première affectation fut le très achalandé magasin La Baie situé à l'angle de Yonge et de Steeles, dans le nord de Toronto.

Ce magasin était un aimant pour les voleurs. On installa des kiosques de surveillance et des miroirs semi-transparents en des endroits stratégiques pour permettre à Farrell de surveiller les voleurs potentiels. Il demeurait assis pendant des heures, attendant patiemment pour coincer sa proie Il aimait le rôle de chasseur, tout comme il aimait jadis être chassé. Ses anciens amis rirent quand ils découvrirent son nouveau travail, mais ils furent assez avisés pour ne pas le mettre à l'épreuve. Farrel était devenu un soldat loyal dans la guerre sans fin contre le crime. Il avait dix-huit ans et gagnait treize dollars de l'heure.

On le transféra au magasin bien plus achalandé d'Eglington Square, près de Parma Court. Le premier jour, le gérant lui demanda de parcourir un épais album qui contenait des photos polaroïd et des images granuleuses, recueillies par les caméras de surveillance, de gens arrêtés ou soupçonnés de voler des marchandises du magasin. Plusieurs de ses amis et des membres de sa famille figuraient dans les pages de cet album. Les photos de son père, de deux de ses frères, d'une de ses sœurs et d'un beau-frère s'y trouvaient, en plus de celles de tous les membres du gang de Parma Court. Farrell promit d'être sur ses gardes contre n'importe lequel de ces individus s'ils entraient à nouveau dans le magasin. Le gérant était satisfait. Bientôt Farrell escortait un défilé interrompu de voleurs dans son petit bureau. Les jeunes comme les vieux demandaient le pardon et la compréhension. Il était un gardien de sécurité souple, qui accordait une seconde chance aux détenus, tout comme le juge Wren la lui avait accordée.

Il était parfois d'humeur moins charitable. Un jour, il avait repéré quatre jeunes hommes, dont un portait un bandage sur une oreille, qui se baladaient dans le magasin. Comme il s'y attendait, celui portant le bandage glissa une paire de jeans sous sa veste avec la dextérité d'un magicien et sortit tranquillement du magasin, suivi de ses amis. Farrell bondit hors de son kiosque secret et le coinça. Alors qu'il l'escortait vers son bureau, l'homme tenta de détaler. Farrell lui sauta dessus et lui tira la veste par-dessus la tête. La lutte se poursuivit à travers le magasin, sous les yeux des clients effrayés. Le suspect sortit alors un couteau. Farrell lui saisit le bras et se tourna intentionnellement vers une grande vitre. Quelques clients croyaient qu'on tournait un film d'action et se mirent à applaudir quand les deux combattants fracassèrent la mince vitre. Farrell s'en tira avec des coupures, car des tessons étaient tombés sur lui. Plus tard, la police porta des accusations contre l'homme.

Farrell estimait que si les yeux de quelqu'un semblaient décocher des flèches, c'est qu'un coup se tramait. Un soir, il remarqua deux hommes qui vagabondaient dans le magasin avec des regards furtifs et dont l'un transportait un gros sac. Il suivit la paire d'hommes dans les toilettes, convaincu qu'ils étaient des voleurs. Il ouvrit la porte des cabinets d'un coup de pied pour trouver l'un des hommes vêtu de cuir noir et de chaînes, avec un masque facial sur sa tête. L'autre était assis sur le siège des toilettes et semblait s'apprêter à goûter à un des plaisirs de la vie.

Farrell raffinait son habileté déjà grande à observer et à anticiper les actions des autres. Il était un voyeur rémunéré qui pouvait observer les caprices de la nature humaine. Cette faculté devait certainement le servir après qu'il aurait quitté le monde des petits voleurs pour entrer dans celui des espions.

* * *

Lors de sa dernière année à Neil McNeil, des éclaireurs de basket-ball des États-Unis et du Canada accomplirent un pèlerinage à l'école pour observer John en action. Lors d'une partie contre des rivaux de toujours, l'équipe de Cardinal Newman, Farrell compta soixante-deux points; l'exploit demeure encore inscrit comme un record pour une partie de basket-ball dans une école secondaire de Toronto. La télévision et les journaux locaux le mettaient régulièrement en vedette, lui qui était maladroit et inconfortable sous les feux de la rampe. Pour avoir été nommé le joueur le plus utile du tournoi Father Troy Classic de 1986, Farrell reçut une bague en or dix carats qui portait un diable de Tasmanie avec un halo au-dessus de sa tête. Il fut nommé le joueur le plus utile de l'équipe de basket-ball senior et obtint finalement une place de choix sur la liste d'honneur de l'école.

Farrell avait coupé ses liens avec Parma Court et ses anciens camarades criminels. Il ne voulait pas mettre en péril ses chances de gagner une bourse pour aller à l'université, où il voulait poursuivre des études en criminologie. «Je voulais mieux comprendre l'endroit où j'avais grandi et comment ma famille et Parma Court avaient façonné mon esprit.»

Mais les rigueurs de l'entraînement, les *parties* et les voyages lors des tournois commencèrent à devenir exigeants sur les plans physique, émotionnel et financier. Farrell s'inquiétait de ne pouvoir suivre le rythme implacable de l'école, du travail et des sports. Sa mère comptait sur lui pour payer les comptes. Il allait peut-être devoir abandonner l'amour de sa vie, le basket-ball ; en milieu d'année, c'est ce qui arriva. Il laissa ce sport, même si cette décision diminuait ses chances de décrocher une bourse de basket-ball. C'était là un sacrifice extraordinaire pour un jeune homme. Heureusement, ses prouesses attirèrent l'attention de nombreux collèges et universités américains. Il choisit plutôt d'aller à l'université Simon Fraser de Colombie-Britannique, la seule université du pays à offrir des bourses athlétiques à l'époque. Ce n'était pas un choix difficile. Son casier judiciaire le hantait encore et compliquerait tout déplacement hors des frontières canadiennes. Avec la bénédiction de sa mère, Farrell s'inscrivit à l'université.

Son avenir le menait maintenant dans une école située un demi-continent plus loin. Avant son départ, le père Campbell lui offrit un conseil. Il lui écrivit : «John, reconnais toujours les grands dons que Dieu t'a offerts et utilise-les au maximum. Dieu t'aime.» La Compagnie La Baie regrettait son départ. Le supérieur de Farrell au magasin d'Eglinton Square lui écrivit une merveilleuse lettre de recommandation : «John Joseph Farrell est un individu intelligent, prévenant et travailleur qui a offert une contribution remarquable au département des enquêtes.» Il louangea Farrell comme «un homme de caractère» possédant «de grandes qualités de leadership».

Farrell s'engouffra dans l'autobus pour un voyage de trois jours vers l'ouest. S'il voulait fuir son passé, l'université Simon Fraser était le refuge idéal. Situé au sommet de Burnaby Mountain, avec ses panoramas majestueux, et entouré de forêts luxuriantes dominant Burrad Inlet, le vaste campus était idyllique. Pourtant, l'arrivée de Farrell sur le campus fut une expérience émotionnellement difficile. Il était très loin de sa famille, de ses amis et de l'église. Il se rua sur ses études, qui comprenaient la psychologie et la criminologie. De plus, le jeune homme jouait à nouveau au basket-ball.

Les séances d'entraînement étaient longues et exténuantes. Épuisés, les joueurs vomissaient de façon régulière, car on les poussait à leurs limites physiques et psychologiques. Ce régime quasi militaire commença lentement mais sûrement à éroder l'enthousiasme de Farrell pour ce sport. La photo officielle de l'équipe mettait en vedette un Farrell radieux au dernier rang, où il avait l'air d'un nain en comparaison des joueurs de centre géants. Mais la photo était trompeuse. Dès octobre 1987, Farrell commençait à haïr le sport qu'il avait aimé.

C'est alors qu'une calamité s'abattit. John venait juste de terminer une autre séance d'entraînement épuisante quand l'instructeur lui demanda de participer à une joute amicale entre les membres de l'équipe universitaire junior. Fatigué, il perdit un instant sa concentration alors qu'il essayait d'intercepter une passe. Le ballon frappa brutalement le petit doigt de sa main gauche et le brisa. Un os dépassait là où la peau avait soudainement été déchirée. Farrell éprouvait une telle douleur qu'il perdit plusieurs fois conscience sur le long et tortueux chemin vers le service des urgences de l'hôpital local.

Ses instructeurs, dont faisait partie l'athlète olympique Jay Triano, voulaient qu'il demeure dans l'équipe. Mais Farrell décida que sa carrière de basket-ball à l'université Simon Fraser était terminée; après seulement deux mois en Colombie-Britannique, il quitta l'équipe et l'école. Il se prépara à retourner vers les bras accueillants de sa mère et dans le petit appartement de Toronto. Face à un avenir incertain, il chercha du travail pour payer les comptes. Il envoya son curriculum vitæ aux administrateurs du Centre de détention juvénile de Rotherglen, à Pickering, en Ontario. (Ce centre a plus tard déménagé à Whitby.) Malgré son casier judiciaire, on embaucha Farrell pour qu'il s'occupe des jeunes contrevenants.

Juste avant Noël, il fit ses maigres bagages, dit rapidement au revoir à ses coéquipiers et à l'université Simon Fraser, et il sauta dans un autobus vers Toronto pour commencer à travailler, ironie du sort, dans une prison.

* * *

Deux jours après son retour à Toronto, Farrell devait faire quotidiennement le voyage de deux heures en autobus ou en train vers Rotherglen. Sis sur un terrain de onze hectares où était autrefois érigée une aréna de hockey, Rotherglen était la demeure de jeunes meurtriers, violeurs et incendiaires. Le centre privé de détention juvénile était un endroit dangereux et explosif où tous les détenus faisaient du «temps mort»: ils y étaient détenus en cellule avant de recevoir leur sentence de la cour.

Farrell s'identifiait avec les jeunes hommes se trouvant de l'autre côté des barreaux. Ses affinités avec les détenus ne le protégeaient cependant pas contre leurs insultes, leurs menaces et leurs agressions. Il fut attaqué au couteau et avec un bâton de hockey, et on lui a lancé une chaise à la tête. Il prenait tout cela du bon côté, mais il était assez prudent pour ne jamais relâcher sa vigilance. Pour se faire davantage d'argent, il travaillait parfois deux quarts.

Malgré les risques, Farrell trouvait le métier stimulant et, de façon surprenante, gratifiant. Il écoutait patiemment et passa des heures à bavarder avec les détenus. Quand on le lui demandait, il donnait des conseils et, à l'occasion, il devint un confident. Il se souciait du bien-être des détenus. Les administrateurs du centre sabraient dans les dépenses en abolissant des cours obligatoires de redressement et en servant de petites portions d'une nourriture qui n'était pas fraîche. Ces mesures de pingre contrariaient Farrell et il tenta d'y remédier, se heurtant souvent à la direction.

En décembre 1988, un détenu de Smith Falls, en Ontario, un petit village près d'Ottawa, devait arriver au centre. On l'avait accusé d'avoir agressé sexuellement et assassiné un petit garçon de huit ans qui avait été découvert nu sous un pont. C'était un crime horrible et la nouvelle de l'arrivée prochaine de ce criminel au centre s'était rapidement répandue. Farrell et un autre agent correctionnel accueillirent le détenu et menèrent une fouille à nu en plus de remplir la paperasse. Farrell désirait placer le nouveau détenu dans une cellule spéciale où on pourrait le surveiller de près, tant pour sa propre protection que pour celle des autres détenus. Les administrateurs lui firent savoir qu'ils ne disposaient pas d'une telle cellule, même si Farrell savait qu'il y en avait une. Il lança ses clés à son supérieur et démissionna quelques jours plus tard.

Mais pour Farrell ce n'était pas tout. Qu'il ait été mû par l'écho des leçons de justice sociale qu'il avait apprises à Neil McNeil ou par sa sympathie pour les détenus, il était déterminé à divulguer ce qu'il croyait être un mauvais traitement des jeunes hommes au centre. Avec la collaboration d'un autre travailleur correctionnel de Rotherglen, il posta à plusieurs journaux de Toronto des enveloppes brunes anonymes contenant des informations accablantes. On y brossait le tableau troublant d'un centre de détention privé à haute sécurité qui était mal dirigé et où il y avait pénurie de personnel, où les médicaments étaient contrôlés de manière approximative, où la nourriture était médiocre, où les évasions étaient monnaie courante et le vandalisme endémique, et où les agressions contre le personnel atteignait des proportions alarmantes. L'argent des contribuables servait à payer la facture d'un centre hors de contrôle.

Les journaux rapportèrent les allégations, et d'autres histoires firent surface au sujet d'un employé de Rotherglen qui avait été accusé de grossière indécence et d'agression sexuelle contre une détenue. Le tourbillon des controverses déclencha une enquête criminelle et une enquête interne de la part des autorités provinciales[1].

Farrell était fier de ce qu'il avait fait. Il reconnut la puissance de la presse en tant qu'outil et apprit que les siffleurs de fin de récréation devaient être prudents. À un moment donné, les reporters sont de votre côté, pleins de sollicitude, gentils et empathiques. Puis, quand leur intérêt s'évanouit et se porte ailleurs, ils cessent de prendre vos appels et vous abandonnent aux loups. Même si sa première expérience avec les médias fut un franc succès, elle apprit à Farrell des leçons cruciales et durables : ne jamais risquer le discrédit en mentant, ne jamais croire qu'un reporter est votre ami et, sans doute la plus importante, toujours avoir des munitions pour étayer votre histoire. C'est à l'occasion de ses échanges avec les médias au sujet de Rotherglen que Farrell prit l'habitude d'enregistrer des conversations et de garder

1. Ce centre de détention juvénile fut la scène d'autres troubles en 1992, alors que dix pensionnaires se livrèrent à un saccage la veille d'une grève des gardiens.

des comptes rendus impeccables de ses relations avec ses employeurs. C'était une attitude sage, car il était destiné à utiliser à nouveau le sifflet.

2

LE PARDON, L'ARNAQUE ET POSTES CANADA

Le centre de détention York est un édifice défraîchi d'apparence morne situé rue George, en plein cœur de Toronto. Seaton House, un entrepôt pour les sans-abris de la ville, est juste à côté. De petites bandes de vagabonds, qui sortent des douches de l'abri, s'assoient sur les marches du devant ou s'accotent aux arbres, méditant sur une autre journée stérile. Plus loin dans la rue, il y a de petites maisons en rangée bien tenues, signes dissonants de confort dans ce qui autrement est un quartier morose.

Après avoir quitté Rotherglen, Farrell dénicha un emploi payant à la prison en tant qu'agent correctionnel. Il avait dû bombarder d'appels téléphoniques pendant des semaines une superviseuse avant d'obtenir une interview. Il devait accepter, avec quelque appréhension, une vérification d'antécédents. Comme il fallait s'y attendre, la police provinciale de l'Ontario (OPP) révéla aux administrateurs de la prison que Farrell avait été reconnu coupable de vol. Son casier judiciaire aurait dû l'empêcher de travailler dans une prison. Il réussit toutefois à convaincre la superviseuse qu'il avait changé et on l'embaucha en mai 1989.

La prison était dans un remue-ménage. Quelques semaines plus tôt, sept garçons s'étaient échappés après avoir maîtrisé une gardienne. À peine quelques heures plus tard, cinq des adolescents furent tués dans une violente collision sur l'autoroute 401. Avec la police provinciale aux trousses, la voiture qu'ils avaient réquisitionnée finit dans une collision frontale avec une fourgonnette. On souleva la question du laxisme dans la sécurité et du mauvais entraînement du personnel de la prison ; la solution expéditive consistait à embaucher davantage de gardiens.

Malgré les promesses solennelles d'améliorer l'entraînement des nouveaux gardes à la suite de l'évasion tragique, la préparation de Farrell à son travail fut sommaire. On lui fit accomplir quelques quarts pour qu'il se familiarise avec l'endroit, puis il fut laissé à lui-même. L'atmosphère était celle d'un lieu dangereux et intimidant. Le bagarres entre détenus et les agressions contre les gardiens étaient courantes, tout comme les armes maison. Farrell se tenait sur ses gardes. À vingt et un ans, il n'était que légèrement plus vieux que les détenus sur lesquels il veillait. En les voyant, il notait la même colère et la même frustration qui avaient marqué sa jeunesse. Il venait du même lieu que les détenus ; c'est l'intervention d'autres personnes – sa mère, le prêtre et les professeurs – qui lui avait épargné la prison. Pour la première fois de sa vie, Farrell crut qu'il était chanceux. Sa chance était sur le point de prendre un nouveau tournant.

* * *

De bonne heure, à la fin de mai 1989, Farrell accompagnait un jeune escroc à l'achalandé Palais de Justice provincial dans un centre commercial situé à l'angle d'Eglinton et de Warden, à Scarborough. Il faudrait attendre au moins une heure avant qu'on appelle ses prisonniers et qu'on leur signifie de comparaître devant un juge. Pour remédier à l'ennui, Farrell déchargea sa cargaison dans une cellule de détention et, sur un coup de tête, se glissa dans la salle d'audience 407.

Un homme obèse qui semblait être dans la cinquantaine, avec une barbiche, une bedaine, une prothèse auditive et une cravate tape-à-l'œil, témoignait sur un ton monocorde. Son nom était Frank Pilotte et il était enquêteur pour Postes Canada. Farrell fut intrigué. Après le témoignage de Pilotte, Farrell l'approcha pour l'interroger sur la cause. Pilotte tenta de s'en débarrasser, mais Farrell insista. Pilotte répondit finalement à Farrell qu'il était un inspecteur des postes et qu'il témoignait dans la cause d'un facteur accusé de vol.

Les inspecteurs des postes constituent la force policière maison de Postes Canada, qui est très peu connue. La loi les considère comme des «agents publics». Cette expression vague leur permet d'exercer d'importants pouvoirs, telles l'arrestation et la saisie. Le travail des plus de cent vingt inspecteurs tombe sous l'autorité du bien rémunéré et secret département des services de sécurité et d'enquête de la corporation de la Couronne. Le mandat est d'enquêter sur tout crime commis dans les vingt-deux installations majeures et les innombrables bureaux répartis à travers le pays, ce qui inclut près de dix milliards de pièces de courrier domestique et international manipulées chaque année par Postes Canada.

Les détectives des postes s'intéressent à tout, de la fraude postale au trafic de drogue, en passant par les faux, la pornographie, le courrier haineux, le vol par les employés postaux, la fraude de l'aide sociale, le marché noir des timbres et les lettres piégées. Ils peuvent intercepter, scanner et ouvrir le courrier sans la connaissance ou le consentement de la personne ou de l'organisme qui l'envoie ou le reçoit, si le courrier visé pèse plus de trente-deux grammes et s'ils peuvent persuader un cadre de Postes Canada qu'ils ont des motifs valables. Les inspecteurs des postes peuvent aussi déclencher de longues et coûteuses enquêtes clandestines et ils prennent régulièrement l'initiative lors d'enquêtes conjointes avec des corps policiers domestiques ou étrangers et avec d'autres agences de sécurité gouvernementales. Les inspecteurs conduisent des voitures banalisées et portent des badges impressionnants. Une des seules choses qu'on leur interdit est de porter une arme à feu.

Pilotte avait l'air fatigué et morne d'un inspecteur ayant aligné trop de kilomètres en poursuite de trop de voleurs, dans un interminable jeu du chat et de la souris. Farrell, d'un autre côté, était impatient d'en apprendre plus sur ce travail et il insista pour avoir des détails. Qui devait-il contacter pour savoir s'il pouvait se joindre aux inspecteurs? Un peu ennuyé, Pilotte dit à Farrell qu'il devrait plutôt se joindre à une force policière. Farrell travaillait déjà pendant deux quarts, les week-ends, au centre de détention de York, et aussi à temps partiel au magasin de La Baie à Eglinton Square, où il participait à des opérations clandestines destinées à enrayer la marée montante de vols commis par des employés.

Farrell remercia Pilotte, ramassa son prisonnier et l'emmena faire face au juge ; puis il rentra au centre de détention de York et s'installa au téléphone. Il appela divers bureaux de poste de la ville pour tenter d'en apprendre davantage sur le mystérieux département des services de sécurité et d'enquête de Postes Canada. Il perdit son temps. Très peu des gens à qui il parla étaient même au courant de l'existence de ce département.

Pas du tout décontenancé, Farrell appela le département des ressources humaines de Postes Canada et laissa plusieurs messages dans lesquels il s'enquérait d'un possible emploi en tant qu'inspecteur des postes. Sa persistance fut récompensée. Plus tard ce mois-là, Mike Thompson, qui était alors gérant de division des services de sécurité et d'enquête de Postes Canada pour la région de York, qui incluait Toronto, le rappela. Il demanda à Farrell de lui envoyé son curriculum vitæ et fixa un rendez-vous.

Farrell était en retard au rendez-vous, ce qui n'était pas son habitude, et il gara sa voiture sur le trottoir, en plein devant les bureaux de Postes Canada, au 20 Bay Street, dans le centre-ville de Toronto. Dans l'ascenseur qui le menait au septième étage, il répétait son excuse. Le bureau de Thompson était agrémenté de baies vitrées du plancher au plafond, offrant une vue spectaculaire sur le lac. Il y avait des lettres de recommandation encadrées et des photos de lui datant de l'époque où il faisait partie de l'unité montée des services de police de Toronto. Thompson était un gaillard bien bâti, au milieu de la quarantaine, doté d'une belle apparence et d'un goût pour les habits dispendieux et bien ajustés. Farrel croyait qu'il ressemblait davantage à un avocat corporatif qu'à un vétéran de quatorze ans de la police municipale.

Thompson sembla impressionné par son curriculum, avec son mélange éclectique d'expériences scolaires et pratiques. Les deux bavardèrent un moment sur les responsabilités et sur le mandat des inspecteurs des postes avant que Thompson ne demande à Farrell s'il avait un casier judiciaire. Le travail, disait-il, requérait une habilitation de sécurité pour le travail ultrasecret. Farrell répondit à la question honnêtement et assura Thompson qu'il s'était amendé[1]. Sur ce, l'interview de vingt minutes était terminée. Farrell était optimiste.

On rappela Farrell pour une seconde interview. Cette fois, Thompson était accompagné de Robert Letby, alors gérant de la sécurité pour les services de sécurité et d'enquête, et d'un autre cadre supérieur de Postes Canada. En se préparant à l'interview, Farrell avait passé au peigne fin le Code criminel, afin d'étudier les crimes relatifs au courrier, et il avait appris par cœur des sections importantes de la Loi des postes, qui définit les pouvoirs que les inspecteurs des postes peuvent exercer selon la loi.

Les fonctionnaires bombardèrent Farrell de questions. Comment procédait-on à une arrestation? Dans quelles circonstances procédait-on à une arrestation? Quand un inspecteur des postes avait-il le droit de détenir un suspect? Dans quelles conditions l'usage de la force était-il permis? Avait-il jamais procédé à une arrestation? Que ferait-il s'il était témoin d'un crime sur une propriété de la Couronne? Farrell n'eut aucun mal à se débrouiller avec ces questions.

Letby et Thompson interrogèrent alors Farrell sur les démêlés que lui-même et sa famille avaient eus avec la loi. Il reconnut qu'il n'avait pas été un saint et que la plupart des membres de sa famille avaient été arrêtés, accusés et reconnus coupables de crimes sérieux, allant du vol au trafic de drogue. Thompson était sympathique. Il avait lui-même grandi dans un quartier dur et il comprenait qu'on ne pouvait tenir rigueur à Farrell des péchés de sa famille. Letby semblait moins sympathique. À la fin d'une interview de quatre-vingt-dix minutes, on demanda à Farrell de passer un court examen écrit, dans lequel il se montra brillant. Mais il

1. Comme preuve de sa transformation, Farrell offrit une recommandation d'une source inusitée: le Premier ministre du Canada. Le 2 février 1988, Farrell avait reçu un certificat de mérite du gouvernement du Canada «en gracieuse reconnaissance de [sa] contribution à la communauté». Le certificat était signé par le très honorable Brian Mulroney. Même si le bureau du Premier ministre distribue des milliers de ces certificats chaque année à des Canadiens, Thompson n'en fut pas moins impressionné.

n'était pas encore sûr s'il y avait de la place dans la société d'État pour quelqu'un traînant un dossier criminel.

Quelques jours après l'interview, les espoirs de Farrell furent revigorés par une lettre de Thompson, datée du 26 juillet 1989. Thompson écrivait que les cadres de Postes Canada étaient «très impressionnés par vous et vos qualifications». Il ajoutait qu'on avait placé Farrel parmi le groupe très sélect des finalistes à qui on offrirait un emploi si une ouverture se présentait. La lettre ne faisait nulle mention du casier judiciaire de Farrell.

Deux mois plus tard, Thompson appela Farrell à son domicile le soir et lui demanda de venir le voir à nouveau. Quand ils se rencontrèrent, Thompson exultait. Il sortit un contrat d'une page, par lequel on offrait à Farrell la position d'«agent, Inspection postale, Région de York». Le salaire de base était de trente-trois mille six cents dollars par an. Pas mal, pensait Farrell, pour un jeune homme de vingt et un ans avec un diplôme d'école secondaire. Il devait se présenter au travail le 2 octobre 1989. Mais il y avait un problème possible: «La confirmation de l'embauche, disait le contrat, est conditionnelle à l'habilitation de sécurité pour le niveau ultrasecret.» Le contrat était signé par Thompson et Bob Stiff, un cadre supérieur des services de sécurité et d'enquête à Ottawa.

Avant même de se présenter au travail, Farrell écrivait déjà une page d'histoire à la société de la Couronne. Il était le premier non-policier à être pressenti pour ce travail et le plus jeune inspecteur des postes à jamais être embauché. Les autres vétérans membres de l'unité de Toronto, comprenant Doug Lamb, Jim Troy, Brian Baker, Blaise Dobbin et Louis Ouellet, étaient soit d'anciens agents de police, soit des anciens de la police militaire, soit des gens de l'intérieur de Postes Canada. Fidèle à son impudence naturelle, Farrell n'était pas le moins du monde intimidé par les feuilles de route de ses camarades.

Farrell représentait un apport très nécessaire de sang neuf et d'énergie dans l'unité. Le rythme imposé par les vétérans n'était pas particulièrement exigeant et Farrell apprit plus tard que son embauche servait de message pour faire savoir aux autres qu'il y avait des jeunes loups prêts à prendre leur place.

Le 31 octobre 1989, George Clermont, vice-président de Postes Canada, rendit officielle l'embauche de Farrell. Dans une communication d'une seule page, Clermont écrivait: «En accord avec la section 18 de la Loi de la corporation de Postes Canada, je suis heureux de nommer John J. Farrell inspecteur des postes.» On remit à Farrell la badge d'inspecteur numéro 214. Il venait de compléter la transition entre un escroc et un enquêteur fédéral. La nouvelle recrue comprenait qu'il devait son allégeance à Mike Thompson et il était déterminé à ne pas désappointer son nouveau patron, et, en temps voulu, à le récompenser de la confiance qu'il lui accordait.

* * *

En s'installant dans son petit cabinet du septième étage du 20 Bay Street, il sentait sur lui les regards méfiants et soupçonneux de ses nouveaux collègues. On l'accompagna pour la visite de circonstance des bureaux des services de sécurité et d'enquête de Toronto. Là aussi, il sentit que son entraînement fut succinct. Il fallait se taper quelques manuels à lire et de brefs cours sur l'art d'interroger les gens et de prendre des notes.

On lui donna aussi un aperçu révélateur des puissantes banques de données qu'exploraient souvent les inspecteurs des postes au fil de leurs enquêtes. Cela incluait l'ordinateur du Centre d'information de la police canadienne, contrôlé par la GRC, qui emmagasinait des informations sur des millions de Canadiens. Cet ordinateur recèle des détails sur les casiers judiciaires individuels, les conditions des libérations conditionnelles et de celles sous caution, les noms des criminels recherchés, ainsi que les enregistrements des véhicules à moteur et des permis de conduire.

Avant qu'il puisse commencer officiellement à travailler, Farrell devait obtenir son habilitation de sécurité de niveau ultra-secret. Il remplit un questionnaire, inscrivant la liste de ses proches parents (qui prenait à elle seule trois pages), son adresse et ses emplois des dix dernières années, ainsi que trois références personnelles. Gordon Bell, un vétéran du SCRS, était le premier responsable de l'enquête de sécurité sur Farrell.

Homme mince avec une allure d'homme d'État et un relent d'accent anglais, Bell avait de belles manières, parlait bien et s'habillait élégamment. Il était à la fin de la cinquantaine et arborait une chevelure épaisse de couleur sable. Il rencontra Farrell dans les bureaux de Postes Canada à Toronto au début de 1990 et demanda s'il se trouvait un coin discret où ils pourraient discuter de manière confidentielle. Farrell guida Bell vers une petite salle adjacente à son bureau. Il s'était préparé à une fusillade en règle, mais l'agent de renseignements n'était intéressé qu'à la réponse à une seule question: pourquoi Farrell avait-il menti au sujet de son casier judiciaire sur son questionnaire personnel?

Au bas de la deuxième page de la déclaration, qui en contenait cinq, se trouvait une question à laquelle il fallait répondre simplement par oui ou non: «Avez-vous déjà été reconnu coupable pour un crime pour lequel on ne vous a pas accordé le pardon?» Farrell avait coché la case «non». Il expliqua que, comme on lui avait accordé une libération et qu'il avait rempli toutes les conditions, il croyait ne pas avoir de dossier criminel. Ce faux-fuyant n'impressionna pas Bell, qui lui rappela que son casier judiciaire devait d'abord être nettoyé avant qu'il ne puisse entretenir quelque espoir d'obtenir une habilitation de sécurité de niveau ultrasecret. La seule manière d'y arriver pour Farrell était de demander un pardon. Sur ce, la rencontre était terminée.

Le 26 mars 1990, le SCRS rapporta que les vérifications d'empreintes digitales de Farrell n'étaient «pas favorables», mais qu'il avait un historique «favorable» en matière de mérite. Le SCRS mentionnait aussi que des «sources avaient formulé des commentaires favorables au sujet de la loyauté, de la fiabilité et du caractère du sujet. Une interview favorable du sujet avait aussi eu lieu». Cette «interview du sujet» avait duré cinq minutes. Le SCRS concluait qu'on devait accorder à Farrell l'habilitation de sécurité de niveau ultrasecret, avec une seule mise en garde: il devait obtenir le pardon.

Farrell se tourna vers son supérieur pour obtenir de l'aide. Thompson fit rédiger à Farrell le brouillon d'une lettre d'une page adressée à la Commission des libérations conditionnelles, par laquelle il demandait que son pardon soit facilité, et il signa la lettre. «Les activités quotidiennes de John l'amènent à être fréquemment en contact avec des informations policières et gouvernementales confidentielles, disait la lettre. Afin de poursuivre leur carrière au sein des services de sécurité et d'enquête de Postes

Canada, tous les inspecteurs des postes ont besoin de L'HABILITATION DE SÉCURITÉ DE NIVEAU ULTRASECRET. Il faut environ un an pour conclure l'opération, qui est réalisée par le Service canadien du renseignement de sécurité. John est actuellement à cette étape et a besoin d'aide pour obtenir son pardon le plus tôt possible.»

La lettre de Thompson fit bientôt office de jugement. Postes Canada n'attendit pas que la Commission des libérations conditionnelles rende sa décision pour accorder à Farrell son habilitation de sécurité. Farrell obtint le prix convoité le 12 avril 1990. Au début d'avril, Il reçut aussi une étincelante évaluation de performance de la part de Stiff et Thompson. Thompson écrivit: «John a fait d'énormes progrès... [il] a subi son entraînement avec un succès significatif et il contribue à atteindre les objectifs de la division.»

Six semaines après avoir reçu son habilitation de sécurité de niveau ultrasecret, Farrell se vit accorder son pardon. Dans une lettre de Monique Cronier, de la division de la clémence et des pardons de la Commission des libérations conditionnelles, on informait Farrell que le cabinet de Brian Mulroney lui avait accordé son pardon le 17 mai 1990. «Ainsi, pendant un mois, j'ai disposé de mon habilitation de sécurité de niveau ultrasecret alors que j'étais un condamné pour vol», dit Farrell.

Personne ne sonna l'alarme au SCRS pour mettre en garde la société de la Couronne contre l'embauche d'un jeune homme chargé d'un passé criminel. Le service des renseignements du Canada ne semblait pas particulièrement inquiet de ce qu'un homme condamné pour vol aurait accès à des informations confidentielles personnelles sur des millions de Canadiens et qu'en fait il mènerait des enquêtes de concert avec des organismes canadiens et américains responsables du maintien de l'ordre.

On relégua le casier judiciaire de Farrell à l'histoire. On cacheta sa feuille de route, qui ne fut plus jamais rouverte, courtoisie de Postes Canada et du gouvernement du Canada. Farrell ne pouvait croire à sa bonne étoile. Il s'était joint à Postes Canada sur un coup de tête, dans l'espoir de se faire un peu plus d'argent tout en gardant deux autres emplois. Il n'aurait jamais imaginé que sa rencontre fortuite avec Pilotte mènerait à l'effacement de son houleux passé par le cabinet fédéral.

L'investissement de Thompson en Farrell rapporta des dividendes. Sa première enquête majeure concernait un contremaître de Postes Canada qu'on soupçonnait de voler de l'argent et des bijoux coûteux dans le courrier recommandé. Le inspecteurs affectés à l'enquête avaient besoin de plus de preuves. On demanda l'aide de Farrell.

Farrell décida de surveiller un camion qui ramassait les ordures du contremaître près de l'intersection de Main et Danforth, du côté est de Toronto. Le superviseur avait peut-être jeté des reçus incriminants concernant le précieux courrier en même temps que des coquilles d'œufs, des pelures de banane et de vieux journaux. Armé de son sourire et montrant sa badge d'inspecteur postal, Farrell dit à un éboueur médusé qu'il projetait de dérober quelques sacs d'ordures dans la rue, affublé d'une paire de salopettes et d'un blouson de sécurité orange. Dans un garage souterrain du voisinage, Farrell vida le contenu du sac et commença à trier ce désordre détrempé et puant. Ce fut un coup d'épée dans l'eau. Deux autres tentatives similaires ne livrèrent aucun indice compromettant. L'enquête de huit mois se termina lorsque les caméras de surveillance captèrent le contremaître en train de glisser le courrier dans la poche de sa veste. Thompson appréciait néanmoins l'ingéniosité de Farrell. Dérober des ordures devait devenir une des techniques favorites, non seulement pour obtenir des informations sur des crimes, mais aussi pour recueillir des monceaux d'informations sur des chefs syndicaux.

Malgré sa jeunesse et son énergie, Farrell adopta quelques-unes des mauvaises habitudes de ses confrères plus âgés. Il espionnait souvent d'autres inspecteurs postaux en train de faire leur épicerie, jouant au golf ou chez le coiffeur en plein milieu d'une journée de travail. Plus d'une fois, il rencontra ses collègues alors qu'ils se la coulaient douce le matin ou l'après-midi, sirotant un café dans un des centres commerciaux dont la ville est parsemée. On réquisitionnait aussi les inspecteurs des postes et les véhicules de Postes Canada pour aider des amis et des parents à déménager durant les heures de travail. Farrell se rappelle qu'un jour Thompson avait ordonné à des inspecteurs des postes d'aider sa belle-mère à déménager hors de sa résidence pour personnes âgées. On avait utilisé un camion postal pour porter ses meubles et ses possessions vers sa nouvelle demeure. Farrell et ses collègues étaient déterminés à siphonner le dernier dollar des coffres de Postes Canada avec le moins d'effort mental ou physique possible.

Thompson entreprit de se tourner vers Farrell chaque fois qu'il avait un problème épineux. Au début de 1990, une femme enregistra le genre de plainte qui donnait des cauchemars au personnel des relations publiques de Postes Canada. Elle dit qu'un facteur s'était exhibé devant elle alors qu'il livrait du courrier. Thompson voulait que Farrell règle cette plainte potentiellement dommageable avant que cela n'atteigne les médias. Farrell se rendit en hâte à la modeste demeure de la femme, du côté ouest de Toronto. Elle était bouleversée et encore sous le coup de l'incident. Elle expliqua, dans un torrent de larmes, que le facteur s'était souvent arrêté à son domicile, désirant bavarder. Ce matin-là, il avait frappé à sa porte et, lorsqu'elle avait répondu, il avait ouvert son manteau d'hiver, révélant ainsi un ensemble de sous-vêtements féminins aux couleurs vives.

Farrell passa deux heures à siroter du thé, réconfortant la dame et l'assurant qu'on allait sévir contre le facteur avec diligence et sévérité. Il enregistra la conversation. Quand elle s'en remit, elle écrivit à Postes Canada pour remercier Farrell de ses «manières gentilles et attentionnées». Le facteur déviant fut par la suite congédié, évitant ainsi de pénibles accusations criminelles et une possible poursuite juridique de la part de la dame. Farrell venait de mériter une autre étoile.

* * *

Bien que son étoile montât, Farrell était encore au bas de l'échelle. Un autre inspecteur des postes plus ancien souhaitait retourner au centre-ville; au milieu d'avril 1990, on envoya donc Farrell au centre de tri postal South Central, au 969 Eastern Avenue. Thompson avait présenté cela à Farrell comme une promotion, mais Farrell n'était pas convaincu. Le gris et fonctionnel bâtiment du quartier est de Toronto est l'une des plus grosses installations de tri postal du pays. S'étendant sur plus de quinze acres, avec plus de mille employés, ce centre manipule un torrent de courrier vingt-quatre heures par jour, six jours par semaine. On mit Farrell à la tête de quinze agents de sécurité qui patrouillaient le centre. Il se rapporta directement à James Bradley, le patron des agents de protection des immeubles de Postes Canada à Toronto. Farrell était à l'emploi de Postes Canada depuis moins de six mois. «Deux jours d'entraînement et ils m'ont fait faire le tour, et j'étais perdu», dit Farrell.

Mais il réalisa rapidement que le travail n'était pas aussi exigeant qu'il l'avait craint. Au bout de quelques jours, il s'était confortablement installé dans son bureau, qui faisait le coin de l'étage. «Je ressemblais un peu au réparateur de Maytag des annonces publicitaires, dit Farrell. C'était le filon. Je m'asseyais là avec mes deux pieds sur le bureau.» Farrell conclut que Thompson avait raison: sa mutation aux installations postales était une promotion.

À l'occasion, John faisait lentement le tour des installations à pied pour réaffirmer sa présence et son autorité. Il assistait à des réunions de direction hebdomadaires d'une longueur hébétante et au cours desquelles il gribouillait. Plus souvent qu'à son tour, il n'était pas sur place au centre, travaillant parfois aussi peu que vingt heures par semaine, alors qu'on le payait pour quarante heures. En d'autres temps, il invitait des amis au centre de tri, commandait des repas à emporter et tuait le temps en parcourant en vitesse le centre de tri sur des véhicules mus par des piles.

C'est au centre de tri de South Central que Farrell se frotta à l'ire des travailleurs postaux militants, qui regardaient tout cadre de Postes Canada avec suspicion et méfiance. On lui adressait des sourires méprisants, on le qualifiait de «ballon visqueux» ou pire encore. Il arrivait au centre à une période de tensions grandissantes entre la société de la Couronne et les syndicats. Postes Canada se heurtait à deux syndicats: le syndicat des postiers du Canada, qui représentait les travailleurs intérieurs, et le syndicat des facteurs du Canada. En 1989, les deux syndicats s'unirent pour former une seule force de négociation avec Postes Canada. Les grèves des syndicats coûtaient à Postes Canada des millions de dollars en revenus perdus. Farrell devait devenir un fantassin d'élite dans le duel apparemment sans fin contre le syndicat.

Au début, Thompson voulait cependant recruter Bill Marshall, un constable de la police régionale de Galton avec qui Farrell s'était lié d'amitié alors qu'il travaillait au magasin La Baie.

Avec le consentement de Thompson et l'approbation d'Ottawa, Farrell fit une apparition au département des ressources humaines, exhiba son badge, et Marshall fut sur la liste de paie, travaillant comme trieur de courrier. Mais il était véritablement là en tant qu'agent de renseignements clandestin, recueillant des informations sur les dirigeants syndicaux et sur les petits réseaux criminels qui œuvraient à l'intérieur du centre de tri. Les syndicats déclareraient la guerre si Marshall était découvert, mais Thompson était prêt à prendre ce risque. Il s'avéra cependant que Marshall était nul. Il perdit intérêt pour le travail clandestin et finit par ne plus se présenter pour ses quarts de travail. Farrell le vira[2].

Bien que l'expérience avec Marshall fût un échec, c'était le signe annonciateur d'un effort plus systématique et coordonné pour espionner les chefs syndicaux.

* * *

Alors qu'il travaillait au gigantesque centre South Central, Farrell eut vent d'une escroquerie aux proportions également gigantesques que les cadres supérieurs de Postes Canada dissimulaient au public. La corporation de la Couronne se faisait détrousser de millions de dollars par plusieurs grosses compagnies canadiennes. Des compagnies négociaient un prix fixe avec Postes Canada pour livrer un nombre déterminé de pièces de courrier : des factures, de la publicité, du matériel de promotion, etc. Des camions à remorque remplis de courrier en vrac faisaient marche arrière vers les divers centres de traitement du pays et déchargeaient leur cargaison directement dans l'interminable fleuve de courrier. Les firmes, souvent des mastodontes multinationaux, ne mirent pas longtemps à réaliser que Postes Canada ne comptait ni même ne pesait le courrier en vrac. La lumière se fit dans la tête des rusés habitants de la forêt corporative. Si personne ne comptait ni ne pesait le courrier, eh bien, qu'est-ce qui

2. Marshall ne quitta pas le centre de tri paisiblement. Il appelait Farrell sans répit, le haranguant à propos de l'argent que, selon lui, Postes Canada lui devait. Le jeune agent de police appelait si souvent que Farrell commença à enregistrer ses messages de plainte. Postes Canada ne retourna jamais les appels.

les empêchait d'en avoir plus que pour leur argent, aux dépens des contribuables canadiens, en augmentant le volume de courrier que Postes Canada livrait en leur nom pour un prix fixe?

La lumière se fit aussi à Postes Canada. La corporation de la Couronne avait été dupée par des citoyens corporatifs apparemment responsables et consciencieux qui avaient conspiré pour frauder les contribuables de millions de dollars. C'est là le genre de crimes «sans victimes», commis par des cols blancs, et qui demeurent sous le boisseau et impunis par le système judiciaire.

On mit discrètement sur pied une équipe de sept inspecteurs des postes pour déterminer l'ampleur de la perte financière subie par Postes Canada. Le très confidentiel effort pour limiter les dégâts et recouvrer une partie des millions perdus reçut de la bureaucratie le nom anodin de *Total Cost Revenue Management Program* (TCRMP). Farrell eut vent de l'enquête après avoir aperçu plusieurs inspecteurs des postes qui vagabondaient dans le centre de tri en arborant des pièces d'identité portant un gros point rouge. Ils arrivaient sans s'annoncer. Le point rouge leur donnait un accès sans restriction aux installations de tri[3].

Malgré le voile du silence, la rumeur se répandit à travers le centre qu'une telle enquête était en cours. Mais cela ne parvint jamais aux oreilles du public, au soulagement de Postes Canada.

* * *

Fatigué de jouer au réparateur de Maytag, Farrell songeait sérieusement à démissionner. Bien qu'il appréciât le fait d'être bien payé, il s'ennuyait. Thompson vint à la rescousse. Il décida de mettre sur pied une importante unité d'enquêtes criminelles et invita Farrell à se joindre à la nouvelle équipe. Le grincheux Frank Pilotte prendrait sa place à South Central.

Thompson envoya ensuite Farrell à Ottawa pour suivre un cours d'enquêteur spécialement conçu pour les inspecteurs des postes. Au moins quinze autres inspecteurs venus de divers coins

---

3. Farrell connaissait quelques-uns des inspecteurs des postes affectés à cette unité secrète. David «Pickles» Martin et Marisa Napoleoni comptaient parmi les enquêteurs en chef de l'unité. Mais tous deux étaient muets comme des carpes au sujet de l'enquête.

du pays assistèrent au cours, qui offrait aux nouvelles recrues un entraînement de base sur l'art de mener une enquête. Il y avait des cours sur l'art de rédiger correctement un rapport, ainsi que sur la façon de colliger, d'analyser et d'enregistrer des renseignements. On y passait aussi en revue la volumineuse loi sur Postes Canada, la sécurité postale et les lois régissant l'ouverture du courrier.

À l'étonnement de Farrell, le cours était mené avec une efficacité militaire. Les étudiants devaient être en classe à neuf heures précises. On ne tolérait pas l'absentéisme ni la gomme à mâcher. On réservait généralement les matins aux aspects juridiques du travail. Venait alors la pause de quinze minutes, à dix heures trente. Après le lunch, les jeunes inspecteurs des postes recevaient un entraînement pratique sur l'utilisation d'équipement de surveillance électronique, sur les techniques d'interview et sur la manière de procéder à une arrestation.

Un des quatre instructeurs du cours était Alan Whitson, un vétéran de la GRC, bilingue et un peu chauve, qui était directeur national des services de sécurité et d'enquête de Postes Canada. Un gaillard d'un mètre quatre-vingt-treize qui faisait osciller la balance à cent vingt-sept kilos, Whitson marchait comme un ours polaire alors qu'il parlait aux étudiants de l'art de lire le langage corporel durant les interviews[4]. Farrell harcela Whitson de questions. «Je l'ai irrité et je suis sûr qu'il voyait en moi un gros casse-pied», dit Farrell. Plusieurs années plus tard, leurs chemins devaient se croiser à nouveau, malheureusement.

---

4. Les nouveaux inspecteurs étaient filmés par leurs instructeurs tandis qu'ils menaient des simulacres d'interviews lors de séances de personnification pour évaluer leurs talents d'enquêteurs. Un des vidéos mettait en vedette Farrell. Ce vidéo enregistrée en amateur montre Farrell interviewant un autre membre des services de sécurité et d'enquête, qui personnifiait un travailleur postal qui prétendait avoir été blessé au travail. Farrell apparaît au premier plan dans un vidéo d'entraînement de vingt minutes de Postes Canada préparé pour les travailleurs livrant le courrier publicitaire. La livraison de prospectus – des prospectus de promotion pour des entreprises locales et nationales – est une activité lucrative pour la société de la Couronne. La plus grande partie du vidéo d'entraînement est consacrée à avertir les recrues des sévères punitions auxquelles ils s'exposeraient si les inspecteurs postaux découvraient qu'ils jettent ce genre de courrier plutôt que de le livrer.

* * *

Tout frais de son entraînement en renseignement, Farrell se joignit à deux autres inspecteurs des postes, Blaise Dobbin et Tom Sheluck, au sein de la nouvelle unité des crimes majeurs. La grande idée de Thompson était de créer une petite unité d'élite pour s'attaquer aux cas les plus difficiles et les plus confidentiels auxquels étaient confrontés les services de sécurité et d'enquête de Toronto. Farrell était le plus jeune membre de l'équipe. Dobbin s'était joint au département juste avant que Farrell soit embauché. Sheluck était le vétéran et n'avait pas peur de claironner ses talents d'enquêteur.

Au début de juillet 1990, Thompson fit signe à Farrell dans son bureau du coin et lui demanda de refermer la porte derrière lui. L'air plus grave que d'habitude, il confia à Farrell qu'il avait sur les bras une situation qui demandait de la discrétion et de la diplomatie. Il lui remit une enveloppe en papier kraft. À l'intérieur se trouvaient les noms de six cadres supérieurs du quartier général d'Ottawa, de même que leur numéro d'employé, leur position, leurs années de service et des copies de tous leurs comptes de dépenses. Tous les six faisaient plus de cent mille dollars par année. Tous les six étaient soupçonnés de fraude en gonflant leurs dépenses, expliqua Thompson.

Farrell se mit au travail et mit à bon usage ce qu'il avait appris. Il commença par trier les informations qui étaient arrivées en désordre. Il dessina ensuite un tableau sur chacun des six cadres, en inscrivant la date, le lieu, le montant et la justification de chaque dépense. Il ajouta aussi une liste de questions qui lui venaient à l'esprit en examinant les comptes de dépenses. Toutes les dépenses avaient été faites à Toronto. Curieusement, au moins deux des cadres partageaient la même carte de crédit de la compagnie. Farrell visita les restaurants, les bars et les agences de voyages où les mandarins avaient ramassé leurs factures. C'était *Détective 101*, mais cela ne gênait nullement Farrell.

Son premier arrêt fut un petite gargote de Danforth Avenue, dans l'est de Toronto, où l'un des cadres avait réclamé un dîner au steak de quatre-vingt-dix dollars avec le dessert. Il y avait cependant un petit problème : le steak n'apparaissait pas au menu. Farrell demanda poliment à parler au gérant. Exhibant son badge de Postes Canada, Farrell demanda de voir le reçu original. Le propriétaire s'agitait, inquiet à l'idée d'être contrôlé par Revenu Canada. Farrell ne le rassura pas. L'homme disparut pour quelques minutes dans une antichambre et émergea en agitant le reçu original. Comme Farrell le soupçonnait, le cadre avait ajouté un zéro à la facture de neuf dollars.

Cette petite fraude avait été répétée encore et encore. Un repas de dix-neuf dollars était devenu un festin de cent quatre-vingt-dix dollars. Une course en taxi de cinq dollars s'était transformée en une randonnée de cinquante dollars. Farrell découvrit bientôt que les cadres avaient également empoché des milliers de dollars en dépenses de voyage bidon. La ruse était simple. Les cadres visitaient les agences de voyages pour acheter des billets d'avion. Ils retenaient les reçus des cartes de crédit. Quelques heures plus tard, ils annulaient les voyages et obtenaient un remboursement de l'agence de voyages, tout en réclamant néanmoins leurs dépenses. Les cadres se graissaient.

Farrell amassa et enregistra méthodiquement les preuves: il découvrit que la fraude avait cours depuis des années. Il prépara le brouillon d'un rapport de trois pages soulignant la nature et l'étendue de la fraude et le remit à Thompson. Il n'avait mis que huit jours à compléter son enquête. Il recommandait qu'une variété d'accusations soient portées contre les cadres, dont la fraude et l'abus de confiance. Mais le quartier général d'Ottawa s'y opposait avec véhémence. Les galonnés de Postes Canada n'étaient pas enclins à accuser les leurs. Ils voulaient simplement amasser assez de preuves pour forcer les cadres à démissionner sans attirer la dérangeante attention publique. Cela devenait un refrain familier et rendait Farrell furieux. Si un chef syndical avait commis une telle fraude, la rétribution aurait été rapide, dure et publique. Le supérieur de Farrell partageait son sentiment de frustration, mais Thompson n'avait pas le pouvoir de changer l'attitude d'Ottawa. Les cadres furent virés de la société de la Couronne, mais, en leur indiquant la sortie, on leur remit de substantielles indemnités de départ pour amortir le choc soudain.

* * *

Quelques mois après que Postes Canada eut choisi, de façon commode, de ne pas accuser les six cadres qui avaient floué les contribuables de centaines de milliers de dollars, Thompson remit à Farrell un dossier sur un travailleur des postes qu'on croyait impliqué dans sa propre variété de fraude. Thompson donna à Farrell ses nouveaux ordres dans un rapport de deux pages dactylographiées contenant les détails des accusations portées par le département des relations de travail de Postes Canada contre le travailleur. Farrell comprenait que chaque fois que les services de sécurité et d'enquête recevaient un dossier du département des relations de travail, cela signifiait soit qu'un travailleur des postes mijotait quelque chose, soit que Postes Canada avait besoin de dénicher des ragots sur quelqu'un.

La société était mue par une motivation supplémentaire pour dénicher des ragots sur ce facteur particulier. Il poursuivait son employeur pour un million de dollars, prétendant avoir été gravement blessé dans un accident de travail trois ans plus tôt. Il recevait déjà une indemnité confortable, grâce à l'assurance invalidité de la société. Le département des relations de travail était convaincu que le facteur feignait la blessure et il voulait que les services de sécurité et d'enquête amassent des munitions pour le prouver.

* * *

Farrell commença par revoir le dossier du facteur. Ce travailleur postal vivait avec sa femme et sa jeune fille dans un petit appartement de deux chambres à coucher au-dessus de la lingerie *Kiss 'N' Tell*, une boutique d'objets érotiques située au 2770 Avenue Danforth. Farrell partit en mission de reconnaissance dans sa Pontiac Fiero équipée de son téléphone cellulaire fourni par le gouvernement. (Ottawa avait accordé à Farrell la licence lui permettant d'utiliser les fréquences radio réglementées du gouvernement, afin de pouvoir communiquer avec d'autres inspecteurs des postes.) Pendant deux jours, il campa patiemment près du pub *Noah's Ark*, sur la section plus étroite de l'avenue Danforth ; il passait des heures dans sa voiture, directement en face de la boutique, pour surveiller, noter et photographier les allées et venues du facteur. Afin d'alléger l'ennui, Farrell invitait des amis à lui tenir compagnie dans sa planque.

Les deux jours devinrent trois semaines. Partout où le facteur allait, Farrell le suivait assurément. «S'il prenait le métro, je prenais le métro. Quand il allait magasiner, j'allais magasiner. S'il allait acheter de la bière, j'allais acheter de la bière», confie Farrell. Il évita d'être repéré par l'employé postal grâce aux compétences qu'il avait acquises alors qu'il travaillait à attraper les voleurs chez La Baie. Chaque jour, il portait des vêtements, un chapeau et des verres différents. Il modifiait même sa démarche.

Le maigre facteur de vingt-six ans marchait à l'aide d'une canne et se traînait toujours comme s'il était affligé du corps d'un homme beaucoup plus âgé. Farrell le suivit au bureau de poste F, au 55 Charles Street East, dans le centre-ville de Toronto, où il cueillait régulièrement son chèque d'invalidité. Il le talonna jusqu'à la banque et passa par un informateur à l'intérieur de l'institution financière pour obtenir les relevés bancaires du facteur et mener une enquête de crédit exhaustive. Farrell se comportait maintenant davantage comme un détective privé que comme un inspecteur des postes.

Une fois découvert le bureau de poste fréquenté par le facteur, Farrell mit au point une sorte de système d'alerte avancée avec le gérant du bureau. Étant donné leurs pouvoirs, les inspecteurs des postes étaient autant craints que respectés par les gérants de bureau. Farrell n'eut aucune difficulté à convaincre le gérant de l'appeler dès que son gibier entrerait dans le bureau de poste. Farrell ne voulait pas attendre que le facteur commette une erreur, ce qui pouvait prendre des mois, voire des années. De plus, Thompson faisait pression sur lui pour obtenir des résultats. S'il voulait épingler le facteur, il devait s'approcher de lui, devenir son ami et confident. Il prit donc l'initiative, espérant gagner la confiance du facteur.

Il neigeait abondamment le jour où Farrell reçut l'appel qu'il attendait anxieusement. Il se précipita au bureau de poste, se gara et commença à enlever la neige de sa voiture. Le facteur sortit avec son chèque, se protégeant contre le temps hivernal qui s'envenimait, et tomba directement dans le filet de Farrell.

— Mauvaise journée aujourd'hui, eh! dit Farrell en souriant.

— Mon Dieu, oui! répliqua le facteur.

Ils bavardèrent un peu plus avant que Farrell, un peu embarrassé, ose lui demander: «Puis-je vous déposer quelque part? Je vais vers Victoria Park et Danforth.» Bien sûr, Farrell savait que le facteur habitait à quelques rues à peine de cette intersection. Sa proie accepta. Farrell le laissa parler durant la longue course à travers la ville. Il savait que les gens livrent souvent des détails intimes de leur vie à des étrangers. Le facteur ne fit pas exception: il discourut sur sa bonne fortune de jouir d'une rente d'invalidité et sur son dégoût du travail au bureau de poste. Farrell remarqua que les mains du facteur étaient tachées de graisse. Il perçut une ouverture.

— Êtes-vous mécanicien? demanda-t-il. J'aurais une voiture à faire réparer.

Les yeux du facteur s'allumèrent.

— J'effectue beaucoup de travaux sur des voitures, répliqua-t-il. Je suis très doué.

— Vraiment? J'ai une fourgonnette qui déconne. Je vous donnerais deux ou trois cents dollars si vous pouviez la rafistoler, parce qu'il est rare de trouver quelqu'un en qui on puisse avoir confiance ces jours-ci.

— Pas de problème, dit le facteur, très heureux d'aider son nouvel ami.

Le facteur invita Farrell à son appartement parcimonieusement meublé, où il fut reçu froidement par l'épouse et la fille de son hôte. L'atmosphère se détendit après quelques bières froides. Les deux hommes échangèrent des numéros de téléphone. Farrell lui donna le numéro non repérable de son téléavertisseur.

Pour cimenter son amitié avec l'employé postal, Farrell arrivait souvent à sa porte avec une caisse de bière[5]. Le facteur se confia à Farrell, lui disant que sa poursuite contre Postes Canada fournirait à sa famille un beau petit montant qui paierait le nouveau cottage que lui et sa femme venaient d'acheter.

Alors que l'employé des postes tenait sa bière, absorbé par un *sitcom* à la télé, Farrell s'excusa pour aller aux toilettes. En chemin, il se glissa dans la chambre à coucher du facteur, où il fouilla

---

5. Thompson donna l'argent à Farrell pour la bière, mais celui-ci dut signer un reçu.

rapidement les garde-robes et les tiroirs, à la recherche d'informations utiles. Il sonda les comptes de téléphone, les comptes de cartes de crédit et les relevés bancaires. Le piège était tendu.

* * *

Comme l'arnaque se précisait, Thompson appela des renforts: Accu-Fax Investigations Inc., un groupe controversé d'enquêteurs privés qui s'était bâti une réputation en offrant à ses clients ce qu'ils appelaient des «services de conflits de travail». Accu-Fax a vigoureusement démenti que ce terme soit un euphémisme pour décrire une entreprise rogue et même brutale – qui agirait parfois en tant que briseur de grève. La firme a cependant déjà admis que, dans le cadre du large éventail de ses services, elle fournissait des autobus remplis de briseurs de grève pour remplacer les travailleurs en grève et recueillait des preuves pour étayer des injonctions afin de neutraliser les piquets de grève.

Accu-Fax est populaire auprès des services gouvernementaux et des firmes privées qui cherchent à dompter les syndicats rétifs. Sa petite armée de plus de trois cents enquêteurs privés est constituée d'ex-policiers, d'ex-personnel militaire, d'anciens gardiens de prison ou de récents diplômés de programmes collégiaux de maintien de l'ordre. Il s'agit bien d'une force policière privée qui peut recueillir des renseignements sur d'éventuelles activités criminelles perpétrées par des employés, y compris les employés des postes. Accu-Fax est venu à la rescousse de trois cent cinquante sociétés de la Couronne et firmes privées qui, se vante-elle fièrement, sont ses «meilleures références». Mais il peut être ardu de trouver ces références. Bien que plusieurs de ses clients admirent l'expertise d'Accu-Fax, ils ne sont pas empressés d'exprimer cette admiration publiquement. Postes Canada est également réticent à discuter de ses relations controversées avec la firme, de crainte, sans aucun doute, de provoquer la colère des syndicats.

Postes Canada a goûté à cette colère en 1991 lorsque le chef du syndicat canadien des postiers (SCP), Jean-Claude Parrot, a accusé la société de la Couronne d'embaucher des détectives pour espionner une réunion de stratégie dans un hôtel d'Ottawa. Le contre-espionnage du syndicat découvrit des gens suspects quittant l'hôtel et portant vers une voiture louée ce qui semblait être des appareils d'écoute. On remonta la piste du véhicule jusqu'à Accu-Fax. À l'époque, la firme se hérissa à l'insinuation qu'elle puisse espionner le syndicat ou ses membres. Elle admit avoir été embauchée par Postes Canada, de même que quelques autres firmes, pour rabattre jusqu'à trois mille briseurs de grève et pour transporter des cadres supérieurs des postes par hélicoptère, afin d'éviter les bouillants piqueteurs.

Le travail de la firme consistait à s'assurer de la circulation du courrier dans le cœur de Toronto et cela impliquait souvent de loger des gens dans des hôtels d'Ottawa et de Toronto durant la grève. Au-delà de l'indice intéressant de la voiture louée, les soupçons de Parrot demeurèrent de simples allégations et l'accrochage prit fin.

Farrell avait rencontré le fondateur et président d'Accu-Fax, Darrell Parsons, de même que son plus jeune frère, Mike, aux bureaux de Postes Canada, au 20 Bay Street, et lors de quelques soirées organisées par les inspecteurs des postes. Il savait aussi qu'Accu-Fax fournissait à Postes Canada de l'équipement de surveillance sophistiqué, comprenant une fourgonnette déguisée en camion de Bell Canada. Malgré sa jeunesse et son inexpérience relative, Farrell était l'inspecteur en chef de l'opération clandestine et c'est lui qui menait le jeu.

Son plan était simple : appeler le facteur pour lui décrire un problème mystérieux sur sa fourgonnette et le rencontrer pour se mettre d'accord sur un prix, dans la ruelle derrière l'appartement du second étage du suspect. Accu-Fax devait installer de l'équipement de surveillance à l'intérieur de la fausse fourgonnette de Bell Canada et filmer le travailleur handicapé soulevant de lourdes pièces d'automobile.

Farrel et Accu-Fax ne laissèrent rien au hasard. Ils répétèrent, la nuit précédant le rendez-vous avec le facteur, et déterminèrent l'endroit où devait se garer la fourgonnette afin de jouir du meilleur point de vue pour filmer l'arnaque. Armés de deux caméras à fort grossissement, deux autres inspecteurs des postes devaient prendre une multitude de photos du facteur au travail. Farrell sélectionna et pesa à l'avance les pièces d'automobile que le facteur devrait soulever et déplacer. Il avait obtenu du département des ressources humaines de Postes Canada le dossier médical confidentiel du facteur, dans lequel on précisait la nature et l'étendue des blessures prétendues du travailleur postal. Les détails médicaux étaient importants, car ils permettaient à Farrell de demander au facteur de bouger de manière à révéler ce qu'on supposait être une fraude. Quelques jours après la rencontre « fortuite » de Farrell avec le facteur, l'arnaque était prête.

Il était environ une heure trente de l'après-midi, par un temps clair et sec. Il n'y aurait ni pluie ni neige pour détremper leurs plans ou obscurcir leurs lentilles. Mike Parsons et un autre enquêteur d'Accu-Fax manipulaient le caméscope dans la fourgonnette de Bell Canada, tandis que des inspecteurs de Postes Canada étaient assis dans une voiture tout près, caméra à la main. Farrel gara l'autre camionnette de l'autre côté de la boutique. Il monta les escaliers menant à l'appartement du facteur et appela son ami.

Arrivé dans la ruelle, Farrell dit au facteur qu'il éprouvait des difficultés avec son alternateur, une lourde pièce qui recharge la batterie de la voiture. Le facteur se mit au travail. Il ouvrit le capot avec aisance, se pencha et dégagea l'alternateur. Il remplaça aussi les pneus de la fourgonnette et changea les plaquettes de frein. Pendant quatre-vingt-dix minutes, il travailla fort pour impressionner Farrell. Le travail exigeait le genre de dextérité, d'agilité et de force qu'il prétendait ne plus avoir. Tout fut filmé.

Après que le facteur en eut terminé avec la fourgonnette, Farrell lui remit lentement et ostensiblement cinq cents dollars en plein devant les caméras cachées. C'est Thompson qui avait donné à Farrell l'argent pour payer le facteur. Les numéros de série des billets avaient été enregistrés et photocopiés, de sorte qu'ils pouvaient, si nécessaire, servir de preuve en cour. Poste Canada ne lésina sur aucune dépense dans le cours de cette enquête clandestine ; Farrell estime que cette arnaque coûta plus de cinquante mille dollars. Mais la bande vidéo était tout ce dont Postes Canada avait besoin pour régler sa dispute potentiellement coûteuse avec le facteur. On fit tourner la bande lors de l'audience de la Commission des relations de travail. Durant l'audience, les avocats de la société de la Couronne admirent qu'Accu-Fax avait travaillé à l'enquête. L'avocat du facteur voulait aussi savoir qui était le jeune homme de la bande vidéo donnant l'argent à son client en échange des réparations. Postes Canada témoigna qu'il s'agissait d'un « inconnu ».

L'identité de «l'autre homme» de la bande vidéo ne fut jamais révélée. Le facteur et sa poursuite en justice disparurent.

Farrell émergea de cette combine comme l'une des armes secrètes de Postes Canada dans sa guerre intestine contre le syndicat. Lors de cette bataille, il avait démontré sa fiabilité, son imagination et sa détermination. Il était temps pour lui de chasser un gibier plus substantiel. Farrell ne devait pas décevoir.

3

DANS LES POUBELLES DES CHEFS SYNDICAUX

Avec chaque nouvelle affaire résolue, Farrell marquait des points auprès de son supérieur, Mike Thompson. Lors de la réunion hebdomadaire des inspecteurs des postes, au 20 Bat Street, Thompson allait souvent au-devant de Farrell et lui tapait dans le dos en annonçant que le garçon était un précieux membre du club «Formidable!».

La récompense de Farrell? On le pressentit rapidement pour aller cueillir les V.I.P. de Postes Canada à l'aéroport. Pour faciliter l'identification des dignitaires arrivants, la société de la Couronne fournissait des chauffeurs munis d'albums remplis de photos des cadres les plus importants, avec leur nom et leur titre. Farrell remplaça un inspecteur lunatique qui avait oublié de se garer à l'endroit réservé à Postes Canada à l'aéroport international Pearson de Toronto. On avait remorqué la voiture, laissant l'inspecteur sur place, médusé à réfléchir sur ce qui avait bien pu se passer, tandis que le président de Postes Canada, Don Landers, bouillait en faisant le pied de grue.

Un jour, on envoya Farrell à l'aéroport dans une luxueuse Buick pour cueillir le vice-président aux finances de Postes

Canada, Georges Clermont. (C'était Clermont qui, quelques mois plus tôt, avait signé la nomination de Farrell comme inspecteur des postes malgré son casier judiciaire.) Clermont était un homme puissant à Ottawa et comptait des alliés dans le gouvernement progressiste-conservateur de Brian Mulroney. Durant le long trajet vers le centre-ville, Clermont et Farrell bavardèrent. Le numéro deux de Postes Canada demanda à Farrell comment les choses allaient dans le bureau de Toronto. Farrell raconta qu'il avait visité un centre de tri le matin même et que les membres du syndicat parlaient ouvertement d'aller en grève[1]. Le visage de Clermont devint si blanc que Farrell crut qu'on l'avait instantanément embaumé. Clermont saisit son téléphone cellulaire dans lequel il déversa un feu roulant en français. Au moment où Farrell se garait et regagnait le bureau, il avait perdu sa carte de membre du club «Formidable!».

Thompson et Letby lui tombèrent dessus. Une pluie de blasphèmes et de menaces sortait de leur bouche comme un ouragan. À cause de son indiscret commentaire à ce gros bonnet, ils avaient tout Ottawa aux trousses. Letby servit à Farrell cet avertissement: «La prochaine fois que tu vas chercher quelqu'un et qu'on te pose des questions, tu réponds par des phrases d'un seul mot, comme "bien" ou "O.K.", compris?»

Mais le séjour de Farrell au purgatoire de Thompson fut de courte durée. En septembre 1990, Thompson créa pour Farrell un nouveau poste au sein des services de sécurité et d'enquête: agent de renseignements pour les activités de Postes Canada dans la région de York, entre Toronto au nord, Newmarket à l'est d'Oshawa et Hamilton à l'ouest. C'était une grosse responsabilité pour un jeune homme. L'ensemble des bureaux de poste et des centres de manutention de courrier de cette région représentaient le plus grand nœud du trafic de courrier, le plus achalandé et le plus critique de tout le pays. Plus important sans doute, c'était là qu'on trouvait des chefs syndicaux militants et un terrain fertile en nouvelle récolte d'activistes qu'il fallait surveiller.

1. Farrell disait juste à propos de la grève. Les travailleurs postaux débrayèrent à l'été 1991. Quand tout fut terminé, la grève avait coûté à la société de la Couronne cent millions de dollars en revenus perdus.

Le moment choisi pour la nomination de Farrell était révélateur. La société de la Couronne débordée faisait face à une grève prolongée et coûteuse qui pouvait menacer sa viabilité financière et miner la confiance déjà fragile du public dans la fiabilité du service postal. Les frictions déjà très vives entre la direction et le syndicat ne firent que s'envenimer davantage dans les mois qui suivirent. L'année suivante, certains des principaux chefs syndicaux, André Kolompar, James Lawrence et Ron Pollard, furent emprisonnés après avoir fait fi d'un ordre de la cour bannissant le piquetage à trois centres de manutention de Toronto. Kolompar était le président du local de Toronto du syndicat des postiers et Lawrence en était le vice-président. Les accusations avaient été portées – faut-il s'en étonner? – par Postes Canada.

Pendant plusieurs décennies, les relations entre Postes Canada et des syndicats ont été marquées par la méfiance, l'amertume, la colère, la frustration, les menaces et les soupçons. Les victimes de cette guerre froide des postes – qui a survécu à la véritable guerre froide – sont les Canadiens, qui ont enduré d'innombrables grèves et perturbations du service postal. Postes Canada n'a jamais cessé de nier avoir jamais espionné les membres ou les dirigeants du syndicat. On a accusé la société de la Couronne d'avoir directement ou indirectement espionné ses employés, mais on n'a jamais réussi à le prouver.

En tant que nouvel agent de renseignements divisionnaire, Farrell se trouvait au cœur même des opérations d'espionnage des chefs syndicaux; ces opérations étaient approuvées par ses cadres supérieurs. Il n'était pas un solitaire qui s'était embarqué dans ces opérations sans avoir obtenu le consentement et l'encouragement de ses supérieurs. Ceux-ci lui ont confié cette tâche parce qu'ils étaient convaincus qu'il demeurerait toujours muet sur la nature et l'étendue de ses activités d'espionnage. Ils se trompaient. Farrell est le premier membre de ce département secret à briser le silence sur la façon dont Postes Canada s'est méthodiquement livré à l'espionnage de son syndicat.

* * *

Thompson informa Farrell de sa promotion dans la salle du conseil, au 20 Bay Street. Plusieurs autres inspecteurs étaient présents pour son baptême. Farrell était gêné des louanges dont Thompson l'abreuvait devant ses collègues silencieux. Lors de cette réunion, il apparut clairement qu'on allait désormais mettre à contribution les nombreux talents de l'agent divisionnaire Farrell presque exclusivement contre le principal ennemi de Postes Canada, c'est-à-dire ses propres employés et leur syndicat.

Pour autant que Farrell fût concerné, sa nouvelle affectation au «renseignement» n'était que cela: une autre affectation. Thompson aurait tout aussi bien pu lui demander d'espionner ses collègues inspecteurs et il l'aurait fait. Mis à part ses brèves rencontres inamicales avec des membres de la base lors de son affectation à South Central, Farrell ne ressentait aucune animosité envers la direction du syndicat.

La mission de Farrell était simple: fouiller dans le passé, le présent et le futur des chefs syndicaux gênants. Il était libre d'utiliser sa fertile imagination et toutes les tactiques de son répertoire toujours en expansion pour amasser des renseignements sur les principaux dirigeants du syndicat à Toronto. Il devait également l'identifier, dans les rangs du syndicat, les candidats prometteurs qui pourraient un jour émerger comme la prochaine génération de chefs. Lors de la réunion de dévoilement de la nouvelle affectation de Farrell, on demanda aux inspecteurs des postes de transmettre au nouvel agent de renseignements divisionnaire toute information qu'ils avaient pu recueillir sur le syndicat. «Thompson dit à tous que, quel que soit le genre d'activité du syndicat sur lequel ils se penchaient, quels que soient les dossiers qu'ils possédaient, quelles que soient les informations qu'ils détenaient (noms, suspects etc.), ils devaient inscrire cela dans un rapport et commencer à m'alimenter en informations», dit Farrell.

Il existait déjà des dossiers sur des chefs syndicaux en vue. Farrell ouvrit de nouveaux dossiers sur d'autres chefs syndicaux, dont Kolompar et Lawrence. Quand il eut terminé, il avait ouvert entre quinze et vingt dossiers sur des membres importants du syndicat travaillant dans la région de York; ces dossiers comprenaient des détails intimes sur leur vie privée, leur famille, leurs amis et leurs associés.

«Nous consignions bien des choses, dit Farrell: l'endroit où ils étaient allés à l'école, le nombre d'enfants qu'ils avaient, la grosseur de leur maison, n'importe quoi pouvant servir à bâtir un dossier complet. On disposait alors d'un dossier permettant de dire : "Bon, cette personne est allée à cette école, elle s'est mariée à cette date, elle a divorcé à cette date, elle est maintenant remariée. Voici ses comptes bancaires. Elle est propriétaire de telle maison et voici le montant d'hypothèque qu'il lui reste à payer. Voici les appels téléphoniques qu'elle a faits et voilà les principales personnes qu'elle appelle chaque jour. Voici où elle va durant ses déplacements. Voici les associés qu'on lui connaît..." »

L'envergure de la collecte de renseignements sur les membres du syndicat était stupéfiante. Farrell a effectué des vérifications de casiers judiciaires afin de savoir si l'un d'entre eux avait déjà fait de la prison. On joignit aussi aux dossiers des copies des contraventions de stationnement ou d'infractions au code de la route. Grâce à leurs contacts dans les diverses institutions financières, Farrell et les autres inspecteurs des postes obtinrent les relevés bancaires de la plupart des chefs syndicaux de Toronto. On fit aussi des enquêtes de crédit, qui montrèrent les montants que devait chaque « suspect » aux compagnies de cartes de crédit, de même que l'importance de tout prêt hypothécaire ou automobile hors de l'ordinaire. On effectua aussi des vérifications des certificats d'enregistrement de leur véhicule et de leur permis de conduire. On notait dans les dossiers les marques et les modèles de voiture que les chefs syndicaux et les membres de leur famille possédaient. Postes Canada obtint aussi des relevés de comptes téléphoniques des membres importants du syndicat : des détails sur les appels domestiques et interurbains, de même que ceux faits par des téléphones cellulaires. Il y avait une exception surprenante : Farrell dit que Postes Canada n'autorisa pas l'écoute des lignes téléphoniques des chefs syndicaux ni à leur bureau ni à la maison. On ne considéra même pas cette idée.

On gardait particulièrement à l'œil les chefs syndicaux du centre de tri South Central parce qu'il s'agissait d'un foyer d'activité syndicale. Depuis son séjour en tant qu'inspecteur des postes supérieur à cet endroit, Farrell connaissait bien ces installations. Il dit qu'on suivit parfois quelques chefs syndicaux travaillant à ce centre alors qu'ils se rendaient à leur endroit favori pour prendre une bière ou deux après le travail ou une réunion syndicale. Les factures juteuses qu'ils accumulaient quand ils invitaient leurs amis ou des visiteurs éveillaient une attention particulière chez les supérieurs de Farrell. «Nous [les inspecteurs des postes] plaisantions toujours, dit Farrell: si seulement les membres du syndicat savaient ce que leurs chefs dépensent avec leurs cotisations syndicales pour faire la fête avec leurs amis.»

Selon Farrell, on prenait aussi des photographies de certains membres de la famille des chefs syndicaux et de leurs domiciles, mais pas de leurs enfants. Néanmoins, on inclut les adresses et les noms des écoles fréquentées par les enfants dans les dossiers de renseignements. En sa qualité d'inspecteur des postes, Farrell avait aussi accès aux dossiers personnels des chefs syndicaux, qui étaient conservés par le département des ressources humaines de divers centres postaux. «Je trouvais de nombreux dossiers personnels. Certains étaient plutôt épais. Je les parcourais et j'en retirais tout ce qui pouvait servir», dit-il.

D'après Farrell, on racla les archives des cours de justice fédérales et provinciales pour découvrir des documents qui fourniraient des détails intimes de la vie personnelle des chefs syndicaux. On s'intéressait particulièrement aux procédures de divorce. Ces documents révélaient les accusations d'infidélité, les abus physiques et les problèmes financiers. On recueillit aussi les licences de mariage pour les inclure dans les dossiers.

Les chefs syndicaux du centre postal Gateway de Postes Canada à Mississauga furent aussi des cibles de choix pour les activités d'espionnage sanctionnées par la société de la Couronne. Couvrant une superficie de plus de trente acres, le centre est l'un des plus gros du pays. Chaque jour, une avalanche de courrier domestique et international y déferle. À Gateway, affirme Farrell, il reçut de l'aide d'Accu-Fax dans son entreprise de cueillette de renseignements.

Farrell apprit de Thompson et Levy qu'Accu-Fax menait une opération clandestine majeure au centre. À l'insu du syndicat, Accu-Fax avait placé au moins trois agents dans le centre, pour y être les yeux et les oreilles de Postes Canada. Selon Farrell, ces activités étaient déjà bien engagées lorsqu'il commença à assumer ses responsabilités d'agent de renseignements divisionnaire. Les agents enquêtaient déjà sur l'épidémie de vols sévissant dans le centre. Jack Riponi, un inspecteur des postes de la région de Toronto, écrivit un rapport qui résumait l'étendue des vols, qui impliquaient habituellement des objets importants – comme des montres Rolex – expédiés par la poste.

Mais, selon Farrell, les enquêteurs privés étaient aussi occupés à lui refiler des informations, par l'intermédiaire de Thompson, sur les activités du syndicat et sur sa direction militante. Il dit qu'il ne connaissait pas l'identité de tous les agents d'Accu-Fax. Cependant, il apprit bientôt (toujours par Thompson) que Postes Canada avait aussi implanté un ancien agent de la police provinciale de l'Ontario, Max Gemus, comme agent opérationnel dans le centre. On embaucha l'ex-policier en tant qu'inspecteur des postes et on le mit au travail pour qu'il recueille des renseignements dans le centre en prétextant qu'il était un travailleur payant ses cotisations et en droit de savoir ce que préparait le syndicat. Postes Canada le sortit du centre Gateway et l'affecta à d'autres tâches. Les agents clandestins d'Accu-Fax demeurèrent en poste, prétendant être des chauffeurs ou des commis postaux. (Gemus finit par quitter Postes Canada et travaille maintenant pour le SCRS.)

Comme une grève semblait imminente, les tensions entre la direction de Postes Canada et ses employés s'envenimèrent. Dans une démonstration de force, on ordonna à la plupart des inspecteurs d'investir massivement le centre Gateway en portant des coupe-vents au dos desquels étaient écrits, en grosses lettres grasses, «Inspecteur des postes». Leur mission consistait à arrêter une poignée de postiers identifiés par Accu-Fax comme suspects dans l'affaire du réseau sophistiqué de voleurs. Farrell dit que les arrestations et la démonstration publique de force et de résolution de Postes Canada étaient une ruse pour détourner l'attention de l'activité clandestine des inspecteurs à Gateway et South Central: recueillir des renseignements sur l'activité syndicale.

On autorisa Farrell à intercepter et à scruter chaque pièce de courrier livrée au domicile des chefs syndicaux. Dans les milieux du renseignement, on utilise, pour décrire cette pratique hautement controversée, «enquête de vérification de courrier». Le mot «vérification» implique la photocopie des deux côtés de chaque pièce de courrier intercepté, sans l'ouvrir. On recueillit ainsi des informations précieuses. Comme, une enquête de crédit ne livre qu'une partie d'une tableau financier, l'enquête de vérification de courrier permit à Farrell de compléter le tableau en l'armant d'informations grâce auxquelles on pouvait identifier les contacts dans les organismes de cartes de crédit et les banques afin d'isoler les relevés mensuels de chacune des cartes. Mener une enquête de vérification de courrier qui n'entrait pas dans le cadre d'une enquête criminelle ou sans mandat de la cour était illégal.

Il existait aussi d'autres moyens non officiels pour examiner le contenu du courrier. Les inspecteurs avaient accès à des vaporisateurs pouvant rendre l'enveloppe assez transparente pour qu'on puisse en lire le contenu, et le produit séchait sans laisser de trace. Une autre technique consistait à insérer sous le coin supérieur du rabat de l'enveloppe une aiguille munie d'un élastique. En la tortillant adroitement, on pouvait enrouler le contenu de l'enveloppe autour de l'aiguille ; il n'y avait plus qu'à le retirer, qu'à le lire et qu'à le réinsérer dans l'enveloppe. « Je n'y arrivais pas », dit Farrell.

Farrell se rendait souvent aux bureaux de poste les plus près des chefs syndicaux visés, afin de mener personnellement l'enquête de vérification de courrier. S'il n'était pas disponible, dit Farrell, d'autres inspecteurs faisaient le travail, ou encore on mettait à contribution le gérant du bureau de poste pour intercepter le courrier, « si on pouvait se fier à lui [le gérant] pour qu'il se la ferme ».

Farrell souligne que la soif de renseignements sur les chefs syndicaux était tout simplement insatiable. Il était plein d'idées pour s'assurer de cette information discrètement. Un plan pour mettre sur pied une compagnie bidon de nettoyage de tapis afin de s'introduire dans la demeure des chefs syndicaux généra beaucoup d'intérêt à Postes Canada, mais elle ne fut jamais mise en pratique. Cependant, Farrell ressuscita des détails dans les ordures avec la bénédiction enthousiaste de Thompson. Muni de l'adresse des gens visés, il commença par appeler les bureaux de l'administration municipale. Il raconta que lui et sa famille avaient récemment déménagé dans le quartier et qu'il voulait connaître les jours de collecte des ordures ménagères. Malheureusement, le ramassage tombait le même jour pour plusieurs des chefs syndicaux. Cela signifiait que Farrell devait se lever à quatre heures et demi le matin pour commencer sa tournée des poubelles à Mississauga, à Brampton et à Toronto. Combattant la fatigue et parfois la gueule de bois, il zigzaguait à travers la ville comme un déchaîné pour mettre la main sur les ordures convoitées avant que les véritables éboueurs ne passent.

Au début, il agissait avec tellement de hâte qu'il volait tout simplement les ordures. C'était un raccourci inhabituel pour le jeune inspecteur qui s'enorgueillissait de sa presque obsession des détails. Le vol des ordures était de nature à éveiller les soupçons des voisins. Comme il disposait de peu de temps et qu'il y avait beaucoup de sacs d'ordures à inspecter, Farrell n'avait pas tellement d'autre choix que de prendre ce risque calculé. Au cas où on le surprendrait, il avait préparé plusieurs explications plausibles pour son curieux intérêt envers les ordures des autres. Son excuse favorite était la suivante: il était un inspecteur en santé publique et il vérifiait s'il se trouvait des matières dangereuses sans surveillance, ce qui aurait pu comporter un risque pour les enfants et les animaux domestiques. Farrell s'inquiétait de ce qu'un des chefs syndicaux visés ou un de leurs voisins remarque la disparition des sacs d'ordures et commence à poser des questions dérangeantes. Afin de réduire les risques d'être découvert, il commença à remplacer les sacs volés par d'autres remplis de vieux journaux. En d'autres occasions, il plaçait ses propres ordures (qu'il triait afin de s'assurer qu'elles ne contenaient rien qui puisse servir à l'identifier) ou il utilisait celles d'un voisin. Si Farrell se sentait observé, il se garait et sortait de puissantes jumelles pour observer brièvement le voisinage.

Certains matins, il entassait dans sa petite voiture jusqu'à douze sacs d'ordures littéralement dégoûtants, chacun étant identifié avec le nom et l'adresse de la personne visée. Alors qu'il filait sur les autoroutes de la ville, il attirait les regards des automobilistes qui s'esclaffaient à la vue d'une petite voiture remplie de sacs d'ordures et dont le conducteur portait un petit masque blanc de chirurgie pour se protéger des microbes et de la virulente odeur.

La patience de Farrell fut souvent mise à l'épreuve. Il arrivait parfois à la demeure d'un chef syndical pour découvrir que, la veille, les ordures n'avaient pas été sorties. Il devait alors s'asseoir dans sa voiture et attendre que le chef visé ou un malheureux membre de la famille sorte de la maison pour porter le sac sur le bord du trottoir.

Quelques chefs syndicaux vivaient dans des immeubles, ce qui posait de grosses difficultés. Des tonnes d'ordures se retrouvaient dans de grosses poubelles au sous-sol. Trier cette montagne de déchets pour identifier le sac recherché semblait une tâche impossible. Mais Farrell trouva une solution simple et ingénieuse. Il réussit à convaincre Postes Canada d'acheter des sacs spécialement colorés et de les offrir gratuitement aux chefs syndicaux, dans le cadre d'une campagne de promotion bidon.

Pour brouiller tout lien possible avec Postes Canada, dit Farrell, on confia la tâche à des enquêteurs privés. «Nous ne voulions pas nous impliquer trop directement», se souvient Farrell. Les enquêteurs se rendirent visiter les domiciles des chefs syndicaux, prétendant mener une enquête de consommateurs sur une nouvelle marque de sacs à ordures arborant des couleurs vives au lieu du vert foncé coutumier. On invita les chefs syndicaux à remplir un formulaire pour énumérer leur préférence ou leur aversion pour les nouveaux produits, en échange d'une réserve gratuite de sacs. Selon Farrell, aucun d'eux ne refusa l'offre alléchante, et les sacs spéciaux se retrouvèrent bientôt dans les grosses poubelles, où ils furent récupérées par les enquêteurs privés.

Farrell avait pris l'habitude d'apporter les ordures dans un coin tranquille du parc de stationnement souterrain de l'immeuble où il logeait, au 22 Walpole Avenue; il déchargeait le contenu des sacs un à la fois. Portant des gants de latex et un masque chirurgical, il passait au peigne fin les déchets. Mis à part les occasionnels reçus de guichet bancaire automatique, les informations recueillies dans les ordures se révélèrent plutôt sans intérêt. Mais on versa aux dossiers secrets tout les documents ainsi recueillis.

Bien que ce fût son idée, Farrell détestait à peu près tout dans cette collecte d'ordures, à partir de l'obligation de s'extraire du lit si tôt le matin, jusqu'aux odeurs nauséabondes qui collaient à ses vêtements et à son corps pendant des jours. Mais une part de lui se délectait dans la chasse et devant la perspective qu'une pièce d'information puisse être glanée dans ce sale travail. C'est cette soif de se lancer des défis, de tester ses limites, qui le motivait.

Farrell ne posait pas beaucoup de questions sur l'usage qu'on ferait des informations confidentielles qu'il recueillait. Tout ce qu'il savait, c'était que les dossiers étaient envoyés à Ottawa. Il ne voulait pas en savoir plus et ne posait pas de questions.

L'espionnage des chefs syndicaux et de leurs familles constituait une claire violation de la Loi sur la vie privée, qui interdit la cueillette, l'usage, la révélation, la possession et la destruction non autorisés d'informations personnelles sur des individus identifiables. La cueillette de renseignements violait aussi les directives de Postes Canada concernant la Loi sur la vie privée, distribuées aux inspecteurs des postes et à leurs supérieurs dans tout le pays. Cette liste exhaustive interdisait de tenir de dossiers secrets sur des individus, de demander, de colliger ou de faire circuler des informations personnelles non nécessaires.

Farrell a brisé chacune de ces prétendues règles cardinales avec, dit-il, la connaissance et l'encouragement de Mike Thompson. Lors d'une interview avec l'auteur, Robert Letby, un cadre supérieur de Postes Canada, a confirmé que les inspecteurs des postes avaient recueilli des renseignements sur les chefs syndicaux. Letby a reconnu qu'«en certaines circonstances» les inspecteurs des postes on recueilli des informations personnelles sur les chefs syndicaux, y compris des numéros de plaques [de voiture] et tout le reste».

Les activités d'espionnage de Farrell sur les chefs syndicaux étaient un autre exemple des aspects contradictoires de son tempérament. D'un côté, son travail clandestin pour Postes Canada blessait sa sensibilité chrétienne et l'enseignement de sa foi et de son éducation religieuse. D'un autre côté, le voleur qu'il avait été conservait une affinité naturelle pour ce travail et aimait empocher une bonne somme d'argent en faisant des coups. Farrell n'était ni une victime ni un larbin. À l'époque, il était un complice consentant et dévoué de Postes Canada dans sa guerre contre les employés syndiqués.

Les services de sécurité et d'enquête de Postes Canada, en effet, faisaient leur propre loi. Il n'existait aucun organisme de supervision, telle la commission de police, ni de comités de révision pour garder l'œil sur les actions de cette unité ou sur ses supérieurs. La petite armée d'enquêteurs largement inconnue jouissait de pouvoirs d'enquête, de saisie et d'arrestation extraordinaires qui rivalisaient avec ceux de n'importe quel organisme policier ou de sécurité du pays et pourtant ils n'avaient de comptes réels à rendre à personne hormis de rares cadres de Postes Canada. Étant donné ce vide, il n'était pas surprenant pour Farrell qu'un sentiment d'immunité imprègne l'unité de renseignements. Les inspecteurs des postes et leurs patrons, dit Farrell, croyaient pouvoir faire ce qu'ils voulaient, quand ils le voulaient et à qui ils le voulaient, et s'en tirer.

La campagne du service de renseignements pour espionner les employés de Postes Canada et leurs familles est un excellent exemple de la conviction secrète qu'avait cette unité d'être au-dessus de la loi. Mais ce n'était pas le seul exemple.

* * *

À l'automne 1990, Thompson dit à Farrell par téléphone qu'il avait une autre affectation pour lui. «Il nous faut pénétrer à l'intérieur de certaines voitures à Gateway», dit-il. Pour Farrell, les propriétaires de ces «certaines voitures» ne représentaient aucun mystère.

«C'était le plan d'attaque planifié contre les syndicats, dit Farrell. Nous voulions pénétrer dans les voitures des chefs syndicaux tandis qu'ils étaient en réunion à l'intérieur du centre de tri.»

Thompson était avare de mots au téléphone, de sorte que Farrell alla droit au but.

— Qu'attendez-vous de moi? demanda-t-il.

— Nous avons besoin d'entrer, répondit Thompson.

— Je vais prendre quelques ouvre-portes.

Un ouvre-porte est pratique mais difficile à obtenir. Populaire chez les chauffeurs de remorqueuse, cette petite règle de métal peut, entre des mains expertes, déverrouiller les portières d'automobile en quelques secondes. Pour cette raison, elle est aussi très populaire parmi les voleurs. Farrell n'avait jamais maîtrisé l'utilisation de l'ouvre-porte. Désormais, avec l'encouragement de Postes Canada, il allait devenir un expert.

Sachant qu'il ne trouverait pas un ouvre-porte à vendre dans n'importe quelle quincaillerie, il approcha quelques amis chauffeurs de remorqueuses. «J'ai acheté une couple d'ensembles d'ouvre-portes d'un chauffeur de remorqueuse. Je lui ai donné quelque deux cents dollars en liquide. Il ne savait pas qui j'étais ni ce que je faisais», dit Farrell[2]. Le liquide servit aussi à acheter des leçons sur l'art de se servir de cet instrument. Farrell finit par maîtriser une variété de techniques pour déverrouiller avec aisance des portières de voiture du côté du passager et du côté du chauffeur.

Il entraîna ensuite à cet art d'autres inspecteurs des postes et au moins deux cadres des services d'enquête. Selon Farrell, les séances d'entraînement eurent lieu sur le terrain de stationnement de Postes Canada, au 20 Bay Street. On utilisa plusieurs voitures pour ces séances, dont la Fiero de Farrell et une Reliant K de la société de la Couronne. Chacun des inspecteurs et des cadres vint à son tour manœuvrer doucement l'ouvre-porte pour déverrouiller les serrures. Chacun prenait l'exercice pour un défi, dit Farrell.

Une semaine après la fin des séances d'entraînement, on se servit des ouvre-portes sur les voitures des chefs syndicaux au centre de Gateway. Une semaine plus tard, Thompson, Farrell et Letby montèrent dans une voiture non identifiée de Postes Canada au 20 Bay Street et s'amenèrent au centre de tri. Il n'y eut que peu de mots d'échangés en chemin. Ils s'arrêtèrent dans un parc de stationnement industriel à quelques rues du centre et descendirent tous. Chaque inspecteur s'exerça une dernière fois au maniement de l'ouvre-porte sur la voiture de la société. Ils enfilèrent ensuite des gants chirurgicaux afin de ne pas laisser d'empreintes digitales incriminantes sur les voitures des chefs syndicaux. Chaque inspecteur portait aussi une radio à main syntonisée sur une fréquence sécurisée du gouvernement, à utiliser s'il était repéré par un postier. On avait posté une vigie dans le centre de tri. On avait aussi préparé une histoire de couverture au cas où un passant s'arrêterait et poserait des questions à l'un des hommes. Celui qui utiliserait l'ouvre-porte prétendrait avoir laissé ses clés à l'intérieur de sa voiture.

Le plan consistait à pénétrer dans les voitures de trois chefs syndicaux garées sur un chemin industriel, en bordure du gros

2. Thompson avait donné à Farrell l'argent liquide nécessaire pour acheter les ouvre-portes. L'argent provenait d'une petite caisse couleur argent des services de sécurité et d'enquête.

centre de tri. Farrell dit que Thompson savait exactement où les chefs syndicaux se garaient. «Je crois qu'ils étaient préalablement en reconnaissance pour trouver l'endroit où étaient les voitures», dit-il. Grâce aux dossiers de Farrell, ils connaissaient le numéro des plaques, la marque, le modèle et la couleur de chaque véhicule. L'équipe gara sa voiture à quelques places derrière la première cible. Comme précaution supplémentaire, Farrell enfila une paire d'épais gants de cuir par-dessus les gants chirurgicaux qu'il portait. Selon lui, Thompson l'encouragea vivement à se montrer prudent, car cette aventure pouvait lui coûter son emploi.

Sur ordre de Thompson, Farrell se glissa hors de la voiture et marcha lentement vers celle du leader syndical. Les autres demeurèrent derrière, en silence, gardant l'œil ouvert. Il glissa l'ouvre-porte dans la portière arrière du côté du passager. En quelques secondes, il était à l'intérieur, ramassant tous les documents qu'il pouvait trouver. Il donna ceux-ci à Thompson, qui prit rapidement quelques notes, tandis que Farrell fouillait le coffre arrière de la voiture. Il n'y trouva rien d'intéressant. Thompson redonna les documents à Farrell, qui les replaça minutieusement dans la voiture du leader syndical. Farrell passa ensuite à la voiture suivante, garée tout près. Utilisant à nouveau l'ouvre-porte, il entra dans la voiture par la portière arrière. Il y prit une serviette non verrouillée et d'autres documents, qui furent remis à Thompson. Celui-ci mit environ dix minutes à en parcourir les pages en prenant des notes. À nouveau on fouilla le coffre arrière et on remit les documents à leur place. Farrell passa ensuite à une troisième voiture, qui n'était pas verrouillée. Rien d'utile n'y fut trouvé. L'entrée par effraction dans les trois voitures prit trente minutes.

On parla très peu sur le long chemin de retour vers le 20 Bay Street. Arrivé là, Thompson rappela à tous de ne rien dire de tout cela à personne. «Rappelez-vous, ce n'est jamais arrivé.»

Ils approuvèrent en silence. Ils pouvaient tous imaginer les conséquences et personne n'a jamais parlé, jusqu'à maintenant.

Une semaine après les entrées par effraction, on convoqua Farrell au bureau de Thompson. La secrétaire de son supérieur avait réservé pour lui un vol aller-retour pour Ottawa en partance de l'aéroport de Toronto Island. Thompson dit à Farrell qu'il voulait qu'il porte au quartier général de Postes Canada une mallette contenant une enveloppe en papier kraft remplie d'informations confidentielles. Thompson déclara à Farrell: «En aucune circonstance vous ne devez autoriser quiconque à ouvrir la mallette.»

Si les agents de l'aéroport le questionnaient sur le contenu de la mallette, Farrell devrait montrer son badge d'agent de la paix des services correctionnels et non celle de Postes Canada, et dire que les documents contenaient des informations confidentielles sur des prisonniers. Après avoir remis la mallette à qui de droit à Ottawa, Farrell devait immédiatement appeler Thompson pour lui signifier que sa mission était accomplie. Farrell fit le voyage et porta le colis. Il utilisa sa carte d'appel du gouvernement pour téléphoner à Thompson et lui confirmer que la mallette avait effectivement été livrée.

«Je ne sais pas, mais je crois que la mallette contenait des notes sur les documents volés lors des entrées par effraction et que je les ai remises à qui de droit à Postes Canada à Ottawa», dit Farrell.

Quand on l'interrogea sur l'affaire des ouvre-portes, Thompson nia avoir été impliqué. Quand on a demandé à l'ancien patron des services de sécurité et d'enquête, Robert Letby, s'il pouvait se souvenir de l'incident, il a répondu: «De quoi parlez-vous? Personne n'autoriserait pareille chose.» Il a ensuite avoué qu'il en avait discuté avec Thompson et un autre ancien inspecteur des postes. Pressé davantage, il a dit: «Je n'ai pas envie d'expliquer quoi que ce soit.»

* * *

Malgré les louanges et les promotions, Farrell devenait agité[3]. Il était las du travail et en avait assez des autres inspecteurs, qui

3. Thompson envoya aussi Farrell suivre un cours de deux semaines à l'école de police d'Aylmer, en Ontario. Le cours de deux semaines à cette fameuse école de police, située à environ cent quatre-vingt-dix kilomètres à l'ouest de Toronto, réunissait sous un même toit des agents de police aguerris de tous les coins du pays et appartenant à une brochette de corps policiers. Il y avait en tout vingt-cinq enquêteurs, de tous les secteurs associés au maintien de la paix, des agents des drogues aux agents de renseignements. Pour Farrell, c'était une occasion de nouer des liens indispensables et durables avec les forces policières et d'autres services de sécurité gouvernementaux. Ces amitiés furent scellées lors des longues journées de cours sur l'art de

supportaient mal son succès. Il souhaitait retourner à l'université Simon Fraser pour reprendre ses études sur le système de justice criminelle. Il voulait devenir officier de probation. Mais il s'inquiétait aussi d'abandonner la sécurité financière associée à son travail. Il avait besoin de quelqu'un, de quelque chose, pour le pousser vers la sortie. Cette poussée vint d'une source inattendue.

Les rapports déjà tendus de Farrell avec quelques-uns des autres inspecteurs de l'unité empirèrent de façon dramatique avec l'arrivée de Ron Flemming, un irritable Terre-Neuvien de petite taille qui avait été transféré à Toronto pour remplacer un cadre qui quittait les services de sécurité et d'investigation. Farrell et Flemming tombèrent tous deux immédiatement d'accord pour se détester. Farrell estimait que Flemming était un petit tyran arrogant. En retour, le Terre-Neuvien croyait que Farrell était un jeune punk qui avait besoin d'un bon et rapide coup de pied au derrière et il était déterminé à le lui administrer.

Flemming réussit à découvrir que Farrell et Thompson avaient engagé un agent de police à South Central sans passer par les canaux appropriés. Il demanda alors à Farrell de trouver du travail à ses amis et parents au centre de tri. Farrell lui répondit d'aller se faire voir ailleurs.

La friction entre les deux hommes éclata un samedi soir à l'extérieur du centre de tri South Central. Un groupe d'inspecteurs des postes, dont Farrell et Flemming, venait d'achever l'installation d'équipement de surveillance dans le centre, dans le cadre d'une opération clandestine. Il était trois heures trente-cinq du matin et ils se trouvaient sur le terrain de stationnement. Farrell avait besoin qu'on le dépose chez un ami à Whitby et demanda d'abord ce service à Flemming, puisque celui-ci allait dans cette direction. Flemming refusa.

Farrell explosa. Il se rua sur Flemming, qui se réfugia dans sa voiture et verrouilla rapidement les portières, tandis que Farrell martelait le capot. Blaise Dobbin, un inspecteur pas très costaud, tenta de retenir Farrell, mais sans succès. Farrell poursuivit son attaque, tandis que Flemming tremblait de peur dans sa voiture.

---

bien mener des interrogations, la manière d'identifier et d'enregistrer des modes de comportement criminels, et la façon de découvrir les liens entre les principaux syndicats du crime de l'Ontario.

Finalement, Flemming enfonça l'accélérateur et quitta le terrain de stationnement à toute allure, ratant Farrell de peu.

Le lundi suivant, Thompson convoqua Farrell dans son bureau pour qu'il s'explique. Flemming voulait que Farrell soit viré des services de sécurité immédiatement. C'est à contre-cœur que Thompson prit partie pour Flemming. Farrell leur épargna des maux de tête : il démissionna.

Le 21 janvier 1991, Farrell remit une brève lettre de démission dactylographiée. Il y remerciait Thompson et les cadres supérieurs de Postes Canada à Ottawa pour « m'avoir fourni l'occasion de travailler avec votre département d'enquêtes ». Il ajouta, de façon plutôt prémonitoire : « Dans le cadre de mon emploi, j'ai acquis une expérience positive et précieuse qui me servira dans d'autres emplois à l'avenir. »

Dans sa lettre d'acceptation, Thompson rappela à Farrell son devoir de mutisme après avoir passé la porte. « Nous vous rappelons, écrivit-il, votre obligation, conformément à la Loi sur les secrets officiels et la politique de sécurité du gouvernement du Canada, de garder la confidentialité sur toute affaire concernant votre emploi au sein des services de sécurité et d'enquête de Postes Canada. »

Thompson savait que Farrell avait vu et accompli des choses qui seraient hautement embarrassantes pour Postes Canada et le gouvernement du Canada si elles étaient révélées au public. Farrell était maintenant le gardien de secrets très troublants. S'il décidait de tout dire, les conséquences seraient sévères. Thompson avait pu être son ami, mais la lettre laissait clairement entendre que l'allégeance du chef des services de sécurité et d'enquête de la région de York devait aller à Postes Canada.

Le dernier jour officiel de Farrell avec Postes Canada fut le 17 février 1991. Avant de sortir, Thompson écrivit une autre lettre à Farrell – cette fois-ci, une lettre de recommandation – où il soulignait que ce dernier était « responsable des enquêtes sur les activités criminelles dirigées contre la société ou commises par des employés de la société. À cause de la confidentialité de son poste, John a reçu du gouvernement l'habilitation de sécurité de niveau ultrasecret ». Thompson évita toute référence aux activités d'espionnage de Farrell à l'endroit des membres du syndicat et de leurs chefs.

Il ajouta que Farrell possédait «une nature inquisitrice et une approche très créatrice pour développer des enquêtes qui apportaient des résultats fructueux». Thompson conclut sa lettre en disant: «[je suis] confiant que l'entraînement et l'expérience dont John a bénéficié ont amélioré son expertise et ses talents dans le domaine de la sécurité et des enquêtes.»

Leur dernière rencontre ressemblait à la lettre de Thompson: polie et droit au but. Thompson demanda à Farrell ce qu'il entendait faire désormais. Farrell confia à son supérieur son projet de retour aux études. Après un bref et embarrassant silence, Thompson laissa échapper une curieuse question: «John, que sais-tu du SCRS, le Service canadien du renseignement de sécurité?»

Farrell répondit qu'il avait entendu des bribes de rumeurs désobligeantes sur le service d'espionnage canadien de la part d'autres inspecteurs des postes et d'agents de la paix qu'il avait rencontrés à l'école de police, à Ottawa. Thompson dit à Farrell qu'il avait reçu un appel d'un ami du SCRS qui cherchait quelqu'un de «créatif» pour le service de renseignements. Il demanda à Farrell s'il était intéressé à ce qu'il arrange une rencontre avec son ami. Farrell était intéressé, mais il était encore profondément résolu à reprendre ses études. Thompson l'assura que ce travail «unique» lui laisserait énormément de temps pour poursuivre ses études tout en lui apportant beaucoup d'argent.

Farrell demanda quelle était la nature du travail. Thompson demeura circonspect mais dit qu'il comprenait l'interception de courrier. Bien que Farrell eût travaillé pour Postes Canada pendant moins de deux ans, il connaissait assurément les aires des installations postales dans la ville et à l'extérieur. Thompson lui remit un petit bout de papier avec un nom et un numéro de téléphone.

Farrell se réjouit à cette idée. Il possédait de l'expérience et il avait besoin d'argent. Il retourna la proposition dans sa tête pendant quelques heures avant de revenir dans le bureau de Thompson, plus tard ce jour-là, pour accepter la rencontre. L'appât de l'argent s'était révélé irrésistible.

Thompson offrit ses souhaits à Farrell: «Je suis sûr que tu as le monde devant toi, John. Tu as le talent: utilise-le bien.»

Farrell remercia Thompson et lui remit son insigne. Il jeta alors un coup d'œil à la note. L'agent du SCRS qu'il devait appeler, selon l'arrangement de Thompson, était Don Lunau.

4
LE SCRS ET LE COURRIER

C'est en 1984 que John Farrell avait entendu parler du SCRS pour la première fois, alors que son frère Art était tombé sur une offre d'emploi placée dans le *Globe and Mail* par le jeune service d'espionnage pour attirer des recrues. Art l'avait encouragé, à la blague, à se présenter et Farrell en avait ri. Maintenant la perspective de se joindre au SCRS ne semblait plus aussi dérisoire. Mais Farrell désirait aussi retourner à l'école, devenir agent de probation et peut-être même fonder une famille. Il hésitait beaucoup. Finalement, il jugea la suggestion de Mike Thompson trop attirante pour ne pas y donner suite. Avec un soupçon d'appréhension, il composa le numéro que lui avait remis Thompson. Pour le meilleur ou pour le pire, Farrell venait de plonger.

Don Lunau décrocha après deux coups de sonnerie et marmonna son «allô». La plupart des agents du SCRS ne s'identifient pas d'office au téléphone, de peur qu'un individu malveillant ne se cache à l'autre bout du fil. Lunau était particulièrement prudent, car il était un membre supérieur des Services des opérations spéciales (SOS) du SCRS à Toronto. Les membres du SOS sont convaincus d'être le groupe d'élite des agents des services de renseignements, étant affectés aux affaires très en vue et confidentielles. Leur arrogance leur attire souvent le mépris d'autres agents de renseignements, qui se hérissent à l'idée que les membres du SOS soient d'un calibre supérieur. À certains moments, le travail du SOS est excitant. Surtout, alors que quelques agents de renseignements sont enchaînés à leur bureau à mener d'ennuyeuses recherches sur un ordinateur, les membres du SOS se retrouvent souvent hors du bureau dans des opérations clandestines, amassant chaque mois des milliers de dollars en temps supplémentaire. N'importe quel officier avec un milligramme d'ambition ou qui est un tant soit peu en mal d'argent rêve de travailler pour le SOS. Lunau adorait ce travail.

Il savait qui était Farrell et il en vint au fait rapidement; il invita le jeune homme à le rencontrer au quartier général de Toronto, au 277 Front Street West.

Le service d'espionnage occupe trois planchers dans la tour à bureaux en béton, juste à côté du Metro Convention Centre et près du Skydome, où une assemblée hétéroclite de conducteurs de rickshaw, de revendeurs de billets et de vendeurs de cacahuètes traînent souvent sur le trottoir achalandé, à l'affût de touristes naïfs. On peut aussi apercevoir de petits attroupements d'agents du SCRS qui fument cigarette sur cigarette devant la porte tournante à l'entrée de l'édifice.

L'espace est rare dans cet édifice indescriptible que les gens du service appèlent leur chez-eux. Environ cent vingt-cinq agents de contre-espionnage et agents antiterroristes, cadres supérieurs et personnel de soutien y sont agglutinés ensemble comme des écoliers dans une classe surpeuplée. La seule chose qui vient rompre la monotonie des bureaux en métal qui encombrent le plancher, ce sont de grosses plantes vertes dans des pots et des vitres teintées qui offrent une vue sur l'animation du boulevard en bas. Il y a peu d'intimité. Ces quartiers exigus forcent les agents de renseignements à se cacher de manière embarrassante derrière leur bureau ou à couvrir le combiné téléphonique quand ils font des appels personnels. Les nouveaux venus apprennent rapidement qu'il n'y a pas de secret dans un service secret.

Pour la rencontre, Farrell s'était habillé dans sa version personnelle du costume de ville décontracté: une chemise polo rose avec une cravate. Lunau arriva à la réception au moment où Farrell signait le registre. Le commissionnaire de la réception demanda à voir des pièces d'identité, mais Lunau lui fit signe que ce n'était pas la peine: «Ne vous inquiétez pas, il est avec moi.» Musclé, faisant plus d'un mètre quatre-vingt-trois, Lunau avait une tignasse de cheveux foncés et bouclés, une moustache soigneusement taillée et un sourire désarmant. Les deux se serrèrent la main vigoureusement. Cherchant une certaine intimité, Lunau entraîna Farrell dans une grande salle de conseil – surnommée l'enclos – avec une vue sur Front Street et sur le nouveau quartier général de la CBC. Farrell prit immédiatement conscience que Lunau l'examinait avec une grande minutie, peut-être à la recherche d'indices dans son comportement qui trahiraient une dissimulation. Lors de son entraînement d'enquêteur, à Ottawa quelques mois plus tôt, on avait enseigné à Farrell l'art de lire le langage corporel. Un regard direct dans les yeux, par exemple, suggère la confiance, alors que se toucher les lèvres, le nez ou les oreilles, ou changer la position du corps sont des indices de nervosité et de comportement évasif. Farrell promenait un œil tout aussi entraîné sur son interrogateur, recherchant le même genre d'indices finalement insaisissables.

Lunau raconta à Farrell que son ancien patron avait vanté son travail aux services de sécurité et d'enquête. Il expliqua qu'entre autres responsabilités il dirigeait le programme d'interception de courrier du SCRS à Toronto. Il souligna que le service obtenait toujours les mandats fédéraux obligatoires avant d'intercepter et d'ouvrir le courrier d'individus soupçonnés d'être des menaces pour la sécurité nationale du Canada. Les mandats permettaient aussi au SCRS l'écoute téléphonique des suspects et, si besoin était, l'entrée par effraction dans leur demeure ou leur bureau.

Lunau mitrailla Farrell de questions sur la manière dont il s'y prendrait pour intercepter le courrier d'un suspect. Farrell répondit à toutes ces questions facilement. Lunau parut impressionné par l'étendue des connaissances de Farrell et par l'assurance évidente du jeune homme. Il lui dit plus tard qu'il semblait plus mature que son âge ne le laissait supposer.

Pour sa part, Farrell sentit des affinités avec Lunau, tout comme auparavant avec Thompson. Les deux hommes était rompus à la rue, confiants et charmants, en plus d'être à l'aise l'un avec l'autre. La rencontre dura quinze minutes. En partant, Farrell était sûr de décrocher le poste. Ce que ce travail comportait précisément demeurait cependant mystérieux pour lui.

Plus tard ce jour-là, Lunau joignit Farrell sur son téléphone cellulaire alors que celui-ci était à la maison avec sa mère. (Pour économiser de l'argent, Farrell avait aménagé sa chambre à coucher dans le petit solarium de l'appartement de sa mère, un logement pour personnes âgées subventionné par le gouvernement.)

— Êtes-vous près d'une ligne téléphonique ordinaire? demanda Lunau.

— Bien sûr.

— Rappelez-moi tout de suite.

Farrell trouva un téléphone et rappela.

— Nous vous voulons sur notre équipe, dit Lunau. Nous allons vous envoyer suivre un entraînement. Est-ce O.K.?

Sans attendre la réponse, Lunau dit à Farrell qu'il serait payé vingt dollars de l'heure en plus de voir ses dépenses remboursées et de recevoir vingt-sept cents le kilomètre pour l'utilisation de sa voiture pour les affaires du gouvernement, soit le taux en vigueur. Il avertit gentiment Farrell qu'il devrait se lever tôt le matin et travailler entre quinze et vingt heures par semaine. Son titre serait celui d'inspecteur des postes auxiliaire, ou IPA. La tâche n'était pas compliquée: se rendre aux bureaux de poste pour intercepter le courrier des suspects du SCRS et, quelques jours plus tard, remettre les lettres dans le courrier sans attirer l'attention.

Lunau dit alors à Farrell d'appeler Kenny Baker, un vétéran des opérations d'interception du courrier du SCRS. «C'est un bon homme. Il va te faire faire le tour. Vous allez bien vous entendre tous les deux.»

Malgré le ton rassurant de Lunau, Farrell avait des doutes. Il lui avait fallu plusieurs semaines, une vérification d'antécédents exhaustive et deux interviews pour être embauché par Postes Canada. Le service d'espionnage canadien y mit quinze minutes d'une rencontre sur une recommandation. Quel genre de service de sécurité mène ses affaires ainsi? Farrell était perplexe. D'autres questions surgissaient aussi dans son esprit. Quelle était la relation entre le SCRS et Postes Canada? Qui était Don Lunau? Qui était Kenny Baker? Pourquoi le SCRS était-il intéressé à lui? Pour Farrell, la première impression était importante; il avait aimé Lunau, mais il avait des doutes sur le SCRS. Pourtant, il était curieux et, comme toujours, désireux de faire de l'argent rapidement. Il téléphona donc à Baker. Qu'avait-il à perdre?

* * *

Une semaine après sa rencontre avec Lunau, Farrell rencontra Baker, à l'extérieur du domicile de sa sœur, un gros duplex situé à Scarborough. Farrell n'avait pas envie que Lunau et Baker apprennent qu'il vivait avec sa mère dans une maison pour personnes âgées et il était déterminé à protéger sa vie privée et celle de sa mère.

Il était tôt le matin du 27 février 1991 et le froid était mordant. Farrell trépignait en attendant impatiemment l'arrivée de Baker. À six heures trente précises, une Mercury Grand Marquis tourna le coin de la tranquille rue bordée d'arbres. Baker était un petit homme à l'air famélique, à la fin de la soixantaine, avec des cheveux fins et gris. Son chapeau de feutre était à peine visible au-dessus du tableau de bord. Bien que petit, c'était un amateur de grosses et insolentes voitures nord-américaines.

Farrell lui fit rapidement signe et sauta dans la voiture, heureux de retrouver la chaleur.

Cordiale machine à parler, Baker se mit tout de suite à discourir sur son passé, son présent et ses espoirs pour le futur. Il était marié et avait deux enfants d'âge adulte. Sa femme et sa fille travaillaient pour Postes Canada, et il avait lui-même travaillé comme inspecteur des postes pendant près d'un quart de siècle avant d'être attiré au SCRS par Lunau, deux ans plus tôt, pour participer au programme d'interception de courrier. Étant donné son âge et sa santé, Baker désirait un rythme moins frénétique ; le travail pour le service de renseignements était un bon et lucratif mariage. « Si tu joues bien tes cartes, tu peux te faire une somme rondelette », dit-il. La clé était de trouver le moyen d'accumuler des kilomètres supplémentaires.

Farrell découvrit que le SCRS avait embauché Baker pour la même raison que lui-même : il pouvait s'y retrouver dans les bureaux de poste et il avait l'habilitation de sécurité de niveau ultrasecret. Baker dit également à Farrell qu'il tenait sur son travail au service un journal quotidien dans un petit calepin noir de police qui comportait des bandes élastiques pour en maintenir les pages lignées bien en place. Il gardait ce carnet de notes dans une serviette de cuir légèrement usée qu'il rangeait toujours dans sa voiture. De sa calligraphie fleurie, il notait l'heure de son départ de la maison tous les matins, les noms et adresses de ses suspects, le nombre de kilomètres qu'il accumulait chaque jour, le nombre de pièces de courrier qu'il interceptait et l'adresse des bureaux de poste qu'il visitait. Baker aurait pu être l'auteur d'une bible sur les rouages du programme d'interception de courrier.

Mais en ce matin de février, Farrell était préoccupé par une autre des habitudes de Baker : il était un chauffeur affreux. En route vers un bureau de poste de Brampton, le long de la très achalandée autoroute 401, Baker s'engagea avec précaution sur les voies du collecteur de l'autoroute et il ralentit considérablement. Farrell pressa Baker d'accélérer. Ce dernier ne répondit pas. D'autres voitures passaient en vrombissant et leurs chauffeurs en colère klaxonnaient en faisant des gestes obscènes. Les yeux fermement fixés sur la route devant lui, Baker les ignorait aussi. Il roula vingt kilomètres à une vitesse inférieure à celle permise, parce que plus il était sur la route longtemps, plus il faisait d'argent. Farrell fut très soulagé quand Baker se gara devant un restoroute.

Tout en sirotant lentement son café, Baker donna une première leçon à Farrell sur l'art d'intercepter le courrier. Le secret, déclara-t-il sur un ton solennel, était de la plus grande importance. Aucun membre du syndicat dans les bureaux de poste ne devait être au courant qu'il travaillait en fait pour le SCRS. Si cela se savait, l'avertit Baker, il y aurait une réaction en chaîne qui mènerait inévitablement à une explosion aux proportions nucléaires. Les syndicats affirmeraient que la présence d'agents rémunérés du SCRS dans les installations postales démontrait que le service de renseignements espionnait ses membres. Farrell ne mentionna pas qu'il avait déjà espionné les chefs syndicaux au nom des services de sécurité et d'enquête de Postes Canada et qu'il était lui-même assis sur sa propre bombe à retardement.

La manière de procéder de Baker, dit-il, consistait à entrer de manière confiante dans un bureau de poste, de s'approcher du facteur chargé de manipuler le courrier du suspect, de brandir son enseigne de Postes Canada et de déclarer qu'il enquêtait sur un réseau de pornographie juvénile. Outragé que quelqu'un sur son circuit de livraison puisse faire partie de ce vil commerce, le facteur coopérait avec joie, sans trop poser de questions. Baker fouillait les sacs de courrier aussi lentement qu'il conduisait, à la recherche du courrier de son suspect. Farrell estimait que cette ruse attirait l'attention plutôt que de la détourner, mais Baker avait ses habitudes établies. «Ta routine sera différente de la mienne», dit-il à Farrell.

Après la pause café de quarante-cinq minutes, Baker emmena Farrell à un petit bureau de poste de Queen Street, dans le centre-ville de Brampton. En chemin, il lui rappela que le secret et la vigilance étaient la clé de toute opération clandestine réussie. Une fois à l'intérieur, il présenta Farrell au gérant du bureau.

«Oh! est-ce un autre de vos amis ultrasecrets?» plaisanta le gérant en désignant du doigt Farrell.

Baker s'approcha alors d'un facteur qui lui tendit nonchalamment un paquet de cinq ou six lettres retenues par une bande élastique.

De retour dans la voiture, il mit un certain temps avant de briser un silence embarassant. «Tu sais, John, ce n'est pas censé se passer comme cela, murmura Baker. Nous sommes censés fouiller les sacs de courrier nous-mêmes, mais mes yeux ne sont plus ce qu'ils étaient et je ne peux passer en revue trois mille lettres, à la recherche d'un nom, d'une adresse ou d'un code postal. C'est impossible.»

Farrell sourit d'un air las. Il recevait des leçons d'un vieil homme gentil qui avait pris un dangereux raccourci: Baker donnait aux facteurs les noms ultrasecrets des suspects du SCRS et ils extrayaient le courrier pour lui. Il s'avéra aussi que Baker avait une solution originale pour remettre les lettres dans le flot normal du courrier: il les remettait au facteur. Parfois, il ne retournait pas le courrier intercepté à l'intérieur de la période limite de trois jours permise par les mandats fédéraux. Ce délai amenait habituellement le facteur nerveux à s'enquérir du courrier manquant. Baker répondait: «Ah! nous n'en avons pas encore terminé.»

Lunau avait dit que Baker était l'homme à observer et de qui apprendre. Farrell l'a assurément observé abondamment, mais ce qu'il a appris de lui demeure discutable. Après une journée au travail, Farrell retint une leçon troublante: le secret entourant le programme était compromis par Kenny Baker.

Il découvrit plus tard que les facteurs avaient surnommé Baker «Maxwell Smart» (Maxwell le malin) et blaguaient sur son mystérieux soulier-téléphone. Blagues mises à part, Baker commettait une dérogation colossale. Pour obtenir un mandat fédéral afin d'ouvrir le courrier d'un suspect, le SCRS avait dû aller devant un juge fédéral et, selon toute probabilité, présenter des preuves hautement confidentielles démontrant que le suspect constituait directement ou indirectement une menace pour la sécurité nationale du Canada. Sur la foi de ces preuves, probablement recueillies d'informateurs ou de l'écoute électronique, le juge avait émis le mandat permettant au SCRS d'accomplir cette action inhabituelle consistant à intercepter et à ouvrir le courrier d'un suspect. Le Service avait aussi demandé l'approbation du Solliciteur général afin de pouvoir entrer dans les demeures des suspects, implanter des appareils d'écoute ou surveiller les lignes téléphoniques. Tout le processus d'approbation était entouré de secret pour plusieurs raisons importantes, dont la protection des informateurs et la poursuite des opérations de renseignement. Malgré tout cela, Baker trahissait les enquêtes ultrasecrètes en partageant les noms et les adresses des suspects avec les facteurs, leurs patrons et Dieu sait qui d'autre.

Il était clair pour Farrell que Baker avait dû prendre ce raccourci depuis des années ; Lunau et le SCRS devaient soit l'ignorer, soit le tolérer. De toute manière, pensait Farrell, c'était là une curieuse et troublante manière de diriger un service d'espionnage.

Farrell et Baker se rendirent lentement de Brampton à un autre bureau de poste à Bridletown, à Scarborough, pour prendre d'autre courrier visé par les services. Farrell observait en silence tandis que son guide se faisait remettre une autre pile de courrier par un facteur complaisant. «Je pensais : Oh ! mon Dieu ! Je ne peux le croire. Nous travaillons sur des projets ultrasecrets et ce n'est un secret pour personne. Tout le monde est au courant.»

La destination suivante était le bureau administratif de Postes Canada, au 1200 Markham Road, à Scarborough. Le SCRS avait loué une chambre au quatrième étage de l'édifice à bureaux pour en faire un repaire clandestin où des agents des renseignements avaient quotidiennement rendez-vous avec Baker et d'autres inspecteurs auxiliaires dans le but d'échanger du courrier. Cet après-midi-là, Jeff Yaworski et Jack Appleton, deux agents de contre-espionnage, se rendirent là depuis le quartier général, pour s'occuper du courrier ramassé. La petite chambre sans fenêtre et en forme de L se trouvait juste à côté du bureau de l'inspecteur des postes. À part un téléphone, une chaise, un petit bureau et une serviette verrouillée, la chambre était vide. Pour se protéger des intrus, le SCRS avait installé une serrure ultrasécuritaire. Sa présence devait demeurer un secret bien gardé. L'édifice recelait des dossiers personnels sur tous les travailleurs postaux de la ville ; si on entendait dire que des agents du SCRS, dont un ancien agent divisionnaire des services de sécurité et d'enquête de Postes Canada, se trouvaient à un jet de pierre de toute cette information confidentielle, la controverse qui s'ensuivrait pourrait être fatale au programme.

L'interception du courrier était une tâche tournante et terre-à-terre pour les agents de renseignements du bureau de Toronto. Yaworski et Appleton semblaient prendre ce travail au sérieux. Cette paire d'agents du SOS incarnait l'aspect schizophrénique du service de renseignements civil. Yaworski avait vingt-cinq ans et il avait récemment reçu son diplôme universitaire. Du haut de son imposante taille d'un mètre quatre-vingt-seize, l'ancien joueur de football collégial et agent correctionnel était un personnage intimidant qui représentait le nouveau genre d'agent que le SCRS tentait d'attirer. Plus tard, on offrit à Yaworski un poste en or en tant qu'agent de liaison à Londres, où il serait responsable des bonnes relations avec les services de renseignements anglais.

Quant à Appleton, il était de la vieille école. L'ancien agent de cinquante-quatre ans de la GRC était marié à une policière ; sa vie et sa famille étaient imprégnées du travail policier.

La procédure d'échange du courrier était simple : Baker et les autres inspecteurs auxiliaires plaçaient une bande élastique autour de leurs lettres et entraient dans le bureau du SCRS dans l'édifice administratif. L'inspecteur auxiliaire déverrouillait la mallette et y jetait le courrier fraîchement intercepté. Plus tard, des agents de renseignements récupéraient le courrier et laissaient derrière eux celui qui avait été examiné et qui devait être réinjecté promptement dans le circuit normal du courrier.

En général, tout courrier intercepté en provenance d'outre-mer ou qui semblait particulièrement délicat à ouvrir devait être expédié à Ottawa pour qu'on s'en occupe. Ainsi, du courrier intercepté était parfois scellé à l'aide de ruban adhésif pour déjouer les inspecteurs. Parfois, un correspondant collait un mince cheveu presque invisible sur le rabat arrière de l'enveloppe. Si le cheveu était dérangé ou disparaissait, cela alertait le suspect, qui savait alors qu'on ouvrait son courrier. Le Service expédiait toujours à Ottawa le jour même ce genre de courrier intercepté. Selon Farrell, les lettres étaient adressées à la boîte postale d'une firme en environnement bidon mise sur pied par le Service, afin de réduire les risques que les employés du fret d'Air Canada aient vent de l'opération clandestine. Farrell, ou un autre agent de renseignements, livrait personnellement le courrier intercepté et destiné à la compagnie paravent du SCRS à Ottawa, directement au comptoir cargo d'Air Canada, au terminal 2 de l'aéroport international Pearson de Toronto.

Une fois les colis expédiés, Farrell, ou un autre agent, envoyait un message sur un téléavertisseur ou un courriel au SCRS à Ottawa, spécifiant le vol et le numéro de connaissement. À Ottawa, les lettres aboutissaient sur le bureau de Keith Mcdonald, le directeur national du SOS. Malgré les précautions, Farrell dit qu'il arrivait souvent qu'il manque du courrier ou qu'on le laisse sans surveillance pendant des heures, parfois même des jours. Il ne fallut pas très longtemps non plus pour que le personnel de l'aéroport arrive à comprendre les manœuvres du service de renseignements.

Tout le courrier domestique était traité à Toronto. Le noyau peu connu de techniciens du SCRS avait mis au point une variété de techniques pour ouvrir et refermer le courrier sans laisser d'indice qu'on avait joué avec les lettres ou les colis. Ils scannaient aussi les lettres et les timbres pour détecter d'éventuels messages codés ne pouvant être lus que sous l'œil de puissants microscopes. Les enveloppes et leur contenu étaient photocopiés, traduits si nécessaire, et remis à l'agent de contre-espionnage ou à l'agent antiterroriste approprié, pour examen. Un mandat fédéral permet habituellement au SCRS de retenir une lettre pendant soixante-douze heures avant de la retourner au flot de courrier. Le service essayait de ne pas dépasser cette limite, afin de ne pas éveiller de soupçons chez les suspects. Le temps était crucial. Néanmoins, le SCRS dépassait souvent la limite. Lunau dit aux inspecteurs auxiliaires qu'ils pouvaient détruire ou ne pas remettre les lettres si elles posaient un risque à la sécurité nationale.

Farrell passa neuf jours à «l'entraînement» avec Baker. En grande partie, il garda ses intentions, pour lui-même. Suivre Baker dans ses circuits de courrier lui avait enseigné exactement ce qu'il ne fallait pas faire. Il rejeta à peu près tous les conseils que Baker lui avait offert durant leurs voyages ensemble, à l'exception d'un seul: conserver des notes détaillées.

Il était cependant ravi que le travail clandestin se traduise en un chèque de paie substantiel: vingt dollars de l'heure, plus le kilométrage et le temps supplémentaire. Après trois jours d'entraînement, Farrell dit à Baker qu'il désirait le suivre dans sa propre voiture, de façon à pouvoir commencer à réclamer tout de suite son allocation de kilométrage. Baker fut impressionné.

«Tu es un garçon intelligent», lui dit-il.

Lunau, Baker et le SCRS devaient bientôt découvrir combien John pouvait être intelligent.

* * *

Une fois terminée son étrange et parfois énervante éducation avec Baker, Farrell rencontra Don Lunau le 19 mars au *Timothy*, un petit café nichant juste à l'entrée du quartier général du SCRS, sur Front Street. C'est un repaire d'agents du SCRS, qui s'y arrêtent souvent pour emporter un café et une pâtisserie danoise avant de monter au travail. Farrell n'avait aucune idée de ce à quoi il devait s'attendre pour cette rencontre avec son nouveau patron. Quand Lunau lui demanda comment s'était déroulé son entraînement avec Baker, Farrell mentit et dit que oui, Baker était un vieux pro.

Au milieu de la conversation, Lunau glissa à Farrell une enveloppe vierge. À l'intérieur, il y avait un fiche lignée de sept centimètres sur douze. Sur la carte se lisaient les instructions écrites de la main de Lunau sur la première affectation de Farrell. Celui-ci s'étonnait que Lunau mène ses affaires si ouvertement, particulièrement parce qu'ils étaient constamment interrompus par les collègues de Lunau qui passaient par le café. Farrell jeta un regard sur la carte pour y lire un nom, une adresse de domicile, incluant le code postal et le lieu d'un bureau de poste à Port Credit, une petite communauté-dortoir de Toronto. Il n'y avait aucun autre détail. Lunau ne dit pas à Farrell pourquoi le courrier devait être intercepté, ni depuis combien de temps il l'était, ni quel risque le suspect posait, et Farrell ne le demanda pas.

Le compteur silencieux de Farrell tournait déjà quand il quitta le café. Un aller-retour à Port Credit ferait au moins soixante-quinze kilomètres. Il pourrait intercepter le courrier, récupérer quelques heures de sommeil et travailler son quart au centre de détention de York, où il œuvrait toujours en tant que gardien à temps partiel.

Malgré sa propre inclination à prendre des raccourcis à la Baker, Farrell résista à la tentation. Lunau avait insisté sur l'importance de protéger le programme contre les indiscrétions et Farrell s'enorgueillissait de son professionnalisme.

Le matin suivant, il arriva au bureau de poste à sept heures, se présenta au gérant comme un enquêteur et exhiba sa carte d'identité maintenant échue de Postes Canada. Mais la prudence était futile. Grâce aux bons soins de Kenny Baker, plusieurs des gérants qu'il devait rencontrer dans les bureaux de poste était parfaitement au courant des manœuvres du SCRS. Mais les gérants faisaient partie de la direction et il était improbable qu'ils fassent du chichi au sujet du travail du SCRS. La véritable menace venait des facteurs, qui pourraient alerter les leaders syndicaux sur la présence du service de renseignements dans les bureaux de poste.

Afin de réduire les risques, Farrell mit à contribution son charme. Il se lia d'amitié avec Herman Roberge, un facteur dévoué et à la carrière impeccable, qui manipulait le courrier du suspect au bureau de poste de Port Credit. Livrer le courrier était la seule et unique tâche de Roberge. Sa fille étudiait la biologie à l'université, dans l'espoir de devenir une experte médicolégale pour le gouvernement provincial. De toute évidence, Roberge voulait éviter tout problème qui mettrait en danger son travail et l'avenir de ses enfants. Farrell exploita cette insécurité en laissant vaguement entendre qu'il menait une enquête sur une fraude postale. Roberge ne rechigna donc pas et ne posa aucune question.

D'autres facteurs que Farrell rencontra craignaient de ce qu'il ne menât en réalité une enquête sur la «coutume de la boîte rouge». Pour alléger leur somme de travail et leur journée, certains facteurs prenaient parfois une pile de courrier de deux ou trois cents pièces, enlevaient la bande élastique qui les liait et jetaient les lettres dans une boîte aux lettres rouge. Les lettres passaient les journées suivantes à parcourir à nouveau tout le circuit du courrier. Ce truc pouvait raccourcir la journée d'un facteur de deux ou trois heures. Le truc de la boîte rouge est une sérieuse offense, qui encourt souvent une longue suspension, ou, en certains cas, le congédiement. Farrell menaça souvent de sévir contre cette pratique afin de susciter la coopération des facteurs nerveux.

Lors de ses premières visites à un bureau de poste quelconque pour ramasser les lettres d'un suspect, Farrell ne faisait qu'une vérification de courrier – il faisait une photocopie des deux côtés de l'enveloppe et glissait à nouveau les lettres dans le sac. Certains facteurs d'expérience possédaient un étrange sixième sens qui leur permettait de savoir qu'il manquait une lettre ou deux dans leur sac. «Il y avait des gars comme ça, dit Farrell. Ils savaient s'il manquait une lettre ou si l'on avait joué dans leur sac.»

Quand il était sûr que le facteur ne se doutait de rien ou qu'il était parfaitement désintéressé de ce qu'il faisait, Farrell commençait à «emprunter» le courrier du suspect. Comme protection finale contre une possible détection, il ouvrait toujours au moins trois sacs de courrier. Il ne voulait pas que les facteurs puissent deviner quel sac contenait le courrier du suspect. Il apportait le sac dans un coin isolé du bureau, pour tranquillement en briser le sceau et l'ouvrir, en s'assurant de remettre les paquets exactement dans le même ordre qu'il les avait pris, triés par codes postaux. Il compulsait le courrier jusqu'à ce qu'il tombe sur le bon code postal et recherchait alors le nom et l'adresse du suspect.

Il cachetait le courrier du suspect dans une enveloppe en papier kraft et partait pour le repaire clandestin situé dans les bureaux administratifs de Postes Canada, où Yaworski et Appleton récupéraient le courrier des serviettes verrouillées.

* * *

Farrell apprit qu'il était la dernière recrue du SCRS dans un programme ultrasecret dont le nom de code était «opération Vulve». Il ne savait vraiment pas pourquoi les services de renseignements avaient baptisé le programme d'interception du courrier d'après l'appareil génital féminin. Mais les noms de code dont les services de renseignements et les organismes de maintien de la paix affublent leur travail clandestin ressemblent à un étalement de chauvinisme – comme «opération *Enduring Freedom*» – ou à des blagues d'étudiants initiés. Le fait que Farrell et sa famille traînaient de longues feuilles de route criminelles ne semblait pas troubler le moins du monde Lunau et le SCRS. Farrell deviendrait un membre précieux de l'opération Vulve.

Farrell n'incarnait pas le nouveau genre de recrue que le Service essayait d'attirer. À l'époque, il n'était pas allé à l'université et n'était pas bilingue. Mais il détenait un permis de conduire valide, un esprit créatif (comme Thompson le disait avec tant d'à-propos) et une habilitation de sécurité de niveau ultrasecret. Farrell était également abordable sur le plan monétaire, pratique et expérimenté. Il s'y retrouvait dans les bureaux de poste et avait déjà mené une pléthore d'enquêtes confidentielles pour Postes Canada. C'était une découverte formidable.

Avec la collaboration de Postes Canada, le SCRS avait mis au point une façon de déguiser les paiements faits à Farrell et à d'autres inspecteurs auxiliaires impliqués dans l'opération Vulve. Postes Canada agissait en tant que compagnie paravent pour le SCRS. Les inspecteurs auxiliaires travaillaient pour l'organisme de renseignements, mais ils étaient payés, du moins sur papier, par Postes Canada. Le marché était conclu de façon que le SCRS puisse prétendre que ses agents n'interceptaient pas le courrier dans les installations postales, les bureaux ou les centres de tri. Ce travail, selon les écritures, était confié à des «contractuels» de Postes Canada. Le SCRS demandait les mandats pour l'interception du courrier. Les feuilles de temps des inspecteurs auxiliaires affichaient toutes les numéros de mandat du SCRS jusqu'à ce que Farrell convainque Lunau de les effacer, pour des raisons de sécurité.

Pour achever la ruse, à partir de 1992, le SCRS fit signer par Farrell une série de contrats avec la société Postes Canada. Avant cela, aucun contrat ne régissait le travail de Farrell. Marqués secrets, les contrats expliquaient les conditions d'emploi dans l'opération Vulve. Selon ces conditions, on ne considérait pas Farrell comme un employé de Postes Canada, mais plutôt comme un contractuel indépendant – un contractuel qui exécutait des mandats judiciaires. Ces contrats stipulaient qu'on devait payer à

Farrell des «honoraires professionnels» de vingt dollars l'heure, avec un minimum de trois heures par jour, exactement comme promis par Lunau. «La société vous remboursera les repas, le kilométrage et les dépenses effectuées par vous uniquement dans l'exercice de vos obligations selon ce contrat», ajoutait-on.

Le titre d'inspecteur des postes auxiliaire représentait une variation subtile mais significative par rapport à son titre précédent d'inspecteur des postes. Le mot «auxiliaire» devait suggérer que Farrell apportait son aide à Postes Canada, alors qu'en fait son supérieur n'était plus Mike Thompson mais Don Lunau. «L'entraînement et le travail se feront en étroite liaison avec le gérant de division des services de sécurité et de renseignements ou un représentant autorisé», lisait-on dans le contrat numéro 584269. Le «représentant autorisé» était Don Lunau.

Bien sûr, touts les contrats que signait Farrell étaient assortis d'une condition primordiale : le secret. Farrell était dans l'obligation de garder pour lui-même ses arrangements contractuels avec Postes Canada et le SCRS. Le contrat disait : «Le contractuel traitera comme confidentielle, durant et après la livraison des services décrits par ce contrat, toute information de nature confidentielle en rapport avec les affaires de la société dont il a connaissance dans le cadre des services approuvés. On ne pourra rendre public le contenu du contrat sans l'approbation écrite préalable de la société.» L'expression clé dans ce charabia juridique était «les services approuvés». Farrell n'accomplit jamais rien, dans sa longue et industrieuse carrière au SCRS, sans l'approbation, le consentement ou la supervision de ses supérieurs. Sur ce point au moins, les contrats annuels reflétaient la vérité.

Chaque semaine, Farrell et d'autres inspecteurs auxiliaires remplissaient des factures d'une page établissant les dates et les heures auxquelles ils avaient travaillé, de même que le kilométrage accumulé. Les factures comportaient aussi les numéros des mandats du SCRS et les autres dépenses effectuées par les enquêteurs. Une fois remplie, la facture était examinée et approuvée par Lunau, et envoyée par télécopieur à nul autre que l'ancien patron de Farrell, Mike Thompson. Après que Thompson avait signé les factures, elles étaient envoyées par télécopieur au quartier général des services de sécurité et d'enquête, au 785 Avenue Carling, à Ottawa. (Plus tard au 333 Preston Street.) Alan Whitson, directeur national des services de sécurité et d'enquête, s'occupait de toutes les réclamations de dépenses. (Whitson avait été l'un des instructeurs de Farrell à l'occasion de la formation des enquêteurs fédéraux, à Ottawa.) On lui soumettait les factures sous le couvert d'un compte de dépenses fictif assigné à chacun des inspecteurs auxiliaires. Le code du compte de dépenses de Farrell était 308870-830-000-1430. On envoyait alors un chèque à chacun des inspecteurs pour couvrir les «frais» qu'ils avaient eus en travaillant pour le service de renseignements. Selon Farrell, chaque mois le SCRS transférait les fonds dans les coffres de la société de la Couronne pour couvrir les coûts du programme des inspecteurs auxiliaires. Des inspecteurs auxiliaires opéraient dans toutes les villes importantes du pays sous le couvert fourni par Postes Canada.

Le SCRS et Postes Canada n'ont effectué sur les prétendus chèques de dépenses aucune des déductions habituelles d'un employé, soit le plan de retraite, l'assurance emploi et l'impôt. Lunau a dit à Farrell que ses gains constituaient un revenu «non déclarable» et que les inspecteurs auxiliaires n'étaient censés payer aucun impôt sur les sommes qu'ils recevaient de façon ostensible de Postes Canada pour «services professionnels rendus». D'après Farrell, Lunau a ordonné aux inspecteurs de ne pas déclarer l'argent sur leur déclaration annuelle, de façon à garder leur arrangement secret même aux yeux de Revenu Canada. Pour autant que Farrell soit concerné, la bande d'inspecteurs auxiliaires du SCRS a empoché des centaines de milliers de dollars chaque année sans payer d'impôt, avec le consentement – venu de la direction – du service d'espionnage du Canada et de la société Postes Canada. Ce fait pourrait maintenant attirer l'attention d'autres organismes fédéraux moins généreux, comme le Bureau du vérificateur général et l'armée de fonctionnaires de Revenu Canada.

Suivant le seul conseil utile reçu de Kenny Baker, Farrell a conservé des dossiers méticuleux durant son séjour prolongé au SCRS. Il a conservé un copie de chaque facture soumise pour son travail et de tous les talons de chèque émis par Postes Canada. Ces dossiers démontrent que Farrell n'a pas déclaré un seul sou des nombreux milliers de dollars qu'il amassés en travaillant pour le SCRS. Ainsi, le 23 mars 1991, il a rempli une facture pour sa première semaine de travail avec le service de renseignements. Il a commencé chaque jour à six heures trente du matin et s'est rendu à Port Credit pour procéder à l'interception du courrier visé par le mandat numéro SCRS 91-1. La recrue a travaillé un total de quinze heures durant la semaine du 19 au 23 mars inclusivement. Au taux de vingt dollars de l'heure, Farrell a réclamé trois cents dollars sur la facture. Il a parcouru six cent cinquante kilomètres cette semaine-là, ce qui se traduisait par un montant de cent soixante-quinze dollars et cinquante cents. Il a aussi réclamé trois dollars d'appels téléphoniques, pour un grand total de quatre cent soixante-dix-huit dollars et cinquante cents. La semaine suivante, il a travaillé douze heures et a réclamé un total de trois cent quatre-vingt-trois dollars et quarante cents. Il a même noté sur la facture que le 24 mars était férié, car c'était le vendredi saint.

Il en a été ainsi semaine après semaine, pendant près d'une décennie. Farrell remplissait méticuleusement ses factures et les envoyait par télécopieur à Thompson pour qu'il les examine. Plus tard, il envoyait les factures à Pat Bishop, un cadre supérieur de Postes Canada à Toronto, et à Whitson. Lunau recevait toujours des copies papier des factures de Farrell. Postes Canada envoyait toujours à Farrell ses chèques à une boîte postale qu'il avait ouverte au bureau de poste d'Eglinton Square, à Scarborough. Tout comme les autres inspecteurs auxiliaires travaillant dans l'opération Vulve, Farrell était ravi que Lunau les ait avisés de ne payer aucun impôt. «Qui étais-je pour contester ce que m'ordonnait le service de renseignement de ce pays?» dit Farrell.

Malgré son empressement à gonfler ses dépenses, un enquêteur rechigna devant l'ordre de Lunau. Kenny Baker (qui est décédé en 1996) a payé de l'impôt sur chaque cent gagné dans le cadre de son travail avec le SCRS. La veuve de Baker, Pat, dit que son mari craignait que le système de paiements secrets concocté par le SCRS et Postes Canada ne finisse par être mis au jour, ce qui l'exposerait à une enquête et à l'emprisonnement pour évasion fiscale. «Nous nous sommes assurés de le faire [payer les impôts]», dit Mme Baker, alors qu'elle se remémore, dans son bungalow du nord de Toronto, la longue carrière de son mari dans le ténébreux monde du renseignement. «Les autres inspecteurs auxiliaires lui ont dit qu'il était fou de faire cela, ajoute-t-elle, mais

Kenny savait qu'un jour d'autres se feraient prendre. Vous payez vos impôts au fur et à mesure.»

Elle dit que son mari se faisait aussi du souci parce que, si le système venait à être découvert, le SCRS l'abandonnerait et prétendrait qu'ils n'avaient jamais ordonné à quiconque de ne pas payer ses impôts. Farrell aussi craignait de se faire doubler si le programme devenait public. Mais, pouvant choisir entre ne pas payer d'impôt sur une somme d'argent appréciable et faire une croix sur cet argent, le mercenaire qu'était Farrell a opté pour la première option.

Lunau et le SCRS menaient une escroquerie en dérobant les inspecteurs auxiliaires aux yeux des organismes de supervision du service de renseignements. Les dérobades bureaucratiques et les échappatoires juridiques que le SCRS avait planifiées avec le concours de Postes Canada pour obscurcir ses rapports intimes avec Farrell et les autres inspecteurs auxiliaires ne pouvaient pas refaire l'histoire. Pour le moment, au début de 1991, Farrell serrait la main de Lunau dans l'enclos au quartier général de Toronto: il était l'homme du SCRS.

* * *

Pour un moment, Farrell crut mener une vie de rêve. Il se réveillait tôt et se dépêchait vers Port Credit pour intercepter le courrier d'un suspect. Il se rendait ensuite au gymnase pour une rapide partie de squash, suivie d'une sieste dans le solarium de sa mère. Pendant tout ce temps, son compteur tournait. Pour une seule période de deux semaines en 1991, Farrell a réclamé mille huit cent quarante-quatre dollars en dépenses, le tout exempt d'impôt. Ses lucratives courses à Port Credit étoffaient son compte en banque et il disposait de plus de temps qu'il n'en fallait pour reprendre ses études par correspondance à l'université Simon Fraser et pour continuer de faire ses quarts à la prison. Il était déterminé à obtenir son diplôme et son généreux chèque de paie au SCRS rendait cela possible.

Farrell s'est révélé comme étant la crème d'une moisson plutôt quelconque d'une douzaine d'inspecteurs des postes auxiliaires à Toronto. Les autres avaient des listes de suspects et de bureaux de poste aussi éloignés que London et Hamilton. Comme Farrell, ils déposaient leur courrier intercepté à l'édifice administratif de Postes Canada et y récupéraient d'autres lettres. Farrell finit par apprendre que les autres inspecteurs auxiliaires avaient aussi leurs idiosyncrasies : quelques points forts, mais surtout des faiblesses. Tout comme les services de sécurité et d'enquête, l'équipe des inspecteurs auxiliaires constituait un club d'hommes d'âge moyen et Farrell était un intrus. Il travaillait avec des gens qui parfois étaient de trente ou quarante ans ses aînés et qui arrivaient à la fin de leur carrière ou en approchaient.

Beaucoup d'inspecteurs auxiliaires avaient préalablement travaillé à la GRC et au SCRS avant de participer à l'opération Vulve. Brian Crump était un ancien agent de renseignements et jouissait d'une préretraite avant de devenir un inspecteur des postes auxiliaire. Bill McKeough était un ancien membre de la Gendarmerie royale du Canada et un ancien directeur dans le service de surveillance du SCRS avant de se joindre à l'équipe de Lunau. Harley Wittick avait été enquêteur de banque et policier à Toronto avant de s'engager dans l'opération Vulve. Selon Farrell, Wittick savait peu de choses du SCRS et de son mandat, et il avait travaillé pendant plusieurs mois à l'opération Vulve sans avoir obtenu l'habilitation de sécurité de niveau ultrasecret. Pour Farrell, la participation de Wittick à ce programme hautement confidentiel était une preuve de plus de la sécurité lamentablement inadéquate qui caractérisait l'opération. Ken Pollit était un autre ancien agent de police qui a travaillé pendant des mois sans avoir obtenu l'habilitation de sécurité.

Plusieurs des amis de Mike Thompson furent embauchés comme inspecteurs auxiliaires. En plus de Wittick et de Farrell, Jim Troy était un autre des compagnons de Thompson ayant trouvé du travail avec Lunau et le SCRS. Troy et Thompson étaient devenus amis alors qu'ils servaient tous deux dans la police de Toronto. En fait, Thompson avait engagé Troy en tant qu'inspecteur des postes avant de l'orienter vers le SCRS. Blaise Dobbin, un ancien trieur postal au centre South Central, jouait régulièrement au hockey avec Thompson avant de devenir inspecteur des postes. Dobbin a passé trois ans avec Postes Canada avant de prendre un long congé attribué au stress. Après son rétablissement, Thompson lui trouva un travail moins épuisant[1] comme inspecteur auxiliaire.

Tout comme Thompson, qui avait exploité tous les talents de Farrell en tant qu'agent de renseignements divisionnaire, Lunau perçut que Farrell possédait des compétences dont il pourrait tirer profit. À l'automne 1991, il commença à lui confier des dossiers d'interception confidentiels et l'engagea officieusement comme consultant pour dépanner les autres inspecteurs auxiliaires impliqués dans l'opération Vulve. Les problèmes n'ont jamais cessé.

* * *

Avant de devenir un inspecteur auxiliaire, Conrad Richter avait été un agent attaché au service de sécurité de la GRC et un agent d'immigration. Richter aimait conduire une Cadillac blanche voyante et c'était un raseur; ce ne sont pas là les qualifications idéales pour travailler à un programme ultrasecret. Mais Lunau l'embaucha quand même.

En manipulant un télécopieur dans un bureau de poste, Richter avait par inadvertance envoyé sa facture de dépenses, portant le numéro de mandat du SCRS, au quartier général du syndicat des postiers à Toronto. Paniqué, Richter tenta frénétiquement de joindre Farrell, craignant que sa bévue ne compromette le programme au complet. Farrell était en plein milieu d'une partie de squash quand son téléavertisseur sonna.

— Qu'y a-t-il? aboya-t-il lorsqu'il joignit Richter par téléphone.

— J'ai... euh... j'ai un problème.

— Nom de Dieu! De quoi s'agit-il?

— Bien, John, je viens tout juste d'envoyer ma facture au bureau exécutif du syndicat à Toronto. Je suis désolé, mais j'ai pressé le mauvais bouton sur le télécopieur. Bordel! qu'est-ce que j'ai fait?

D'après Farrell, Richter semblait au bord des larmes.

---

1. L'édition anglaise originale comporte un jeu de mots impossible à rendre en français: *a less taxing job*, qui signifie «un travail moins fatigant», mais aussi «un travail où l'on paye moins d'impôt»... (*N.d.T.*)

Farrell devait trouver une solution rapidement. Il réfléchit un moment et dit à Richter de téléphoner au gérant du bureau de poste et de lui expliquer le délicat problème. Le gérant appela au bureau du syndicat et dit qu'une télécopie avait malheureusement été envoyée par erreur.

«Pourriez-vous simplement la jeter à la poubelle, s'il vous plaît? demanda le gérant à un employé du syndicat, avec toute la courtoisie qu'il avait pu rassembler. L'employé le fit, ne réalisant pas qu'il avait de la dynamite entre les mains. Farrell et Richter poussèrent un long soupir de soulagement.

Richter n'était pas le seul que Lunau allait regretter d'avoir engagé. Il avait recruté un ex-policier après être tombé sur lui lors d'une rencontre de l'Association des vétérans de la GRC (l'homme avait travaillé comme patrouilleur routier au Nouveau-Brunswick avant d'être amalgamé avec la GRC). «Il arrivait avec un chapeau à la Bob et Doug McKenzie et ses bottes de pêche, dit Farrell. Il ne savait pas ce qui se passait. Son rêve était de retourner chez lui et de vivre dans une roulotte.» Chaque fois que Farrell demandait à l'ancien patrouilleur de le rencontrer pour lui remettre le courrier intercepté, l'homme s'égarait. Même quand Farrell lui écrivait l'adresse sur un papier ou lui dessinait une carte détaillée incluant les directions précises à prendre, l'homme arrivait encore à errer sans but dans les rues de la ville. L'ancien patrouilleur semblait ne disposer d'aucune boussole interne pour le guider[2].

Pour Farrell, Lunau ne dirigeait pas un programme clandestin ultrasecret, mais plutôt une association bénévole d'amis composée d'anciens policiers de la GRC et de membres de son service de sécurité qui avaient besoin d'amasser un peu d'argent pour alléger leur fardeau financier – et peut-être aussi l'ennui – de la retraite.

* * *

La raison d'être de l'opération Vulve était d'intercepter le courrier de manière que le suspect ne s'en doute pas. Après tout,

---

2. Après que cet homme eut perdu son emploi d'inspecteur des postes auxiliaire en 1995, sa femme appelait sans cesse Lunau sur sa ligne privée au SCRS pour demander qu'on accorde une autre chance à son mari sans travail.

c'était censé être un service *secret.* Tout indice qu'on avait pu trafiquer le courrier actionnait effectivement un signal d'alarme disant : « Nous vous surveillons. »

Plusieurs des inspecteurs auxiliaires étaient moins qu'appliqués dans leur manutention du courrier. Ainsi, deux collègues de Farrell s'accordaient un gros déjeuner, avec bacon, œufs et café, après avoir procédé à l'interception du courrier du matin. (Leur repaires favoris étaient le restaurant *Colony*, un gargote située au 2014 Lawrence Avenue East, et le *Watts'*, situé tout près.) Ils invitaient souvent Farrell à se joindre à eux mais celui-ci refusait toujours ; il ne ressentait aucun besoin de cultiver de l'amitié avec les autres inspecteurs auxiliaires. Cependant, un matin, il avait besoin de les rencontrer pour récupérer une importante pièce de courrier. À son arrivée au *Watts'*, les inspecteurs auxiliaires achevaient tout juste leur festin matinal. Du café et du ketchup avaient filtré à travers une enveloppe en papier kraft et avaient souillé un partie du courrier intercepté. De plus, l'odeur âcre et persistante de la fumée de cigarette imprégnait les lettres.

Les taches sur le courrier et tout le reste finissaient par se retrouver dans les mains des suspects du SCRS, qui devaient sûrement se demander par quel genre d'aventure culinaire avaient dû passer les lettres.

D'autres pièces de courrier intercepté firent une curieuse randonnée au domicile d'un inspecteur auxiliaire des postes, un duplex, en briques de Mississauga, Ontario, où Farrell devait occasionnellement laisser des lettres. La première fois qu'il s'engagea dans la longue allée, il fut surpris par un énorme chien qui bondit sur sa voiture. Il remonta en hâte les vitres tandis que le chien, salivant et aboyant, léchait le capot et commençait à gratter la portière.

Ce chien était si gros que Farrell croyait s'être aventuré dans une réserve faunique. Quelques instants plus tard, l'inspecteur auxiliaire, nullement contrit, affublé de son éternelle casquette de base-ball, une cigarette pendante au bout des lèvres, émergeait de son domicile pour calmer son chien et accueillir Farrell. Celui-ci dit à l'homme qu'il ne souhaitait pas sortir de la voiture. À la place, il baissa un peu sa vitre et lui remit par l'ouverture l'enveloppe de courrier intercepté. Soulagé, il commença à reculer pour sortir de l'allée, mais il remarqua que l'inspecteur auxiliaire offrait l'enveloppe à son chien comme s'il s'agissait d'un journal. Le chien entra dans la maison en trottant avec le courrier ultrasecret fermement serré entre ses dents.

À l'occasion d'une visite subséquente pour laisser d'autre courrier, Farrell crut avoir plus de chance après avoir aperçu l'inspecteur auxiliaire travaillant au jardin. Il se trompait. Le chien était tapi dans la porte d'entrée, attendant que sa proie soit bien en vue. Farrell avait surnommé le chien Cujo, d'après le saint-bernard enragé mis en vedette dans le roman d'horreur de Stephen King. Farrell se gara à une distance respectueuse et appela l'inspecteur auxiliaire sur son téléphone cellulaire. L'homme dit à Farrell qu'il était ridicule et le pressa de se garer dans l'allée. C'est ce que fit Farrell, allant ainsi contre son intuition. Dès qu'il se fut arrêté, Cujo se rua sur sa voiture. Farrell remit le courrier à l'inspecteur auxiliaire par la fenêtre et battit en retraite. L'homme remit encore le courrier à son chien. Cette fois-là, Cujo ne lâcha pas le courrier. Assis dans sa voiture, Farrell vit l'homme et le chien engagés dans une âpre lutte pour la possession du courrier du SCRS. Cujo secouait la tête vigoureusement tandis que son maître, qui utilisait ses deux mains, tentait en vain de dégager le courrier des mâchoires d'acier de son toutou. La bataille fit rage pendant une minute avant que l'inspecteur auxiliaire ne finisse par libérer le courrier. L'enveloppe était déchirée et dégoulinante de bave. Farrell n'osait même pas penser au sort du précieux contenu; il remerciait seulement les dieux de pouvoir sortir vivant de l'allée.

* * *

Evan Downie était le commissionnaire bien mis et apprécié qui se tenait derrière le comptoir d'accueil au quartier général de Toronto. Né à l'île du Prince-Édouard et ancien chauffeur de limousine, Downie avait passé deux ans dans l'armée avant d'aboutir comme commissionnaire mal rémunéré. Il avait l'habilitation de sécurité de niveau ultrasecret et Lunau finit par l'embaucher comme commis au SCRS. Un jour, Lunau demanda à Farrell de faire visiter la ville à Downie. À l'occasion de cette tournée des bars, Downie raconta à Farrell que son travail l'ennuyait et qu'il souhaitait s'impliquer davantage dans les activités du SCRS.

Farrell rit. Mais Lunau aimait le jeune homme – un parent de la star canadienne de rock Gord Downie – et, avant que Farrell n'ait pu cligner de l'œil, le gardien-de-sécurité-devenu-commis manipulait le courrier ultrasecret intercepté par le SCRS. Farrell dit: «Un commis ne devrait jamais manipuler du matériel lié directement aux opérations. Il n'a ni entraînement ni antécédent dans ce travail. Absolument rien. C'était comme d'aller chercher ma mère pour accomplir ce travail.»

L'étonnement de Farrell se transforma en horreur quand il apprit que c'était Downie et non un agent du SOS qui triait les lettres de suspects très en vue. Le commis appelait même parfois Farrell pour lui demander quel inspecteur auxiliaire s'occupait d'un mandat particulier d'interception de courrier. Farrell demanda pourquoi ce n'était pas Lunau qui triait le courrier.

«Il est parti, dit Downie. C'est moi que le fais à sa place.»

Selon Farrell, Lunau avait monté un projet pour faire travailler le commis-qui-s'ennuyait-à-dix-dollars-l'heure. Il avertit Lunau qu'il prenait de gros risques en permettant à un commis d'avoir accès à des informations ultrasecrètes touchant aux opérations du SCRS ainsi qu'aux noms et adresses de suspects importants. «J'ai dit à Lunau que Downie ne devrait même pas toucher au courrier et qu'il pourrait faire pas mal de fric avec cette information si une bonne offre se présentait», dit Farrell. Son supérieur haussa les épaules et balaya les inquiétudes de Farrell, insistant sur le fait qu'il avait confiance en Downie.

Les pires craintes de Farrell se confirmèrent lorsqu'il reçut un appel chez lui de celui qui rêvait d'être espion.

—John, j'ai un problème et j'ai besoin de ton aide.

— Qu'est-ce qui se passe?

—Je suis un homme mort, je suis un homme mort.

— Quoi? Qu'est-ce qui se passe?

—J'ai ouvert une lettre, répliqua le commis.

— Que veux-tu dire par ouvrir une lettre?

—J'ai ouvert une des lettres d'un suspect par erreur, confessa Downie. Je croyais qu'il s'agissait de l'enveloppe en papier kraft.

Farrell dit à Downie de le rencontrer au *Boardwalk Cafe*, dans le district de la plage de Toronto, le lendemain et d'apporter la lettre.

Quand Downie arriva, on eût dit qu'il n'avait pas dormi de la nuit. Il remit la lettre à Farrell, qui vit tout de suite qu'on ne pourrait pas restaurer le courrier.

— John, qu'est-ce que je devrais faire? demanda Downie, les larmes aux yeux.

— Tu fais tout ce que tu dois faire, mais je ne la remets pas en circulation comme cela, dit Farrell.

Pour autant que Farrell fût concerné, c'était Lunau qui était à blâmer pour le massacre de la lettre. Il dit à Downie qu'il devait se débrouiller seul. Le commis sortit du restaurant, rapporta la lettre au quartier général du SCRS et la déchira.

Le pire était encore à venir. Quelques-uns des anciens collègues de Farrell au département des services de sécurité et d'enquête arrivèrent aussi à se frayer un chemin jusqu'à l'opération Vulve. Frank Pilotte fit le saut. Puis un autre inspecteur d'expérience fut embauché. Son arrivée causa un certain choc à Farrell, car il avait dû quitter Postes Canada à la suite d'une enquête criminelle de la police provinciale de l'Ontario.

Phil Cherry, un des rares amis de Farrell parmi les inspecteurs de Postes Canada, avait été suspendu prétendument pour avoir effectué des vérifications de casiers judiciaires dans l'ordinateur du Centre d'information de la police canadienne (qui emmagasine des informations confidentielles sur les crimes et sur les criminels) pour le compte d'une grosse firme d'enquête privée. Quand Cherry avait été suspendu, il avait appelé Farrell pour lui demander conseil.

Tout usage non autorisé de l'ordinateur du Centre d'information de la police canadienne peut entraîner des accusations criminelles tant contre celui qui fournit les informations confidentielles que contre celui qui en bénéficie. Cherry nia avec véhémence les allégations et, avec l'aide de Farrell, écrivit une lettre clamant son innocence à l'agent de la police provinciale de l'Ontario chargé d'enquêter sur les vérifications non autorisées.

À l'époque, Cherry prétendit que quelqu'un se servait de son nom et de son numéro de badge pour appeler la police provinciale et effectuer des vérifications dans l'ordinateur. Les soupçons se portèrent ensuite sur un inspecteur d'expérience, qu'on contraignit à démissionner de Postes Canada. Il s'avéra qu'il s'était arrangé pour que Cherry porte le blâme en fournissant à l'enquêteur privé le nom et le numéro de badge de celui-ci pour qu'il s'en serve quand il voulait faire des vérifications dans l'ordinateur. Cherry était blanchi. Pourtant, l'ancien inspecteur de Postes Canada trouva refuge au SCRS et y travailla comme inspecteur auxiliaire.

Après qu'on eut exonéré Cherry, Mike Thompson quitta abruptement les services de sécurité et d'enquête pour devenir un inspecteur auxiliaire sous l'autorité de Lunau. Farrell avait abandonné Postes Canada et avait accepté de se joindre au SCRS sur la recommandation de Thompson. Bientôt, son ancien patron à Postes Canada aurait lui aussi son patron, nouveau et inattendu : John Farrell.

5
LE SCRS ET LA PÈGRE

Au début des années 1990, les entorses à la sécurité, parfois comiques et parfois graves, auxquelles Farrell se heurtait de plus en plus couramment à mesure qu'il s'impliquait davantage dans l'opération Vulve semblaient infecter le service d'espionnage canadien comme un virus hors de contrôle. Alors que la recrue de vingt-quatre ans devait s'occuper du cafouillage presque quotidien qui affligeait le programme ultrasecret d'interception du courrier des services de renseignements, une autre colossale violation de la sécurité se déroulait, impliquant l'Unité de surveillance physique (USP) – « le surveillant » –, une série de documents hautement confidentiels et des personnages du monde interlope.

Cet épisode, jusqu'à maintenant étouffé avec succès par les agents de renseignements supérieurs, soulève des questions troublantes sur la capacité du SCRS d'assurer la sécurité des Canadiens alors qu'il éprouve tant de difficultés à protéger ses propres secrets.

* * *

Les « surveillants » sont des voyeurs entraînés et payés par le gouvernement pour épier les mouvements, les habitudes et les contacts de la horde de suspects : terroristes présumés, espions et leurs associés. On attend d'eux qu'ils soient discrets et qu'ils se fondent facilement dans leur environnement, qu'ils utilisent leur corps et leur bel esprit comme camouflage tout en tournant silencieusement autour de leur proie.

Les surveillants constituent un rouage indispensable de la machine d'un service de renseignements. Bien qu'aucun d'eux ne soit un agent de renseignements en bonne et due forme, la plupart aspirent à ce poste. Plusieurs n'ont pas l'instruction universitaire requise. Ils reçoivent des ordres des agents de renseignements comme des recrues dans l'armée : on leur dit quoi faire, où aller et qui surveiller. Ils n'ont que très peu d'informations sur les opérations auxquelles ils sont affectés, même si plusieurs sont des vétérans aguerris des guerres d'espionnage. On attend des surveillants qu'ils gardent l'œil ouvert et la bouche fermée.

Les surveillants se tournent les uns vers les autres pour trouver du soutien et de l'amitié. La solidité de leurs liens est à toute épreuve au SCRS. Dans la mer de cliques de ce service, la solidarité entre surveillants se forge autour de longues et tétanisantes heures de calme brisées par quelques excitants moments d'action. Ils passent souvent des années à travailler ensemble, habituellement en équipes de quatre à six avec un responsable, et ils développent une capacité presque télépathique à anticiper les mouvements, les tendances et les techniques les uns des autres. Cependant, cette familiarité peut engendrer l'excès de confiance et certains problèmes. Ainsi, au début de 1992, un suspect bien en vue dans la lutte antiterroriste et qui était talonné par une équipe de surveillants juste à l'extérieur de Toronto a inversé les rôles avec ses ombres humaines, notant les numéros de plaque, la couleur, la marque et le modèle de leur voitures stationnées. Il apporta ces informations à la police régionale de Peel et se plaignit d'être suivi par une bande de personnages louches. Bien sûr, on décida alors d'ajourner temporairement la surveillance.

De telles erreurs alimentent parfois l'intense rivalité entre les diverses unités de surveillants du pays, particulièrement entre celles de Montréal, d'Ottawa, de Toronto et de Vancouver. Les différends monétaires, qui se produisent régulièrement au service, se trouvent souvent à la racine des disputes. Les surveillants de la base murmurent que les responsables accumulent trop de temps supplémentaire et abusent de la voiture de service. Malgré les frictions qui couvent, leur sentiment de fraternité déborde le travail. Ils sont célèbres au SCRS pour les folles soirées au cours desquelles les inhibitions, la hiérarchie et les rivalités s'évaporent en même temps que la bonne humeur coule à flots avec la bière.

* * *

James Patrick Casey, grand, mince, cheveux bouclés, est un vétéran du service des surveillants de Toronto. «C'est vraiment un bon gars», dit un agent de renseignements qui a travaillé avec lui. Ce surveillant s'est retrouvé au centre d'un incident à l'intérieur du SCRS qui a failli étouffer sa carrière et qui a soulevé la troublante possibilité qu'un employé déviant ait pu échanger des documents ultrasecrets contre de la drogue fournie par la pègre.

L'affaire Casey a démontré quatre faits indéniables: des documents hautement confidentiels du SCRS ont abouti dans les mains de criminels de carrière entretenant de forts liens avec la Mafia en Ontario et au Québec; le fidèle associé de la pègre a fait des photocopies des documents et est entré en contact avec au moins un des suspects du SCRS pour lui vendre les informations; le vol a déclenché un frénétique effort pour essayer d'évaluer les dommages, ce qui a mis à contribution tous les agents de renseignements de Toronto et a pratiquement paralysé les activités de la section la plus occupée et la plus importante du SCRS pendant trois jours; une équipe spéciale contre le crime organisé constituée de membres de la police métropolitaine de Toronto, de la police provinciale de l'Ontario et de la GRC a récupéré les précieux documents et sauvegardé la réputation du SCRS.

Dans l'esprit de nombreux agents de renseignements de Toronto qui ont travaillé sur l'affaire, les surveillants ont fait honneur à leur réputation en tant que personnel de deuxième classe du service.

* * *

À la fin de 1991, Casey travaillait à une opération clandestine. Selon son habitude, il jeta prudemment une pile de dossiers de surveillance dans sa serviette non sécurisée avant de sauter dans l'une des voitures du SCRS et roula en direction de Loretto, une petite communauté au nord de Toronto. Les dossiers comprenaient les noms, les adresses et les habitudes de suspects en vue du SCRS sur lesquels lui et d'autres membres de l'USP avaient pour tâche de garder un œil vigilant. Après être entré dans son allée, il éteignit le moteur, sortit de la voiture et entra dans son domicile, laissant la serviette contenant les dossiers de surveillance dans la voiture. À son réveil, le lendemain matin, la serviette et tout son contenu avaient disparu, y compris la carte d'identité du SCRS de Casey, son habilitation de sécurité de l'aéroport, un étui à revolver en cuir, un appareil d'enregistrement appelé «sac personnel», et jusqu'à trente dossiers de surveillance active. Envolés.

Casey réalisa instantanément que lui et le Service étaient dans l'eau chaude. Appela-t-il quelqu'un? Non, pas tout de suite.

* * *

Barry Jesse Barnes est un homme grand et mince de quarante-trois ans. Avec sa barbe minutieusement taillée, son teint basané, sa chevelure blanche devenant de plus en plus mince, sa politesse, des manières presque gracieuses, Barnes avait presque l'air du maître d'hôtel d'un restaurant huppé. Mais ses manières charmantes cachaient un passé répugnant. Sur son front, juste audessus de son œil gauche, se trouvaient deux petits cratères reliés par une faible cicatrice, souvenir permanent d'une solide raclée reçue d'une bande de jeunes en colère de s'être fait rouler. On lui avait administré ces coups à l'aide d'un tuyau de plomb.

Barnes a amassé plus de cent cinquante condamnations criminelles et a passé son temps à entrer et à sortir des plus célèbres prisons à sécurité maximum du Canada. Il s'est lié d'amitié avec quelques-uns des patrons les plus craints et les plus puissants de la Mafia, il a revendu de la drogue, il a commis une pléthore de vols, il s'est évadé de prison, il a poignardé un homme en prison à l'aide d'une paire de ciseaux de coiffeur et il a conspiré pour incinérer vivant un autre détenu dans sa cellule sur les ordres d'un membre de la pègre.

On préparait Barnes à devenir un homme de main de la Mafia avant qu'il ne choisisse de coopérer avec la police et ne devienne un agent clandestin pour aider à combattre la pègre, entre 1983 et le milieu des années 1990. Un rapport de police confidentiel sur Barnes rapportait qu'«alors qu'il était incarcéré, [Barnes] a développé de bonnes relations avec des membres du crime organisé italien, ce qui l'a placé dans une bonne position pour aider la police[1]». Mais sa contribution, qui soumit Barnes à un risque énorme, n'empêcha pas la police de le mettre sur la sellette en 1992 en tant que principal suspect du meurtre d'un membre en vue du monde interlope. Les mondes très différents de Barry Jesse Barnes et de James Patrick Casey se croisèrent quand la serviette manquante de Casey et son contenu hautement confidentiel aboutirent dans les mains de Barnes.

* * *

Jesse Barnes est né le 21 novembre 1958, à Barrie, en Ontario, une ville souvent la cible de tornades et située à la limite sud de la contrée des cottages, à environ quatre-vingt-dix minutes de voiture au nord de Toronto. Étudiant peu enthousiaste, il laissa l'école secondaire en neuvième année et commença à travailler sur le quart de nuit à une manufacture locale de plastique. Il n'avait que seize ans et semblait destiné à une vie ordinaire – travail, mariage et enfants – quand il fut condamné pour entrée avec effraction dans la maison d'un ami à Angus, tout près. «C'était un des rares crimes dont je n'étais pas coupable», dit Barnes dans une série d'interviews à la prison à sécurité moyenne de Beaver Creek, à l'extérieur de Gravenhurst, en Ontario, où il servait une sentence de six ans pour vol.

Il jura que s'il devait faire de la prison pour des crimes qu'il n'avait pas commis, il était aussi bien d'en commettre. Cette curieuse logique fut le coup d'envoi d'une carrière criminelle dont Barnes, un homme très brillant, articulé et cultivé, peut se souvenir avec une précision étonnante. Mais il s'est fait prendre.

---

1. Le rapport de police sur Barnes fut rédigé le 21 décembre 1993 par l'inspecteur J.E. McIlvenna et le sergent Donald Kidder, de l'Unité d'intervention spéciale des forces combinées. Le numéro du dossier de «source confidentielle humaine» était 0-2295.

Âgé d'à peine dix-sept ans, Barnes fut envoyé au pénitencier de Kingston en 1976 pour commencer à purger une sentence de six ans pour une série de vols dans le comté de Simcoe, en Ontario. À l'époque, Kingston était un centre de détention où on s'occupait des prisonniers avant de les expédier vers d'autres prisons notoires, dont Joyceville, Collins Bay et Millhaven. Cette année-là, Vincenzo «Vic» «l'Œuf» Cotroni, le parrain de Montréal de la puissant famille criminelle Bonanno de New York, était aussi chez lui au pénitencier de Kingston, du moins pour une brève période de temps. Cotroni, qui aime à se décrire comme un humble illettré vendeur de pepperoni, purgeait une sentence pour avoir conspiré en vue d'une extorsion. Plus tôt, il avait été emprisonné pour outrage au tribunal après son témoignage «délibérément incompréhensible, décousu et vague» devant la Commission d'enquête sur le crime organisé (CECO) du Québec. Le crime organisé étendait sans cesse ses tentacules au Québec[2]. L'enquête avait découvert que Cotroni et son héritier apparent, Paolo «le Parrain» Violi, un mafioso féroce et fourbe, étaient les cerveaux d'un empire criminel en pleine expansion à Montréal et qui était fortement impliqué dans le racket de la protection, l'extorsion, le vol, le prêt usuraire, le trafic de drogue, le jeu et la fraude.

Barnes et Cotroni n'avaient pas grand-chose en commun. Cotroni était un monarque de la pègre, alors que Barnes était un punk sans expérience. Cotroni n'avait peur de rien, alors qu'on pouvait facilement intimider Barnes. À soixante-cinq ans, Cotroni était sur son déclin et se retirait lentement de la vie criminelle, tandis que Barnes était impatient de lancer sa carrière illicite. Malgré leurs profondes différences d'âge, de statut, de tempérament et d'histoire, le déclic se fit entre les deux hommes. Barnes, Cotroni et les autres Italiens mafieux de Kingston posèrent les jalons de ce qui devait devenir une amitié durable. «J'étais effrayé, dit Barnes. Je devais être le plus jeune gars des lieux. Je ne connaissais personne. La faction italienne me prit sous son aile. Ils se sont tout simplement pris d'affection pour moi. Je pense qu'ils étaient désolés pour moi.»

---

2. «Vincent Cotroni: un emballeur de viande de Montréal reconnu comme le leader du monde interlope», Presse canadienne, 18 septembre 1984.

Comme dans une scène de film de gangsters, le membre vieillissant de la pègre fit signe à l'arriviste Barnes et, dans un anglais au fort accent, lui offrit un conseil. « Cotroni m'a dit de ne pas parler aux flics, de ne jamais toucher à personne et de simplement purger ma peine. »

Quand on le transféra au pénitencier de Colins Bay, Barnes portait encore en lui cette admonition de Cotroni, mais aussi quelque chose de bien plus précieux pour un aspirant bandit. Cotroni lui avait écrit une courte lettre de recommandation en sicilien que Barnes devait remettre à Beneditto Zizzo, un bandit craint qui purgeait une sentence à vie pour avoir importé de l'héroïne au Canada. Le frère de Zizzo, Salvatore, était le chef (ou *capo*) incontesté de la pègre de Salemi, en Sicile. Zizzo devint une sorte de père pour Barnes.

Zizzo le présenta à quelques poids moyens du milieu, dont la tête brûlée Dominic Racco, qui purgeait une sentence de dix ans pour tentative de meurtre sur trois jeunes de Toronto qui l'avaient stupidement appelé un «wop». À l'époque, le père de Racco, Mike, un seigneur de la Mafia torontoise, le préparait à hériter de son territoire. Vespino Demarco, un trafiquant d'héroïne connu sous les nom de Wes ou Oncle, était un autre membre du petit gang italien de Collins Bay.

On offrit à Barnes une place à la grande table des membres de la pègre, qui faisait le coin de la salle à manger du pénitencier. Le message aux autres détenus était clair: Barnes avait des amis influents et on ne devait pas lui toucher. Racco aida Barnes à décrocher un travail à la cuisine, où ils étaient tous deux chargés du nettoyage, et lui offrit le travail de chauffeur ou garde du corps quand il sortirait de prison. Barnes eut l'occasion de connaître Carmen Barillaro, un membre de la pègre de Niagara Falls et un tueur à gages très talentueux. Trafiquant d'héroïne, Barillaro était le lieutenant ès crimes de Johnny «Pops l'exécuteur» Papalia, qui contrôlait la pègre en Ontario à partir de sa base de Hamilton. Papalia avait été atteint d'un coup de feu à l'arrière de la tête, à l'extérieur des bureaux de sa compagnie, à Hamilton en 1997. À peine quelques semaines après l'exécution de Papalia, on tira sur Barillaro alors qu'il répondait à la porte de son domicile de Niagara Falls.

On relâcha Barnes de Collins Bay le 4 octobre 1978. Son stage à cet endroit l'avait enhardi mais n'en avait pas fait un meilleur bandit. Moins de deux mois plus tard, le 1er décembre 1978, il était de retour en prison après une autre condamnation pour avoir volé de l'équipement stéréo et des habits à Toronto et les avoir revendus à Barrie. En avril 1979, Barnes s'évada et, comme on pouvait s'y attendre, retourna dans sa ville natale. Il vécu comme un fugitif quelques semaines avant d'être arrêté et encore une fois renvoyé en prison, en mai 1979.

Cette fois, Barnes se retrouva à Joyceville, où il se lia avec de nouveaux amis du milieu. Il était déterminé à montrer à ceux-ci qu'il était assez dur et impitoyable pour faire partie de l'équipe.

Les dossiers de la police montrent qu'à Joyceville Barnes travailla de mèche avec des membres bien établis de la pègre et qu'il était bookmaker, utilisant comme monnaie des cartons de cigarettes autant que de l'argent. Barnes contrôlait aussi un lucratif réseau de drogue à l'intérieur de la prison, en faisant le trafic de médicaments sous ordonnance. Selon les dossiers, à la suite de ses succès «en affaires» à la prison, Barnes devint le collecteur des «dettes extraordinaires[3]». Selon la police, le jeune homme nerveux de Barrie devint l'homme de main du système de jeu illégal en prison. Tout à fait par hasard, la rumeur courut parmi les détenus que Barnes purgeait une sentence de quatorze ans pour tentative de meurtre. C'était faux, mais Barnes n'était pas impatient de corriger l'idée qu'il était un tueur. «C'était amusant, dit-il. Regardez-moi: je suis petit, quel mal pourrais-je faire?» Son nouveau statut d'exécuteur, réel ou non, lui valut la confiance et le respect de ses frères d'armes du milieu. Peu de temps devait s'écouler avant que leur confiance en lui soit mise à l'épreuve.

* * *

Victory Wolynck était un détenu de Joyceville qui avait décroché le gros lot: trois jours hors de prison sans escorte. Wolynck voulait faire la fête en dehors, mais il n'avait pas un sou. Lui et Barnes s'étaient souvent tenus ensemble et s'empruntaient souvent des cigarettes. Il savait que Barnes était près des Italiens et il l'approcha donc pour lui faire cette offre: si Barnes pouvait

---

3. Unité d'intervention spéciale des forces combinées, *Rapport d'événement*, 0-2295: 4.

lui arranger un prêt de quatre cents dollars, il reviendrait avec de la drogue. Barnes alla trouver ses amis mafieux, qui faisaient aussi dans le prêt usuraire à l'intérieur de la prison, et il les persuada d'avancer l'argent. Wolynck prit l'argent et remercia Barnes pour sa peine.

Le congé de trois jours de Wolinck se transforma en un congé non autorisé d'un an. Quand il fut finalement rapatrié à Joyceville, les amis de Barnes étaient impatients de revoir leur argent, avec les intérêts, bien sûr. On ordonna à Barnes de voir à ce que Wolynck honore le prêt.

Au début, Wolynck promit de repayer en versements hebdomadaires, quand sa petite amie viendrait le visiter et apporterait de l'argent. Mais il bluffait et temporisait.

Barnes l'affronta dans la cour du pénitencier.

— Écoute, Vic, tu dois payer ces gars-là. Ils commencent à en avoir plein le casque.

— Est-ce que c'est de tes maudites d'affaires?

— Je me suis porté garant pour te passer cette foutue somme d'argent. Alors, c'est mon problème.

Les rumeurs allaient bon train au pénitencier: Barnes et Wolynck allaient en découdre ensemble. Les deux tombèrent à nouveau l'un sur l'autre dans la cour, mais dissimulèrent leur mépris mutuel sous de faux sourires, des excuses hypocrites et de feintes politesses. Barnes décida de régler l'affaire au cinéma.

Ce soir-là, quand débuta la projection de *Eye Witness*, l'histoire du dévouement d'un aveugle pour son labrador noir, sur l'écran rétractable du gymnase, Barnes s'assit à côté de Wolynck. Il avait sur lui une paire de ciseaux dérobée au coiffeur. Wolynck portait un couteau maison, un *shank* («jarret»), qu'il dissimulait dans sa manche. Dix minutes après le début du film, Wolynck se tourna lentement vers Barnes en sortant son couteau. Barnes frappa le premier, enfonçant les ciseaux dans le dos de Wolynck.

Étonnamment, Wolynck ne se tordit pas de douleur. Barnes le traîna vers les portes du gym et le poussa dans le corridor, où il s'écroula sur le plancher, avec les ciseaux encore plantés dans le dos. Dans la lumière du corridor, les gardes virent Wolynck et se portèrent à son aide. Il survécut. «Dès lors, dit Barnes, j'étais à leurs yeux [les gangsters] un gars sérieux qui fait ce qu'il a dit qu'il ferait.»

C'était une question d'honneur. Les membres de la pègre lui demandèrent s'il était prêt à tuer pour de l'argent et Barnes répondit que oui. Or, ils étaient certains qu'un des leurs avait brisé l'antique code de l'*omertà,* la loi du silence, et était devenu informateur de police. Ils voulaient l'exécuter.

Barnes accoucha d'un plan. Il s'arrangerait d'abord pour faire déconnecter la sonnette d'alarme de la cellule de l'informateur. Durant son sommeil, on arroserait sa cellule avec le contenu de deux canettes de diluant à peinture. On y lancerait une allumette, allumant ainsi un enfer qui l'engloutirait. Mais l'informateur se vit accorder une remise de peine inattendue : alors que Barnes allait exécuter son plan, on l'envoya en confinement solitaire pour avoir poignardé Wolynck.

« Il a eu de la chance », dit Barnes.

* * *

On pourrait rejeter comme non plausible cette improbable histoire d'un banal truand d'une petite ville naviguant apparemment sans peine sur la mer des parrains, des trafiquants de drogue, des tueurs à gages, des *capi* et de l'*omertà*, s'il n'existait pas un argument de poids en faveur de son authenticité. Quand Barnes entra dans une station de la police provinciale de l'Ontario, à la fin de 1983, et accepta d'aider l'enquête sur la pègre, les policiers passèrent au peigne fin son histoire et tentèrent vainement d'y trouver des incohérences, des exagérations ou des inventions. Ils n'étaient pas des policiers ordinaires. C'étaient les membres d'une escouade d'élite faite d'anciens enquêteurs de la GRC, de la police métropolitaine de Toronto et de la police provinciale de l'Ontario, appelée Unité d'intervention spéciale des forces combinées (UISFC), consacrée au combat contre le crime organisé. Les prétentions étonnantes de Barnes furent corroborées. Selon l'unité d'intervention spéciale, « toutes les informations fournies par Barnes jusqu'à maintenant ont pu être confirmées grâce à des vérifications avec d'autres corps de police, avec les services de sécurité des pénitenciers et avec des sources indépendantes[4] ». Barry Jesse Barnes était la bonne affaire.

---

4. Unité d'intervention spéciale des forces combinées, *Rapport d'événement*, 0-2295: 1.

Au moment où Barnes alla trouver les policiers, il était en libération sur parole depuis peu. De retour dans la rue, il commit une autre série de vols. Il rencontra aussi des membres d'une famille mafieuse de Toronto qui voulait relancer le projet d'exécution de l'informateur. Malgré ses bravades et son agression armée contre Wolynck, Barnes ne tenait pas à devenir un tueur de la Mafia. Il décida qu'il était temps de parler aux policiers.

Alors que son jeune frère le ramenait à Barrie un soir, Barnes lui demanda de se diriger vers une station de la police provinciale de l'Ontario, juste aux abords de la sortie de Bradford de l'autoroute 400. C'était là l'action impulsive d'un jeune homme de vingt-trois ans. Barnes se dirigea vers le comptoir, s'identifia et demanda à voir le constable Doug Woolway. L'agent de la police provinciale de l'Ontario harcelait les parents de Barnes au sujet de ses allées et venues.

— Je suis le constable Woolway, dit l'agent. Je suis heureux que vous soyez ici. J'étais en train de taper un mandat pour votre arrestation.

— Pour quel motif?

— Recel de propriété volée.

Comme il était en liberté sur parole, Barnes savait tout de suite qu'il retournerait sans aucun doute en prison. Cette perspective, en plus de ses réserves grandissantes par rapport à l'idée de devenir un homme de main, l'amena à faire une offre qui surprit le constable.

— Vous voulez conclure un marché? Je peux vous dévoiler une conspiration pour commettre un meurtre, dit Barnes.

En échange, Barnes voulait qu'on laisse tomber les nouvelles accusations contre lui. Le constable Woolway téléphona immédiatement au détachement de la GRC à Newmarket. Moins d'une demi-heure plus tard, un agent de la GRC arriva. Barnes réitéra son offre. La GRC était prête à coopérer.

Le 1er octobre 1983, on fit discrètement entrer Barnes au Town Inn Suites, rue Church, à Toronto, où, pendant deux jours, un membre de l'unité de renseignements de la police provinciale de l'Ontario et un agent de l'Unité d'intervention spéciale des forces combinées le mirent sur la sellette. On lui montra une série de photos de personnalités du monde interlope et on lui demanda de les identifier. On lui montra aussi des photos de lui-même en compagnie de membres de premier ordre de la pègre avec lesquels il s'était lié en prison.

Au sortir de leur interrogatoire marathon, la police conclut que Barnes était «aussi sincère qu'il le pouvait» et recommanda qu'on l'interroge le plus tôt possible «après toute interaction avec nos sujets[5]».

À partir de ce moment, Barnes devint «une source humaine confidentielle» pour l'UISFC. «Barnes a démontré un authentique souci de s'amender et de cesser ses activités criminelles», écrivaient les deux commandants de l'UISFC dans un mémo d'avril 1984 classé «secret». Ils ajoutaient: «Le but de recruter ce genre d'informateur est de recueillir des preuves en rapport avec une conspiration pour commettre un meurtre[6].»

Barnes ajouta la cerise sur le gâteau en acceptant de témoigner contre ses anciens camarades. En échange, il demandait la protection de témoin, une nouvelle identité, de l'argent pour commencer une nouvelle vie et une promesse que son rôle d'informateur ne serait jamais révélé. Barnes affirme que les policiers ont accepté ces conditions.

L'UISFC voulait le remettre dans la rue afin qu'il rencontre ses amis de la pègre. John Alexander, le procureur adjoint de Barrie, les obligea. Il ne s'opposa pas à ce que Barnes, malgré son important casier judiciaire, dépose une caution de cinq cents dollars. On le relâcha et il se mit immédiatement au travail. Son principal tuteur était Salvatore «Sam» LoStracco, un agent de renseignements de la police métropolitaine de Toronto, un homme de petite taille et au langage dur.

Quelques mois plus tard, l'enquête tourna en queue de poisson et la police revint sur toutes les promesses qu'elle lui avait faites. Aucun programme de protection de témoin, aucune nouvelle identité. On poursuivit même Barnes pour recel de propriété volée; il fut condamné et renvoyé en prison. Étrangement, il en fut soulagé[7].

---

5. Unité d'intervention spéciale des forces combinées, *Rapport d'événement*, 0-2295: 2.
6. Unité d'intervention spéciale des forces combinées, *Rapport d'événement*, 0-2295: 10.
7. Son soulagement se transforma en peur en mars 1996 lorsque, à l'occasion

« Personne ne l'a su. Personne n'a su ce que j'avais fait. J'étais surtout soulagé de cela », dit-il. Mais Barnes devait frapper à nouveau à la porte des policiers, en quête d'une nouvelle entente. Cette fois il avait la marchandise, pas seulement sur la pègre mais aussi sur le service d'espionnage canadien.

* * *

De 1984 à février 1991, Barnes passa son temps à entrer et à sortir de prison. Derrière les barreaux, il renoua avec les membres de la pègre, dont Wes Demarco. En liberté, il gardait le contact régulier avec Sam LoStracco, le tenant au courant des activités du milieu.

Le 22 janvier 1992, Ignazio Drago fut victime de cinq coups de feu au cou, à la poitrine et dans la jambe, et on jeta son corps dans un centre industriel du nord de Toronto. Son assassin avait attiré Drago, un Sicilien d'origine et le père de deux enfants, hors de chez lui en se faisant passer pour un agent de police et en lui disant qu'on avait besoin de lui poser des questions au centre-ville. Drago, qui comptait parmi ses amis des membres importants du monde interlope de Toronto, avait été assassiné parce qu'on le soupçonnait d'être un informateur de police, un rat.

Quand Barnes entendit parler de la fusillade à la radio, il appela LoStracco. Il apprit plus tard qu'il était lui-même le principal suspect dans cette affaire. Les enquêteurs de la section des homicides de la police régionale de York dirent à Barnes qu'ils avaient intercepté une conversation téléphonique qui le liait au meurtre de l'entrepreneur en pavage de cinquante-trois ans.

---

du procès de Graham Courts pour le meurtre de Dominic Racco – un membre de la pègre –, les avocats de la Couronne dévoilèrent le rôle de Barnes en tant qu'informateur de police. Le juge de la Cour supérieure de l'Ontario Stephen Glithero ordonna de remettre à Jack Pinkofsky, l'avocat de Courts, des portions éditées du dossier de la source confidentielle de Barnes. On plaça temporairement celui-ci en détention de protection. En 1997, on sursit aux accusations contre Courts et son coaccusé, Denis Monaghan, après que le juge Glithero eut conclu que la Couronne avait dissimulé de manière délibérée et abusive « pratiquement tous les éléments » de preuve qui auraient pu aider la défense.

«Il m'ont questionné, questionné, questionné», dit Barnes.

Il échoua au test du détecteur de mensonges. La police croyait tenir son homme. On suivit Barnes de près pendant deux semaines. Effrayé par la pression intense, Barnes accepta de collaborer avec les flics. En 1995, la police ferma discrètement le dossier du meurtre. Personne ne fut jamais accusé. Barnes dit qu'il n'a aucune idée de l'identité de l'assassin de Drago.

* * *

Un après-midi de la fin de 1991, Barnes s'apprêtait à déguster un expresso et à échanger des propos légers avec son ami Salvatore «Sam» Gallo à son petit magasin de tuiles de céramique à Scarborough. Le magasin de Gallo, *Tiles and Styles*, était perdu dans un centre industriel crasseux, au 3447 Kennedy Road, et il était un repaire coutumier de Barnes, qui faisait parfois du travail pour Gallo. Sam, un homme joufflu à l'air débile et avec des cheveux gris et plats, était aussi un drogué. «Il faisait penser à Garth, le gars du film *Wayne's World*, dit Barnes.

Le frère aîné de Sam, Mike, était propriétaire de l'entreprise. Les Gallo flottaient en périphérie du monde interlope de Toronto. Mike était particulièrement proche de Wes Demarco et vendait de la drogue pour lui. Barnes connaissait les frères depuis 1987, alors qu'on l'avait présenté à eux lors d'une soirée à Barrie.

Quand Barnes entra dans le magasin de tuiles en cet après-midi d'hiver, Sam était penché au-dessus d'un petit comptoir près de la machine à expresso. À côté de lui, il y avait quelqu'un qu'il ne connaissait pas, un homme mince au début de la quarantaine avec des cheveux bruns grisonnants. Il mesurait environ un mètre quatre-vingt-trois, portait un pantalon de coton beige, un pull et un coupe-vent brun. Gallo prit Barnes à part et lui murmura que l'homme était du SCRS.

— Le SCRS?

— Le Service canadien du renseignement de sécurité. Les espions, toute cette foutaise, répliqua Sam.

— Qu'est-ce qu'il veut?

— C'est un drogué. Il veut de la dope.

— Arrête de te moquer de moi, Sam.

— Non, non, insista Sam. C'est un drogué.

Barnes ne croyait pas Gallo. Durant toutes les années qu'il avait passées au milieu des truands et des revendeurs d'héroïne, Barnes n'avait connu que très peu de professionnels accrochés à la drogue. L'héroïne n'était pas un passe-temps pour yuppies. Un agent du SCRS qui prend de l'héro... C'était impossible, pensait-il. Tous les trois sirotèrent leur expresso et bavardèrent. Sam finit par remettre à l'homme un gramme d'héroïne, d'une valeur marchande de quatre cents dollars dans la rue. L'homme semblait connaître Sam aussi bien qu'un client régulier.

L'homme demanda alors à Barnes s'il était intéressé à faire de l'argent rapidement. Les oreilles de Barnes se dressèrent. Le client de Sam lui demanda de récupérer une serviette placée sur le siège arrière de sa voiture. Consciencieusement, Barnes sortit sur le terrain de stationnement, ouvrit la portière arrière du dernier modèle Buick LeSabre et s'empara d'une serviette brune en cuir légèrement usée et munie de deux languettes. Le trio se retira dans une petite antichambre du magasin de tuiles et ouvrit la serviette de James Casey. L'homme expliqua que la serviette était celle d'un confrère agent du SCRS et qu'elle contenait des dossiers de surveillance confidentiels sur des suspects du SCRS. L'un des suspects vivait à Etobicoke. Des notes manuscrites du dossier faisaient référence aux voyages d'agrément en canot du suspect le long de la rivière Humber à Toronto. Le client de Sam suggéra de faire des copies des documents. On pourrait alors entrer en contact avec les suspects et leur échanger les dossiers contre une somme rondelette. L'autre option consistait à utiliser les informations pour les faire chanter.

Barnes et Gallo aimaient l'idée. La serviette contenait aussi un étui à revolver en cuir brun, un sac personnel et plusieurs billets de hockey. Cependant, ce qui attirait vraiment l'œil de Barnes, c'était un genre de portefeuille contenant la photo d'identité du SCRS de Casey et son habilitation de sécurité de l'aéroport, qui permettait au porteur d'entrer dans les aires réglementées de l'aéroport. Il y avait aussi un carnet turquoise du SCRS précisant les règles gouvernant la conduite des employés du Service et qui portait l'insigne du SCRS. Barnes feuilleta le carnet de quatre-vingts pages, qui suggérait entre autres aux employés du SCRS d'éviter les médias à tout prix et de s'abstenir de discuter du travail avec le public.

L'homme dit à Barnes et à Gallo qu'ils pouvaient prendre ces objets avec eux pour une journée, mais qu'après cela il devrait les retourner au SCRS. Il promit de leur fournir d'autres dossiers de surveillance dans l'avenir. La manipulation de documents secrets volés était un terrain vierge pour Barnes. Il pouvait passer une vie entière à vendre des habits à la mode, des électroménagers et de la drogue. Il était prêt à essayer n'importe quoi s'il y avait de l'argent à faire.

Ils espéraient vendre l'information pour cinq mille dollars par suspect. Avec trente dossiers de surveillance, ils espéraient un butin total de cent cinquante mille dollars. C'était prendre leurs désirs pour des réalités, mais même les voleurs peuvent oser rêver. Il voulaient partager l'argent en trois.

Ils décidèrent que Barnes prendrait la serviette, ferait les photocopies des documents et retournerait ceux-ci à Gallo le jour suivant. Gallo rencontrerait l'homme et lui remettrait la serviette et tout son contenu. L'homme insistait : il avait besoin de la serviette le lendemain.

Barnes prit donc la serviette et monta dans sa Cadillac argent, quatre portes, 1976. À l'époque, il vivait à Port Sidney, une petite communauté sur le bord du lac, juste au sud de Huntsville, Ontario. Au cours de cette lente randonnée vers la maison, Barnes décida d'arrêter voir Tim Woodward, un vieil ami qui possédait un garage en ville. Il montra fièrement les dossiers de surveillance à Woodward et à deux autres mécaniciens. Il savait qu'ils allaient rire un bon coup de sa nouvelle cachette.

— Timmy, je commence une carrière d'espion, dit Barnes en arborant un large sourire en même temps que les documents secrets et l'étui à revolver.

— Tu es un maudit débile, répliqua Woodward.

Après son arrêt au garage Woodward, Barnes se dirigea vers le nord par l'autoroute 400. Il prit la sortie de Dunlop Street à Barrie et tourna vers un centre industriel. Juste à côté du vendeur de camions Mack, il y avait une succursale de Kwik Copy. Il entra et fit des photocopies de tous les dossiers de surveillance du SCRS, paya et rentra chez lui.

Arrivé là, il jeta les copies des dossiers de surveillance dans une boîte dans laquelle il conservait des effets personnels. Il prit alors la serviette, les documents originaux et tout le contenu, et s'en alla trouver Demarco, son vieux complice, à Novar, une petite ville juste au nord de Huntsville.

Demarco reconnut que les dossiers pouvaient servir à aller chercher un beau petit magot. Mais il ne tenait pas à cacher les dossiers chez lui. Barnes et Demarco se rendirent à la demeure d'un ami de ce dernier, en périphérie de Novar. La maison ressemblait plutôt à une cabane, sise sur une petite portion de terrain gazonné; l'ami de Demarco était dans les rénovations. Barnes cacha la serviette derrière un mur nouvellement fait. Les deux hommes s'en allèrent, songeant à la destinée des dossiers du SCRS qui avaient beaucoup voyagé. Ils décidèrent finalement d'exclure les frères Gallo de l'entente et de ne pas s'embarrasser de retourner les dossiers.

* * *

Jean-Luc Marchessault se rappelle le mélange de crainte et de détermination qui étreignait les membres du bureau du SCRS à Toronto quand arriva la nouvelle du vol de la serviette de James Casey et des dossiers de surveillance ultrasecrets.

«Je me souviens que c'est une des rares fois où le bureau a resserré les rangs», dit Marchessault.

À l'époque, Marchessault était un jeune et fervent agent de renseignements qui, de même que tous les autres agents du SCRS de Toronto, fut réquisitionné pour évaluer les dommages que la monstrueuse bévue de Casey avait pu causer au Service et à ses opérations.

On détourna des ressources normalement affectées au contre-espionnage et aux activités antiterroristes pour tenter de déterminer l'étendue des dommages. Le bris de sécurité était particulièrement grossier, car le matériel perdu comprenait les noms, les adresses et les habitudes privées de quelques-uns des principaux suspects du SCRS. Des opérations clandestines en cours étaient compromises. La possibilité menaçait, déprimante et très forte, d'un catastrophique effet de dominos pouvant compromettre d'autres opérations. Des agents de renseignements s'affairaient à recouper des informations clés sur les dossiers manquants avec d'autres opérations pour voir dans quelle proportion les opérations clandestines de la région pouvaient être en péril. «Toutes les personnes disponibles travaillaient à l'évaluation des dommages. La perte de ces documents représentait un énorme manquement à la sécurité», dit Marchessault.

Au milieu des soucis quant au risque que ce fiasco posait pour les opérations du SCRS, les espions chefs du service étaient saisis d'une autre inquiétude peut-être encore plus oppressante. Si l'affaire s'ébruitait, dans quelle mesure la réputation du SCRS en souffrirait-elle auprès du public et des autres agences de renseignements? Combien de têtes tomberaient?

Il y avait d'autres incertitudes. Pourquoi Casey avait-il laissé des documents aussi confidentiels dans sa voiture? Qui avait volé la serviette? Est-ce que des organismes de renseignements étrangers ou un gouvernement hostile avaient quelque chose à voir dans ce vol ou s'agissait-il simplement d'un cambriolage? Était-ce bien un vol? Où étaient les documents? Comment et quand allaient-il refaire surface?

Personne au SCRS ne pouvait imaginer qu'un petit truand comme Barnes détenait les réponses.

* * *

Après un jour ou deux avec les documents, Barnes commençait à se poser des questions. Quand il volait une télévision ou de la drogue, il se trouvait en terrain connu. Il n'était peut-être pas le voleur ou le revendeur de drogue le plus sophistiqué ou le plus fructueux, mais il savait comment s'en sortir. Les espions, les terroristes et l'espionnage représentaient un monde étranger et un risque excessif.

Mais il espérait encore trafiquer la carte d'identité du SCRS pour extorquer de l'argent directement des suspects mentionnés dans les dossiers de Casey. J'allais me présenter comme un gars du SCRS. Je pensais aller trouver ces gars-là et leur dire: «Il faut que nous parlions.»

Dans son porte-monnaie, Barnes transportait habituellement une pièce d'identité de la GRC volée qu'il avait altérée pour y mettre en vedette sa propre tronche. Il s'en servait souvent pour se sortir du pétrin ou pour escroquer d'autres revendeurs de drogue. «Je leur disais "tu es cuit" et je prenais tout leur argent et leur drogue, dit Barnes. Je leur disais ensuite: "Je te donne une chance, décampe."»

À l'aide de la carte d'identité de Casey, il pourrait personnifier un agent du gouvernement. La tentation était trop forte pour y résister. Manipulant une lame de rasoir d'une main sûre, Barnes coupa la pellicule de la carte laminée et retira la photo de Casey. Jesse Barnes était devenu instantanément un membre des services secrets canadiens muni de sa carte d'identité.

À cette étape, il avait la serviette en sa possession depuis une semaine. Pendant que le SCRS entreprenait son harassante tâche d'évaluation des dommages, Barnes pesait le pour et le contre de son extraordinaire trouvaille. Au lieu de vendre les dossiers de surveillance, il décida d'effectuer une sorte d'investissement. Il téléphona à un autre vieil ami italien, Sam LoStracco.

LoStracco méprisait la Mafia. Ce petit flic impudent parle sur un ton haché, dans un anglais déficient et mêlé à un lourd accent italien. Il était un précieux allié de l'UISFC dans la guerre contre la pègre et sa guerre à lui était personnelle. Pour lui, la Mafia est une souillure sur la réputation de tout Canadien d'ascendance italienne qui tente d'assurer une meilleure vie à sa famille. Pour autant qu'il soit concerné, les membres de la pègre ne sont pas des bons gars avec un code d'honneur, à être immortalisés dans un film, mais des voyous impitoyables et des parasites qu'il faut éradiquer.

Un des moments dont LoStracco est le plus fier d'avoir vécus dans son pays d'adoption survint en 1987 quand, en compagnie du futur chef de police de Toronto, Julian Fantino, et d'autres agents de police d'ascendance italienne, on l'honora d'une adhésion à vie à la fameuse force policière italienne, les *carabinieri.*

Même si Barnes estimait que LoStracco était un casse-couilles qui faisait des promesses qu'il ne pouvait tenir, il avait l'intuition que son ancien tuteur savait ce qu'il fallait faire. Il entra en contact avec LoStracco depuis une cabine téléphonique dans un hôtel de Toronto où les deux se rencontraient fréquemment. Il parla de manière énigmatique.

— Sam, suppose que quelqu'un ait quelque chose dont il ne veuille plus...

LoStracco insista pour que Barnes soit un peu plus spécifique et Barnes lui dit qu'il avait accès à une serviette. LoStracco lui demanda immédiatement si la serviette appartenait à un policier, un juge ou un avocat.

— Non. Elle appartient au SCRS.

— Espèce de tordu ! Tu me racontes des histoires !

— Non, ce ne sont pas des histoires.

LoStracco dit qu'il ferait quelques appels et demanda à Barnes de le rappeler dans une heure. LoStracco put vérifier que le SCRS avait perdu une serviette importante. Quand Barnes rappela, il arrangea un rendez-vous à la cafétéria de l'hôpital York Finch General, au nord de Toronto. (Cet hôpital est situé tout près des bureaux de la GRC.)

« Soit là dans une heure », dit LoStracco.

Barnes arriva le premier. LoStracco arriva quelques minutes plus tard. Il n'était pas seul. George Capra, un officier de la GRC que Barnes n'avait jamais vu, l'accompagnait.

« Finissons-en avec cette merde, dit LoStracco. Où est cette mallette et comment l'as-tu obtenue ? »

Barnes raconta au policier toute l'histoire, depuis la rencontre dans le magasin de tuiles de Sam Gallo avec le drogué qui prétendait être du SCRS jusqu'au mur de la planque de Novar derrière lequel il avait caché la mallette. Mais Barnes passa sous silence un détail important : il ne dit pas à LoStracco qu'il avait fait des duplicatas des documents.

Au début, LoStracco ne le crut pas. « Ça ne se peut pas. »

LoStracco ne fut convaincu que lorsque Barnes cita le nom du propriétaire de la serviette manquante : James Patrick Casey.

« Petit con ! dit LoStracco. Il faut retrouver cette foutue serviette. »

LoStracco se retira pour effectuer quelques appels. Entretemps, Capra, un constable un peu rondouillard au début de la cinquantaine, posa quelques questions à Barnes. LoStracco revint et ordonna à Barnes d'aller chercher la serviette immédiatement.

Barnes sauta dans sa Caddy. LoStracco et Capra le suivirent de près dans une voiture de service banalisée. C'était la fin de l'après-midi. Quand le trio arriva à Novar, ils arrêtèrent à une station-service pour discuter de la suite des événements. Barnes ne voulait pas que DeMarco, lié à la pègre, découvre qu'il collaborait avec la police. Alors, en arrivant tout près de la maison où était cachée la serviette, LoStracco continua tout droit et attendit à une station-service tout près. Mais l'ami de DeMarco n'était pas chez lui. Barnes et compagnie décidèrent de se rendre au chic *Deerhurst Resort* pour un prendre un verre. Barnes et LoStracco prirent un cognac, alors que Capra commanda une bière.

Barnes appela à nouveau. Toujours pas de chance. LoStracco devenait impatient, Barnes frustré et Capra affamé. Ils dînèrent au restaurant *The Sportsman* à Huntsville. Capra et LoStracco flirtèrent avec la serveuse. Des policiers typiques, pensa Barnes.

Après le dîner, Barnes retourna à la cabane en tricotant à travers les petites routes secondaires. L'ami de Demarco n'était toujours pas à la maison. La petite odyssée de Barnes se transformait en un mauvais film. LoStracco et Capra décidèrent de retourner à Toronto. Mais LoStracco demeurait inflexible : Barnes devait récupérer cette serviette cette nuit même.

Finalement, vers minuit, l'ami de Demarco revint à la maison. Barnes s'étira derrière le mur et en tira la serviette. Après avoir vérifié que son contenu était toujours intact, il sauta dans sa voiture et fila droit vers Toronto.

* * *

Juste à l'extérieur de Schomberg, Barnes entendit le hurlement trop familier d'une sirène et la lumière éblouissante des phares d'une voiture inonda la sienne. Un agent de la police régionale de York le força à se ranger sur le côté. Il s'avérait que sa voiture portait des plaques volées et qu'il conduisait sous le coup d'une suspension de permis. L'agent s'intéressa immédiatement à la serviette.

« Qu'y a-t-il dans cette serviette ? » demanda-t-il.

Il était deux heures et demie du matin et la patience de Barnes approchait de sa limite.

« S'il vous plaît, ne l'ouvrez pas, plaida-t-il. S'il y a un problème, veuillez appeler ces deux policiers. » Barnes lui donna les numéros de LoStracco et de Capra.

« Je n'ai pas à appeler qui que ce soit », répliqua le policier.

Sur ce, Barnes, fatigué, et la serviette de malheur furent traînés à la station de police de Newmarket.

Le responsable de la station ordonna à Barnes d'ouvrir la serviette. Celui-ci refusa. « Appelez ces putains de policiers, appelez-les ! »

Le responsable appela LoStracco.

«Ramenez-le à sa voiture», dit le responsable au patrouilleur après avoir raccroché. À Barnes, il dit: «Ne me laisse pas te pincer à nouveau, Barnes. Fous-moi le camp!»

Barnes ramassa la serviette et s'en alla chez son parrain et sa marraine, Anistasio et Laura Scaini, pour récupérer quelques heures de sommeil. À son réveil, anxieux de se débarrasser de la serviette, il appela LoSracco. Ils décidèrent de se rencontrer à nouveau à la cafétéria du même hôpital.

Barnes était attablé dans la cafétéria presque déserte et goûtait une tasse de café revigorante lorsque LoStracco et Capra arrivèrent furtivement à ses côtés.

— Va dans les toilettes, murmura LoStracco.

— Quoi? dit Barnes, quelque peu mystifié.

— Va dans les toilettes. Maintenant.

Barnes se rendit dans les toilettes. Seul, il attendit la suite de ce drame surréaliste. LoStracco entra, vérifia partout et passa à Barnes une clé de motel. Celui-ci commençait à penser qu'il était la vedette d'un mauvais film d'espionnage. LoStracco, exceptionnellement soupçonneux, dit à Barnes que lui et Capra étaient suivis par le SCRS. Il semblait que les surveillants étaient au boulot.

Toujours en chuchotant, LoStracco dit à Barnes que la clé était celle d'une chambre du motel *Journeys End*, à quelques kilomètres de l'hôpital. «Sois très prudent. Nous sommes surveillés. Fais-toi petit, esquive-toi. Mais peu importe comment tu vas là-bas, assure-toi de ne pas être suivi. Nous allons sortir séparément et te retrouver là-bas plus tard.»

Barnes marcha vers sa voiture nonchalamment, en retira la serviette et parcourut à pied quelques coins de rue avant de héler un taxi qui le déposa au motel. À l'aide de la clé, il ouvrit une petite chambre spartiate du second étage. Il attendit, avec pour tout compagnon la précieuse serviette. Il craignait que LoStracco ne le trahisse et qu'il ne soit arrêté. «Je ne savais pas si je devais rester ou me tailler», dit-il

Une heure plus tard, il entendit trois coups fermes et également espacés sur la porte. Les vétérans policiers avaient pris un chemin détourné pour arriver au motel, afin de semer le SCRS. Ils entrèrent dans la chambre et tirèrent les stores. Chaque fois que quelque chose bougeait dans le corridor, ils collaient leur oreille sur la porte. Ils étaient tous deux des lapins nerveux, pensa Barnes, qui les observait calmement, perché sur une chaise.

«Ça chauffe de partout. Le SCRS est partout», dit LoStracco. Barnes lui remit la serviette. LoStracco l'ouvrit comme un enfant déchire l'emballage d'un cadeau, le matin de Noël. Il s'empressa de parcourir les dossiers de surveillance, hochant la tête d'étonnement. Il rit lorsqu'il tomba sur la carte d'identité trafiquée de Casey. «George, regarde cette merde», dit LoStracco en montrant à son partenaire la tronche radieuse de Barnes.

Barnes répéta l'histoire de sa trouvaille. LoStracco demeurait sceptique, mais il ne pouvait pas interviewer les frères Gallo ni Demarco, car cela aurait brûlé Barnes. Il remit environ mille trois cents dollars à Barnes pour avoir été un bon garçon et avoir restitué la serviette. Barnes espérait avoir accumulé quelques bons points auprès de LoStracco et de l'équipe chargée de combattre la pègre. Au lieu de cela, LoStracco le harangua parce qu'il conduisait avec des plaques volées et un permis suspendu. Le matin suivant, Barnes rencontra à nouveau LoStracco et Capra au *Journeys End.* Pendant deux heures, le trio revint sur toute l'histoire une dernière fois.

«Barry, c'est sérieux, cette merde. Tu t'embarques dans des histoires avec ces gens-là et ils n'aiment pas ça, lui dit LoStracco. Il ajouta que le SCRS était inquiet de ce que Casey aurait pu être ciblé. Il dit aussi que Casey avait mis trois jours pour alerter le SCRS à propos de la perte des documents. «Ce gars-là ne l'a pas signalé pendant trois maudites journées. Peux-tu croire ça?»

LoStracco ne débordait pas d'impatience de dire au SCRS que l'un des leurs avait peut-être essayé d'échanger des documents secrets contre de la drogue. Il pressa Barnes de lui révéler le nom de l'homme qui avait remis la serviette à Gallo. Barnes fit chou blanc. Ils décidèrent alors de mettre au point une histoire plus plausible. LoStracco dirait au SCRS que Barnes était tombé sur la serviette dans une voiture qu'il conduisait à Barrie pour le compte d'un vendeur de voitures usagées qui l'avait achetée à l'encan à Toronto. L'histoire n'était pas très plausible non plus mais LoStracco frissonnait en considérant l'autre histoire.

LoStracco remit à Barnes mille deux cents dollars, portant ses gages de deux jours à deux mille cinq cents dollars. C'était bien moins que les cent cinquante mille dollars qu'il envisageait au début, mais Barnes était heureux de se débarrasser de la serviette et des embêtements concomitants. À tout événement, il avait des copies des documents planqués chez lui à Port Sidney. LoStracco lui fit signer un reçu pour l'argent. Les services de sécurité voulaient une preuve qu'ils avaient payé deux mille cinq cents dollars à un ami de la pègre pour le retour de leur serviette chérie et des documents. «C'est leur argent, dit LoStracco à Barnes. J'ai essayé d'en avoir davantage, mais c'est tout ce que j'ai pu obtenir d'eux.»

LoStracco émit alors un avertissement: si Barnes soufflait un mot de l'histoire, on porterait des accusations contre lui selon la Loi des secrets officiels.

«Ne joue pas au plus fin, Barry. Tu ne sais pas dans quoi tu t'es mis les pieds», dit LoStracco.

Barnes haussa les épaules. Il était impatient de se retirer du monde des espions et des dossiers secrets, et de retourner au monde chaleureux et accueillant des petits crimes et des petits truands.

* * *

Entre-temps, James Casey se battait pour son emploi. Ses collègues de ce service de surveillants tricoté serré se portèrent à sa défense. D'autres agents de renseignements ont été chassés du Service pour des transgressions relativement mineures, mais Casey a survécu. Il travaille toujours pour le Service et quand je lui ai rendu visite à sa nouvelle maison en briques de Loretto, il était réticent à discuter de l'incident qui l'avait propulsé contre son gré sous le feu des projecteurs. «Je ne veux pas vous parler. Non. Au revoir», dit-il en claquant la porte.

Sam LoStracco ne travaille plus pour l'Unité d'intervention spéciale des forces combinées. Le vétéran policier est de retour sur les quarts réguliers à la trente-deuxième division dans le nord de Toronto. Habillé d'une veste sombre et de l'uniforme de jais des forces policières, LoStracco a tout à fait l'air d'un policier dur et intimidant. Au début, il était réticent à parler à un reporter. «Je ne suis pas né de la dernière pluie et j'ai été brûlé auparavant», dit-il.

Mais ses yeux se sont allumés quand j'ai mentionné Barnes et le SCRS. Penché sur le grand comptoir parfaitement propre, il jeta un coup d'œil autour avant de parler, pour s'assurer que personne ne pouvait l'entendre.

«C'était une affaire très confidentielle», dit-il.

LoStracco insista tellement sur la confidentialité de l'affaire qu'il demanda la permission de son chef de police avant de dire un mot. Il appela alors le chef du poste et fit une confession publique. «Chef, dit-il, il y a quelques années, j'ai été impliqué dans une affaire très confidentielle alors que je travaillais avec la GRC. J'ai récupéré une serviette contenant des documents très confidentiels appartenant au SCRS. Ce monsieur voudrait me parler à ce sujet.»

Quelques appels téléphoniques plus tard, la réserve de LoStracco disparut; il commença à répondre à mes questions. En fait, c'est l'unité des forces combinées qui gérait l'affaire. La GRC prit la direction. Il confirma que Barnes l'avait contacté au sujet de l'étonnante découverte. Il confirma également que Barnes avait en sa possession une serviette contenant des dossiers de surveillance en échange de laquelle il a reçu de l'argent.

«La plupart des événements [tel que vous les décrivez] sont corrects, dit LoStracco. C'était une situation très délicate pour la sécurité des Canadiens.»

* * *

En avril 1995, Barnes était de retour chez lui, c'est-à-dire en prison. On l'accusait de vol et d'incendie criminel après qu'il eut essayé de pénétrer dans le coffre-fort d'un bureau municipal à l'aide d'une torche acétylène. Malheureusement, il laissa la torche acétylène derrière lui et cela déclencha une petite explosion. Quelques semaines après cette entrée par effraction, Barnes se fit pincer avec sa concubine alors qu'il tentait de commettre un autre cambriolage. En échange de la liberté de sa compagne, Barnes admit le cambriolage précédent. De toute évidence, il n'avait pas la chance d'un Irlandais.

À la prison de Walkerton, Barnes eut une idée. Il crut pouvoir persuader le SCRS de conclure un marché: il leur remettrait les copies des documents de surveillance dont il avait caché l'existence à LoStracco, si le service l'aidait à faire tomber les nouvelles accusations criminelles auxquelles il devait faire face.

Barnes fit appeler le SCRS par sa femme à Toronto. Angela Jones, une jeune agente de la division de la sécurité interne du SCRS, appela Barnes en prison à onze heures cinquante-cinq du matin le 24 avril 1995 et laissa un message pour qu'il le rappelle. Quand il la rappela, elle lui dit être prête à le rencontrer mais ne pas être en position pour conclure un accord.

C'était la première fois depuis la perte des documents, plus de trois ans auparavant, que quiconque du SCRS contactait Barnes. Bien que le Service ait été secoué par la perte des documents de Casey, personne au SCRS ne fut fichu de questionner Barnes sur la manière dont les documents étaient tombés entre ses mains. On ne lui posa pas la moindre question sur la possibilité très réelle qu'un agent du SCRS ait pu échanger des documents secrets contre de la drogue. Personne ne s'était mis en rapport avec lui pour lui demander s'il avait copié les documents.

Barnes était préparé à raconter à Jones toute l'histoire. Mais quand l'agente du SCRS le rencontra en prison, elle ne semblait pas être d'humeur à parler ou à négocier.

«Vous ne savez pas ce qui s'est réellement passé, dit Barnes à Jones. Ce que LoStracco vous a dit au sujet de la serviette trouvée dans la voiture que je conduisais, ce sont des histoires.»

Jones ne se donna même pas la peine de prendre des notes. Barnes répéta son offre. Jones promit de lui faire signe. Elle ne le fit jamais. Le 29 mai 1995, Barnes écrivit au Solliciteur général du Canada pour faire la même offre: il dirait tout au sujet des documents du SCRS en échange de considérations spéciales.

Le 4 août 1995, Barnes reçut une lettre sèche de Tom Bradley, le directeur général du SCRS. Bradley confirmait qu'on avait envoyé «un représentant» du SCRS pour le rencontrer et écouter ses exigences. «Le Service vous avait clairement fait connaître sa position à l'époque, lui écrivait Bradley. La position du SCRS n'a pas changé depuis et je considère l'affaire comme classée[8].»

8. On relâcha Barnes en juillet 2002 et il vit maintenant à Orillia, en Ontario.

6
AMIS, NÉONAZIS ET ENNEMIS

Don Lunau était un rescapé de l'époque honnie du service de sécurité de la GRC. Comme n'importe qui ayant une longue feuille de route dans ce service, il était un animal politique. Pour se démarquer dans le labyrinthe bureaucratique du SCRS, il lui fallait être bien aimé, obtenir des résultats et, ce qui est peut-être le plus important, impressionner les gens qu'il fallait. Lunau avait trouvé en Farrell un adjoint capable de l'aider à accomplir cela et même davantage. Leur relation ressemblait à une histoire d'amour: Farrell posait un certain danger pour lui, mais Lunau ne pouvait résister à l'attraction.

Au début de 1992, les deux étaient inséparables. Ils s'appelaient tous les jours et se rencontraient dans des bars et des restaurants de la ville pour discuter de leur travail clandestin. Farrell était souvent la première personne que Lunau appelait le matin et la dernière qu'il appelait le soir. Au volant de sa fourgonnette Astro bleue, Lunau se mettait en rapport avec Farrell tout en se frayant lentement un chemin vers le bureau à travers la circulation.

La confiance de Lunau en Farrell finit par devenir si totale que, plus tard cette année-là, il le chargea de voir aux détails quotidiens de l'opération Vulve. Farrell était résolu à ne pas décevoir son patron.

Farrell hérita de la tâche de s'assurer que les lettres – Lunau leur appliquait le nom de code «tartes aux pommes» – des suspects vivant dans le sud de l'Ontario soient interceptées, remises au SCRS et ensuite retournées aux inspecteurs des postes auxiliaires pour être réinjectées dans le flot du courrier. Farrell examinait aussi toutes les factures des inspecteurs auxiliaires avant de les envoyer à Ottawa par télécopieur. Il travaillait de manière bien organisée et minutieuse. Quand un inspecteur auxiliaire ne donnait pas sa pleine mesure, il n'hésitait pas à faire claquer le fouet.

La main haute de Farrell sur l'opération Vulve n'était pas une surprise. Recrue, il avait suggéré plusieurs moyens de resserrer la sécurité entourant le programme. Par exemple, il estimait inutile et même dangereux d'attacher le préfixe «SCRS» aux numéros des mandats sur les factures des inspecteurs auxiliaires. Qu'arriverait-il si les factures aboutissaient dans les mauvaises mains, particulièrement celles des chefs syndicaux? Lunau finit par se rendre à ses arguments. À l'été de 1993, sur ordre de Lunau, «SCRS» disparut des factures.

Farrell se souciait aussi de ce que lorsque les inspecteurs auxiliaires remettaient leur courrier intercepté au repaire clandestin du SCRS, ils prenaient connaissance des noms et adresses d'autres suspects, une menace inutile à la sécurité. Pour réduire les risques de cette sorte de promiscuité inutile, il acheta des enveloppes de plastique pour chaque inspecteur auxiliaire. Il écrivit leurs noms sur de gros collants qu'il apposa sur leurs dossiers. Les inspecteurs auxiliaires plaçaient leur courrier intercepté dans l'enveloppe en plastique et déposaient celle-ci dans la serviette sécurisée sans avoir à trier tout le courrier. C'étaient des choses plutôt élémentaires, mais avant l'arrivée de Farrell on n'y avait pas pensé.

Lunau continua d'utiliser des enveloppes en papier kraft arborant l'emblème du SCRS pour retourner le courrier intercepté aux inspecteurs auxiliaires. Or, ceux-ci emportaient habituellement leurs enveloppes dans les bureaux de poste où ils les ouvraient, pour en extraire les lettres des suspects et les remettre dans le flot du courrier. Ils jetaient souvent les enveloppes, arborant l'emblème du SCRS aux couleurs vives et difficiles à manquer, dans une poubelle du bureau de poste, où n'importe qui pouvait les repérer et les récupérer. Si les syndicats voulaient des preuves que le SCRS était vivant, bien portant et actif dans les bureaux de poste de l'Ontario, Lunau venait de les leur offrir sur un plateau.

Farrell s'imposa comme le bras droit de Lunau dans le programme de courrier juste comme la campagne du SCRS contre de virulents néonazis prenait de l'importance. En 1992, le Service commença à consacrer des ressources à la surveillance de ceux qui croient à la suprématie des Blancs et qui représentent une menace pour la sécurité des Canadiens. Plus tard cette même année, les services soulignèrent la hausse vertigineuse de la littérature haineuse et des lignes ouvertes racistes comme preuve de la menace que la violence raciale se généralise dans le pays[1].

Des informations fournies par une source clandestine travaillant pour le SCRS à l'intérieur du Heritage Front, un groupe néonazi du Canada, ont également contribué à persuader le Service que les tenants de la suprématie des Blancs se mobilisaient dans le but d'utiliser la violence pour arriver à leurs fins. Leur but politique était de fomenter la discorde raciale et de promouvoir une patrie aryenne. Il existait des preuves que de tels groupes utilisaient les nouvelles technologies pour établir des liens avec des groupes haineux aux États-Unis et en Europe afin de trouver du financement, du leadership et des informations sur leurs ennemis, et pour consolider les liens avec les skinheads néonazis violents. Au début de 1993, le SCRS conclut que le Heritage Front, dirigé par Wolfgang Droege, un ouvrier de la construction qui niait avec ferveur l'Holocauste, s'était imposé comme «la plus importante organisation de tenants de la suprématie des Blancs dans le pays[2]». Le Service élargit donc la liste de ses suspects non seulement aux dirigeants des organisations néonazis du Canada, mais aussi à tous «les racistes, les fascistes et les antisémites[3]».

Tout cela pouvait causer des morts: les groupes haineux, les skinheads et la violence raciale. Les informations glanées par le programme d'interception du courrier devaient devenir un élément

1. Comité de surveillance des activités de renseignement de sécurité, «L'affaire du *Heritage Front*: Rapport au Solliciteur général du Canada», le 9 décembre 1994, chapitre 1, page 3.
2. *Ibid.*, page 5.
3. *Ibid.*, page 2.

critique des efforts du Service pour contrôler les néonazis du Canada.

Cependant, l'action indispensable et clandestine pour contrecarrer les tenants de la suprématie des Blancs au Canada fut compromise par le travail incroyablement bâclé des poulains que Lunau avait personnellement fait entrer dans l'écurie des inspecteurs des postes auxiliaires. De plus, selon Farrell, dans sa poursuite des tenants de la suprématie des Blancs, le SCRS a fait ce qu'il a explicitement et souvent promis aux Canadiens de ne pas faire : enfreindre la loi.

Le début des années 1990 fut une époque enivrante pour les néonazis d'Amérique du Nord. La Louisiane abritait l'étoile politique qui montait le plus vite en Amérique, David Duke, un grand blond aux yeux bleus et ancien grand sorcier des chevaliers du Ku Klux Klan (KKK) qui faillit asseoir son message de haine aseptisé dans la résidence du gouverneur, à Bâton Rouge, en 1991. Son plaidoyer trouvait une résonance chez les électeurs blancs de l'intense petit État du Sud, qui avait aussi voté massivement en faveur de Duke lors de sa tentative infructueuse de briguer un siège au sénat en 1990. Les succès de Duke aux urnes soulevaient aussi les espoirs et les aspirations de ses admirateurs au nord du quarante-neuvième parallèle, qui voyaient dans ce charismatique leader un porte-étendard politique, voire un sauveur, de la race blanche.

Wolfgang Droege faisait partie des partisans de Duke au Canada. Corpulent et presque chauve, ce tenant de la suprématie des Blancs s'était rendu à La Nouvelle-Orléans au milieu des années 1970 pour participer à une réunion internationale de racistes organisée par celui qui était alors le leader du Klan. Lors de ce ralliement, Duke avait exhorté les fidèles à s'unir afin de sauver la race blanche de l'extinction. Pour Droege, un admirateur sans réserve de Hitler qui aspirait à une patrie blanche depuis sa jeunesse en Bavière, l'appel évangélique de Duke était un cri de ralliement tonique et indélébile. Il lui rendit la pareille en l'invitant à Toronto en 1977.

Cette visite déclencha une agitation médiatique et, selon Droege, un torrent de demandes de Canadiens pour adhérer au Klan. Après sa première visite, Duke se rendit en Colombie-Britannique en 1979 et en 1980, afin de promouvoir le projet de faire payer le gouvernement fédéral pour le rapatriement des

Noirs «dans leurs propres pays». La démence du message de Duke n'empêcha cependant pas le télégénique raciste de recevoir une pléthore d'invitations pour apparaître à des émissions de télévision et de radio. À la fin des années 1980, les partisans de Duke au Canada, enhardis par le succès de sa rhétorique haineuse, fondèrent les Chevaliers canadiens du Ku Klux Klan, à Toronto, avec Droege comme principal organisateur. On vit bientôt surgir des récits de mauvais augure: on brûlait des croix en Colombie-Britannique et en Ontario, et on y vandalisait et désacralisait des synagogues et des cimetières.

Sur un signal de Duke, Droege et les leaders du KKK canadien ciblèrent les adolescents blancs désenchantés en faisant appel à la «fierté blanche» et à la «pureté raciale». Non satisfaits de promouvoir simplement leur message de suprématie blanche dans les cours d'école, Droege et d'autres membres du KKK tentèrent d'exporter leur rêve d'une patrie aryenne dans la petite île de la République dominicaine, dans les Caraïbes. En 1981, Droege faisait partie d'un groupe de dix mercenaires canadiens et américains arrêtés par le FBI lors d'une tentative terriblement mal conçue d'invasion et de renversement du gouvernement noir de cette île appauvrie. Le plan tourna au vinaigre lorsqu'un capitaine de navire avertit la police de la tentative d'invasion. Droege et ses maladroits coconspirateurs avaient projeté d'utiliser l'île comme base pour financer les activités des tenants de la suprématie des Blancs répartis dans le monde. Au lieu de cela, on arrêta Droege et ses sbires, et on les condamna à trois ans de prison aux États-Unis.

En 1985, on arrêta Droege dans l'Alabama comme étranger illégal et on l'accusa de possession de cocaïne et d'armes meurtrières. On le condamna à treize ans de prison et, en 1989, on le libéra sur parole et on le déporta au Canada. Non intimidé, Droege se tourna à nouveau vers son mentor pour trouver de l'inspiration et une direction. Il en résulta qu'il devint le cerveau du Heritage Front. Droege et ses acolytes cessèrent de brûler des croix et délaissèrent le KKK; à la place, ils mirent au point des manifestes pseudo-politiques qui répétaient la rhétorique de Duke adoucie en discours anti-immigrants. Contrairement à Duke, le Heritage Front ne réussit pas à attirer de support politique significatif avec son message «blanc et fier». Par contre, il réussit à attirer l'intérêt de violents skinheads néo-nazis, de Ernst Zundel (qui niait l'Holocauste) et du SCRS.

* * *

Dans le cadre de son enquête sur l'activité des tenants de la suprématie des Blancs au Canada, le SCRS interceptait régulièrement le courrier adressé au domicile de Droege à Toronto autant qu'à une boîte postale que le leader du Heritage Front détenait dans un petit bureau de poste au 2 Laird Drive, à Leaside. Droege se vantait qu'il y avait jusqu'à trois cents sympathisants actifs sur la liste d'envoi du Heritage Front, dont des agents de police de Toronto. (En 1993, la police de Toronto accusa le constable Bradley Coulbeck de conduite indigne, après que des allégations eurent fait surface selon lesquelles il se trouvait sur la liste d'envoi du Heritage Front, qu'il avait acheté et qu'il distribuait la littérature raciste de ce groupe et qu'il avait participé à une réunion du KKK aux États-Unis. Il quitta la force constabulaire en 1997.) On interceptait le courrier afin d'obtenir le plus d'informations possible concernant le nombre de membres du groupe de suprématie blanche, ses relations avec des organisations similaires outre-mer, ainsi que ses plans pour le Canada et l'étranger.

Lunau donna l'ordre à Farrell d'intercepter personnellement le courrier adressé à Droege chez lui, au 2 North Drive, appartement 207, à Scarborough. Le SCRS détenait également les mandats fédéraux nécessaires pour écouter la ligne téléphonique de Droege et, si nécessaire, entrer dans son appartement. Mais, selon Farrell, le service de renseignements n'avait pas obtenu de mandat fédéral pour intercepter le courrier de Max French, un membre du Heritage Front et un proche collaborateur de Droege, qui vivait au troisième étage du même édifice à appartements.

Le service d'espionnage était convaincu que Droege se servait de l'appartement de French pour passer des coups de fil à d'autres tenants de la suprématie blanche vivant au Canada et outre-mer. Le SCRS avait besoin de mettre la main sur ses comptes de téléphone pour découvrir les destinataires de ces appels et leur adresse. Lunau voulait aussi éviter d'éveiller les soupçons de Droege quant à l'interception de son courrier. Selon

Farrell, «si l'ami de Droege, qui logeait dans le même édifice, avait reçu son compte de téléphone mais pas lui, cela aurait éveillé ses soupçons». Alors Lunau ordonna à Farrell d'intercepter le courrier de l'ami sans les mandats fédéraux ni l'approbation du Solliciteur général, tel que le requiert la loi.

Lunau transmit ses ordres à Farrell lors d'une rencontre face à face dans le parc de stationnement souterrain du quartier général du SCRS sur Front Street. (Après son premier interview, Farrell n'a jamais rencontré Lunau au quartier général. L'un des lieux de rendez-vous préférés du patron était le parc de stationnement bien éclairé et spacieux, que Farrell estimait être un endroit bien curieux. Il y avait beaucoup trop de circulation en ce lieu pour qu'ils puissent y jouir d'une intimité réelle et de nombreux employés de bureau trouvaient son entrée arrière commode pour aller fumer et échanger des commérages. Farrell s'inquiétait de ce qu'un agent de contre-espionnage hostile vigilant eût pu facilement les identifier en tant qu'agents du SCRS et il craignait d'être suivi. Il protesta un peu, mais Lunau prévalut.) Farrell souligne que l'interception du courrier de French avait été décidée par Lunau. Il n'a jamais agi sans permission et il n'avait aucun motif de le faire. Farrell a fait preuve d'initiative, d'imagination et de créativité dans son travail clandestin, mais il ne lui serait pas venu à l'idée de voler du courrier sans le consentement de Lunau. En tant qu'ancien inspecteur des postes, il était au fait des risques sérieux qu'on court en dérobant du courrier sans le mandat fédéral nécessaire. Si on le surprenait, Farrell savait qu'il pouvait dire au revoir à son pardon et bonjour à une petite et froide cellule de prison. Farrel dit qu'à sa grande surprise il n'y eut que peu de discussion dans le parc de stationnement au sujet des graves conséquences qui s'ensuivraient si l'affaire se savait. «Il [Lunau] était très factuel. Il m'a dit d'intercepter le courrier, sachant qu'il n'y avait pas de mandat fédéral.»

Lunau aurait dû être au courant des conséquences d'un bris des règles. En 1987, le premier directeur du SCRS, Ted D'Arcy Finn, démissionna dans la disgrâce après que le Service eut soumis à une cour fédérale un affidavit inexact et trompeur, fondé en partie sur des informations fournies par une source non fiable, en vue d'obtenir la permission de faire de l'écoute téléphonique dans le cadre d'une enquête antiterroriste. On montra la sortie à

Finn, même s'il n'y avait pas de preuve que les agents du SCRS responsables de la préparation de l'affidavit erroné avaient agi avec une intention criminelle. C'est un gouvernement conservateur déjà criblé de scandales qui avait précipité la chute de Finn. Les agents de renseignements qui avaient autorisé le malheureux affidavit connurent un meilleur sort que leur ancien directeur : aucun n'a perdu son emploi et, plus tard, certains reçurent une promotion. La carrière d'un informateur non fiable pouvait donc ressusciter à une condition : qu'il cesse de mentir.

Comme Farrell n'était pas un agent en bonne et due forme et qu'il était, du moins sur papier, un contractuel de Postes Canada, comment l'organisme de supervision du SCRS aurait-il jamais pu être au courant des ordres de Lunau? En effet, Farrell, confortablement hors de portée du CSARS et de l'Inspecteur général, était l'arme secrète de Lunau.

* * *

Au printemps 1993, Farrell s'occupait de plusieurs interceptions de courrier liées aux tenants de la suprématie blanche à Toronto. Les cibles incluaient un numéro de boîte postale près du quartier général du SCRS sur Front Street et une résidence du Donlands Avenue dans l'est de la ville (ces deux interceptions étaient étayées par des mandats appropriés). Les dossiers de Farrell montrent que deux partisanes de la suprématie blanche liées au Heritage Front vivaient à l'adresse de Donlands Avenue. Les interceptions en ville rapportaient moins d'argent à Farrell, mais il compensait le manque de kilométrage par la longueur accrue des journées. Il se présenta alors une surprise inattendue mais bienvenue : Lunau se mit à agrémenter les chèques de dépenses de Farrell de bonus en liquide, de cadeaux coûteux et de billets pour des événements sportifs.

Fanatique des sports, Lunau invitait souvent Farrell à l'accompagner pour une après-midi de bières tièdes, de hot-dogs trop chers et de base-ball moyen au Sky Dome. Farrell n'éprouvait aucun intérêt pour les sports professionnels, mais il y allait. Les coûteux sièges du SCRS se trouvaient juste derrière le marbre. Au stade, Farrell s'étonnait de voir son patron s'agiter comme un écolier nerveux. Lunau s'inquiétait de ce que l'écran vidéo monstre du stade – le JumboTron – puisse prendre son visage au milieu de la foule et le mettre en vedette comme une pub d'espions faisant l'école buissonnière. (Farrell a conservé les talons des billets pour une partie à laquelle ils ont assisté, celle des Jays le 10 juin 1997 contre les Mariners de Seattle. Les Jays l'avaient emporté huit à trois.)

Selon Farrell, l'argent et les cadeaux étaient la manière de Lunau de montrer sa gratitude pour le travail bien accompli. Lunau fouillait dans le petit sac en cuir derrière lui et en tirait une liasse de billets pour Farrell. Chaque fois, Farrell devait signer un reçu pour cet argent. «Il avait toujours un livret de reçus à portée de la main, dit Farrell. Il me remettait l'argent et je signais.»

* * *

Pendant que Farrell était occupé à assister à des matchs de base-ball en compagnie de Lunau et à intercepter le courrier de Droege, on confiait à Frank Pilotte l'importante tâche de saisir les lettres destinées à la boîte postale des leaders du Heritage Front. C'était une mission épineuse. Le Service savait que deux sympathisants du Heritage Front travaillaient au bureau de poste et avertissaient Droege si quelqu'un s'informait de son courrier.

Droege et le Heritage Front commençaient à attirer le genre de publicité médiatique qu'ils recherchaient tant. Le leader du Heritage Front et quatre autres membres du groupe firent les manchettes après avoir été expulsés du Parti réformiste encore naissant. Malgré les expulsions, Droege, confiant, assura la presse que d'autres membres du Heritage Front avaient infiltré le parti de droite venu de l'Ouest. Il y eut d'autres histoires sur la montée alarmante du Heritage Front après que Tom Metzger, jadis grand dragon du KKK (qui fonda plus tard un virulent groupe antisémite appelé White Aryan Resistance [la Résistance aryenne blanche], eut été arrêté avec son fils après avoir participé à un rallye organisé par Droege à Toronto. Tandis qu'il se trouvait à Toronto, on découvrit trois synagogues locales couvertes de slogans antisémites à la peinture en aérosol. Plus tard, on déporta Metzger et son fils.

Alors, dans un indéniable bon coup pour le Heritage Front, des images troublantes de ses membres affrontant des centaines d'activistes antiracistes au Nathan Phillips Square, devant l'hôtel de ville de Toronto, emplirent les journaux et les écrans de télévision. Des policiers à cheval se ruèrent sur la foule et écrasèrent les protestataires en les frappant à la tête avec des cravaches et des matraques. Quelques mois après cette mêlée, plus de trois cents activistes antiracistes vandalisèrent la demeure de Gary Schipper, qui animait la ligne ouverte du Heritage Front. Quelques heures plus tard, on arrêta Droege et on l'accusa de possession d'arme dangereuse et de voie de fait grave à l'occasion d'une grosse bagarre ayant éclaté entre les membres du Heritage Front et les activistes antiracistes. Enragés par l'attaque contre la demeure de Schipper, les membres du Heritage Front se servirent de bâtons de base-ball, de pierres, de tuyaux et de bouteilles pour accabler les activistes à l'extérieur d'un club de nuit du centre-ville.

À mesure que montait la notoriété du Heritage Front, le nombre de crimes haineux grandissait aussi. Un immigré tamoul demeura partiellement paralysé après avoir été sévèrement battu par un skinhead de dix-neuf ans. Trois étudiants sikhs furent gravement battus après une danse à une école secondaire de banlieue. La police était convaincue qu'il ne s'agissait pas là d'un accident statistique mais d'un funeste présage de ce qui s'en venait.

* * *

Le 14 septembre 1993, Lunau déménagea le repaire clandestin des inspecteurs des postes auxiliaires des bureaux administratifs de Postes Canada, au 1200 Markham Road, vers une «super-installation» postale au 280 Progress Avenue, à Scarborough. Cette grosse installation abritait plusieurs bureaux de poste qu'on avait amalgamés. Postes Canada avait démantelé son bureau satellite des services de sécurité et d'enquête au bureau administratif et avait installé ses inspecteurs des postes sur Progress Avenue, et Lunau avait décidé d'emboîter le pas. Ce déménagement étonna Farrell. Il ne pouvait imaginer pourquoi son supérieur déménageait le repaire clandestin dans un édifice fourmillant de postiers qui étaient susceptibles de s'intéresser aux allées et venues des inspecteurs auxiliaires.

Si Lunau cherchait la discrétion, il avait certainement choisi le mauvais endroit. L'entrée arrière donnant sur le grand parc de stationnement n'était qu'à quelques pas du repaire clandestin tout neuf du SCRS. Des dizaines de postiers flânaient dans l'entrée, bavardant ou fumant une cigarette. Il y avait même un banc de parc juste à l'extérieur de la fenêtre du repaire, où les postiers s'attardaient et pouvaient remarquer l'arrivée et le départ d'étrangers. Mais cela ne dérangeait pas Lunau. Aux yeux de Farrell, ce déménagement reflétait l'arrogance de son patron : Lunau pensait qu'il pouvait s'installer tout juste dans l'antre du lion, confiant que cela ne nuirait pas à la clandestinité des opérations.

Le nouveau repaire clandestin (en réalité une pièce avec une serrure à haute sécurité) était presque une copie carbone de l'ancien, meublé de façon parcimonieuse, avec un bureau, un téléphone et une serviette sécurisée. Directement en face dans le corridor, il y avait le bureau d'où les inspecteurs de Postes Canada dirigeaient leurs affaires dans l'édifice. En plus d'utiliser l'édifice de Progress Avenue comme point de rendez-vous secret pour échanger du courrier, Richter, Wittick et Farrell y interceptaient régulièrement le courrier des suspects.

C'est lors d'une visite régulière de Farrell un après-midi au nouveau repaire clandestin que le désastre se produisit. Il ouvrit la serviette sécurisée, cherchant le courrier adressé au domicile de Droege qu'avaient lu, copié et analysé les agents de renseignements et qu'il fallait maintenant glisser à nouveau dans le flot du courrier. Il manquait trois des lettres de Droege. Lunau ne les avait peut-être pas laissées ou le Service les avait conservées plus longtemps que ne le permettaient les mandats. Un peu énervé, il joignit Lunau au quartier général du SCRS à Toronto.

— Hé! Donnie, où sont mes lettres? demanda Farell.

Lunau couvrit le micro du téléphone et demanda à un autre agent du SOS s'il était au courant des allées et venues du courrier de Droege.

— Ouais, John, elles sont là-bas, dit Lunau.

— Eh bien, je te dis tout de suite qu'elles n'y sont pas.

Lunau était stupéfié. Il demanda à Farrell de vérifier à nouveau la serviette. Toujours pas de lettres.

— Je vais te revenir, aboya Lunau.

Farrell attendit impatiemment, tandis que son patron passa le reste de la journée à tenter de résoudre le mystère des lettres manquantes.

Il s'avéra que Frank Pilotte avait pris le courrier du domicile de Droege dans la serviette et l'avait déposé dans la boîte postale du Heritage Front au bureau de poste de Laird Drive. Même à Postes Canada, célèbre pour ses erreurs, les chances que du courrier destiné à l'adresse domiciliaire apparaisse dans une boîte postale étaient infinitésimales, car Postes Canada trie le courrier par codes postaux et non par noms. Droege n'avait nul besoin de sympathisants à l'intérieur du bureau de poste pour l'alerter du fait qu'on interceptait son courrier: Frank Pilotte et le SCRS venaient de le faire pour lui.

Farrell dit qu'il avait plusieurs fois répété à Lunau qu'il fallait resserrer la sécurité autour de l'opération Vulve. En fait, peu de temps avant l'incident, Farrell avait pressé Lunau de distribuer des serviettes sécurisées à chacun des inspecteurs auxiliaires pour qu'ils s'en servent durant la manipulation du courrier intercepté. Lunau l'avait repoussé, prétendant que cela n'était pas nécessaire.

Pilotte s'en tira sans punition. Lunau le prit à part et le gronda.

Quelques jours plus tard, Lunau dit à Farrell qu'une analyse des bandes enregistrées des conversations téléphoniques du domicile de Droege avait révélé que le tenant de la suprématie blanche avait compris. Farrell estimait qu'on ne pouvait pas faire passer la grave erreur de Pilotte pour une stupide petite confusion. Le chef du groupe de tenants de la suprématie blanche le plus actif et le plus violent du pays savait maintenant sans l'ombre d'un doute qu'on le surveillait[4].

Farrell apprit plus tard que des facteurs du bureau de poste qui s'occupait du courrier du Heritage Front étaient très au courant que Pilotte travaillait pour le SCRS. Pilotte arrivait tôt au bureau de poste pour intercepter le courrier. Mais, au lieu de

4. Dans une interview, Droege confirme qu'il a un jour ramassé dans sa boîte postale du courrier qui aurait dû être livré à son domicile de Scarborough. «Je savais dès lors que les autorités avaient accès à mon courrier», dit-il. Il ajoute qu'il arrivait que des enveloppes scellées avec du scotch avaient tout simplement été ouvertes à l'aide d'une lame. Il porta plainte à Postes Canada et fut éconduit. «C'était vraiment du travail d'amateur, dit-il. Le fait d'envoyer le courrier adressé à mon domicile vers ma boîte postale me confirmait que le SCRS était mon principal adversaire et que je n'avais pas à m'en faire.»

fouiller dans le sac de courrier pour en ressortir celui de Droege, il passait au crible toutes les lettres du sac. Plus longtemps il restait dans le bureau de poste, plus il gagnait d'argent. Tant qu'à y être, il aurait pu tout aussi bien porter un gros macaron du SCRS illuminé sur le revers de sa veste. Farrell se surprit à se remémorer avec une tendresse inattendue ses jours avec les services de sécurité et d'enquête de Postes Canada...

Ernst Zundel était un autre suspect primordial de la campagne prétendument clandestine du SCRS contre les tenants de la suprématie blanche. Pendant des années, cet immigré né en Allemagne exploitait ce qui n'était rien d'autre qu'une manufacture de propagande antisémite depuis sa demeure victorienne du centre-ville de Toronto. Travaillant à partir de son sous-sol délabré, Zundel pondait des brochures sur sa presse, tenait des réunions et donnait des conférences, tout cela sur un thème commun: l'Holocauste était un canular.

L'homme qui décrivit un jour Hitler comme son idole distribuait son message à des compagnons de voyage à travers le monde dans un fameux livret intitulé *Did Six Million Really Die?* (Est-ce que réellement six millions de gens sont morts?) Dans ce livret, Zundel prétendait que l'Holocauste était une fraude concoctée par les Juifs. Postes Canada arrêta temporairement de distribuer le courrier de Zundel en 1981, parce qu'il se servait du système postal pour propager la haine. En 1985, on condamna Zundel à quinze mois de prison après l'avoir trouvé coupable d'avoir délibérément causé du tort à l'harmonie raciale et sociale du Canada. Trois ans plus tard, sa condamnation fut maintenue en cour d'appel. Mais en 1992 Zundel remporta une victoire inespérée quand la Cour suprême du Canada changea sa condamnation en une autre: avoir sciemment répandu des fausses informations sur l'Holocauste. Cette décision – faut-il s'en étonner? – électrisa et enhardit celui qui nie l'Holocauste et ses supporteurs, y comprit le jeune Heritage Front.

Après avoir emporté sa remise de peine, Zundel fit souvent des apparitions publiques où il portait un gros casque dur et une grosse croix en bois. Aux yeux de ses fidèles, il était un courageux martyr de la lutte pour protéger la liberté de parole. Ses adversaires n'étaient pas de cet avis. À la fin de 1993, ils effectuèrent un raid sur son domicile, lançant des contenants de peinture et des œufs. Zundel s'était préparé au massacre en enveloppant sa maison de plastique. L'escouade anti-émeute de la police refoula les démonstrateurs. Ces vilaines escarmouches aidèrent Zundel et ses admirateurs à obtenir l'attention des médias qu'ils recherchaient. Mais le SCRS aussi dirigeait un regard attentif sur Zundel.

Le service interceptait le courrier adressé au domicile de Zundel à partir d'un bureau de poste situé au 1 Yonge Street. Farrel dit que Zundel était aussi lui-même surveillé par le service. On appelait les inspecteurs auxiliaires quand on voyait l'admirateur de Hitler poster du courrier. On signifiait à un chauffeur de Postes Canada d'ouvrir la boîte aux lettres et de laisser un inspecteur auxiliaire récupérer le courrier. Qui était cet inspecteur auxiliaire? Frank Pilotte, bien qu'on demandât souvent à Farrell son aide. Les lettres et les colis pour Zundel arrivaient de partout dans le monde. Certains jours, il recevait jusqu'à vingt pièces de courrier enregistré. Le SCRS était enthousiaste à l'idée d'établir une liste des supporteurs de Zundel dans le monde en notant l'adresse de retour sur chaque pièce. À l'étonnement de Farrell, Zundel recevait des lettres d'encouragement et de soutien de médecins, d'avocats, de professeurs d'université et d'autres professionnels, de même que de détenus.

Farrell nota l'intérêt particulier de Pilotte pour le courrier de Zundel. L'étendue de cet intérêt devint évidente un beau matin, lorsque les deux inspecteurs auxiliaires se rencontrèrent derrière une grosse épicerie de Danford Avenue. Pilotte conduisait sa grosse Buick blanche et Farrell arriva dans sa Geo Metro, une voiture qu'il aimait car elle lui faisait économiser beaucoup d'argent par sa faible consommation d'essence. Pilotte revenait tout juste du bureau de poste avec une pile de lettres de Zundel. En parcourant la pile, il nota qu'une des lettres était partiellement ouverte. Curieux, il décida de la décacheter. Farrell lui enjoignit de n'en rien faire, car elle pouvait être piégée et, de plus, cela ne pouvait qu'attirer davantage d'embêtements de la part de Lunau. Pas du tout démonté, Pilotte ouvrit la lettre. À l'intérieur, il trouva une note adressée à «Cher Ernst», encourageant le négateur de l'Holocauste à poursuivre sa campagne «pour dire la vérité». Pour le soutenir dans cet effort, la lettre contenait aussi un billet de dix dollars américains, que l'inspecteur auxiliaire remit dans l'enveloppe.

« C'était de l'amateurisme, dit Farrell. Le contenu du courrier ne concernait pas du tout l'inspecteur auxiliaire. »

Farrell ne voulait pas être mêlé aux histoires de Pilotte, mais, en tant que dépanneur du programme, il n'avait pas le choix. Il rapporta l'affaire à Lunau, qui, une fois de plus, se montra mou avec Pilotte.

Farrell eut de la chance par rapport à Zundel, lors d'une de ses visites de routine au bureau de poste du 1 Yonge Street. Décoiffé et non rasé, il arriva sur place à six heures trente du matin et monta au deuxième étage du bureau de poste. Il passa par une porte menant à l'aire réglementée contenant de nombreux sacs de courrier recommandé. En entrant, il salua Patrick Hilberg, le commis postal qui remettait souvent le courrier enregistré à Zundel, et George Fyfe, le gérant du bureau. Farrell s'en était fait des amis, car il savait qu'ils pouvaient faciliter sa tâche. Ils ignoraient qu'il travaillait pour le SCRS, le croyant encore inspecteur des postes.

Farrell commença à parcourir les sacs, cherchant le courrier enregistré de Zundel. Il lui fallait souvent manipuler un millier de pièces de courrier avant de pouvoir en retirer les lettres et les colis de Zundel. Le courrier, en mode prioritaire, venait d'Australie, d'Allemagne, d'Autriche, de France et de Suisse. Il fallait à tout prix que Farrell arrive avant Hilberg, car, dès que le commis notait son arrivée, il mettait son horloge en marche pour compter le temps durant lequel le Service conservait les lettres et les colis. De plus, le plus tôt Farrell remettait les lettres de Zundel dans le flot du courrier, moins Zundel se plaindrait de la lenteur du service postal.

Farrell plongea dans le sac et en tira une petite boîte. Plus tard, il apprit qu'il venait de mettre la main sur la liste complète des membres du Heritage Front, avec les noms et les adresses de chaque personne au Canada et outre-mer recevant la littérature antisémite de Zundel.

C'était là un coup de chance extraordinaire. Il est très rare que ce genre d'information tombe si facilement dans les mains des services d'espionnage. Finalement, pensa Farrell, l'opération Vulve rapportait des dividendes.

La manipulation du courrier de Zundel était risquée. La violence entourait le négateur de l'Holocauste. Un jour, une bombe artisanale explosa derrière sa demeure de Carleton Street et causa de gros dégâts. Farrell était toujours inquiet quand il interceptait le courrier de Zundel. Il savait que le propagandiste qui faisait sa promotion personnelle avait des ennemis et qu'un jour l'un d'entre eux pourrait utiliser la poste pour livrer à sa porte un message sans équivoque par sa violence. Farrell aimait bien ses mains et désirait les conserver.

Lunau avertit les inspecteurs auxiliaires d'être extrêmement prudents en manipulant le courrier adressé à Zundel à partir d'une boîte postale de Vancouver. Il refusa d'expliquer pourquoi cette adresse de Vancouver était sur sa liste de surveillance, mais, selon Farrell, il était visiblement inquiet de ce que du courrier de cette provenance puisse cacher une bombe.

La nervosité de Farrell culmina lorsque Lunau lui ordonna de cesser temporairement d'intercepter les colis adressés au domicile de Zundel. Farrell se rappelle: «J'ai reçu un appel de Lunau, dit-il, et il dit: "Arrêtez de prendre les colis. Ne prenez que les lettres recommandées."» Lunau ne badinait pas. Farrell sentait l'urgence dans sa voix.

En mai 1995, un paquet arriva à la porte de Zundel, apparemment d'une boîte postale de Vancouver. Zundel laissa le paquet chez lui sans l'ouvrir pendant une semaine avant de prétendre qu'il faisait un drôle de bruit quand on le secouait. Il cala le colis suspect dans le coffre arrière de sa voiture avec un sac de graines pour les oiseaux et l'emporta au poste de police, où des artificiers découvrirent qu'il contenait une bombe faite d'un tuyau contenant aussi des gros clous. La police boucla un pâté de maisons autour du poste 51, au centre-ville de Toronto. Un robot télécommandé plaça délicatement le paquet dans une remorque à l'épreuve des détonations. Plus tard, on le fit exploser dans un terrain vague du voisinage et il creusa un gros cratère. Zundel dit que le colis, déguisé en un gros livre, portait l'adresse de retour périmée d'un de ses amis, Tony MacAleer, un tenant de la suprématie blanche de la Colombie-Britannique. La police affirma que la bombe était suffisamment puissante pour sérieusement estropier ou tuer quiconque aurait été à moins de quatre-vingt-dix mètres de la détonation.

Zundel était convaincu que des organisations juives complotaient pour le tuer. Au début, la police enquêta sur un appel téléphonique au *Toronto Sun* de quelqu'un revendiquant la responsabilité de l'attentat au nom d'une organisation inconnue appelée «Jewish Armed Resistance». Mais la police n'était pas convaincue que le négateur de l'Holocauste disait la vérité sur les circonstances ayant mené à la découverte du colis piégé. Pourquoi Zundel avait-il attendu cinq jours pour les alerter au sujet de ce colis suspect? Cependant, à la fin de l'été, le scepticisme s'évapora. Plusieurs corps de police déclenchèrent une enquête conjointe après qu'on eut envoyé des colis piégés à cinq cibles différentes: un à Zundel, un autre à Charles Scott, un tenant de la suprématie blanche vivant en Colombie-Britannique, un autre à l'institut Mackenzie, un groupe de réflexion de Toronto sur le terrorisme et les politiques de sécurité, une autre à Kay Gardner, un conseiller de Toronto, et une autre à Alta Genetics Inc., un centre de reproduction de bétail. La GRC croyait que quatre des bombes provenaient de Vancouver.

On résolut le mystère entourant les colis piégés lorsqu'un énigmatique groupe d'anarchistes appelé Militant Direct Action Task Force («le détachement militant d'action directe») envoya des «communiqués» à plusieurs médias, revendiquant la responsabilité des attentats, sauf celui contre Kay Gardner. Dans leurs lettres, qui fournissaient des preuves convaincantes que le groupe était à l'origine de cette affaire, les anarchistes répondirent aux reportages des médias à propos des graves dangers que couraient les employés des postes manipulant les colis piégés. Ils écrivirent: «Nous avons testé nos engins et nous avons découvert que seule une manipulation très brutale (ou l'ouverture du colis) pouvait déclencher son explosion. Nous avons inscrit PERSONNEL sur les colis, afin d'empêcher des gens non autorisés de les ouvrir.»

Farrell était convaincu que lui-même ou Pilotte avait intercepté le paquet contenant la bombe livré chez Zundel. Il dit que l'avertissement de Lunau concernant l'interruption temporaire de l'interception des colis adressés à Zundel survint seulement après que la police eut fait exploser la première bombe. Cela soulève la possibilité que le service de renseignements ait été au courant du contenu potentiellement dangereux avant que Zundel le reçoive. Ce que le SCRS a pu faire pour avertir Postes Canada, la police de Toronto ou Zundel lui-même demeure obscur. Mais ce qui est clair, c'est que le foisonnement de colis piégés incita la police à émettre un avertissement extraordinaire aux Canadiens, leur demandant d'être très prudents s'ils recevaient des colis ou des lettres inattendues.

Farrell dit que malheureusement le service d'espionnage du Canada n'a pas suffisamment tenu compte de l'avertissement, ce qui a inutilement mis en danger la vie des Canadiens. Car lorsque le SCRS a repris l'interception du courrier de Zundel, il a continué, même si on avait déjà découvert une bombe, à envoyer, à Ottawa par des vols réguliers les colis difficiles à ouvrir pour inspection. «Je m'inquiétais parce qu'il pouvait toujours y avoir une bombe dans le courrier de Zundel, dit Farrell. Et comment envoyons-nous ces choses à Ottawa? Par Air Canada. Alors que pensez-vous qu'il risquait d'arriver si une bombe avait explosé alors que nous transportions son courrier sur un vol commercial?»

Farrell souleva la question maintes fois auprès de Lunau. «J'étais inquiet de ma propre sécurité ainsi que de celle de l'équipage et des passagers sur l'avion. J'ai dit plusieurs fois à Donnie que je ne pensais pas qu'il était sage d'expédier les colis de Zundel à Ottawa par avion. Mais il ne semblait pas inquiet. Je lui disais: «Don, entre nous, nous ne devrions pas faire cela.» Lunau répondait: «O.K., c'est noté.»

Farrell avait sonné l'alarme, mais personne au SCRS ne se souciait d'écouter.

* * *

Malgré ses maladresses concernant les dossiers de Droege et de Zundel, le SCRS détenait encore un atout dans sa guerre clandestine contre les tenants de la suprématie blanche. Cet atout s'appelait Grant Bristow. L'ancien garde de sécurité était grand, portait la barbe, accusait un peu d'embonpoint et il était le rêve incarné du Service: un irréprochable espion qui, entre 1989 et 1994, fournit des informations sur le danger posé par le Heritage Front pour le tissu social et racial du Canada. Mais le rêve du SCRS devait se transformer en cauchemar. Bristow n'était pas seulement la taupe du Service à l'intérieur du Heritage Front; il appert qu'il était aussi l'un des pères fondateurs du groupe de tenants de la suprématie blanche.

Le 14 août 1994, le principal journaliste-enquêteur du *Toronto Sun*, Bill Dunphy, révéla qu'on croyait que Bristow était le principal architecte du groupe haineux et en même temps un informateur payé par le SCRS. On jetait à nouveau le service de renseignements sous les inconfortables projecteurs. Ces allégations selon lesquelles le SCRS, par l'entremise de sa précieuse source clandestine, aurait joué un rôle indirect dans la création et le financement d'un groupe de tenants de la suprématie blanche qui menaçait systématiquement les Canadiens poussa le CSARS à enquêter.

Le CSARS déclencha son enquête le lendemain de la parution de l'article du tabloïd. Quatre mois plus tard, le 15 décembre 1994, le comité de supervision remit son rapport, «fondé sur des vérifications minutieuses d'informations confidentielles, de rapports des sources, de dossiers du SCRS et sur des interviews[5]». Sa conclusion était que le SCRS avait agi correctement.

Au lieu de réprimander le service de renseignements et Bristow, le comité trouvait que les Canadiens devaient de la gratitude à Bristow (jamais mentionné par son nom dans le rapport) pour avoir risqué sa vie afin d'espionner le Heritage Front. Le CSARS trouvait que, même si Bristow «faisait partie de la direction du Heritage Front, il n'avait pas pris l'initiative des programmes, même s'il suggérait des solutions de rechange et des raffinements». En d'autres mots, Bristow pouvait faire partie du petit groupe dirigeant du Heritage Front, mais d'une certaine façon il n'avait joué qu'un petit rôle dans sa naissance et sa croissance. Le CSARS rejetait aussi les allégations selon lesquelles Bristow avait aidé au financement et au recrutement du groupe de tenants de la suprématie blanche, puisque la plus grande partie des quatre-vingt mille dollars gagnés par Bristow avec le SCRS avait été payée en une seule année. «Le coût de la vie et du soutien d'une famille rend ridicules les allégations selon lesquelles le SCRS a soutenu ce groupe d'extrémistes de quelque façon.» Telle était la conclusion du comité[6].

5. Comité de surveillance des activités de renseignement de sécurité, «L'affaire du *Heritage Front*: Rapport au Solliciteur général du Canada», avant-propos.
6. *Ibid.*, section 13.3, page 3.

Cependant, le CSARS trouvait Bristow occasionnellement «trop zélé» dans son travail clandestin. Ce zèle – par exemple, aider à établir une liste de cibles constituées de vingt-deux Canadiens éminents, la plupart juifs, et loger des appels de menaces à des antiracistes – était regrettable mais quand même pardonnable, selon le comité, parce que Bristow avait été très utile en fournissant au SCRS de l'information qui lui a permis de freiner la croissance de l'extrémisme de droite au Canada. Le CSARS reconnaissait aussi que l'implication enthousiaste de Bristow dans la campagne IT, la campagne de harcèlement systématique des antiracistes par le Heritage Front, «a testé les limites de ce que la société canadienne considère comme un comportement acceptable et approprié de la part de quelqu'un agissant au nom du gouvernement». Ces actes étaient troublants, mais non illégaux. Pour empêcher la répétition du zèle de Bristow, financé par le gouvernement, l'organisme de surveillance recommandait que le SCRS raccourcisse la laisse de ses informateurs actifs.

Le comité réserva ses critiques les plus cinglantes non pour les espions de ce pays mais pour ses journalistes. Le CSARS s'en prenait particulièrement aux journalistes de l'émission d'enquête de la CBC *the fifth estate* pour avoir diffusé de l'information livrée par des tenants violents de la suprématie blanche sans «aucune tentative sérieuse, selon ce que nous pouvons voir, pour corroborer ces allégations». On descendait aussi en flammes la CBC pour avoir rapporté que le SCRS espionnait les postiers et leur syndicat. «Nous concluons que ces allégations sont complètement dénuées de tout fondement», écrivit le comité. «Nous avons mené des enquêtes détaillées sur toutes les activités du SCRS et sur tous leurs suspects depuis dix ans. Nous savions donc que l'histoire de la CBC selon laquelle le SCRS espionnait – ou avait espionné – les postiers n'était pas vraie. Le CSARS semblait prendre plaisir à noter que CBC News s'était finalement rétracté sur ce sujet.

Pas étonnant que le directeur du SCRS, Ward Elcock, ait décrit le rapport du comité comme une complète justification de la longue association du service avec Bristow. Dans un communiqué, Bristow défendit les actions du SCRS en insistant sur le fait que le Service avait contribué de façon substantielle à la sécurité des Canadiens en utilisant une taupe pour lui servir d'yeux et d'oreilles dans le Heritage Front. Elcock ajouta que le rapport du

CSARS avait clairement établi que le Service n'avait pas aidé à financer le Heritage Front. Il souligna aussi le fait que les actions de l'organisme de renseignements étaient légales et justifiées, vu la menace posée par les tenants de la suprématie blanche, qui exploitaient les gens vulnérables et qui « insufflaient la peur parmi les Canadiens ».

Elcock a également publié un démenti en mots bien choisis déclarant que le SCRS « n'a jamais enquêté et n'enquête pas sur le syndicat des postiers[7] ». Elcock, un fonctionnaire de carrière nommé directeur du SCRS en mai 1994, n'a pas nié que le Service ait espionné des postiers individuels, par opposition au syndicat.

Le CSARS a récolté et analysé toutes les preuves et a trouvé que le service n'a pas espionné le syndicat et que les médias se sont comportés de façon irresponsable en stimulant des peurs fondées sur des informations non démontrées. L'histoire d'une réussite : affaire classée.

Le SCRS a peut-être espéré que le rapport favorable du CSARS aurait étouffé l'indignation soulevée par l'affaire Grant Bristow. Il n'en fut rien. Les défenseurs des droits civils, les parlementaires et les avocats ont soumis le rapport et le service de renseignements à des attaques cinglantes. Alan Borovoy, conseiller général pour la Canadian Civil Liberties Association [Association canadienne des libertés civiles[8]], descendit en flammes le rapport, affirmant qu'il soulevait autant de questions qu'il en avait résolu. La plus importante de ces questions était : comment se fait-il que le SCRS n'était pas au courant que Bristow était le principal architecte des menaces de mort contre les leaders antiracistes ?

Preston Manning, le chef du Parti réformiste, critiqua violemment le rapport en le décrivant comme une moquerie de « la justice naturelle », après que le CSARS et l'ancien gouvernement conservateur de Brian Mulroney eurent ordonné à Bristow de lancer une campagne de salissage contre son parti. Dans une virulente lettre au Premier ministre Jean Chrétien, Manning demanda la

---

7. Rosemary Spears et Derek Sanderson, « Le SCRS nie espionner les postiers », *Toronto Star*, le 10 septembre 1994, page A15.
8. Il n'y a pas de nom officiel français à cette association unilingue anglophone. (*N.d.T.*)

démission de tout le comité de surveillance. «J'avance que ce rapport est une mascarade, un camouflage et une disgrâce... [il] discrédite les auteurs et il jettera le discrédit sur tout gouvernement qui l'acceptera.»

Manning accabla de son mépris la curieuse décision du CSARS de consacrer une partie de son rapport à une enquête stérile du SCRS sur des allégations voulant que le gouvernement d'Afrique du Sud, défenseur de l'apartheid, lui ait offert quarante-cinq mille dollars pour sa campagne en 1988. Le leader réformiste qualifia ces allégations d'«insensées». Manning critiqua ensuite l'objectivité du comité de surveillance, l'accusant d'être truffé de «partisans politiques» redevables à l'ancien gouvernement tory.

Barbara Jackman, une éminente activiste des droits de la personne et une avocate en immigration, accusa aussi le comité d'être contrôlé par des tories sur lesquels il ne fallait pas compter pour critiquer les leurs. Trois des cinq rédacteurs du rapport avaient de forts liens avec les tories. Le président du comité, Jacques Courtois, un ancien président des Canadiens de Montréal, était un important collecteur de fonds pour Brian Mulroney. George Vari était un ami intime de l'ancien Premier ministre et, en même temps que son épouse Helen, avait généreusement contribué au parti progressiste-conservateur. L'avocat Edwin Goodman était aussi un supporteur de longue date du parti conservateur. Les autres membres du comité étaient Rosemary Brown, une ancienne député NPD à la Chambre de communes, et Michel Robert, ancien président du parti libéral. Robert se rua à la défense du rapport, en insistant sur le fait que le comité n'avait trouvé aucune preuve pour étayer «la thèse de la conspiration» de Manning. De façon plus révélatrice, Barbara Jackman critiqua le rapport, le décrivant comme «un reflet de la tendance naturelle... à accepter la version des faits du SCRS».

Il y avait en effet beaucoup de choses que le CSARS, sciemment ou non, avait exclues du rapport qui exonérait le SCRS. Par exemple, le comité n'a pas souligné que la plupart des inspecteurs des postes auxiliaires affectés à l'opération Vulve de Toronto étaient d'anciens inspecteurs postaux qui avaient aidé à amasser des renseignements sur les leaders syndicaux. Mike Thompson, Frank Pilotte et John Farrell avaient tous déjà fait le saut et travaillaient pour le SCRS quand l'affaire Bristow éclata à la une des journaux et sur les écrans de télévision. Un cordon invisible reliait Postes Canada et le service d'espionnage. Le Service était si inquiet à l'idée que sa relation intime avec Postes Canada puisse être exposée qu'il interrompit brièvement l'opération Vulve. Malgré les démentis d'Elcock, le SCRS a espionné les postiers. L'agent à qui on en a donné l'ordre est John Farrell.

* * *

Les cendres de l'affaire Grant Bristow étaient encore chaudes lorsque Lunau appela Farrell chez lui, le 28 mars 1995[9]. Son ton de voix était grave et sérieux.

—John, on a un problème.

— Qu'est-ce qui se passe, Donnie?

Lunau dit qu'il ne voulait pas en discuter au téléphone et convoqua Farrell à une réunion urgente au repaire clandestin situé dans le bureau de poste du 280 Progress Avenue. Farrell vivait alors avec deux colocataires dans une petite maison au 24 Kenworthy Avenue, à Scarborough. Il se rasa, enfila une veste et sa casquette de base-ball et se précipita vers le repaire. Pilotte ou un autre inspecteur auxiliaire avait dû encore cafouiller, pensait Farrell, et on appelait le pompier pour éteindre les flammes.

Lunau alla droit au but: il annulait immédiatement l'opération Vulve. «Il nous faut cesser l'interception du courrier tout de suite, dit Lunau. Je veux que tu avises tout le monde d'arrêter la cueillette de leur courrier. Je veux que tu t'assures que tout est remis dans le flot du courrier. Compris?» Il allaient aussi fermer le repaire. Lunau dit à Farrell que l'ordre venait directement de Keith McDonald, le directeur national du SOS à Ottawa.

Le SCRS interceptait le courrier d'au moins dix-sept suspects très en vue dans la région de Toronto. Farrell se demandait

9. Un mois plus tôt, une bande vidéo avait fait surface, sur laquelle on voyait Bristow exhortant les membres du Heritage Front. Les images rallumèrent le débat au sujet de son rôle véritable au Heritage Front. Le *Toronto Star* écrivit un cinglant éditorial remettant en question la raison d'être du service de renseignements après l'affaire Bristow. En avril, un des reporters du *Star* retrouva la trace de Bristow à Edmonton.

pendant combien de temps l'ordre d'arrêt serait en vigueur. Les inspecteurs auxiliaires allaient-ils perdre leur emploi? Il ne posait pas souvent de questions à Lunau, mais il demanda alors pourquoi on annulait le programme. Lunau parut déconcerté et demanda au jeune homme s'il s'était donné la peine de jeter un coup d'œil sur les journaux au cours de la dernière année. Farrell admit à son patron qu'il ne lisait pas les journaux et regardait peu la télévision; il était demeuré sereinement inconscient de la controverse qui engloutissait le service. Lunau dit aussi à Farrell qu'un postier faisait des révélations à la presse au sujet de l'affaire Bristow. Si on entendait dire que le SCRS était depuis longtemps présent dans les installations postales du pays sans être inquiété, cela menacerait l'avenir du programme. Selon Farrell, Lunau s'inquiétait de la persistance des allégations selon lesquelles le service espionnait les postiers, en plus du fait que Bristow avait travaillé prétendument en tant qu'agent de prévention des pertes au centre de tri de Gateway pour le compte de la compagnie de transport Kuehne & Nagel.

Farrell arrêta de poser des questions et se mit au travail. Lunau voulait qu'il coordonne la halte temporaire sans attirer l'attention de la presse, des syndicats et, peut-être surtout, du CSARS.

La facture numéro 211 confirme l'ordre sans précédent de Lunau à Farrell. Celui-ci soumit la «facture de service contractuel d'inspecteur des postes auxiliaire», marquée confidentielle, dans le cadre de la comptabilité de ses dépenses hebdomadaires occasionnées par l'interception du courrier. Pour la semaine se terminant le 31 mars 1995, Farrell envoya par télécopieur à Postes Canada une facture réclamant un montant de sept cent quatre-vingt-quinze dollars et trente-quatre cents. Une copie de la facture montre que Farrell a travaillé vingt-trois heures et parcouru cinq cent sept kilomètres. Farrell griffonnait souvent des notes au sujet du travail de la semaine sur les factures, de son écriture propre et très lisible. Au dos de la facture numéro 211, il a minutieusement écrit: «Averti mardi d'une fuite possible dans les médias. Avisé de ne plus intercepter le courrier jusqu'à nouvel ordre, ai travaillé de nombreuses heures à rencontrer plusieurs personnes et à remettre les pièces à leur place.»

Farrell zigzaguait à travers la ville, à la rencontre des inspecteurs auxiliaires en état de choc à leur domicile et à des carrefours importants, afin de leur transmettre les ordres de Lunau et, de leur remettre le courrier intercepté. Farrell nota sa course folle au verso d'une autre de ses factures:

4h15: ai quitté la maison.

5h15: ai rencontré Doug (Lamb) à l'intersection des autoroutes 10 et 401.

6h00: ai rencontré Con (Richter) à l'angle de l'autoroute 401 et Kennedy.

6h30: ai rencontré Don YoYo Yiomen à l'angle de Keele et de la 401.

7h00: ai rencontré M.T. Thompson (Mike Thompson) chez lui.

7h30: ai rencontré Kenny Baker à l'angle de la 401 et de Kennedy

8h15: ai rencontré Con à l'angle de Yonge et Eglinton.

10h15: ai rencontré Kenny Baker à l'angle de Bayview et de la 401.

11h39: les choses prêtes pour Don L. (Lunau) ; me dirige vers le QG.

12h30: arrive à la maison.

Mais non sans s'être fait coller une contravention pour excès de vitesse.

Les inspecteurs s'inquiétaient: peut-être la vache à lait du SCRS allait-elle se tarir. Farrell ne s'inquiétait pas, car, en plus des bonus en liquide et des coûteux cadeaux qu'il lui offrait, Lunau avait commencé à lui payer cinq heures et demi et cent kilomètres par jour, même s'il n'avait pas travaillé ces heures ni accumulé ces kilomètres. C'était un clin d'œil entre amis et une reconnaissance tangible du statut de Farrell comme une sorte de Robin, Lunau étant Batman. (Les factures de Farrell montrent que Lunau et le SCRS ont commencé à payer pour cet arrangement en mars 1994.)

Pilotte, Richter et les autres inspecteurs auxiliaires voulaient savoir pourquoi l'opération Vulve avait été complètement gelée. Farrell leur dit calmement de suivre les ordres de Lunau sans poser de questions.

Mais, aussi soudainement que la tempête avait soufflé, elle passa. Lunau appela Farrell quatre jours après l'ordre d'arrêt et lui donna le feu vert pour recommencer les interceptions de courrier.

Pilotte et les autres inspecteurs auxiliaires étaient soulagés, mais c'était un soulagement accompagné d'incertitude. Allaient-ils à nouveau se retrouver sans travail? Pourquoi les avait-on laissés dans le noir? Leurs jours en tant qu'inspecteurs des postes auxiliaires étaient-ils comptés?

Tandis que les inspecteurs auxiliaires s'inquiétaient de leur avenir, Farrell s'affairait à colmater une possible fuite. Lunau était un ami très proche d'Al Treddenick, celui qui s'occupait de Bristow au SCRS. Comme Lunau, Treddenick avait travaillé pour le service de sécurité de la GRC avant de se joindre au service civil. Ils soupçonnaient qu'un postier faisait passer des informations sales au sujet de Bristow et de son apparente relation avec Jim Troy, un inspecteur auxiliaire qui avait jadis été policier à Toronto et plus tard agent de protection au centre de tri Gateway (le même travail que Farrell avait eu brièvement à South Central). La rumeur voulait que Troy et Bristow soient devenus amis alors qu'ils travaillaient au centre de tri. Le postier méfiant avait aussi découvert que Troy travaillait désormais pour le service de renseignements et interceptait du courrier dans un petit bureau de poste de l'ouest de Toronto. Lunau voulait désespérément découvrir qui était ce postier gênant et celui à qui il refilait ses informations.

Lunau dit à Farrell que le postier plaçait des appels téléphoniques furtifs à son contact dans les médias à partir d'une petite salle du bureau de poste du 19 Toryork Drive, le même bureau de poste où Troy interceptait le courrier. Farrell rencontra Troy dans un restaurant *McDonald* du coin pour lui dire qu'il prenait temporairement sa place et Troy lui remit une pile de lettres à retourner dans le courrier normal.

Lunau et Farrell discutèrent de diverses méthodes pour exposer la satanée taupe et son allié des médias, avant d'arrêter leur choix sur un plan simple mais illégal. Farrell photocopia d'abord une liste de tous les employés travaillant à partir du bureau de poste et la remit à Lunau. La deuxième étape pour Farrell consistait à rendre visite à un de ses contacts, Ursula Lebana, la copropriétaire de *Spytech*, une boutique populaire à Toronto où l'on vend toutes sortes de dispositifs pour espionner les voisins, les amis, les conjoints, les compagnons de travail, les bonnes d'enfants, les baby-sitters ou toute autre cible. (Lebana ne savait rien du rapport entre Farrell et le SCRS, car il ne s'était présenté à elle que comme un enquêteur.) Farrell raconta à Lebana qu'il avait une tâche spéciale à accomplir et que cette tâche exigeait un dispositif également spécial. Le micro devait être petit, efficace et bon marché. Lebana mit Farrell en rapport avec un contact russe qui, selon elle, pouvait peut-être lui fournir le dispositif parfait. Peu de temps après sa rencontre fructueuse avec la charmante propriétaire du magasin, Farrell rencontra le technicien russe. Lunau avait remis à Farrell plus de cinq cents dollars pour acheter le dispositif. Le Russe lui remit un petit dispositif d'écoute alimenté par pile et déguisé en jack téléphonique. Prix de vente : deux cent cinquante dollars comptants. Le Russe ne voulait pas savoir le nom de Farrell, ni ce qu'il faisait dans la vie, ni ce qu'il comptait faire avec le dispositif. Il ne voulait que l'argent et Farrell fut heureux de l'obliger.

Le dispositif simple, avec son microphone caché et un petit fil rouge servant d'antenne, était facile à installer. Alimenté par une batterie de neuf volts, il permettait de transmettre une conversation à bonne distance sur une fréquence radio. Tout ce que Farrell avait à faire était de syntoniser sa radio sur une fréquence spécifique de la bande FM pour entendre la transmission en direct et presser le bouton d'enregistrement de son enregistreuse pour obtenir un enregistrement immédiat de la conversation entre le postier et son ami des médias.

Le jour après que Farrell eut acheté ce dispositif, Lunau lui ordonna de s'en servir. À la connaissance de Farrell, le Service n'avait pas obtenu le mandat fédéral nécessaire ou le consentement du Solliciteur général ni pour cibler le postier ni pour enregistrer ses conversations au téléphone.

Farrell se rendit au bureau de poste de Toryork Drive et se gara directement en face de l'édifice en briques de un étage, bien en deçà de la portée de l'appareil. Il se glissa dans la salle où le postier faisait ses appels et, à l'aide de ruban adhésif toilé, il fixa le dispositif dans le bas d'un mur derrière un bureau. Il se retira ensuite dans sa voiture. Il syntonisa alors sa radio à la fréquence appropriée et attendit. Il eut de la veine. Seulement quelques minutes s'écoulèrent avant qu'il ne se redresse sur son siège, après avoir entendu les premiers crépitements de bruit sur sa radio. Il écouta attentivement alors que quelqu'un ouvrit la porte, entra dans la salle et composa un numéro. L'adrénaline monta en lui tandis qu'il entendait le postier raconter à son contact les mouvements de Farrell lui-même.

«Le gars vient juste de partir, dit le postier. Il est entré et a foutu le camp. Quelque chose se prépare.»

Visiblement méfiant, le postier s'en tint à une brève conversation. Farrell attendit quelques minutes avant de retourner dans le bureau de poste pour reprendre le dispositif et tomba à l'improviste sur le gérant du bureau. Son cœur fit un saut. Cherchant une excuse, il dit qu'il avait laissé son crayon préféré dans la salle. De retour à l'intérieur, il pressa le bouton de recomposition du téléphone. «Un type d'une station radio répondit. Je griffonnai le numéro de téléphone et le passai à Lunau avec le nom du postier, son circuit de courrier et le numéro de SIN, en plus de l'enregistrement de son appel téléphonique.»

Le rapport du CSARS est catégorique: le SCRS n'a jamais espionné les postiers. «Il ne savent rien», dit Farrell.

* * *

Lorsque la controverse concernant le SCRS s'évanouit, comme il se devait, et que l'attention des médias se porta vers d'autres sujets, les inspecteurs des postes auxiliaires évacuèrent à nouveau leur repaire de Progress Avenue. Cette fois, c'était pour de bon.

Lunau fut amené à prendre cette décision par de nouvelles manifestations d'une série apparemment interminable de défaillances au niveau de la sécurité.

L'architecte de cette défaillance n'était pas un inspecteur auxiliaire mais Richard Garland, un membre de l'unité de surveillance du Service, qui prêtait temporairement main-forte à l'opération Vulve en qualité d'assistant administratif. Son travail consistait à répondre au téléphone et à remettre le courrier intercepté en mains propres à Farrell, à l'entrée du quartier général du SCRS sur Front Street. Les inspecteurs auxiliaires le surnommaient «le livreur».

Il s'agissait peut-être là d'un travail de piéton, mais Garland jouissait de l'habilitation de sécurité de niveau ultrasecret. Il avait également accès aux noms, adresses, numéros de téléphone et de téléavertisseur de tous les inspecteurs auxiliaires et de membres importants du SOS, en plus des noms et des adresses de quelques-uns des suspects très en vue du Service. Avec ses cheveux blonds, son sourire de plusieurs mégawatts et son teint éternellement basané, Garland ressemblait davantage à un vacancier qu'à un espion. Il avait aussi la réputation d'avoir une grande langue. Cette langue lui apporta souvent des soucis. Se décrivant lui-même comme un homme à femmes, Garland était un pilier de bar invétéré qui essayait d'impressionner de jeunes et séduisantes femmes en partageant des détails intimes de son travail clandestin pour le service de renseignements.

«Richard était très bavard», dit Farrell.

Garland partageait une maison à Oakville avec sa petite amie. Les employés du SCRS sont censés maintenir jalousement le secret autour de leur travail, même pour leur famille, leurs amis et leurs amants et amantes. Mais, comme la plupart des employés du SCRS, Garland éprouvait de la difficulté à ne pas partager ses secrets avec celle qui partageait son lit. Malheureusement, sa relation avec sa petite amie, qui avait des liens étroits avec des membres de la GRC, commençait à s'effilocher sérieusement. La séparation, quand elle survint, ne s'effectua pas à l'amiable. Les anciens amants s'accusèrent mutuellement de s'espionner et l'affaire menaçait d'aller en cour. C'est alors qu'une bombe éclata dans le Service. Le SCRS apprit que la petite amie de Garland fouillait souvent dans la serviette de son amant pendant son sommeil et digérait avec avidité les informations hautement confidentielles liées à l'opération d'interception de courrier. Elle avait également fait des copies de la liste des noms et des numéros des inspecteurs auxiliaires et des membres du SOS. Le plus troublant, c'est qu'elle avait gardé une partie du courrier intercepté. (Farrell apprit plus tard qu'on avait donné la permission à Garland d'apporter chez lui une partie du courrier intercepté.)

Un jour, Farrell s'affairait au repaire avec du courrier intercepté. Seuls les inspecteurs auxiliaires et certains agents de renseignements liés à l'opération Vulve étaient censés avoir accès au numéro de téléphone secret du repaire. Le téléphone sonna et, lorsque Farrell décrocha, il entendit à l'autre bout du fil l'ancienne petite amie de ce dernier qui s'informait des allées et venues de ce dernier. Farrell appela Lunau immédiatement.

Furieux, Lunau affronta Garland et on ordonna une enquête interne de sécurité pour tirer cette affaire au clair. Mais le dommage avait été fait. Le repaire avait été démasqué. Des informations hautement confidentielles sur l'opération Vulve étaient tombées entre les mains d'une femme imprévisible et en colère qui menaçait de tout révéler à la GRC. Le patron du SOS n'eut d'autre solution que de fermer définitivement le repaire clandestin du SCRS. Garland échappa à la suspension. Deux ans plus tard, il devint le responsable d'une équipe dans le service de surveillance.

Farrell écrivit à Lunau une proposition de trois pages dans laquelle ses calculs démontraient que le Service pourrait économiser jusqu'à trois cent soixante mille dollars par année sur les frais de déplacement et autres frais si on lui permettait de livrer et de recueillir tout le courrier intercepté par les inspecteurs auxiliaires au lieu que ceux-ci déposent leurs lettres au repaire. Farrell mentionnait aussi qu'il pouvait entreposer les lettres de façon sûre dans un coffre-fort du gouvernement qui se trouvait chez lui. Lunau acquiesça et confia cette tâche à Farrell. Les autres inspecteurs auxiliaires étaient contrariés, mais Lunau était le patronet ils n'avaient guère d'autre choix que de se conformer à la nouvelle procédure. Encore aujourd'hui, l'ancien repaire du 280 Progress Avenue demeure désert, sauf un téléphone sur le plancher.

* * *

Pendant que Farrell était occupé à surveiller Droege, Zundel, Pilotte et Garland au nom du SCRS, il travaillait toujours au centre de détention de York. C'était bien rémunéré et il pouvait facilement adapter ses quarts à son horaire plus exigeant au SCRS. Mais au début de 1993, après quatre ans à la prison, Farrell décida qu'il ne pouvait plus ignorer ce qui se passait dans cette institution. Lui et son ami et compagnon de travail Findlay Wihlidal décidèrent de siffler la fin de la récréation en ce qui concernait le népotisme et les abus sexuels devenus endémiques.

Leur décision devait les propulser sous les projecteurs et entraîner un longue et cinglante bataille avec le gouvernement provincial, bataille qu'ils finirent par gagner. Le second essai de

Farrell comme siffleur de fin de récréation lui enseigna une importante leçon qui s'avéra utile plus tard quand il se heurta au SCRS. Farrell a compris que les bureaucraties étaient violemment secouées quand le monde souterrain du favoritisme, de l'incompétence et de la criminalité alimentait soudain des titres de journaux comportant des mots comme «scandale», «opération de camouflage» et «accusé». Farrell siffla la fin de la récréation à la prison, attirant ainsi l'attention de médias sur lui, avec la connaissance et l'approbation totales de son supérieur au SCRS, Don Lunau, qui semblait admirer le courage du jeune homme.

* * *

Findlay Wihlidal était un ancien aide-infirmier et un travailleur social pour les jeunes à la Children's Aid Society (la Société d'aide à l'enfance). Même s'il avait onze ans de plus que Farrell, ils étaient des frères d'armes à la prison. Les deux hommes étaient sportifs, extravertis et perpétuellement excités sexuellement. La paire d'amis passa de nombreuses heures à écumer les bars de Toronto en quête de sexe et ils en trouvèrent souvent. Farrell et Wihlidal partageaient aussi un profond dégoût de l'injustice, surtout lorsqu'ils en étaient les victimes.

Tout comme Farrell, Wihlidal travaillait à temps partiel au centre. Mais, contrairement à son ami, il n'étoffait pas ses paies en besognant secrètement pour le SCRS. Farrell ne souffla jamais mot à son ami de son travail clandestin et exempt d'impôt. Il ne dit pas plus à une pléthore de petites amies, à sa famille ni à ses amis qu'il était le bras droit d'un des plus importants agents du SCRS. (Seule la fidèle chienne de Farrel, Heidi, était au courant de son travail hautement confidentiel. Farrell laissait Heidi le suivre lorsqu'il interceptait le courrier, confiant que, contrairement à ses collègues, elle ne trahirait ses secrets auprès de personne.)

Wihlidal était impatient d'être embauché à plein temps à la prison, mais il se heurtait à un mur impénétrable. On rejetait toujours sa candidature ; les cadres supérieurs de la prison offraient plutôt les contrats à plein temps à leurs parents et à leurs voisins. Par exemple, Farrell prit note de la façon dont un gérant embaucha son voisin sans travail et un autre ami qui avait été mis à pied. On les embaucha d'abord à temps partiel pour qu'ils prennent l'air de la maison, puis on leur fit signer de lucratifs contrats de quarante heures par semaine, court-circuitant ainsi des candidats plus qualifiés. Ces politiques d'embauche incestueuses irritaient Farrell, car elles représentaient un mépris des recommandations formulées après la mort de cinq adolescents qui s'étaient échappés après avoir maîtrisé une gardienne inexpérimentée. Afin d'empêcher une autre tragédie de ce genre, un jury du coroner avait recommandé l'embauche d'agents correctionnels plus expérimentés. D'autres gardiens à la prison toléraient le favoritisme, sachant que, s'ils s'élevaient contre cette pratique, ils en pâtiraient. Farrell décida de déclarer la guerre à la direction de la prison.

Il commença par postuler un emploi à temps plein à la prison, même s'il n'a jamais eu l'intention d'accepter cet emploi, car cela serait entré en conflit avec son travail au SCRS. Son but était d'établir des faits et de commencer à amasser des preuves documentées. Il dit: «Je savais que je n'obtiendrais pas l'emploi. Mais je détenais l'expérience et j'étais plus qualifié.» Comme il le prévoyait et tout comme avec Wihlidal, on le court-circuita. Au début, lui et son ami se plaignirent auprès des administrateurs supérieurs de la prison. Mais leurs plaintes tombèrent dans des oreilles remplies de ciment. La direction étiqueta Farrell et Wihlidal comme des mécontents gênants et les repoussèrent. Farrell riposta en faisant signer une pétition dans la prison pour demander une enquête sur «les pratiques contraires à l'éthique et corrompues au centre de détention de York». Seuls quatre autres gardiens signèrent.

Non décontenancé, il déclencha une campagne épistolaire. Sa correspondance avec des fonctionnaires du gouvernement, des ministres du cabinet et le Premier ministre de l'Ontario, Bob Ray, dans laquelle il s'opposait aux pratiques d'embauche de la prison, «contraires à l'éthique», devait donner naissance à une pile de documents de plus de quinze centimètres de hauteur. Farrell reçut une multitude de réponses polies mais dédaigneuses de la part des bureaucrates. Le ministre ontarien des Communautés et Services sociaux de l'époque, Tony Silipo, le rassura en affirmant que «la direction du centre établissait des critères objectifs de compétition». Farrell était furieux. Il envoya à Silipo une lettre cinglante, disant au jeune ministre que sa «rhétorique» et ses «conneries» ne le dissuaderaient pas de poursuivre ses démarches.

Son expérience au centre de détention juvénile de Rotherglen lui avait enseigné que la presse pouvait être une alliée puissante mais imprévisible dans un affrontement avec la bureaucratie. Quelque peu méfiant, il appela Alan Cairns, un reporter d'expérience du *Toronto Sun*. Farrell savait que le combatif tabloïd était engagé dans une guerre non déclarée contre le gouvernement NPD de Bob Rae; or, il avait quelques munitions à offrir à ce journal. (Bien sûr, Farrell ne dit rien à Cairns de son travail au SCRS.) Contrairement à ce qui s'était passé à Rotherglen, où il avait transmis des informations à la presse en demeurant dans l'ombre, Farrell était prêt à aller parler publiquement, même s'il avait fait serment de garder le secret lors de son embauche. Il comprenait aussi que sa décision pouvait mettre en péril sa carrière au SCRS. C'était un risque qu'il était prêt à prendre.

En 1993, Cairns écrivit un petit article, enfoui dans les pages du journal, sur «le scandale de l'embauche». Cet article provoqua une réponse rapide et désagréable de la part de la direction de la prison et d'autres gardiens antipathiques. Un des cadres supérieurs de la prison appela Farrell et lui dit qu'on ne renouvellerait pas son contrat à temps partiel. La direction prétendait que cette mesure n'était pas liée au fait que Farrell ait étalé publiquement le linge sale de la prison, mais plutôt à ce qu'il ne se soit pas présenté à des quarts programmés. Un gardien bien pistonné menaça Farrell de lui casser un bras et on écrivit sur la voiture de Wihlidal les mots «porc» et «rat» avec du goudron. Farrell n'avait pas reculé devant les truands de la cour de l'école ni durant les bagarres sur le court de basket-ball ou dans la rue. Il se défendit donc, parfois de façon vicieuse, animé par l'écho de ces batailles du passé. Il lança un grief pour congédiement arbitraire contre la prison et formula une plainte à l'ombudsman et à la Commission ontarienne des droits de la personne. Il lança un avertissement à un bureaucrate supérieur de la prison. Il écrivit: «Je n'abandonnerai pas cette cause tant que je ne recevrai pas une réponse honnête.» Il tint parole. «J'étais déterminé à ce que quelqu'un soit tenu responsable de ce qui se passait à l'intérieur de la prison.»

Lunau était derrière lui tout au long de cette histoire, pressant Farrell «d'avoir la peau de ces baiseurs». En fait, son patron insistait pour que Farrell fasse part de ses plaintes à la presse s'il voulait obtenir des résultats rapides. Lorsque la photo de Farrell parut dans le *Toronto Sun*, Tommy Birkett, un autre agent de renseignements affecté au SOS, le félicita. «C'est un dur combat, mais quelqu'un doit le mener», dit-il à Farrell.

Farrell lâcha alors une autre bombe à la prison. Wihlidal et lui étaient au courant d'un épisode bien plus sombre qui s'était déroulé derrière les murs de la prison. Plusieurs gardiennes avaient confié à Farrell qu'elles avaient été sexuellement agressées par des collègues gardiens. Ces agressions avaient eu lieu à la fin des années 1980. Les femmes avaient gardé le silence par peur de perdre leur emploi. Au début de 1990, l'une des victimes brisa le silence à contrecœur et alla trouver la direction de la prison pour recevoir de l'aide. On l'assura qu'on s'occuperait de ce gardien rapidement. On ne le fit pas. Un activiste des relations de travail enquêta auprès d'autres femmes et compila un long et troublant catalogue d'histoires, comme celle de ce gardien exposant ses parties génitales et tentant de prendre de force des gardiennes. Il y avait aussi des allégations de viol. En 1990, l'activiste commença à écrire à de nombreux bureaucrates, à des ministres du gouvernement et au Premier ministre Rae, les pressant de déclencher une enquête indépendante sur l'opération de camouflage des abus sexuels et d'autres irrégularités à la prison. Les plaintes circulèrent d'un ministère à l'autre pendant trois ans avant de finir dans un trou noir bureaucratique. On ne demanda jamais à la police de faire enquête. Entre-temps, le gardien se trouvant au milieu de cette tempête quitta tranquillement York en 1990 après avoir été affronté par une de ses victimes présumées.

Au moment ou le scandale de nature sexuelle trouva un écho dans les pages du *Toronto Sun*, en 1993, le gouvernement avait déclenché ce qu'il appelait une «révision opérationnelle» de la prison. Au début, l'enquête n'incluait pas les agressions sexuelles présumées ni les pratiques d'embauche douteuses, mais plutôt les pratiques et les procédures de gestion, la morale, les préoccupations quant à la sécurité et les plaintes du personnel. Quand on entendit parler du mandat limité de l'enquête – gracieuseté de Farrell –, le gouvernement eut tôt fait d'assurer le public qu'on enquêterait sur ces deux autres sujets. On ne rendrait cependant pas le rapport public. Furieux, Farrell et Wihlidal se précipitèrent aux bureaux de Silipo à Queen's Park, vêtus de t-shirts portant des messages dénonçant les cachotteries du gouvernement. En guise de réponse pour leur peine, on les expulsa de l'édifice. Ils arpentèrent bientôt le trottoir en brandissant des pancartes exigeant de rendre le rapport public.

Après que l'histoire eut éclaté au grand jour, trois gardiennes se décidèrent finalement à aller trouver la police et à loger des plaintes. Le 22 juin 1993, Lawrence Maxwell Dawkins, un expert en arts martiaux, petit mais bien charpenté, fut arrêté et inculpé de trois chefs d'accusation d'agression sexuelle. La police estimait qu'il pouvait y avoir jusqu'à quatorze autres victimes; d'autres femmes lui avaient déclaré qu'elles ne sortiraient pas de l'ombre car elles craignaient encore Dawkins. On finit par condamner l'ancien gardien à une sentence suspendue et on le mit sous probation pour trois ans pour avoir agressé sexuellement une jeune gardienne. On laissa tomber deux autres accusations contre Dawkins. Entre-temps, on força la démission d'un cadre supérieur de la prison qui avait continuellement rejeté les demandes d'enquête sur les allégations d'agression sexuelle et les irrégularités dans les procédures d'embauche. Les administrateurs de la prison admirent tardivement qu'en effet il existait des liens « personnels » entre des gestionnaires et une série de gardiens embauchés à la prison. Dans un des cas, la prison admit avoir embauché le « mauvais » gardien. Mais on ne punit personne et on n'embaucha jamais Wihlidal à plein temps.

Farrell sentait pourtant qu'on lui avait donné raison. Il était apparu à la radio locale, à la télévision et dans les journaux, répétant qu'on gérait une institution publique comme un club privé était géré par quelques administrateurs puissants. Mais on ne l'avait pas repris comme gardien à temps partiel et son portemonnaie en souffrait. Avant de pouvoir vraiment crier victoire, il devait gagner son grief de congédiement arbitraire. Ce n'était pas facile. Tout d'abord, l'ombudsman provincial et la Commission des droits de la personne lui dirent qu'ils n'avaient pas juridiction en cette matière. Farrell harcela son syndicat pendant des mois pour qu'on lui fournisse un avocat afin de l'aider à gagner son grief. Il dit que le syndicat hésitait à poursuivre la lutte pour lui, étant préoccupé par des menaces de privatisation de la prison. Un chef syndical dit à Farrell qu'il n'y avait pas beaucoup d'espoir. Serré dans ses finances, Wihlidal accepta une petite somme en règlement de ses propres doléances. Farrell était seul. Un administrateur de la prison négociant au nom du ministère lui offrit la somme de onze mille dollars pour s'effacer. Il rejeta l'offre. «Je leur ai dit que j'étais préparé à aller en cour», dit Farrell. Ce gambit fonctionna à la fin. Farrell exigea et obtint dix neuf mille neuf cent quatre-vingt-dix-neuf dollars et quatre-vingt-dix-neuf cents en règlement du litige. Il demanda même d'être payé à tous les quatre mois, afin d'éviter que les impôts ne grugent trop le montant de ce règlement, ce que les administrateurs de la prison acceptèrent. Farrell reçut son dernier chèque le 29 juin 1995. Dans le cadre du règlement, on lui remit aussi une brillante lettre de recommandation. Shelley Upshaw, son ancienne surveillante de quart, écrivit: «Durant le temps où il a été à l'emploi du centre de détention juvénile de York, John a été un professionnel consciencieux et dévoué, animé d'un intérêt véritable pour le travail pour les gens. Je peux le recommander en toute confiance: c'est quelqu'un de fortement motivé qui serait un atout dans votre équipe.»

Farrell célébra sa victoire avec Lunau. Mais son supérieur ajouta un petit conseil: il ne voulait pas que Farrell fasse savoir aux inspecteurs auxiliaires qu'il venait de gagner un règlement de presque vingt mille dollars. Lunau craignait que les retombées ne provoquent du ressentiment chez ses pairs. Farrell accepta de ne pas s'en vanter. Pour montrer sa gratitude pour son soutien, Farrell acheta sept caisses de bière pour l'unité SOS, dont une caisse de la favorite de Lunau, la Sleeman.

Bientôt Lunau et Farrell allaient porter un toast pour célébrer une autre victoire, cette fois-ci contre l'ennemi juré du service: les Russes.

7
SOS

Pendant que Farrell menait une campagne publique pour révéler le népotisme et les irrégularités ayant cours au centre de détention de York, son patron au SCRS était sur le point d'accueillir le gardien-de-prison-devenu-chouchou-des-médias dans le saint des saints de l'agence d'espionnage : le Service des opérations spéciales. Cela semblait plutôt bizarre, étant donné le profil public, nouvellement acquis de Farrell, mais au début de 1994 Lunau sentait que son protégé commençait à être agité. Aux yeux de Farrell, l'opération Vulve était une « passe » lucrative, mais, en dépit des défis posés par la correction des gaffes de ses collègues incompétents, il commençait à s'ennuyer à cueillir des « tartes aux pommes » et devenait impatient de participer plus activement au travail du SOS.

Farrell avait démontré qu'il pouvait gérer le fonctionnement quotidien d'un programme hautement confidentiel d'interception du courrier. Son supérieur aussi lui faisait confiance, en lui racontant ses propres secrets terre à terre. Par exemple, Lunau s'envola un jour pour Miami pour un week-end d'évasion avec quelques amis agents du SCRS. Leur inoffensive mission : jouir du soleil et d'une partie de football de la NFL. Lunau raconta à sa famille qu'il partait en mission ultra-secrète. Elle le crut. Afin d'éviter un coup de soleil incriminant, Lunau portait une casquette de base-ball et une chemise à manches longues et il ne lésina pas sur l'écran solaire. Il profita de sa bière sous le chaud soleil de Miami en compagnie d'amis, sachant qu'avec Farrell son secret était en sécurité.

Lunau était aussi impressionné par la dextérité avec laquelle Farrell avait agi dans sa croisade contre la prison, dans le cadre de l'opération Vulve et à l'école. Farrell savait qu'il lui fallait un diplôme universitaire pour pouvoir devenir un agent de renseignements à plein temps. Lunau lui avait souvent promis que, dès qu'il serait diplômé, les portes du SCRS s'ouvriraient officiellement toutes grandes, et Farrell avait presque terminé ses études par correspondance en criminologie à l'université Simon Fraser.

Les agents de renseignements de Toronto comprenaient que c'était vraiment Lunau qui dirigeait l'unité SOS et que rien ne se faisait sans son consentement ou son approbation; il ne fallait donc pas se le mettre à dos. Mais Farrell était aussi tombé dans l'œil de Ray Murphy, pendant longtemps patron, au moins sur papier, de l'équipe du SOS à Toronto. Ancien membre du service de sécurité de la GRC, Murphy était un vétéran des guerres d'espionnage et il était content de son poste: chef attitré et convenable d'une unité du SOS. Lunau surnommait Murphy «le Gouverneur général». Sa mèche de cheveux argentés et son habitude de porter un pantalon gris, une veste bleue et une cravate rayée conféraient à Murphy un look royal. Il savait que son poste passerait bientôt dans les mains de son fidèle lieutenant, Don Lunau. Cette succession était inévitable et il n'y résistait pas. Lunau n'était ni arriviste ni impatient envers son patron. Ce n'était pas son style.

Fervent pêcheur et sportif, Murphy jouait souvent au hockey avec des cadres supérieurs de la GRC, y compris le commissaire. Les liens de Murphy avec la GRC étaient profonds et il ne les oubliait jamais. Des souvenirs de ses jours avec les «cavaliers» tapissaient sa demeure, à Ajax, en Ontario. Son vieux revolver de service trônait au centre de son salon. Il étalait fièrement les récompenses et les plaques qu'il avait obtenues en cours de route. L'union de vingt-cinq ans de Murphy avec son épouse était une chose rare au SCRS, où, sous la pression du travail clandestin, les mariages s'écroulaient souvent.

Mais la nouvelle ère dans les services de renseignements, avec sa dépendance des ordinateurs, des satellites ainsi que de la recherche et de l'analyse basées sur la technologie, lui était étrangère (comme à plusieurs de ses collègues). Ses compétences s'étaient émoussées. Ses subordonnés disaient à la blague que la conception que Murphy avait du travail clandestin revenait à porter une casquette de baseball[1]. En fait, c'étaient les qualités crues et parfois non sophistiquées de Farrell qui le rendaient attirant aux yeux de Murphy : sa volonté d'accomplir le travail à tout prix.

Murphy et Farrell finirent par se lier d'une profonde amitié baptisée autour de nombreuses heures de conversation aux abreuvoirs favoris du patron dans la région de Toronto. Farrell appréciait la compagnie de Murphy ; il savait que l'espion vieillissant avait de bonnes relations et pouvait le conseiller et peut-être même le protéger s'il en avait besoin. En retour, Murphy en vint à traiter l'inventif jeune turc comme le fils qu'il n'avait jamais eu.

Avec le consentement de Murphy, Lunau fit à Farrell une offre : du travail de « pigiste » à plein temps avec l'unité du SOS à Toronto, avec la perspective de devenir un membre à part entière dès qu'il aurait son diplôme universitaire. Sa carrière déjà remarquable au SCRS s'apprêtait à prendre un nouveau tournant.

* * *

Pour les agents de renseignements canadiens, Toronto est le Saint-Graal : un monde souterrain de repaires clandestins, d'histoires de façade, de codes, de chuchotements, de regards furtifs, de rendez-vous secrets, d'écoute et d'espionnage, et des moments mémorables à faire dresser les cheveux sur la tête.

Avec l'extinction de la guerre froide, Toronto ravit à Ottawa le titre de capitale de l'espionnage au Canada. Le SCRS s'intéressait encore aux espions chinois, nord-coréens et russes, alors que les secrets industriels remplaçaient les secrets d'État en tant que trésors à s'approprier. Mais ce sont les terroristes et non les espions déguisés en diplomates qui devinrent la principale

1. Jeu de mots intraduisible en français : *undercover* (clandestin, mais aussi sous un couvert). (*N.d.T.*)

préoccupation du service. Toronto, avec tout son spectre de communautés ethniques parfois tendues – irlandaise, somalienne, soudanaise, sri-lankaise, indienne, et de toutes les parties du Moyen-Orient, pour n'en nommer que quelques-unes –, est un parfait réservoir pour soutenir quelques-uns des groupes terroristes les plus impitoyables de la planète. Bien sûr, la ville la plus grande et la plus riche du Canada a attiré des millions d'immigrants travaillants et respectueux de la loi, mais elle abrite aussi des immigrés illégaux et des terroristes qui se sont souvent silencieusement faufilé dans un pays reconnu pour sa tolérance et son ouverture. Ils se mêlent à la mosaïque culturelle de la ville, tout en conspirant et en recueillant des fonds en vue de semer la pagaille à l'étranger.

Une autre menace est l'influence et le pouvoir grandissants des syndicats du crime organisé à l'œuvre dans la ville. Les gangs asiatiques et les membres de la pègre russe prospèrent à Toronto, où ils sont impliqués dans le racket, l'extorsion, le trafic de drogue, de personnes et d'armes. De plus en plus, le SCRS est appelé à porter assistance à la police pour surveiller les tentacules bien armées et bien financées de ce qui est connu dans le monde du renseignement comme le «crime transnational».

Toronto fourmille d'espions, de terroristes et de criminels, et ils sont les cibles de l'unité d'opérations spéciales. Pourtant, avec tout son attrait, le travail du SOS n'est finalement que du cambriolage avec des badges. Les entrées par effraction sanctionnées par l'État impliquent sans doute un peu plus de planification et un peu plus de conspirateurs. Mais l'objectif est le même : pénétrer et sortir sans être détecté, et récupérer quelque chose de valeur. Les cambrioleurs du gouvernement disposent d'avantages certains sur leurs frères du secteur privé : quand ils s'infiltrent dans une demeure, un appartement ou la voiture d'un suspect terroriste ou espion, ils ne transportent habituellement pas un pied-de-biche ou un marteau. La petite bande de sorciers de la technique, peu connue et appelée les «techies», peut couper des clés faites sur mesure pour aller dans la serrure de n'importe quelle voiture, demeure, appartement ou porte de bureau.

Une fois à l'intérieur, les cambrioleurs du SOS prennent des mesures pour s'assurer de ne laisser aucune trace derrière eux. Avant qu'on ne touche à quoi que ce soit, tout à l'intérieur est filmé par un agent qui pénètre très prudemment avec un caméscope. Les *techies* entrent alors en scène et installent des dispositifs d'espionnage rapidement et discrètement. Une fois la mission accomplie, l'équipe se retire vers un repaire du voisinage pour un compte rendu, avant de tout remballer et de s'en aller. L'unité SOS transmet les informations recueillies à partir de ses entrées clandestines à des agents des services de contre-espionnage et antiterroristes.

Au-delà de la mystique de ce travail, il existe une autre raison, plus terre à terre, pour laquelle les agents du SCRS veulent participer au SOS : l'argent. Travailler pour le SOS se traduit souvent par du temps supplémentaire chaque mois. N'importe quel officier avec un milligramme d'ambition ou un léger manque d'argent aspire à travailler pour le SOS. Pour un jeune agent de renseignements touchant un salaire de base de trente-quatre mille six cent quatre-vingts dollars, travailler pour le SOS équivaut à trouver la poule aux œufs d'or. Pour les rares élus, le butin peut être substantiel, souvent jusqu'à trois mille dollars de plus par mois.

* * *

Lunau commença à initier Farrell à l'unité du SOS en lui confiant des tâches relativement modestes. Quelques jours seulement après lui avoir donné la chance d'accomplir ce genre de tâche, il lui remit une enveloppe en papier kraft. À l'intérieur, Farrell trouva les noms d'individus sur lesquels Lunau voulait qu'il effectue des vérifications. L'une de ses premières affectations fut de fouiller dans le passé de deux Américains de New York qui avaient monté une firme de télécommunications à Ottawa. Lunau voulait connaître leur situation à tous les deux : leurs sociétés, leurs propriétés, leurs liens personnels, de même qu'une vérification des permis de conduire et des cartes de crédit. Il précisa à Farrell qu'Ottawa voulait que le travail soit accompli rapidement et sans laisser de traces. Farrell consulta les informateurs des milieux financiers, ceux du crédit et des milieux bancaires qu'il avait cultivés alors qu'il travaillait comme inspecteur des postes. Deux jours plus tard, il appela Lunau sur son téléavertisseur pour lui dire que les informations étaient prêtes. À l'occasion, il établissait pour son patron des rapprochements singuliers qui ressortaient de ses enquêtes, mais le plus souvent il lui remettait simplement les informations brutes sans poser de questions. Lunau se précipitait à la demeure de Farrell sur Kenworthy Avenue pour cueillir les documents.

Lunau commença à utiliser Farrell pour ce genre de recherche pour deux raisons. Les autres membres du SOS ne savaient pas comment s'y prendre. Farrell dit: «Ils ne savaient absolument pas où obtenir l'information. Ils n'auraient pas su se débrouiller dans une bibliothèque publique, à plus forte raison faire un enquête de propriétés.» Des agents du SOS l'appelaient souvent au téléphone ou sur son téléavertisseur, quémandant son aide pour trouver le bon bureau afin d'effectuer une recherche sur des sociétés à Toronto. «Ils m'appelaient et demandaient: “Hé! où se trouve cet édifice? À quel étage dois-je me rendre?»

Le secret était aussi d'une importance capitale. Lunau ne voulait pas laisser de traces de papier qui pourraient associer les recherches au SOS et c'est pourquoi il se tournait vers ses mercenaires. Farrell mit sur pied une compagnie appelée Northlands Leasing, pour faire payer le coût des recherches à Lunau et au SCRS, et il incorpora une autre compagnie paravent, appelée Canada Legal Services, pour faire les requêtes. Voici comment fonctionnait le plan: Farrell déposait cinq cents dollars ou plus dans un compte bancaire au nom de sa compagnie paravent, Canada Legal Services. Cette compagnie concluait une entente avec, par exemple, le ministère des Transports, qui fouillait dans le compte bancaire de la firme pour en retirer ses droits fixes chaque fois que Farrell ou un agent de renseignements effectuait une vérification d'enregistrement de véhicule moteur ou de permis de conduire sous les auspices de Canada Legal Services. Cette procédure ne laissait donc aucune trace pouvant relier le SCRS à la requête. Plusieurs entreprises légitimes prirent de semblables dispositions pratiques avec des organismes provinciaux. Le SCRS ne faisait pas cela pour épargner du temps mais pour entourer son travail d'une autre couche de secret. Lunau adorait l'idée de Farrell et utilisa régulièrement les compagnies paravents pour mener des recherches qu'il voulait cacher à la police locale ou à la GRC. Une guerre de territoire faisait rage entre le SCRS et la GRC, et les deux organismes conservaient leurs enquêtes et leurs informations jalousement.

Avec la bénédiction de Ray Murphy, Lunau commença à présenter Farrell aux autres membres de l'équipe du SOS : Michelle Tessier, Jack Billingsley et, plus tard, Cliff Hatcher, Tommy Birkett et Sandy Brown. Farrell était le seul membre de l'unité à ne pas être officiellement un agent de renseignements, mais personne ne semblait s'en soucier. Contrairement à ses relations froides avec les autres inspecteurs des postes auxiliaires, Farrell développa des relations d'amitié avec ses collègues du SOS. Il réciproquèrent et acceptèrent rapidement Farrell comme l'un des leurs. (Ils devinrent si proches que l'équipe du SOS, y compris Lunau, assistèrent aux funérailles de Joséphine, la sœur de Farrell, à Toronto.) Ils constituaient un petit groupe tricoté serré, chaque membre ayant ses idiosyncrasies, sa personnalité et ses talents particuliers.

Tessier faisait partie d'une espèce rare au SCRS : une femme francophone travaillant dans une région anglophone dominée par les mâles et où quiconque venant de l'est de Cornwall, en Ontario, était habituellement perçu comme nourrissant secrètement des tendances souverainistes. Elle ne se gênait pas pour afficher son penchant nationaliste. Elle parlait constamment de politique et portait fièrement une épinglette en fleur de lys. Ses sympathies politiques ne l'avaient cependant pas empêchée d'enseigner le ski aux enfants de l'ancien Premier ministre Brian Mulroney et à sa femme Mila. Athlète naturelle, Tessier aimait la compagnie de ses chats, faisait de longues et relaxantes courses matinales le long de la promenade parsemée de plages sur le bord du lac à Toronto et passait ses vacances à faire la tournée des musées en Europe. Ses collègues appréciaient d'emblée son habileté et son dévouement au travail. Elle était discrète, prompte et précise. Avant de se joindre au service, elle avait été diplômée de journalisme à l'université de Carleton ; le Service lui avait demandé de se joindre à son département des communications. Elle avait refusé l'offre.

Tessier avait peut-être un lien avec les Mulroney, mais c'est Jack Billingsey qui avait les bonnes relations. Avec son sourire facile et son vif esprit de répartie, il était le bon vivant de l'unité et il avait des contacts partout – dans les principales sociétés de cartes de crédit et particulièrement dans les corps policiers. Cet homme mince d'un mètre soixante-quinze, dans la quarantaine et avec des cheveux noirs devenant moins fournis avec le temps, possédait un vigoureux ego et connaissait toujours quelqu'un qui pouvait obtenir sans trop de peine des informations utiles au Service.

Billingsley avait accru son vaste réseau d'informateurs en partie en exploitant une agence de voyages rentable qu'il appelait *For Members Only* (pour membres seulement) et qui ne s'occupait que des membres du SCRS et de policiers. Il trouva des clients par le bouche à oreille ou en distribuant sa très populaire carte, qui montrait un espion au gros menton et à l'air sévère, verre à la main, portant un feutre, des verres fumés, des sandales, des shorts multicolores, un coup de soleil pourpre et un tatouage en forme de cœur où on lisait «maman». Un badge de shérif décorait un t-shirt trop court qui s'arrêtait juste en deçà du gros ventre de l'agent. Le message sur la carte disait: «Des aubaines de voyage – Partout pour le personnel responsable du maintien de l'ordre, leur famille et leurs amis seulement.»

Les affaires prospéraient pour ce père de deux enfants surnommé «l'homme de l'aéroport» par ses collègues reconnaissants. Le téléphone cellulaire de Billingsley sonnait sans arrêt pour des requêtes de dernière minute concernant des vols bon marché, des chambres d'hôtel, des croisières et des tours organisés au Canada et outre-mer. Les Caraïbes et Cancún, où Billingsley avait mis assez d'argent de côté pour acheter deux condominiums sur la plage, étaient des destinations populaires auprès de sa clientèle.

Il arrivait que Billingsley ressemblât davantage à un agent de voyages qu'à un espion, mais on ne le réprimanda ni ne le punit jamais pour ses lucratives activités parascolaires, malgré qu'il fût de notoriété publique dans le service qu'il négociait ses affaires sur le temps de la compagnie. On le soumit cependant à une vérification interne. C'est Tom Geiger, l'espion numéro trois à Toronto, qui avait ordonné cette vérification après avoir appris la quantité de temps que Billingsley passait à organiser des voyages sur son téléphone cellulaire du SCRS. La facture était salée. On ordonna à Billingsley de s'amender en envoyant un chèque au Receveur général du Canada. Ce fut tout: aucune suspension, aucune réduction de salaire, aucune rétrogradation vers un ignoble travail de bureau, aucun avertissement sur les terribles conséquences s'il ne fermait pas boutique et ne se concentrait pas exclusivement sur son véritable travail.

Une fois la facture payée, Billingsley et Farrell accouchèrent d'un plan simple pour continuer de faire rouler les affaires sans attirer davantage d'enquêtes irritantes. Les deux se rencontrèrent dans un terrain de stationnement de l'est de Toronto et échangèrent leurs téléphones cellulaires. Comme Farrell n'était pas un agent de renseignements officiel, on ne scrutait pas ses dépenses aussi minutieusement que celles des autres membres de l'unité. Dès lors, Billingsley utilisa le téléphone de Farrell au SCRS pour conclure des ententes de voyage au profit de ses amis adorateurs du soleil. [Billingsley jouit toujours d'une entreprise florissante. Toujours prêt à faire une vente, il répond à son téléphone rapidement, souvent en plein milieu du premier coup de sonnerie. Quand je l'ai appelé, il a joyeusement répondu: «Salut, c'est Jack. Qu'est-ce que je peux faire pour vous?»]

Farrell admirait l'ingéniosité de Billingsley et ses habiles combines de tire-au-flanc. Ils partageaient tous deux la même philosophie par rapport à leur travail secret: exploiter n'importe quel filon pour faire un peu plus d'argent. Billingsley était attiré par la jeunesse de Farrell, par son comportement calme et sa popularité auprès des femmes. (Quelques années plus tard, ils jouirent ensemble d'une semaine folle à Cancún. Billingsley prit toutes les dispositions, y compris de soutirer tous les avantages possibles d'une compagnie de vols nolisés qui emmena les deux compères au Mexique. Leur chambre, dans un hôtel flambant neuf sur la plage, comportait un balcon de six mètres de long. Les condos de Billingsley n'étaient pas libres; ils étaient occupés par des cadres supérieurs du SCRS et leurs épouses.)

Tout comme Farrell, Billingsley savait que les agents du SOS étaient protégés par une couverte de sécurité qui les soustrayait à tout châtiment sérieux ou prolongé. Billingsley a pu faire fonctionner son agence de voyages sur le temps de la compagnie parce qu'il était aimé et protégé par de puissants cadres du SCRS, comme son patron, Don Lunau. Il était un intouchable. Les anciens de la GRC, comme Billingsley, font partie d'une puissante clique au SCRS, où ils conservent jalousement leurs privilèges et leurs avantages. Selon Dick Lewis, l'ancien président de l'association des employés du SCRS, Billinglsey jouissait d'un autre avantage qui le mettait à l'abri d'une punition. Il était un membre du «club des blonds», quelques rares agents de renseignements qui offraient des faveurs aux galonnés du service. On a expulsé du service des agents moins favorisés parce qu'ils avaient refusé d'accepter des transferts, parce que leurs mémos ne les mettaient pas en lice pour le prix Nobel de littérature, ou tout simplement parce qu'ils s'étaient aliéné les mauvaises personnes. Le club des bien connectés, par contre, n'est jamais fautif. Selon Lewis, ce deux poids deux mesures est une caractéristique regrettable du tissu culturel du service de renseignements du Canada. Les recrues comprennent vite qu'il existe une série de règles pour les gars du «club des blonds» et une autre, moins clémente, pour tous les autres.

Tommy Birkett, un agent de renseignements affecté à l'unité du SOS, était également un membre de la bienheureuse fraternité. Cet homme marié et père de deux enfants était à bien des égards l'antithèse du genre d'agent que les pères fondateurs du SCRS désiraient attirer. Toujours tiré à quatre épingles, les cheveux blonds, il affectionnait les habits Ralph Lauren. Sa famille était fortunée et possédait un cottage huppé à Muskoka et un condo en Floride. Birkett n'avait que peu de temps et de patience pour les jeunes diplômés universitaires bien astiqués qui s'étaient joints au service et avaient reçu leur entraînement de lui. Birkett a gagné ses galons et perfectionné ses compétences d'enquêteur en travaillant de longues heures seul à policer des parties du Canada que la plupart des Canadiens auraient de la difficulté à situer sur la carte. Aujourd'hui encore, le conflit entre les anciens et les nouveaux suscite des frictions parmi les agents du SCRS. Ces relations tendues sont marquées par de la méfiance et du mépris.

Or, Birkett est un diplômé universitaire. Les jeunes agents de renseignements qui ont travaillé avec lui à Toronto le décrivent comme un agent à la voix douce qui ne fait pas étalage de la fortune de sa famille et qui, par sa parole mielleuse, peut se soustraire à n'importe quelle corvée. Ils ont aussi observé le sens de l'humour déplaisant de Birkett. Durant l'été, ce membre du SOS s'assoyait souvent sur un tabouret au *East Side Mario's*, un populaire restaurant situé près des bureaux du SCRS, tenant délicatement sa bière et lançant des arachides à ses collègues qui s'adonnaient à passer devant la fenêtre ouverte.

Birkett rêvait discrètement d'un retour au temps où les policiers ne faisaient pas dans la dentelle et rendaient parfois justice de façon rude et expéditive. Il se prit de sympathie pour Farrell, qui possédait une affinité naturelle pour le travail et qui avait les références de la rue et la dureté pour étayer ses bravades.

Cliff Hatcher était le beau-frère de Jack Billlingsley. Grand et imposant, à un mètre quatre-vingt-treize, il avait tout à fait le physique de l'emploi. Ses évidentes qualités physiques étaient alliées à un esprit agile. Hatcher était poli et instruit, et ses collègues du SOS le considéraient comme un perfectionniste maniaque qui aimait passer du temps à rénover sa maison. Si quelqu'un incarnait le nouveau type d'agent de renseignements, c'était bien Hatcher, même s'il était un ancien agent de la GRC. Né à Terre-Neuve, il avait été dans la GRC avant de devenir espion et il avait échoué lors de sa première tentative de se joindre au Service. Il s'inscrivit à l'université de Toronto et fut diplômé d'anglais. Il postula alors à nouveau au SCRS et on l'accepta. Hacher était affecté au quartier général d'Ottawa avant de déménager à Toronto pour œuvrer au sein du SOS. Il adorait voyager et était copropriétaire des condos à Cancún avec Billingsley. (Les deux avaient épousé des sœurs de Terre-Neuve dont le nom de jeunes filles était Farrell, mais qui ne sont pas apparentées à John.) Farrell admirait les manières tranquilles et effacées de Hatcher et son évidente loyauté envers le Service.

Comme Hatcher, Sandy Brown a fréquenté l'université de Toronto, où elle a étudié la littérature russe et faisait partie de l'équipe de natation de l'université. Jeune, sportive et intelligente, Brown semblait être faite sur mesure pour le travail au SOS. Mais on se faisait du souci pour sa vie privée. Elle avait un enfant d'un marine en poste à l'ambassade américaine à Moscou et elle avait développé l'habitude déconcertante de rencontrer des hommes en clavardant. Elle racontait à ses jules virtuels qu'elle travaillait pour les services secrets canadiens. Billingsley, qui se mesurait souvent à Brown verbalement, considérait sa recherche d'un compagnon sur Internet comme un manquement à la sécurité et s'en plaignit à Lunau. Lunau était furieux de cela, mais Brown échappa au châtiment parce que le chef du SOS avait un faible pour la jolie agente de renseignements.

* * *

Farrell se sentait attiré par le rythme relaxant du travail au SOS. Au moins trois jours par semaine, Lunau, Murphy et compagnie se retrouvaient dans des bars de la ville – le *Lido's*, le *Beach House Bar & Grill*, le *Boardwalk Cafe*, le *Rose & Crown* à l'angle de Yonge et Eglinton, ou le *Beverley Tavern* sur Queen Street – pour passer de longues après-midi détendues en vidant plus que quelques bières. Farrell découvrit que la bouteille faisait partie des risques du métier. Hatcher et Billingsley ne buvaient pas, mais les autres membres de l'équipe savaient comment faire la fête sur le temps de la compagnie. D'après Farrell, il n'était pas rare que la facture d'une de ces rencontres s'élevât jusqu'à huit cents dollars. Farrell, qui n'était pas immunisé contre l'attrait de la mousse, était de la partie, surtout que c'était le SCRS qui ramassait la facture.

Les membres du SOS n'étaient pas les seuls à faire l'école buissonnière. D'autres agents du SCRS passaient le moins de temps possible derrière leur bureau, préférant de longues pause-café tôt le matin et en milieu d'après-midi. Un grande boutique de café *Starbucks*, à l'angle des rues John et Queen, à l'angle au centre ville de Toronto, est un populaire refuge pour la légion des accrocs de la caféine du SCRS. La boutique à la mode est située à plusieurs rues du quartier général du SCRS, mais de nombreux agents ne semblent pas en être affectés; ils ont besoin d'exercice, le café est excellent et c'est certainement mieux que le travail.

Comme le SCRS n'est pas un corps policier, la consommation d'alcool au travail fait peut-être sourciller, mais elle est courante. «Cet endroit pue comme une brasserie», blaguait un jour un agent de renseignements alors qu'une harde de ses collègues revenait du lunch sans se presser. Ils ne trouvèrent pas cela drôle.

Mais on ne boit pas qu'au lunch. Chaque année, le SCRS organise des «réceptions officielles pour le bureau» destinées à fouetter le moral; la présence y est obligatoire, de même que, semble-t-il, la consommation d'alcool. Ainsi, tous les mois de juillet à Toronto, les dirigeants du SCRS organisent pour les agents de renseignements un pique-nique privé à Centre Island, située à un petit saut en traversier à partir du quartier général. Des photos prises à un récent pique-nique montrent une montagne de caisses de bière à côté des bancs de parc. Le pique-nique se déroule un jour de semaine. Le public paie donc les sobres et responsables espions du Canada pour qu'ils profitent d'un peu d'air frais et tissent des liens sociaux. On recommence à l'automne, alors que les dirigeants du SCRS organisent un tournoi de balle molle sur un terrain de base-ball situé près de la plage de Toronto. Là aussi, la présence est de mise et la bière abondante. La plupart des agents s'y présentent, mais d'autres choisissent de demeurer à la maison. Bien sûr, tout le monde reçoit sa paie.

Farrell a organisé des *parties* au Skydome Hotel pour des groupe de gens éclectiques : des agents du SCRS, des membres de divers corps policiers, des gardiens de prison, des ambulanciers, des strip-teaseuses, de petits escrocs et même une star de rock canadienne. Il avait ouvert un compte pour « organismes responsables du maintien de l'ordre » dans une brasserie locale, où il commandait quelques caisses de bière, et il louait une loge avec vue sur le terrain. Ces soirées lui valurent, à lui et au SCRS, de nombreux amis et devinrent légendaires même au Skydome Hotel, où on avait surpris des couples en train de faire l'amour avec les rideaux ouverts et à la vue des spectateurs du stade.

Lunau et Farrell préféraient souvent boire entre eux. Peu de temps après que Farrell fut devenu inspecteur des postes auxiliaire, ils commencèrent à dîner ensemble presque tous les jours à midi. L'été, ils mangeaient au *Boardwalk Cafe* ou au *M. Slate Sports Bar*, un salon de billard dans le secteur des plages, où Lunau aimait son burger bien cuit. En hiver, ils se dirigeaient vers Chinatown pour profiter d'un buffet ouvert bon marché. Là encore, la consommation d'alcool commençait au lunch et se poursuivait jusque tard le soir. On consommait tellement de bière que Farrell en vint à croire que boire de la bière, et non le hockey ou le base-ball, était le passe-temps favori de Lunau.

C'est au lunch que Farrell avait pour la première fois noté l'habitude de Lunau de constamment se laver les mains. Il toussait sans cesse aussi. Ce n'était pas une maladie mais un autre tic nerveux. Fin observateur de la nature humaine, Farrell fit le rapport entre la quête de propreté de Lunau et son travail. Mais la toux demeurait un mystère pour lui. Homme méticuleux, Lunau s'habillait simplement, avec un éternel sac attaché autour de la taille. Il adorait porter un coupe-vent noir avec un écusson de Porsche et rêvait de conduire cette voiture européenne un jour; il dut cependant se résoudre à une nouvelle Ford Bronco après que sa fourgonnette eut rendu l'âme.

Le lien entre Lunau et Farrell devint si fort que cela engendra de l'envie chez les autres membres de l'unité. Ils interrogeaient Farrell au sujet de la famille de Lunau, de son épouse, de ses habitudes, mais il refusa toujours de répondre.

Une fois, Lunau fit même l'impensable: il invita Farrell à sa modeste demeure de Pickering pour dîner en compagnie de son épouse, Jennifer, de ses deux beaux-enfants adolescents et de son husky de Sibérie, Thunder. Aucun autre membre de l'unité n'avait été invité chez Lunau et cette invitation les dérangeait. Farrell savait qu'elle était un signe de la profondeur de la confiance de Lunau en lui et cette confiance fut mise à l'épreuve quand Lunau lui fit faire le tour de sa demeure avant le dîner. Farrell découvrit que du mobilier vendu au SCRS pour servir lors d'opérations spéciales, dont un sofa futon, une bibliothèque, une radio et un appareil télé, avaient trouvé une nouvelle demeure: le sous-sol de Lunau. Farrell passa le test. Il n'en a jamais soufflé mot à âme qui vive.

Durant le dîner, on échangea passionnément des histoires au sujet de Thunder et de l'imposante bergère allemande de Farrell, Heidi. Lunau aimait son chien autant que les parties de hockey qu'il disputait tous les mardis après-midi à l'aréna Moss Park avec d'autres agents du SCRS et des agents de la GRC. Ce soir-là, Lunau discourait de façon un peu échevelée sur sa vie. Il raconta à John qu'il avait fréquenté l'école secondaire à Toronto, puis était allé à l'université; il s'était marié deux fois; c'est au bureau qu'il avait rencontré sa seconde épouse, Jennifer, une femme grande, mince et polie, d'origine coréenne; ils s'étaient mariés à l'hôtel de ville de Toronto au début des années 1990, en présence d'une poignée de membres de la famille et d'amis. Il confia aussi que les plats épicés de Jennifer lui donnaient souvent des crampes d'estomac.

Lunau gâtait ses beaux-enfants. Comme bien des pères, il s'inquiétait de ce que son fils passât trop de temps devant l'ordinateur et il voulait qu'il partage sa passion pour les sports d'équipe. Mais son fils apprit plutôt le karaté.

Après le dîner, Lunau demanda à Farrell s'il organiserait une fête pour l'anniversaire de son fils. Pour Farrell, cette demande constituait en fait un ordre. Il appela Tom Holmes, le gérant du théâtre Cinéplex Odéon à l'angle de Morningside Avenue et de l'autoroute 401, à Scarborough, et il arrangea un petit plaisir pour le fils de Lunau et vingt de ses exubérants amis: des sodas, du maïs soufflé et des sièges spéciaux dans un théâtre doté d'un écran extragrand[2]. Farrell essaya de considérer cette journée comme un investissement à long terme. Lunau, son bon ami, pourrait un jour lui renvoyer l'ascenseur.

Lunau n'était pas le seul à tirer profit des aptitudes et des contacts de Farrell. Quand le mariage de Billingsley commença à s'effondrer (cela finit par un divorce), ce dernier demanda à Farrell d'espionner son épouse. Billingsley croyait qu'elle avait une aventure avec un cadre d'entreprise et il voulait une preuve. Farrell accepta à contre-cœur de suivre les amants présumés. Selon lui, il fit cette surveillance pendant les heures de travail et avec l'approbation de cadres supérieurs du SCRS[3]. Quand Sandy Brown entreprit une relation par Internet avec un paysagiste de Boston, elle demanda à Farrell d'effectuer une vérification sur lui auprès de ses contacts policiers au sud de la frontière, ce qu'il fit.

Quand Laurie, l'aînée des trois filles précoces de Murphy se maria, Murphy demanda à Farrell une faveur particulière.

«Tout ce que tu veux», dit Farrell.

Économe, Murphy demanda à Farrell si, pour le mariage, il pouvait faire entrer en contrebande au Canada, à partir des États-Unis, une cargaison d'alcool bon marché, de préférence du rhum. Murphy dit à Farrell qu'il payait pour la réception et qu'il voulait sabrer dans les dépenses non nécessaires.

«Pas de problème, dit Farrell. Considère que c'est fait.»

Farrell approcha un gardien de prison de Toronto de sa connaissance qui entretenait des contacts avec des contrebandiers faisant entrer de l'alcool et des cigarettes au Canada par la réserve

---

2. Holmes fit une faveur à John en payant tout. À l'époque, il sortait avec une des sœurs de Farrell.
3. Plus tard, Billingsley intercepta la facture de téléphone cellulaire du cadre pour vérifier à quel moment et à quelle fréquence il appelait son épouse.

d'Akwesasne, qui chevauche la frontière canado-américaine près de Cornwall.

«J'ai commandé deux caisses de rhum», dit Farrell.

Malheureusement, les contrebandiers furent arrêtés avant que la cargaison de rhum de Farrell n'arrive. Non décontenancé, il passa au plan B. Il se rendit en voiture à Buffalo, New York, et rencontra des contacts dans la police, qui l'aidèrent à passer en contrebande une caisse de six grosses bouteilles de rhum. Le prix au détail de chaque bouteille était de quatre-vingts dollars. Il en coûta à Farrell quinze dollars par bouteille. Il fit payer son kilométrage par le SCRS avant de porter le rhum chez Billingsley, à Mississauga. Billingsley apporta la marchandise de contrebande dans les bureaux du SCRS, où il rencontra Murphy dans le parc de stationnement souterrain. Farrell dit qu'ils firent «un échange coffre-à-coffre».

Murphy invita Farrell au mariage, mais il n'y alla pas. Il craignait qu'on ne lui demandât de s'occuper du bar et peut-être plus tard des invités indisciplinés.

* * *

Farrell vit son adhésion officieuse au monde exclusif des agents spéciaux, où tous les coups sont permis, baptisée dans l'alcool, les faveurs et les promesses. Il croyait que Lunau finirait par arranger son entrée officielle dans l'unité SOS. Pour le moment, il était content de profiter de ce qui se présentait.

8
L'OPÉRATION COUPE STANLEY

Un après-midi agréable de juillet 1994, Farrell avait terminé sa tournée d'interception de courrier et dégustait son lunch, fait de céréales et de rôties, quand la ligne privée de sa chambre à coucher sonna. Il décrocha, espérant que ce n'était pas Lunau. Il était fatigué et désirait passer un après-midi loin des bureaux de poste, des tenants de la suprématie blanche, des inspecteurs des postes auxiliaires et du quartier général du SCRS au centre-ville. Mais c'était Lunau et il semblait exceptionnellement sérieux.

«John, je veux que tu te rases, que tu mettes une chemise propre et une cravate et que tu viennes ici le plus vite possible.»

«Ça doit être important, pensa Farrell, si Lunau veut que je me rase.»

Il sauta donc sous la douche, passa le rasoir sur sa figure, mit une chemise et une cravate, et se hâta vers le parc de stationnement souterrain pour son rendez-vous hâtivement fixé avec Lunau. Il se dépêcha aussi d'enlever les poils de Heidi de sa voiture, car Lunau avait mentionné que Murphy aussi serait là. Farrel ne voulait pas que la veste bleue et les pantalons gris du flegmatique chef du SOS soient couverts de poils de chien. Pendant qu'il descendait en trombe la rampe du terrain de stationnement souterrain du quartier général, il appela Lunau sur sa ligne privée.

— Temps d'arrivée estimé, deux minutes, dit-il à Lunau.

— Formidable. Nous descendons.

Farrell se gara et attendit. Quelques minutes plus tard, Lunau ouvrit une porte vitrée donnant sur le parc de stationnement. Murphy le suivit trente secondes plus tard. Les patrons du renseignement se glissèrent dans la voiture compacte de Farrell. Lunau s'assit derrière, Murphy devant. Les deux hommes avaient l'air grave, même si Farrell sentait une excitation couvant sous le vernis de leur sérieux. Lunau commença à parler.

— John, Ray va te demander de faire quelque chose, dit Lunau.

— Pas de problème, Donnie, tout ce que tu veux, répliqua Farrell.

Murphy prit la relève.

— Nous voulons que tu accomplisses une mission. Cela implique de louer un appartement à côté de deux suspects très en vue. C'est une mission très confidentielle et nous recevons nos instructions d'Ottawa.

Les instructions venaient de Keith McDonald. (Farrell devait rencontrer McDonald plus tard cette année-là, dans un salon funéraire, à l'occasion du décès du père de Lunau. Ils devaient aussi bavarder devant quelques bières dans la taverne en face du salon funéraire.) Murphy et Lunau n'auraient pas recruté Farrell pour une opération aussi confidentielle – et ils n'auraient pas pu le faire – sans le consentement de McDonald. Murphy était catégorique : le Service avait besoin de Farrell. Ils avaient besoin de lui pour louer cet appartement particulier. Murphy dit : « Il nous faut cet appartement de façon impérative, John. Nous ferons tout ce qu'il faut pour l'avoir. L'argent n'est absolument pas un problème. Tu te rends là, tu travailles sur le concierge et tu loues ce sacré appartement. »

Farrell pouvait voir que ses patrons étaient enchantés, mais personnellement il ne voyait aucune raison de partager cet enchantement. Il n'y avait là qu'un autre ordre à exécuter. Son calme ne fut perturbé que légèrement quand Murphy lui révéla l'identité des deux suspects : Ian et Laurie Lambert. Le mari et la femme étaient des espions travaillant pour le service russe de renseignements étranger, le SVR (jadis le KGB). Les véritables noms des Lambert étaient Yelena Olshevskaya et Dmitriy Olshevsky.

Pour le SCRS, les agents de renseignements russes représentent encore le zénith en termes d'espionnage. Des vétérans comme Murphy et Lunau ont passé leur carrière à chercher une mission comme celle-là. Dans le monde byzantin de l'espionnage, on considérait les Russes comme les adversaires les plus doués et les plus accomplis. Le duel avec ces derniers devait mettre à l'épreuve la patience et la détermination du Service. Le SCRS surnommait cette joute clandestine «opération Coupe Stanley». Tout comme la conquête de ce trophée de hockey si convoité, l'opération devait marquer le pinacle de plusieurs carrières. Lunau et Murphy savaient que c'était d'après son issue qu'on les jugerait et peut-être qu'on se souviendrait d'eux. Pour s'assurer du succès et cimenter leur héritage, ils se tournaient vers un jeune homme qui n'était pas même un agent de renseignements à part entière.

* * *

La présence d'Ian et Laurie Lambert au Canada semblait être un vestige d'une époque où le monde était partagé entre deux idéologies inconciliables: le capitalisme et le communisme. À la fin des années 1980, l'Union soviétique avait émergé de la poigne suffocante du pouvoir totalitaire. La glasnost avait pris racine et était passée dans le vocabulaire mondial. Son architecte, Mikhaïl Gorbatchev, l'avisé et télégénique leader soviétique, était devenu le chouchou des médias dans le monde entier. L'Occident déclara qu'il était quelqu'un avec qui on pouvait faire des affaires. Entre l'Est et l'Ouest, les vieilles hostilités, la méfiance et la peur de l'annihilation nucléaire se relâchèrent. La guerre froide fondit à un rythme étourdissant et le monde soupira de soulagement. Mais, l'espace d'un instant, le soulagement tourna à l'horreur. Le 19 août 1991, huit leaders communistes tenants de la ligne dure tentèrent de se débarrasser de Gorbatchev dans un coup d'État. Dans un geste de défi courageux, le réformiste Boris Yeltsin se tint sur un tank et exhorta ses compatriotes à résister. Yeltsin l'emporta. Le parti communiste fut dissout. La Fédération russe était née. La guerre froide était enfin terminée. Du moins, c'est ce qu'il semblait.

À plusieurs points de vue, les mots et les images rassurantes étaient un mirage. Des soldats silencieux de cette guerre des ombres qu'est l'espionnage demeuraient très actifs. Le Canada, qu'on assimile à une eau morte dans cette joute d'intrigues internationales, demeurait partie prenante dans cette bataille clandestine. Cette nation a toujours agi comme un aimant pour les espions, particulièrement les espions russes. La société démocratique du Canada et sa proximité des États-Unis, la principale cible de sept autres nations, en ont fait une destination attirante.

Tout le temps que dura la guerre froide, les organismes de renseignements soviétiques connurent un succès énorme à infiltrer les gouvernements, les services d'espionnage et les contractuels de la défense de l'Occident, afin de recueillir des secrets politiques, technologiques et militaires. La fin de la guerre froide vit les espions russes experts diriger leurs ressources vers des industries non militaires, dans une tentative pour dérober des secrets technologiques et scientifiques afin de ragaillardir l'économie russe en décrépitude. L'expansion des échanges scientifiques Est-Ouest et des joint-ventures offrit à la Russie encore plus d'occasions pour voler les informations scientifiques et technologiques générées à des coûts considérables par les gouvernements et l'industrie.

Bien que ses anciens États satellites gravitent de plus en plus dans l'orbite de l'Ouest – soit par l'expansion proposée de l'Organisation du traité de l'Atlantique Nord (OTAN), soit par l'Union européenne (UE) –, les services de renseignements russes demeurent résolus non seulement à empêcher que Moscou ne devienne un joueur marginal en Europe, mais aussi à s'assurer que le leadership de leur pays continue d'exercer son influence sur l'avenir du continent. En conséquence, les agents d'espionnage russes demeurent des adversaires formidables et une menace potentielle pour la sécurité de l'Occident.

Les Lambert étaient deux espions parmi une légion d'espions au Canada. Le charmant couple vivait dans un riche quartier de Toronto, où ils semblaient très à leur place. Ils aimaient les vêtements raffinés, la bonne nourriture et les voitures coûteuses. Au début des années 1990, le couple loua un appartement d'une chambre à coucher au 77 Roehampton Avenue, suite 601. Le reluisant édifice de dix étages, avec son foyer et son allée semi-circulaire, est à un jet de pierre de Yonge Street juste au nord d'Eglinton. Le quartier est rempli de magasins de designers de marques déposées, de restaurants chic et de night-clubs. Le couple allait souvent faire du lèche-vitrine, main dans la main. À l'occasion, il échangeaient de brefs baisers affectueux lors de leur promenades du soir. Ils semblaient très amoureux.

Ian, qui avait le physique et le visage équarri d'un boxeur poids moyen, était un agrandisseur de photos pour Black Photo Corporation, à Markham, Ontario. Dans ses loisirs, il étudiait la politique, les relations internationales et la psychologie à l'université de Toronto. Laurie était discrète et presque coquette. Avec ses cheveux foncés et fins, ses pommettes saillantes et son ossature mince, on la prenait souvent pour un mannequin. Mais son look captivant dissimulait son travail moins que prestigieux de commis à la compagnie Global Life Insurance. Le couple avait un compte à une succursale de la Banque canadienne impériale de commerce au 2576 Yonge Street, où il gardait un coffret de sûreté (le SCRS devait tenter sans succès d'y fouiner). Pour leur très petit cercle d'amis, les Lambert étaient un couple canadien charmant et ordinaire.

En fait, les Lambert étaient des membres entraînés d'une unité d'espions d'élite qui a échappé aux agents des pays occidentaux en changeant d'identité et qui se sont bâti des « histoires » afin de camoufler leurs activités d'espionnage. Le Conseil de direction S du SVR a envoyé des agents, seuls ou en couple, afin de recueillir des renseignements politiques, économiques, scientifiques, technologiques et militaires de pays cibles. Les Lambert recevaient régulièrement des instructions de leur quartier général en messages codés par ondes courtes. Le couple était aussi en contact avec un autre espion connu comme un agent de la ligne N et travaillant sous couvert diplomatique à l'ambassade russe à Ottawa.

En langage d'espionnage, les Lambert étaient des « résidents illégaux ». Se bâtir des histoires à toute épreuve était crucial pour le succès de leur mission clandestine. Ils ne devaient pas seulement avoir l'air d'être des Canadiens, mais ils devaient aussi connaître suffisamment les gens, la géographie et l'histoire de ce pays pour ne pas éveiller les soupçons parmi leurs amis, leurs voisins et leurs camarades de travail. Il leur fallait aussi une histoire : un endroit qu'ils pourraient appeler chez eux, où ils seraient nés et auraient été élevés. Les deux espions ont volé les premiers éléments de leur histoire à deux bébés morts. Ce genre d'emprunt, bien qu'inconvenant, est une technique routinière pour les organisations d'espionnage partout dans le monde.

Le certificat de décès du véritable Ian Mackenzie Lambert révèle qu'il est né à Toronto le 24 novembre 1965 de Mackenzie Archibald Lambert et de Miriam Elizabeth Helen Orson, qui tous deux venaient d'Écosse. Le bébé est décédé le 17 février 1966 et on l'incinéra au Toronto Necropolis and Crematorium quatre jours après sa mort. On a enseveli ses cendres dans une concession funéraire commune où seule une petite pierre portant le numéro 72A marque l'endroit. Ce repère succinct a été enseveli sous plusieurs centimètres de terre et de gazon mal entretenu dans une section ombragée par les arbres du tentaculaire cimetière de Toronto. La vraie Laurie Catherine Mary Brodie est née le 8 septembre 1963 dans la petite paroisse de Saint Willibrods de Verdun, au Québec. Ses parents étaient Melvin Brodie et Thelma McDougall. Elle mourut le 7 août 1965 à Toronto et on l'enterra au cimetière de Windsor.

Grâce à des documents falsifiés, les Lambert entrèrent au Canada à la fin des années 1980. Ian passa du temps dans un appartement de Vancouver et dans un autre au 600 de la Gauchetière à Montréal avant de rencontrer Laurie à Toronto. Les dossiers de cartes de crédit, de banques et ceux des provinces indiquent que les Lambert ont commencé à bâtir leur histoire sérieusement en 1990. La première et probablement la plus importante étape consistait à se marier. Une licence de mariage constitue un engagement non seulement entre un homme et une femme mais aussi envers une société. Cela confère une légitimité et une respectabilité importantes.

Lors d'une petite cérémonie civile dans l'ancien hôtel de ville de Toronto, le 10 décembre 1991, Ian Lambert et Laurie Brodie ont fait le saut. Les espions ont demandé à deux camarades de travail d'être témoins de leur court échange de vœux. Sur le certificat de mariage d'une page, les agents russes fournirent des détails de leurs histoires respectives au juge de paix qui présidait la cérémonie sans se douter de rien. Sur le document, Ian et Laurie déclarèrent n'avoir jamais été mariés. Ian dit avoir vingt-cinq ans et Laurie en déclara vingt-huit. Ian se déclara anglican, Laurie catholique. Les signatures distinctives des jeunes mariés suggèrent un long et minutieux entraînement. L'écriture d'Ian était grasse et ferme, alors que celle de Laurie comportait une touche plus gracieuse et féminine.

Le certificat de mariage livre aussi des indices qui laissent croire que les deux espions n'étaient peut-être pas aussi bien entraînés ou à l'aise que prévu avec leurs histoires. Ian, par exemple, inscrivit «Green» pour le nom de jeune fille de sa mère, ce qui est incorrect. Il se déclara aussi incorrectement «imprimeur». De son côté, Laurie griffonna «inconnu» en réponse à la question sur le lieu de naissance de ses parents. Malgré ces curieuses erreurs et omissions, un fonctionnaire du bureau de l'état civil certifia que les informations fournies étaient «exactes et suffisantes» et il enregistra le mariage des deux espions russes la veille de Noël de 1991. En récompense de leur parjure, les Lambert reçurent un merveilleux cadeau de Noël dont ils avaient grandement besoin: la licence de mariage C933673.

Avec leur précieuse licence de mariage en main, ils se mirent à collectionner les pièces d'identité et autres cartes de plastique qui remplissent la plupart des portefeuilles canadiens et qui prouvent, du moins sur papier, que nous existons. Les Lambert cueillirent leurs numéros d'assurance sociale, leurs permis de conduire et leurs passeports, aux noms des enfants décédés. On remit à Laurie un permis de conduire le 20 décembre 1990 et Ian obtint le sien un mois plus tard, le 31 janvier 1991. En 1993, dans un geste qui attira sûrement l'attention de façon gênante, il déboursa plus de vingt mille dollars comptant pour une Mazda Precidia MX-3 rouge à deux portes. Il acheta la fougueuse voiture sport chez Gyro Mazda, un petit concessionnaire situé près de l'appartement du couple. Ian et Laurie commencèrent à demander et à recevoir un tas de cartes de crédit. Ian prit une carte du plus vieux magasin à rayons du Canada, La Compagnie de la Baie d'Hudson. Il collectionna aussi les cartes IKEA, Visa et MasterCard. Les cartes d'Ian comportaient des limites de dépense basses. C'était Laurie qui achetait. Les limites de ses cartes montaient à quatre mille dollars. En 1996, elle avait des cartes de crédit plein son sac à main, dont American Express, Visa, Eaton, La Baie et IKEA.

Une fois le couple confortablement installé dans son nouvel appartement, avec leurs histoires méthodiquement façonnées, Ian entreprit des études au collège Woodsworth de l'université de

Toronto, à l'hiver 1992. Lambert ne connaissait peut-être pas le pedigree social du collège, mais il était tout à fait indiqué qu'un socialiste de Russie s'inscrive là. Le collège portait le nom de J.S. Woodsworth, le clergyman, leader syndical et socialiste canadien qui contribua à la fondation de la Cooperative Commonwealth Federation (CCF), le premier parti de gauche canadien. À sa première année, Ian ne suivit qu'un cours, mais c'était un cours qui allait sans aucun doute améliorer sa compréhension de son pays «d'adoption»: «Introduction à la politique canadienne.» Au début, Lambert était un bon étudiant consciencieux et ses notes reflétaient son enthousiasme. Il enregistra une respectable note de soixante-dix-sept pour cent, se méritant un B+ dans une classe dont la moyenne était de C+. L'année suivante, il s'inscrivit à quatre cours: «Introduction à la politique», «Théorie politique», «La politique et le gouvernement américain» et «Introduction à la politique internationale». Encore une fois, les cours semblaient tout à fait appropriés pour un espion tentant de s'imprégner de l'histoire et de la politique des nations à l'intérieur desquelles il était affecté. Mais ses notes furent médiocres. Il enregistra deux C et un B+ en théorie politique, mais un lamentable D en économie.

En général, Lambert choisissait de grosses classes où il pouvait demeurer anonyme et il évitait de s'engager dans des amitiés potentiellement problématiques avec des étudiants curieux. En 1994, il s'inscrivit à seulement trois cours, mais c'était un choix éclectique. Il étudia la psychologie, prit un cours d'introduction aux relations internationales et un cours appelé «Géographie politique globale». Les promesses universitaires de 1992 s'étaient évaporées en 1994. Ses notes plongèrent. Il enregistra une lamentable note de cinquante-sept pour cent en psychologie.

Mais les problèmes d'Ian à l'école pâlissaient devant une autre difficulté catastrophique avec laquelle le couple se débattait. Les deux Lambert avaient des difficultés à faire tenir la route à leurs histoires. Les erreurs et les vides révélateurs du certificat de mariage étaient une claire indication. Ian aggrava ces gaffes avec une erreur stupéfiante. Quand il demanda une de ses cartes de crédit, il donna le nom d'Ian Mohammed Lambert et non d'Ian Mackenzie Lambert. La raison de cette extraordinaire erreur de la part d'un agent de renseignements expérimenté demeure mystérieuse. Ian fut même impliqué dans un sérieux accident de la circulation à Toronto en novembre 1995 qui attira l'attention de la police. On porta des accusations contre lui, mais il s'en tira avec une amende de soixante-quinze dollars et quelques points de démérite. Des collègues de travail se demandaient pourquoi il portait son alliance à la main droite, ce qui est une coutume russe. Quand un collègue de travail lui fit remarquer que l'alliance devrait être à sa main gauche, l'espion perdit sa vigilance.

Il protesta : « Que veux-tu dire ? Je la porte sur la bonne main. »

L'accent d'Ian était difficile à identifier mais il semblait étrangement bizarre pour quelqu'un d'ascendance écossaise et anglicane. Quelques collègues notèrent qu'il changeait considérablement quand il se joignait à eux pour un verre ou deux après le travail. Un jour, une collègue de travail l'interrogea gentiment au sujet du changement soudain. Il balaya sa question avec une blague : « Ah ! c'est toujours comme ça quand je me soûle. »

Elle ne fut pas dupe de cette explication mais ne poursuivit pas son enquête.

Laurie raconta à des camarades de travail qu'elle était née au Canada mais qu'elle s'était rendue en Suède avec sa mère après la séparation de ses parents, pour revenir plus tard au Canada. Curieusement, selon une amie proche, elle éprouvait de la difficulté à se souvenir de son séjour en Suède. De plus, celle qui se prétendait mordue d'opéra n'y allait que rarement à Toronto. Des collègues de travail se demandaient aussi comment le couple pouvait maintenir son style de vie plutôt coûteux. L'appartement dans le quartier huppé, les vestes de cuir haut de gamme et la voiture rutilante semblaient hors de proportion avec leurs modestes revenus. Les problèmes apparents de Lambert avec leurs histoires allaient bientôt avoir des répercussions.

* * *

Deux agents du SCRS, prétendant être mari et femme, firent une première tentative pour devenir les voisins immédiats des Lambert, mais ils échouèrent. Murphy et Lunau se tournèrent donc vers Farrell pour louer l'appartement 602 au 77 Rochampton Avenue. S'agitant inconfortablement dans la petite voiture de Farrell dans le parc de stationnement souterrain du quartier général du SCRS, ils parvinrent, après maintes discussions, à mettre au point une histoire. Farrell prétendrait être un analyste en système de IBM récemment revenu s'installer en ville et cherchant un appartement qui conviendrait à son style de vie de célibataire actif. S'il allait devoir passer de longues heures dans l'appartement, Farrell demanda qu'on y installe une ligne téléphonique dont le numéro ne serait pas listé et la télévision par câble. Lunau et Murphy acceptèrent.

L'opération Coupe Stanley était la première occasion pour Farrell de goûter au travail du SOS et, comme toujours, il était déterminé à faire du bon travail. À la fin de la rencontre, Lunau lui remit mille dollars et lui souhaita bonne chance. La chance, dit Farrell à son patron, n'était jamais la clé d'une opération réussie ; la planification et la minutie l'étaient.

Farrell n'avait peut-être pas besoin de chance, mais il eut besoin d'aide pour trouver Roehampton Avenue, car il ne s'aventurait que rarement de ce côté de la ville. Il consulta son épais atlas urbain Perley et marqua le chemin. En route, le long de Yonge Street, il repassa en revue son histoire. Il passa aussi rapidement en revue les choses à faire et celles à ne pas faire. Il se souciait de ne pas être suivi. Il accéléra à plusieurs intersections achalandées juste comme le feu passait du jaune au rouge. Il fit aussi quelques demi-tours étourdissants. Satisfait, il tourna lentement sur Roehampton Avenue. Penché sur son volant, il chercha des yeux le numéro 77 du côté sud de la rue.

Le concierge de l'édifice était occupé à ses travaux quotidiens quand Farrell se présenta dans l'impeccable entrée et sonna en vain à l'appartement du concierge. Heureusement, une locataire arriva et Farrell sourit gentiment en la suivant dans l'édifice. Il trouva Marty, le concierge, penché sur son balai à franges au sous-sol. Il se présenta et s'excusa pour cette intrusion.

— Avez-vous un appartement à louer?

— Oui, il y en a deux, répliqua Marty. L'un est au deuxième étage, l'autre au sixième.

«C'est très gentil de votre part», dit Farrell tandis que Marty posait son balai et l'escortait vers l'ascenseur. Il en profita pour lui raconter qu'il venait tout juste de revenir de Colombie-Britannique et qu'il était très désireux d'emménager dans le quartier. Ils effectuèrent une rapide visite des deux appartements. La suite 602 était toute petite, à peine plus de soixante-cinq mètres carrés (sept cents pieds carrés), et le loyer était de neuf cent quarante dollars par mois, ce qui incluait l'électricité, le chauffage et une place de stationnement dans le garage souterrain. Farrell dit au concierge qu'il aimait l'appartement.

«Je me suis peut-être trompé, dit Marty à Farrell. Il est peut-être déjà pris.» Il alla vérifier pendant que le cœur de Farrell se nouait. Au moment où il fouillait dans sa poche pour offrir un pot-de-vin de cinq cents dollars, Marty, son ami du moment, revint avec de bonnes nouvelles.

«John, il est à toi.»

Farrell remit à Marty cinq cents dollars de dépôt et cinq cents dollars de pourboire. «C'est pour votre gentillesse», précisa-t-il.

Le concierge refusa poliment. «John, ce n'est vraiment pas nécessaire. J'espère que tu aimeras vivre ici», dit Marty en lui remettant une copie du bail.

Farrell retourna chez lui, enleva sa cravate et appela Lunau, qui attendait impatiemment à côté de son téléphone au quartier général.

— Tout est en place, dit-il.

— Formidable, John! Je savais que tu y arriverais.

Deux minutes plus tard, Murphy appela Farrell pour le féliciter et le bombarder de questions.

— Es-tu sûr que nous sommes au sixième étage?

— Oui, bien sûr, dit Farrell.

— Comment est le concierge?

— Nous n'aurons aucun problème. Tout est parfait.

— Du beau travail, vraiment du beau travail, répéta Murphy.

Farrell avait mis moins de deux heures pour accomplir ce que Lunau et Murphy semblaient avoir attendu toute une vie: s'approcher de deux espions russes. Malgré son succès, la journée de travail de Farrell n'était pas terminée. L'opération Vulve se poursuivait. Lunau arrêta plus tard ce jour-là pour remettre à Farrell le courrier intercepté à retourner.

Après avoir rencontré son écurie d'inspecteurs auxiliaires, Farrell fila vers une succursale de Trust du Canada située au 2543 Yonge Street, pour ouvrir un compte et y déposer près de trois mille dollars que Lunau lui avait donnés afin de couvrir le loyer du premier et du dernier mois de loyer et d'autres dépenses. Farrell ne put s'empêcher de flirter avec la jolie préposée tandis qu'elle préparait le mandat de mille huit cents dollars à remettre plus tard à Marty. Cela fait, il fila chez lui pour remplir le bail, en mentionnant une autre des compagnies que Lunau lui avait demandé de mettre sur pied – Housing Unlimited – et deux proches amis comme références. La firme fictive était censée être spécialisée dans la recherche d'appartements pour des cadres de sociétés ; le Service pouvait donc louer l'appartement sans laisser de traces écrites menant au SCRS. Housing Unlimited partageait le même numéro de téléavertisseur. Quand quelqu'un appelait la compagnie bidon pour vérifier les références de Farrell, ou pour un autre agent de renseignements, Farrell changeait tout simplement sa voix et rassurait son interlocuteur en l'assurant que le demandeur du bail était un client responsable, mature et consciencieux. Cette entourloupette avait entres autres avantages celui d'avertir Farrell de l'identité de ceux qui enquêtaient et de l'étendue de leur enquête.

À ce point, Farrell jonglait avec plusieurs compagnies que Lunau et le Service lui avaient demandé de mettre sur pied. Les compagnies partageaient la même adresse postale : une boîte postale sur Danford Avenue. Le SCRS payait les frais associés à la mise sur pied et à l'entretien des compagnies paravents. Avec le consentement de Lunau, Farrell créa aussi une compagnie bidon de vérification de crédit afin de parfois modifier des informations importantes sur ses déclarations de crédit. Prétendant être un employé de ladite compagnie, Farrell appelait Equifax, une firme qui détient des informations de crédit sur des milliers de citoyens et de sociétés au Canada, afin de mettre à jour les adresses et les numéros de téléphone du client. Le client était, bien sûr, John Farrell. Il modifiait de façon régulière les informations afin de les rendre conformes aux histoires qu'il racontait dans le cadres de ses missions pour le SCRS.

Simultanément, le jeune agent s'occupait de l'opération Vulve, menait des enquêtes de crédit et autres vérifications pour Lunau, et louait des postes d'observation pour l'opération Coupe Stanley. Sa longue journée commençait à quatre heures et demie du matin, alors qu'il se précipitait à Niagara Falls et à Hamilton pour intercepter le courrier de trois suspects très en vue du SCRS. À mesure que sa journée de travail allongeait, les récompenses financières faisaient de même. Il gagnait souvent mille deux cents dollars par semaine, exempts d'impôt, pour «services professionnels rendus».

Le matin où il avait mis la main sur l'appartement de Roehampton, il rencontra Marty pour conclure l'affaire. Ce dernier achevait son petit déjeuner quand Farrell sonna à son appartement. La femme l'invita à entrer comme s'il avait été un vieil ami. Marty dit à Farrell que les gérants de l'édifice, Elsberg Investments Limited, devaient procéder à l'enquête de crédit habituelle avant que l'appartement ne soit définitivement à lui.

Aucun problème, dit Farrell.

— Regardez, je vais vous donner les clés quand même, parce que vous êtes le genre de personne que nous voulons voir vivre ici.

— C'est très gentil, répondit Farrell avec un large sourire.

Avec la précieuse clé en poche, Farrell appela un Lunau extatique et prit des dispositions pour lui passer un duplicata et une copie du bail.

Farrell emménagea dans l'appartement le 1er août 1994, avec l'aide d'un ami. Lunau lui avait remis environ quatre cents dollars pour louer une camionnette afin d'y déménager une partie de ses meubles. Sa caisse enregistreuse se mit à résonner quand Lunau lui dit que le Service était prêt à payer pour tout meuble qu'il déplacerait de chez lui pour meubler l'appartement. Farrell pelleta tout ce qu'il pouvait: de la coutellerie, un portemanteau, un porte-chaussures, de la vaisselle, un sofa futon, des livres, des vêtements, des cintres, des souliers et des articles de nettoyage. Au bout du compte, il se fit cinq cents dollars et les partagea avec son copain.

Pour compléter le déménagement, Murphy et Lunau avaient aussi fait apporter au domicile de Farrell une bibliothèque, une base de lit, un bureau et des chaises. La plus grande partie de cet attirail provenait d'un entrepôt secret du SCRS situé près d'un détachement de la GRC à Newmarket, où le Service entreposait des meubles, des voitures et autres articles utilisés lors d'opérations clandestines.

Farrell ne pouvait le croire. «Pensez-y, dit-il. Deux des principaux espions de ce pays arrivent dans leurs voitures du SCRS pour livrer de l'ameublement au domicile d'un gars qui, sur papier, n'est pas un agent de renseignements mais qui va vivre à côté de Monsieur et Madame Coupe Stanley. Ça faisait tellement broche à foin!»

L'incrédulité de Farrell se transforma en colère quand il s'aperçut que les meubles livrés par Lunau et Murphy étaient couverts de codes-barres du gouvernement permettant de suivre leurs déplacements. Les codes-barres portaient le sigle «SCRS» et identifiaient les meubles comme étant la propriété du Solliciteur général. Qu'arriverait-il, demanda Farrell à Lunau et à Murphy, si les Russes décidaient de s'infiltrer dans son appartement pendant son absence et qu'ils remarquaient la pléthore de collants marqués du sigle «SCRS» et des mots «Solliciteur général»? Les deux compères haussèrent piteusement les épaules et le remercièrent d'avoir noté cette défaillance. Farrell enleva minutieusement les choquants collants et les mit dans une enveloppe qu'il donna à Lunau.

Tels des parents nerveux, Lunau et Murphy répétaient sans cesse à Farrell ses responsabilités principales: surveiller et noter minutieusement les allées et venues des Lambert et aider le SCRS à s'infiltrer dans l'appartement des Russes pour y installer des dispositifs d'écoute sophistiqués. Lunau dit à Farrell de se comporter comme s'il appartenait à ce milieu huppé et à cet édifice de luxe. Murphy exhorta Farrell à ne montrer aucune nervosité s'il tombait sur les Lambert. «Sois toi-même», lui dit-il.

Farrell se demandait comment il réagirait lors de sa première rencontre avec les espions russes. Il s'inquiétait de savoir si on l'épiait en retour. Il se demandait si les Lambert savaient déjà qu'il travaillait pour le SCRS. Il se demandait s'il était en danger. Il se demandait s'il valait la peine de risquer sa vie pour vingt dollars de l'heure. Les enjeux étaient élevés pour Lunau, Murphy et le Service, mais, en fin de compte, c'était lui qui vivait à quelques pas d'espions russes potentiellement dangereux. Pour la première fois depuis très longtemps, il était nerveux.

Pendant qu'il entrait en trombe dans le parc de stationnement souterrain de Roehampton Avenue, de retour après sa très matinale tournée d'interception de courrier à Niagara Falls et à Hamilton, Farrell jeta un rapide regard à l'emplacement 48. Si la Mazda rouge portant la plaque 696 WKM occupait l'espace, il savait que les Lambert étaient là. Farrell arrivait souvent à la porte de son appartement en portant un plein sac d'épicerie tandis que les espions prenaient leur douche matinale et nourrissaient leur chat Murphy. En écoutant attentivement avec son oreille collée sur le mur, Farrell savait que les Lambert se levaient à sept heures les jours de semaine, que Laurie était habituellement la première dans la salle de bains et qu'elle adorait prendre de longues douches. Ian se prélassait longuement au lit. Le couple parlait toujours anglais à la maison et leur conversations étaient parfois orageuses.

Quand, à huit heures, le couple émergea de son appartement pour aller faire sa journée, Farrell se précipita à son judas et les regarda silencieusement se diriger vers l'ascenseur. Il semblait approprié que son premier aperçu des espions russes passe par un judas. En jetant un coup d'œil, il put prendre la mesure de ses adversaires. Le Service avait décrit les Russes comme des êtres presque surhumains, mais les Lambert semblaient inoffensifs. À ses yeux, Laurie semblait ordinaire, pâle et avait l'air de s'ennuyer. Ian était petit, grassouillet et avait l'air grave. En observant les espions se tenir devant l'ascenseur avant d'entreprendre une autre journée de mensonges, Farrell vit ses pensées se tourner vers son père, Joseph. Durant la Deuxième Guerre mondiale, son père avait servi dans la marine marchande en Afrique du Nord, en Europe et en Angleterre, et la blessure qu'il avait reçue pour son pays avait empoisonné sa vie et celle de sa famille. Une vague de pure colère le gagna, dirigée vers les deux agents russes. C'était la seule fois qu'il se sentait ne faire qu'un avec la mission d'importance primordiale du Service. Il griffonna minutieusement l'heure de leur départ dans un petit carnet et entra les données dans un petit ordinateur fourni par le SCRS.

Farrell attendit un moment après le départ des Lambert avant d'aller rencontrer les inspecteurs auxiliaires pour ramasser leur courrier. Il rencontra ensuite brièvement Lunau pour lui remettre les lettres et les détails qu'il avait notés sur les Lambert. Il retourna ensuite à l'appartement pour faire une sieste, avant de filer vers l'aéroport pour prendre des colis spéciaux. Plus tard, Lunau arrêta chez Farrell pour livrer d'autres lettres. Jour après jour, Farrell observait cette routine. Il y avait cependant une addition importante à celle-ci. Farrell commença à intercepter le courrier des Lambert au bureau de poste K, au 2384 Yonge Street, quelques jours à peine après avoir emménagé dans l'appartement. Le couple ne recevait que quelques pièces de courrier par semaine, surtout des factures, jamais de correspondance d'outre-mer.

Personne, pas même Lunau ou Murphy, n'avait le droit d'entrer dans l'appartement de Farrell sans sa permission. Bien qu'il eût remis une clé à ses supérieurs, Farrell expliqua clairement que, pour sa propre sécurité, il devait contrôler toutes les allées et venues. Mais Ray Murphy enfreignit la règle. Apparemment plutôt désœuvré, le chef du SOS flânait dans l'appartement en portant sa casquette des Maple Leafs de Toronto et se servit quelques-unes des bières de Farrell. Entre-temps, le SCRS avait affecté jusqu'à six surveillants pour garder l'œil sur les Lambert vingt-quatre heures par jour, sept jours par semaine. Farrell entendit souvent leurs chefs entrer en contact avec eux sur les ondes radio sécurisées pour noter l'endroit où ils étaient ou pour rapporter des faits inhabituels. À une occasion, par exemple, un surveillant avait remarqué un policier rôdant autour du 77 Roehampton Avenue. Le SOS reçut instruction de chasser le policier avant qu'il n'attire trop l'attention.

Parmi les surveillants affectés à cette mission se trouvait Richard Garland, cet agent sujet aux erreurs. Un autre surveillant affecté à l'opération Coupe Stanley était une jeune femme noire attirante dont l'expérience précédente se résumait à des stages dans un café *Second Cup* et comme serveuse au Royal York Hotel. Farrell était récemment tombé sur elle au *Montana*, un bar pour célibataires populaire à Toronto. La femme, ne sachant pas qui était Farrell, lui raconta qu'elle travaillait pour le SCRS.

— Oh! vraiment? Qu'est-ce que c'est?

— Je viens juste de recevoir mon habilitation de sécurité de niveau ultrasecret, ricana-t-elle.

C'était une des personnes chargées de surveiller les Lambert, à l'époque l'opération de renseignement la plus importante en cours à Toronto. Farrell raconta l'incident à Lunau, qui, pour toute réponse, balaya de la main cette histoire. Farrell et la surveillante bavarde devaient se revoir bientôt.

Tard un après-midi de septembre 1994, Lunau et Murphy fixèrent un rendez-vous dans une fourgonnette ordinaire garée sur un terrain de stationnement municipal près de l'appartement des Lambert. Les vétérans du SOS utilisaient souvent ce lieu commode pour discuter le coup avec Farrell. Ce dernier était occupé à informer Lunau et Murphy quand il vit s'ouvrir la portière coulissante et entrer la surveillante. Elle demeura bouche bée quand elle vit Farrell. Il l'accueillit avec un sourire qui disait tout.

Ce n'était pas le temps des règlements de comptes, car Lunau voulait que les deux suivent le jeune couple qui visitait l'appartement des Lambert pour arroser leurs plantes durant leur absence. Tandis qu'ils suivaient ce couple depuis l'appartement des Lambert jusqu'à une rue avoisinante, où ils interrompirent la chasse, Farrell et la jeune femme se tenaient par la main. En chemin, elle pressa Farrell de questions.

— C'est Garland qui t'a obtenu ce poste, n'est-ce pas? murmura-t-elle.

— Personne ne m'a obtenu ce poste. Si j'étais toi, j'apprendrais à me la fermer.

Déjà sous le coup d'une enquête du département de sécurité interne, Garland était sur le point de faire l'objet d'une autre enquête. Sa dernière faute: il avait fait imprimer des centaines de cartes d'affaires où il se décrivait comme un agent fédéral. La carte avait une allure officielle: elle portait son nom et était décorée de deux petits unifoliés canadiens. Elle décrivait le modeste surveillant comme un agent fédéral travaillant pour le bureau du «Solliciteur général du Canada». Garland avait fait faire ces cartes, selon Farrell, parce qu'il avait pris la mouche de ce que les enquêteurs américains avaient l'habitude de se décrire comme des agents fédéraux, alors que les surveillants n'avaient pas de tels titres ronflants. Garland s'apprêtait à se rendre à Tucson, Arizona, pour témoigner dans une cause contre Denis Leyne, un banquier canadien accusé d'avoir expédié des armes et des munitions à l'Armée républicaine irlandaise (IRA). Avant de partir pour les États-Unis, il montra à Farrell une maquette de sa nouvelle carte d'affaires. Farrell tenta en vain de lui faire abandonner ce projet. Garland alla à Tucson, témoigna au nom du Service et retourna avec une lettre de recommandation du procureur américain qui vantait «l'agent fédéral» pour son professionnalisme.

La glorieuse aura entourant le fructueux voyage de Garland dans le Sud s'évapora quand le département de sécurité interne du SCRS eut vent que le surveillant semait ses cartes d'affaires bidon à travers la ville, en plus de montrer sa carte d'identité du SCRS pour entrer dans les bars et les clubs de nuit et, hébété par l'alcool, souvent tout révéler sur son travail secret. Marty Dengis, un enquêteur du département de sécurité interne, obtint l'approbation de Lunau pour interroger Farrell sur les curieuses habitudes de Garland. Farrell n'en souffla mot. Dengis dit à Farrell que le Service avait récupéré la totalité des cinq cents cartes que Garland avait fait imprimer, sauf deux. Ce que Dengis et le Service ne savaient pas, c'est que l'imprimeur avait donné à Garland cinquante cartes supplémentaires, qu'il avait également disséminées à Tucson et à Toronto. Parmi ses récipiendaires favoris, il y avait des jeunes femmes qu'il rencontrait en draguant dans les bars de la ville, dont une femme qui gérait le service de nourriture et de boisson dans un *Holiday Inn* du centre-ville. Quand Lunau apprit ce dernier manquement à la sécurité de Garland, il appela Farrell.

Farrell connaissait la femme du *Holiday Inn* et s'arrangea pour la rencontrer à *My Apartment*, un populaire bar de rencontres du centre-ville. Dans une conversation avec Farrell avant leur rencontre, la jeune femme, appelée Julie, décrivit Garland en des termes peu flatteurs; elle lui dit qu'un soir il lui avait raconté qu'il était un agent secret. Julie lui confia: «Il m'a dit: "Je travaille pour le SCRS. Très souvent, ils m'envoient à l'étranger sans préavis et je ne sais pas quand je reviendrai au pays. C'est très dangereux. Ne le dis à personne." Peux-tu croire ça, John?» Elle dit que Garland lui avait montré sa carte d'identité du SCRS, un carnet du Service et un gros étui à pistolet. Il prétendait également être un pilote du gouvernement qui emmenait des fonctionnaires supérieurs à Washington et à Ottawa. «J'étais loin de me douter qu'il mentait sans arrêt et que c'est pathologique chez lui», dit Julie à Farrell.

Au club avec Julie, Farrell gagnait du temps. À mesure que la soirée avançait, le vacarme augmentait et la jeune femme devenait pompette. Farrell en profita pendant qu'elle alla aux toilettes en laissant son sac derrière elle. Il fouilla le sac à main et en retira la carte de Garland. Le jour suivant, il la remit à son patron soulagé. On suspendit Garland pour six semaines, mais il conserva son poste. (Le sort des quarante-neuf autres cartes manquantes demeure un mystère.) Les chats et les agents du SCRS ont un trait commun: les uns comme les autres ont neuf vies.

* * *

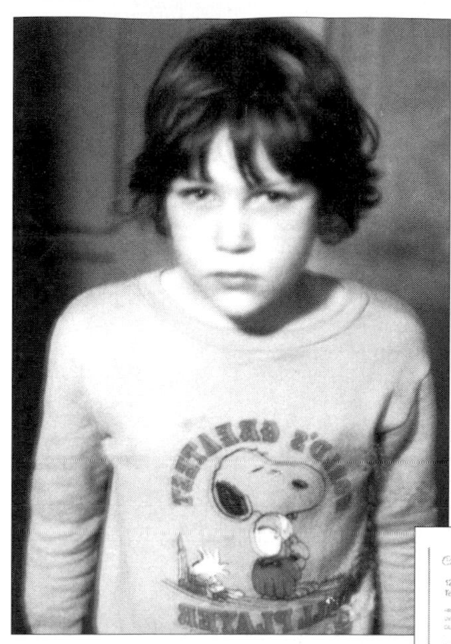

John Farrell à l'âge de cinq ans.

En sixième année.

Neil McNeil High School

127 Victoria Park Avenue, Toronto, Ontario M4E 3S2
Telephone (416) 698-3171/2/3

Accomplishments in Six Games

CFTO News Top Metro Player of the Week

-CFTO News Top Nine Players of the Week

-Has started every game in high school

-Averaged over 30 pts per game so far this season

-The first game of the Tournament John scored 37 pts. grabbed 3 Off Rb, 8 Def Rb, made 4 Asst and 4 steals

John has been the driving force behind the Wildcats ever since he joined the team 5 years ago. Unlike most players right out of grade school, John immediately stepped into the starting lineup. Since 1981 he has put up some very impressive statistics.

John does so many things well and it's difficult to stop him. He shoots the ball well outside, and never seems to get rattled which separates him from many great players.

John Mullins

UNDER THE DIRECTION OF THE HOLY GHOST CONGREGATION

Un résumé de sa carrière de basket-ball à l'école secondaire.

Farrell fonçant vers le panier pour l'équipe de Neil McNeil.

Farrell au dernier rang (numéro 22) avec l'équipe de l'université Simon Fraser. L'entraîneur Jay Triano est le troisième à partir de la droite au premier rang.

Le clan Farrell au mariage de Gwen en 1984. À partir de la gauche, Greg, Mary, Lou, Art, Claire, Carmelita Annette, Patricia, Louise, le père de John, Gwen, son nouveau mari, Kevin, la mère de John, John, Cathy, Josephine et Joe.

Jesse Barnes, entraîné pour être un tueur à gages de la pègre, et qui se retrouva en possession de dossiers de surveillance ultrasecrets du SCRS volés dans une voiture appartenant à un membre de l'unité de surveillance du Service.

Barnes, à l'extérieur de la petite maison de Novar, en Ontario, où il avait caché les dossiers.

La carte d'identité d'inspecteur des postes auxiliaire de Farrell.

Pat Baker

Kenny Baker, l'inspecteur des postes auxiliaire qui a entraîné Farrell aux us et coutumes des interceptions de courrier du SCRS.

Le parc de stationnement souterrain près du quartier général du SCRS à Toronto, où Farrell rencontrait Don Lunau et Ray Murphy.

Don Lunau.

Angela Jones, l'agent du SCRS qui a visité Jesse Barnes en prison.

Le pique-nique annuel du SCRS au Centre Island de Toronto.

Des agents du SCRS au jeu, lors de leur partie de baseball annuelle à Toronto.

Farrell avec l'une des anciennes petites amies de Richard Garland, de qui on lui avait ordonné de recouvrer une des cartes d'affaires problématiques.

La carte bidon de Garland.

Farrell avec Garland, au mariage de celui-ci.

Les cartes d'affaires de Jack Billingsley pour son agence de voyages.

Sun Media Corp.

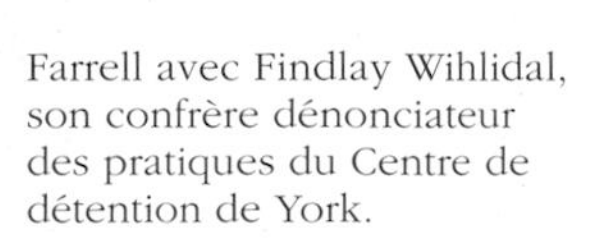

Farrell avec Findlay Wihlidal, son confrère dénonciateur des pratiques du Centre de détention de York.

Le dispositif d'écoute déguisé en connecteur téléphonique utilisé par Farrell pour espionner un postier soupçonné de refiler des informations aux médias durant l'affaire Grant Bristow.

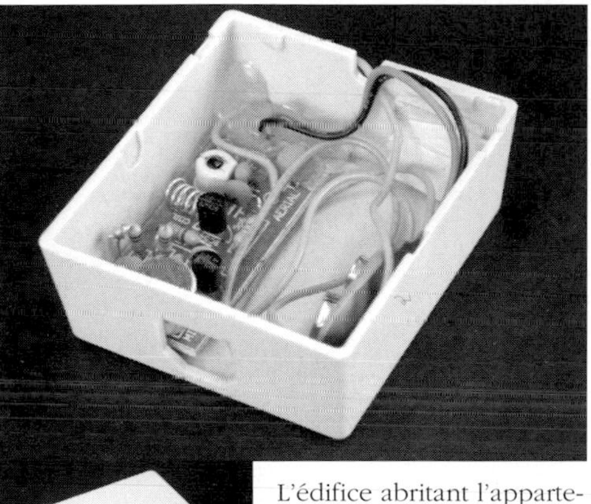

L'édifice abritant l'appartement de Roehampton Avenue, où vivaient les agents russes en sommeil, Ian et Laurie Lambert. Farrell avait loué l'appartement 602, afin que le SCRS puisse les épier

La voiture sport d'Ian Lambert, que le SCRS vola brièvement afin d'y installer un dispositif de surveillance, garée devant le condo The Parisienne, où Ian vivait après sa rupture avec Laurie.

Sun Media Corp.

Les Lambert, dont les vrais noms étaient Dmitriy Olshevsky et Yelena Olshevskaya.

La clé de la Couronne.

Farrell avec Anita Keyes, l'amoureuse canadienne d'Olshevsky devenue son épouse.

L'appartement loué par Farrell comme poste d'observation mais qui fut plutôt utilisé par Heather McDonald, la fille d'un cadre supérieur du SCRS. L'appartement 6C est à la gauche, au dernier étage de l'édifice du milieu.

Farrell à la maison avec des amis. Il se tient à côté de Renée Murphy, qu'il a entraînée afin qu'elle puisse passer l'examen d'admission de la GRC.

Marchessault (à droite) avec Cliff Hatcher, un membre de l'unité des Opérations spéciales de Toronto.

Jean-Luc Marchessault

Jean-Luc Marchessault, à l'extrémité gauche du premier rang, en compagnie de ses camarades de promotion en tant qu'agents du SCRS.

Jean-Luc Marchessault

Farrell lors de son séjour à l'entraînement pour devenir agent de la police régionale de Durham.

Farrell remettant l'équipement que lui avait confié le SCRS à un agent devant le quartier général de l'agence sur Front Street West, à Toronto.

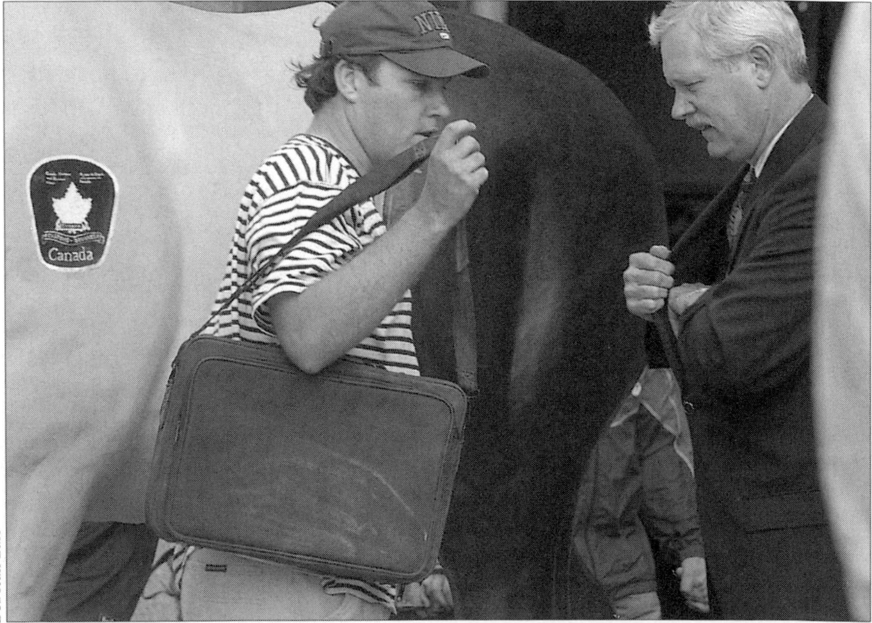

Deborah Baic

Photo courtoisie de John Farrell ou d'Andrew Mitrovica.

Peu de temps après que Farrell eut emménagé à son appartement de Roehampton Avenue, le SCRS commença à se préparer à entrer dans l'appartement des Lambert pour y installer des dispositifs d'écoute électronique. La première tâche consistait à faire entrer clandestinement l'équipement dans l'édifice. Farrell emmena trois ingénieurs du département des services techniques du SCRS, Alex Yu, Dean Weber et Mike Israel, d'un terrain de stationnement près de l'école secondaire Northern Secondary School vers l'édifice. Il fit trois voyages dans sa voiture compacte, chaque fois remplie d'attirail électronique et avec un ingénieur à bord. Israel, le plus vieux de l'équipe, était dans la cinquantaine. Cet ex-ingénieur militaire était un expert serrurier. Weber était le farceur. Avec ses cheveux frisés, ses verres et son éternel sourire, il ressemblait davantage à un gentil comptable qu'à un magicien de la technologie payé par le gouvernement. Yu était un oiseau rare au SCRS : un représentant de la minorité visible. Dans le jargon du Service, ce diplômé du British Columbia Institute of Technology était un CBC (*Chinese-born Canadian*, un Canadien d'ascendance chinoise).

Les techniciens apportèrent quinze valises en aluminium remplies d'instruments et d'outils électroniques sophistiqués. Farrell voulait utiliser un chariot pour transporter l'équipement en un seul voyage par l'ascenseur de service, mais « les trois amigos », comme les appelait Farrell, avaient une autre idée. Afin d'éviter un accident qui aurait pu endommager le contenu d'une des valises, ils voulaient utiliser l'ascenseur principal et monter les valises au sixième deux à la fois. Farrell craignait d'être ainsi repéré. Il perdit. Les ingénieurs et Farrell montèrent les valises par l'ascenseur principal et défilèrent devant la porte des Lambert avant d'entrer dans son appartement. Il fallut une demi-heure pour tout monter. Pendant tout ce temps, Farrell était on ne peut plus nerveux.

Une fois à l'intérieur, il couvrit d'un drap la grande fenêtre du salon, car le SCRS ne s'était pas donné la peine de payer des rideaux. Lunau arriva alors que les ingénieurs déballaient leur équipement. Les techniciens se livrèrent à une batterie de tests, y compris la mesure de l'épaisseur des murs. Israel examina aussi minutieusement les serrures de la porte principale.

Soudain, on cogna bruyamment à la porte. Lunau fit signe à tout le monde de cesser de bouger et s'avança doucement sur la pointe des pieds vers le judas. « C'est le concierge, murmura-t-il. Débarrasse-toi de lui. »

Farrell entrouvrit la porte et dit à Marty qu'il était au téléphone. « J'irai vous trouver plus tard, d'accord? »

« Pas de problème », répliqua le concierge.

Les techniciens reprirent leur travail et installèrent de l'équipement dans la cuisine. Lunau demanda aussi à Israel d'installer une autre chaîne sur la porte, pour s'assurer que le concierge n'entre pas sans prévenir. L'équipement installé par les ingénieurs du SCRS dans l'appartement de Farrell avait été emprunté à l'organisme de renseignements frère du Service, le Centre de la sécurité des télécommunications (CST). Peu connu, le CST est l'appendice du ministère de la Défense nationale qui écoute clandestinement les Canadiens et le monde. À partir de ses six postes d'écoute ultrasecrets répartis dans le pays et de son quartier général à Ottawa, cet organisme agit comme une sorte de gros aspirateur dans la brume électronique, aspirant le trafic d'Internet, les appels sur téléphones cellulaires et les télécopies des diplomates, des escrocs et des terroristes. (Et maintenant ceux des Canadiens ordinaires. Après les attaques terroristes du 11 septembre contre les États-Unis, Ottawa a levé l'interdiction faite au CST d'épier les télécommunications des Canadiens. Il s'agit là d'un développement troublant, car l'organisme multimillionnaire, qui a des milliers d'employés à son service, n'a pas besoin de mandats pour se livrer à l'écoute électronique puisqu'il fait partie de l'armée. En 1995, Ottawa avait créé avec réticence une petite équipe pour tenir l'organisme à l'œil après que Jane Shorten, une ancienne analyste du CST, eut dénoncé les pouvoirs d'espionnage abusifs du Centre. Le CST et le SCRS sont soudés l'un à l'autre; ce sont des partenaires indispensables en matière d'espionnage.)

Farrell était heureux de voir les techniciens installer leur équipement d'écoute. Cela signifiait qu'il n'aurait plus à se lever de son lit ou de son sofa chaque fois que les Lambert bougeraient ou parleraient. Mais la paix de Farrell fut bientôt dérangée à nouveau par le concierge curieux. Marty avait observé que Farrell était souvent absent et il n'avait jamais vu son beau et sportif locataire en compagnie d'une femme. Farrell lui dit que sa petite amie était hôtesse de l'air pour Air Canada et qu'elle était basée à Vancouver, ce qui sembla le satisfaire pour un temps. Puis

Marty changea d'idée au sujet du pourboire de cinq cents dollars qu'il avait refusé. Farrell temporisa mais Lunau opposa un non catégorique. Pour consoler Marty de sa déception, Farrell l'emmena chez *Cheaters*, une boîte de strip-tease du coin, et il commanda plusieurs consommations et des danses à la table.

* * *

À l'automne 1994, l'opération Coupe Stanley prenait la plus grande partie du temps de Farrell. Il n'avait même pas encore rencontré les Russes face à face. Vers cinq heures et demie de l'après-midi un jour d'octobre, Farrell gara avec précaution sa nouvelle voiture, une Porsche usagée, dans le parc de stationnement souterrain. Il s'empara de ses sacs d'épicerie sur le siège arrière et se dirigea vers l'ascenseur. Les portes s'ouvrirent. L'ascenseur était vide. Farrell pressa le bouton du sixième étage, ferma les yeux et appuya sa tête fatiguée contre le mur, sombrant presque dans le sommeil. L'ascenseur arrêta au rez-de-chaussée. Ian et Laurie Lambert entrèrent.

Farrell se réveilla. Le cœur battant, il dit bonjour. Les Lambert avaient l'air préoccupés et saluèrent de la tête, souriant sans trop de conviction. «Des snobs», pensa Farrell. Ses paumes devenaient moites à mesure que l'ascenseur approchait lentement du sixième étage. Il se rappelait la recommandation de Murphy: demeurer calme. «Sois toi-même, sois toi-même», se répétait silencieusement Farrell. Il réalisa alors que les Russes ignoraient qu'il était un agent du SCRS. Il n'était qu'un enfant de Parma Court. Ils étaient deux agents d'espionnage russes et ils n'avaient pas la moindre idée de ce qui se tramait.

Les Lambert sortirent les premiers de l'ascenseur. Farrell les suivit à quelques pas derrière, de façon que les espions ne se sentent pas mal à l'aise. Les Lambert arrêtèrent à leur porte et Laurie fouilla dans sa bourse, cherchant sa clé. Farrell arriva à sa porte et ne put résister à la curiosité de jeter un autre coup d'œil à son gibier. Laurie leva les yeux et croisa le regard de Farrell. Elle sourit et sembla reconnaître l'homme de l'ascenseur comme étant son voisin.

Les Lambert disparurent dans leur appartement, Farrell dans le sien. Il verrouilla la porte et nota sa rencontre pour Lunau. Il s'assit sur le sofa, alluma la télé et se servit une bière. Il ne devait jamais plus se retrouver aussi proche des Lambert.

* * *

Les préparatifs continuaient en vue d'entrer dans l'appartement des Lambert. Farrell rencontrait régulièrement Lunau et Murphy dans des pubs du quartier – le *Rose & Crown*, le *Duke of Kent*, le *Chick'n' Deli* – pour discuter de l'opération. Ils ont ordonné à Farrell de ratisser le parc de stationnement souterrain et de noter les numéros des plaques et les modèles des voitures jusqu'à ce qu'il ait établi la liste complète des autres locataires de l'édifice. Il s'agissait d'identifier tous les complices potentiels qui auraient pu offrir de l'aide aux Lambert. À cette fin, Lunau ordonna aussi à Farrell de mener des vérifications de courrier sur tous les locataires du 77 Roehampton Avenue. Selon Farrell, le Service n'a pas nécessairement obtenu les mandats judiciaires nécessaires pour intercepter le courrier de centaines de locataires qui n'avaient absolument aucun lien avec les Lambert, mais cela n'arrêta pas Lunau. Il ordonna à Farrell de photocopier les noms et les adresses de chaque locataire de l'édifice à partir du courrier transitant par le bureau de poste K sur Yonge Street.

Ses descentes nocturnes dans les profondeurs de l'édifice énervaient Farrell. Les parcs de stationnement souterrains peuvent faire naître de sombres pressentiments. Les grosses colonnes de béton offrent d'excellents obstacles derrière lesquels se cacher. Farrell s'inquiétait de savoir qui était derrière le volant quand le crissement des pneus perçait soudain l'angoissant silence. Il décida qu'il se sentirait plus en sûreté avec une arme. Lunau portait parfois un petit pistolet dans son sac, même si les agents du SCRS ne sont pas des policiers et n'ont pas le droit de porter d'armes. En s'adressant à Lunau, il était certain de son coup. Celui-ci l'invitait souvent à l'accompagner aux champs de tir, des invitations que Farrell déclinait toujours. Mais il obtint une arme semi-automatique d'un magasin de sport[1].

---

1. Farrell obtint un permis pour un pistolet Squire Bingham de calibre.22, dont le numéro de série est le A499511.

Lunau appela Farrell en ce mois d'octobre pour lui annoncer de bonnes nouvelles. Ottawa lui avait donné le feu vert pour entrer chez les Lambert. Lunau passa quatre jours à préparer des plans pour cette opération. Ce plan définissait tous les aspects de l'entrée clandestine, à partir du nombre d'agents impliqués, leur tâche précise, les endroits où ils seraient postés et comment ils communiqueraient entre eux, jusqu'au plan de réserve au cas où il faudrait faire avorter l'opération clandestine. Michelle Tessier vérifia le plan et y apporta des ajustements; on envoya ensuite le plan à Keith McDonald à Ottawa pour approbation.

Grâce à des coups de téléphone captés et au courrier intercepté, le Service avait appris que les Lambert projetaient d'aller trouver des amis hors de la ville. Les communications interceptées révélaient aussi que les espions russes avaient demandé à un couple qui vivait à peine à quelques rues de là de passer par leur appartement pour arroser les plantes et nourrir Murphy, leur chat. Lunau avait peine à contenir son excitation. Les surveillants s'installèrent autour de l'édifice. Sur instruction de Lunau, Farrell avait loué l'appartement 111 au rez-de-chaussée du 100 Roehampton Avenue, directement de l'autre côté de la rue, sous le nom de John Turner. Cet appartement était utilisé comme repaire par les surveillants, les techniciens et les membres du SOS. Farrell persuada même le propriétaire d'émonder un arbre qui obstruait la vue sur la demeure des Lambert. (Farrell devait plus tard louer un autre appartement au sixième étage et encore un autre au septième étage de ce même édifice, parce qu'ils offraient des vue dégagées sur l'appartement des Lambert et sur Roehampton Avenue. Linda Smith, une agente du SCRS affectée à l'opération Coupe Stanley, emménagea dans l'un de ces appartements. Smith, qui travaille maintenant pour la Commission de valeurs mobilières de la Colombie-Britannique, sous-loua ensuite l'appartement à sa sœur. D'après Farrell, elle se plaignit une fois à Lunau de ce que les techniciens se servaient de jumelles pour la regarder se déshabiller dans son appartement.)

On avait complété les vérifications d'usage sur les autres locataires du 77 Roehampton, sans trouver aucun autre membre de la cinquième colonne. Mais Farrell découvrit que Richard Garland avait loué une garçonnière au 100 Roehampton Avenue et que le quartier fourmillait d'agents du SCRS qui n'étaient pas liés à l'opération clandestine. C'était si grave, d'après Farrell, que Lunau tombait toujours sur des agents de renseignements dans les rues voisines de la demeure des Lambert.

* * *

Un jeudi soir de la fin d'octobre 1994, Lunau rassembla l'unité du SOS à l'appartement de Farrell pour une réunion d'information. Tessier, Farrell, Israel, Weber et Yu étaient présents. On délégua aussi à cette réunion deux agents de renseignements d'Ottawa qui avaient déjà travaillé dans la région de Toronto. Tout le monde se tenait debout tandis que Lunau, portant son familier coupe-vent frappé des armoiries de Porsche, passait en revue le plan, parlant à partir de notes manuscrites.

On choisit Tessier et Yu pour s'infiltrer dans l'appartement des Lambert à exactement vingt-trois heures quarante-cinq en utilisant une clé fabriquée par Israel. (Farrell avait essayé la clé pour être sûr qu'elle fonctionnait.) Tessier était équipée d'un petit microphone dissimulé sous son poignet et d'un écouteur, qui lui permettaient de communiquer avec Lunau. Yu devait filmer l'appartement des Lambert. La tâche de Farrell était de porter un matelas pneumatique à l'ascenseur. Grâce à ce matelas, Lunau voulait voiler la vue de l'entrée clandestine aux autres locataires. « Je croyais que c'était une idée ridicule. Qui déménage des meubles si tard le soir? »

Farrell devait aussi jouer les fiers-à-bras. Lunau lui dit d'assommer quiconque tenterait de contourner le matelas.

« Avec quoi? » demanda Farrell. « Avec tes poings », répliqua franchement Lunau.

Un autre agent serait posté à la sortie de secours, à l'affût de tout mouvement dans les escaliers, tandis qu'un autre se tiendrait dans le corridor au bout opposé de celui de Farrell. Lunau demeurerait dans l'appartement de Farrell, à deux pas de celui des Lambert, observant le déroulement des opérations par le judas. Il n'y avait qu'un plan de réserve au cas où la mission serait compromise : Farrell en porterait la responsabilité.

Farrell dit : « J'étais le seul possédant un casier judiciaire et un historique d'entrées par effraction. Si l'opération tournait au vinaigre, c'est moi qui devait prendre le coup. » (Il accepta car il était confiant que Lunau interviendrait et empêcherait la police de porter des accusations.)

La réunion d'information dura quinze minutes.

«Nous y allons à vingt-trois heures quarante-cinq précises, dit Lunau. Des questions?»

Le silence tomba sur l'équipe, tandis que tous synchronisaient leur montre. Il était vingt-deux heures trente quand Lunau fit une dernière annonce surprise.

«John n'a jamais été ici. Il n'existe pas. Est-ce que tout le monde comprend?»

Son équipe acquiesça de la tête.

Farrell procéda à une dernière vérification et frappa à la porte des Lambert. Personne ne répondit. Lunau donna le signal d'y aller à vingt-trois heures quarante-quatre.

Deux agents prirent rapidement position dans le corridor et à la sortie de secours. Tessier et Yu furent les derniers à sortir. Tessier mania nerveusement la clé avant d'entrer silencieusement dans l'appartement des Lambert. Elle poussa alors un cri étouffé. Lunau retint son souffle.

«Qu'y a-t-il?» murmura-t-il dans le microphone.

Tessier répondit que le chat Murphy l'avait effrayée. Yu ferma la porte derrière eux. Tessier alluma sa torche électrique et commença à prendre des notes pendant que Yu filmait l'appartement au complet. Sortant la tête par la porte, Lunau fit signe à Farrell de revenir à l'appartement et lui ordonna de s'occuper du judas. Il était tard et Farrell était fatigué. Il luttait pour rester éveillé, mais l'ennui et la fatigue eurent raison de lui et il s'assoupit. Sa tête frappa la porte avec un grand bruit. Lunau, surpris par le bruit, ordonna à tout le monde d'arrêter sur place.

«Qu'est-ce que c'était?» aboya-t-il.

Farrell dormait encore à moitié.

Lunau entra en contact avec les surveillants et leur demanda s'ils avaient vu quelque chose de suspect.

— Il ne se passe rien ici, répliqua un surveillant. Mais on est en train de se les geler.

— Qu'est-ce que c'était? demanda nerveusement Tessier.

— Je ne sais pas, dit Lunau, mais j'essaie de le savoir.

Ce brouhaha réveilla Farrell, qui ne dit mot.

Le premier round fut complété en quinze minutes. Tessier et Yu revinrent de l'appartement. Mis à part le cri de Tessier et le mystérieux bruit, l'opération se déroulait bien. L'unité se réunit dans l'appartement pour faire le point. Farrell avala un coca-cola pour combattre le sommeil et éviter un nouvel incident.

À minuit trente, le deuxième round commença. À nouveau, Farrell sortit le premier, suivi par les deux agents. Cette fois, Yu, Weber et Tessier entrèrent rapidement dans l'appartement en transportant plusieurs valises en aluminium remplies de dispositifs d'écoute et d'observation électroniques. Murphy, le chat solitaire, fut encore surpris par les intrus. Lunau gardait son œil fermement pressé sur le judas. Il rappela Farrell à l'appartement pour prendre son tour de guet du corridor. Dans l'autre appartement, les techniciens travaillaient fébrilement pour installer des instruments d'écoute et de surveillance vidéo.

Farrell dit: «C'était comme si nous étions tous assis dans un abris antiaérien dans l'attente qu'une bombe explose.»

Lunau gardait constamment le contact avec les surveillants, recevant une mise à jour chaque fois que quelqu'un entrait ou sortait de l'édifice. Il appela aussi Ottawa. Farrell tendit l'oreille quand les techniciens allumèrent la télévision et la radio pour calibrer leur équipement.

À une heure et vingt, Yu, Tessier et Weber sortirent de l'appartement.

À trois heures, l'équipe épuisée finissait de remballer son équipement et s'apprêtait à foutre le camp. Farrell appela l'ascenseur et fit signe à Lunau quand il arriva. Tessier et les techniciens se dépêchèrent de s'y engouffrer. Lunau, Farrell et les autres agents de renseignements suivirent plus tard. L'unité se réunit dans le parc de stationnement souterrain, où une fourgonnette vint pour remporter l'équipement et ramener les techniciens et les agents chez eux.

Impatient et fatigué, Farrell voulait seulement retourner à sa demeure dans l'Est et aller marcher un peu avec son chien. Il avait désespérément besoin de quelques heures de sommeil avant de rencontrer les inspecteurs auxiliaires chez lui plus tard ce jour-là. Lunau voulait lui payer un petit déjeuner au *Sunset Grill*, un repaire habituel du patron du SOS dans le quartier Beach. Farrell secoua la tête.

— John, trouves-tu cela excitant au moins? demanda Lunau.

— Bien sûr.

Ce fut le seul commentaire que put trouver Farrell.

Plus tard ce jour-là, Lunau arriva chez Farrell pour laisser du courrier et lui remit mille dollars comptants comme récompense.

« Tu as fait du bon travail la nuit dernière », dit Lunau. Farrell prit l'argent et retourna dormir.

9
ROMÉO ET LA CLÉ DE LA COURONNE

À peine quelques semaines après que Don Lunau eut pu entrer clandestinement dans l'appartement des Lambert, lui et Murphy durent faire face à une crise imprévue. Les appareils d'écoute sophistiqués installés par le SOS eurent tôt fait de confirmer ce que Farrell avait entendu en collant son oreille contre le mur: les Lambert se disputaient. Les furieuses prises de bec étaient réelles, bruyantes et de plus en plus fréquentes. Les espions russes approchaient de l'inconcevable: une rupture.

L'amour, ou du moins le désir, avait fait long feu entre eux. Il s'avéra qu'Ian était fou d'amour pour Anita Keyes, une comptable grande et attirante qui travaillait avec lui chez Black Photo. Ils s'étaient rencontrés au début de 1994. À partir de là, l'aventure avait suivi le cours habituel: des regards furtifs, suivis de bavardages destinés à séduire, de lunchs, de dîners, pour finir dans le lit. Ian menait une *deuxième* vie clandestine.

Laurie, sa femme, son amante et sa compagne d'espionnage, se mit à le harceler de questions à propos de ses absences exceptionnellement prolongées de la maison. Ian mentait, prétendant être occupé à la bibliothèque. Sa trahison blessa Laurie au plus profond. Leur mariage avait beau avoir été arrangé par les maîtres espions russes et leurs identités avaient beau être fausses, l'amour de Laurie pour Ian était authentique. Un après-midi de l'automne 1994, Farrell écoutait attentivement Laurie affronter son mari sur cette affaire avec des preuves. La querelle éclata violemment, au point que les cris firent sursauter celui qui les écoutait. Quand la dispute fut terminée, Farrell pouvait entendre les sanglots étouffés de Laurie. Le mariage était fini[1].

Cette rupture posait plusieurs problèmes au SCRS. Il deviendrait plus difficile de suivre les espions s'ils vivaient séparément. Cela impliquerait de louer plus d'appartements pour garder la paire d'espions à l'œil, d'envoyer plus de surveillants et d'injecter davantage d'argent pour maintenir le fonctionnement efficace de l'opération Coupe Stanley.

* * *

Les conversations téléphoniques interceptées avaient révélé que Laurie projetait de demeurer au 77 Roehampton jusqu'à ce qu'elle trouve un endroit moins cher pour vivre. Ian et Laurie divisèrent leurs précieuses possessions. Elle conserverait le chat Murphy et la radio à ondes courtes utilisée pour entrer en contact avec leurs supérieurs à Moscou, tandis que lui conserverait la coûteuse voiture sport.

À la fin de 1994, Ian plia bagages et déménagea ses pénates dans une miteuse tour à côté d'un grand ensemble gouvernemental décrépit, au 921 Midland Avenue, dans l'est de Toronto. L'édifice s'appelait « The Parisienne », même si sa façade décrépite ne faisait aucunement penser à la Ville lumière. Ian partageait la suite 615, un petit appartement de deux chambres à coucher, avec un ami de Black Photo. (Ce colocataire avait été le témoin présent à son mariage avec Laurie.) Sa nouvelle demeure était à vingt minutes de voiture et aussi à des années-lumière des boutiques et restaurants chic ainsi que des yuppies de Yonge et Eglinton.

Le 24 novembre 1994, Laurie signa un bail de six mois à la tour Manhattan Towers, au 75 Broadway Avenue. Le loyer était modeste : quatre cent quatre-vingt-un dollars et soixante-quatre

---

1. À l'époque, le SCRS n'était pas certain si la rupture n'était pas un stratagème pour brouiller les pistes. Le Service conclut plus tard que la rupture était bel et bien le fruit des fragilités et des désirs humains.

cents par mois. Laurie déménagea dans la suite 417, le jour de l'An 1995. Son déménagement sur Broadway Avenue, à seulement une rue au nord de Roehampton, était un coup de chance pour le SCRS. Les appartements à louer étaient rares dans le quartier et le Service pouvait encore compter sur le 100 Roehampton pour la surveiller jusqu'à ce qu'on déniche un suite dans Manhattan Towers.

Entre-temps, Lunau et Murphy accouchèrent d'un plan pour se rapprocher davantage d'au moins un des espions brouillés. Les vétérans du SOS voulaient que John Farrell prennent avantage de la séparation pour séduire Laurie Lambert. Les «espions Roméo», comme on les appelle dans le monde de l'espionnage, étaient des outils favoris du SVR et d'autres organisations de renseignements. On utilisait la séduction et les histoires d'amour plutôt que les grossières techniques de compromission sexuelle et de chantage pour tirer des informations des fonctionnaires, diplomates et hommes d'affaires seuls. Le Service avait appris que Laurie projetait un bref voyage à Los Angeles. Pourquoi ne pas envoyer John là-bas, lui faire une réservation au même hôtel et espérer que «l'amour», même fugace, fleurisse?

Ses patrons abordèrent ce délicat sujet avec Farrell lors de l'un de leurs rendez-vous réguliers dans le parc de stationnement souterrain de Front Street.

Murphy dit: «John, je veux te demander une grande faveur. Je t'envoie à Los Angeles pour garder l'œil sur Laurie. Si tu as la chance, je veux que tu couches avec elle.»

Farrell crut que Murphy plaisantait, comme il aimait souvent le faire.

— Que voulez-vous que je fasse?

— Je veux que tu te rapproches d'elle et que tu la baises. John, fais-le pour ton pays.

Farrell rit. Il pensait que le plan de Murphy était plutôt invraisemblable. Quelles étaient les chances que l'ancien voisin de Laurie Lambert apparaisse dans le même hôtel qu'elle tandis qu'elle prenait des vacances en Californie? Et si cela arrivait, ne se méfierait-elle pas immédiatement?

Lunau et Murphy l'assurèrent que le Service se ferait un plaisir de couvrir toutes ses dépenses. Le SCRS connaissait cet hôtel de classe de Los Angeles où Laurie avait réservé une chambre. Le patron de Farrell fit valoir que le travail était relativement sans douleur; entrer dans une relation avec l'espionne russe abandonnée, l'emmener au lit et essayer de l'amener à des conversations utiles sur l'oreiller. Malgré ses réserves, Farrell accepta. C'est l'argent et non l'idée de servir son pays ou de coucher avec une espionne russe qui fit pencher la balance.

Murphy était extatique. Mais deux considérations critiques vinrent tempérer son excitation. À proprement parler, le SCRS est un organisme de renseignements domestique et non international. Si Farrell tentait de séduire un agent de renseignements russe aux États-Unis sans le consentement ou la collaboration du FBI, cela pourrait affecter les relations entre les deux services et entraîner une pénible prise de bec. Mais les supérieurs de Farrell étaient prêts à courir le risque. Murphy avait besoin de l'approbation de McDonald et d'autres cadres supérieurs du SCRS avant que l'opération Roméo n'aille de l'avant. Il dit qu'il attendait un appel d'Ottawa plus tard ce soir-là et qu'il connaîtrait la décision. Farrell s'en alla chez lui, fit ses bagages et attendit près du téléphone.

Il sonna à environ dix-neuf trente.

«Ils ne sont pas enclins à dire oui», dit Murphy, l'air déçu.

Farrell poussa un soupir de soulagement et défit ses bagages.

* * *

Il fallut de la patience et de la persistance, mais, le 6 mars 1996, Farrell toucha le jackpot. Utilisant son nom de guerre, John Turner, il signa un bail de cinq mois pour un appartement d'une seule chambre à coucher au septième étage de Manhattan Towers. Il remit à la concierge de l'édifice, Rose Haslam, trois cent trente et un dollars et sept cents comme dépôt et il était si impatient d'entrer qu'il déclina l'offre de la concierge de peinturer l'appartement. Il emménagea dans la suite 715 le 16 mars, après avoir fait deux mandats pour couvrir le premier et le dernier mois de loyer, et il mit fin à son bail au 77 Roehampton.

Lunau ordonna à Farrell de se faire rare dans le nouvel édifice. Il ne voulait pas éveiller les soupçons dans l'esprit de Laurie, qui ne manquerait pas de se demander comment il se faisait que son ancien voisin ait soudain emménagé dans l'édifice.

Plusieurs agents du SCRS à Toronto avaient réalisé que, lorsque venait le temps de meubler ces postes d'observation, le

Service était une vache à lait pour les gens entreprenants. Une jeune agente de renseignements basée à Toronto ne faisait pas exception. Elle vendit à Farrell un futon usagé, des lampes et des tables de chevet pour son nouvel appartement. Prix de vente : trois cents dollars, payés grâce à une avance de Lunau en liquide. Le SCRS paya aussi à la mère de Farrell deux cents dollars pour sa vaisselle usagée et pour nettoyer l'endroit. Lunau entra lui aussi dans la danse en vendant une paire de lampes à Farrell pour son appartement.

Une fois que le Service eut connu la nouvelle tanière de Laurie, Lunau ordonna à Farrell d'effectuer des vérifications de courrier sur tous les locataires de l'édifice. Encore une fois, à la connaissance de Farrell, le SCRS n'avait pas obtenu les mandats nécessaires. Comme on le lui avait dit, Farrell se rendit au bureau de poste K et photocopia les deux côtés des lettres adressées à chaque locataire de l'édifice. Il transmit les informations à Lunau dans une enveloppe en papier kraft marquée «Personnel, DL». Lunau compara les noms avec plusieurs bases de données du SCRS afin de voir si les locataires, qui ne se doutaient de rien, étaient de bons et loyaux citoyens ou non. Il s'avéra qu'ils l'étaient tous.

Le Service avait perdu un temps précieux alors que Farrell cherchait en vain pendant des mois un appartement libre près de Laurie. Quelques jours après qu'il eut emménagé, Lunau prit les dispositions pour que Yu et Weber installent des dispositifs d'écoute électronique dans l'appartement de Laurie. Farrell et Lunau aidèrent à apporter l'équipement dans l'édifice en utilisant une entrée de côté dans le parc de stationnement souterrain. Cette opération se déroula bien. Yu et Weber installèrent cet équipement sensible, qui pouvait opérer à travers les murs de béton séparant les appartements, dans une armoire de la chambre à coucher de Farrell.

Farrell partageait maintenant son temps entre plusieurs appartements qu'il avait loués pour le compte du SCRS, pour servir de postes d'observation ou de repaires, et il supervisait toujours l'opération Vulve. À tous les points de vue, il était l'un des agents les plus occupés et les plus productifs du SCRS.

Son implication grandissante dans le SCRS commençait à gêner des cadres supérieurs de Postes Canada, qui étaient au courant grâce à ses factures concernant le travail pour l'opération Vulve. Les choses se précipitèrent quand Farrell tomba sur son ancien tombeur, Ron Flemming. Celui-ci visitait les bureaux administratifs de Postes Canada au 1200 Markham Road quand il demanda à Farrell pourquoi il était intéressé par une «clé de relais». (Les facteurs utilisent une clé de relais pour ouvrir les innombrables boîtes grises qui parsèment la ville et contiennent le courrier à livrer.) Farrell dit à Flemming d'aller se faire voir. Mais Flemming n'en resta pas là. Il avertit Farrell qu'il ferait tout son possible pour que Postes Canada licencie son «contractuel».

Farrell raconta à Lunau cet échange houleux. Lunau dit: «C'est moi qui décide qui est embauché et qui est congédié.». Sur ce, il appela Keith McDonald. «Keith va se montrer et il va parler aux gars de Postes Canada pour leur dire de te laisser tranquille», assura Lunau. C'est ce qui arriva.

Mais l'intervention de McDonald n'eut pas raison des inquiétudes de Postes Canada à propos du tempérament de Farrell et de sa tendance à exposer des choses en public. Don Bick, le successeur de Mike Thompson au poste de gérant divisionnaire des services de sécurité et d'enquête de la région de York, appela Farrell pour le sermonner sur son utilisation non autorisée d'un badge et d'une voiture d'inspecteur des postes, et sur le fait qu'il avait été embauché comme inspecteur auxiliaire. (Lunau ordonna à Farrell d'enregistrer la conversation.) Furieux, Farrell repoussa les accusations.)

— Ce qui m'inquiète, c'est que vous avez été embauché au début, dit Bick. Ouais, je suis inquiet, très inquiet, du genre de travail que vous effectuez.

— Et de quel genre de travail s'agit-il? répliqua Farrell.

— Vous le savez, le [travail au] SCRS. Je suis inquiet de ce que cela va donner et de l'embarras que vous allez finir par causer quand vous allez perdre votre sang-froid. Cela m'inquiète.

Les propos de Bick sont remarquables, car ils confirment que c'est bel et bien le SCRS et non Postes Canada qui dirigeait Farrell et les autres inspecteurs des postes auxiliaires. Sa crainte que Farrell puisse finir par mettre Postes Canada dans l'embarras était pour le moins prémonitoire.

* * *

Ian Lambert ne passait que peu de temps dans son minable appartement du The Parisienne. Il préférait la compagnie d'Anita Keyes et de ses deux jeunes enfants, Jesse et Kayla. Ian avait coutume de visiter Keyes chez elle à Port Hope, Ontario. Plus tard, il aida son amante à déménager dans une petite maison de Valley Woods Road, juste à côté de l'achalandé Don Valley Parway dans le nord de Toronto. Les deux jeunes enfants de Keyes se prirent d'affection pour Ian, et Keyes voyait d'un bon œil sa présence dans leur vie. Une séparation pénible avec son mari avait beaucoup assombri sa famille. Jesse, un garçon gêné mais brillant, se rapprocha du grégaire Russe. Kayla, qui protégeait sa mère farouchement, était heureuse de voir qu'Ian était attentionné et gentil.

Entre-temps, Lunau ordonna à Farrell de louer encore un autre appartement, cette fois-ci dans l'édifice d'Ian. Farrell fit un pèlerinage au The Parisienne et usa de son charme sur le concierge de l'édifice. Ce fut en vain. On y offrait seulement des condos à vendre. Farrell rapporta la mauvaise nouvelle à Lunau, Murphy et Birkett devant quelques verres au *Mr. Slate Sports Bar.* Lunau assura Farrell que le Service avancerait l'argent pour acheter un condo. Il n'en fut rien. Lunau passa au plan B. On ordonna à Farrell de mener une enquête de propriété sur l'édifice, de façon que le Service puisse dresser une liste des propriétaires de condos. Lunau fit demander par un autre agent du SOS à chaque propriétaire si son condo était à vendre. Malheureusement, cette approche échoua : il n'y avait aucun condo à vendre.

Exaspéré et à court d'idées, Lunau fit louer par son inspecteur auxiliaire de confiance un appartement au septième étage d'une tour vieillissante de Gilder Drive, directement en face de la nouvelle demeure d'Ian. Au moins, cet appartement offrait au SCRS une vue claire de la voiture d'Ian, qui se trouvait dans un parc de stationnement surélevé.

Farrell n'aimait pas se retrouver dans cet appartement infesté de coquerelles. L'édifice de quinze étages avait l'air d'un taudis. De nouveaux immigrants à revenu fixe ou faible peuplaient l'édifice et une forte odeur de curry imprégnait les corridors. De la lessive détrempée pendait d'une pléthore de balcons et les draps servaient de rideaux. Les fientes de pigeon tapissaient les balcons. Farrell payait six cent trente et un dollars et soixante-deux cents par mois pour un sordide appartement d'une seule chambre. Avec l'aide de sa mère, il passa une journée à nettoyer les crottes de souris du poêle et à peinturer son nouvel appartement en une teinte lilas tape-à-l'œil. Il passa au SCRS une facture de cinquante dollars par gallon pour la peinture et de deux cents dollars pour les services de nettoyage de sa mère.

Le CST était impatient d'étrenner un arsenal de dispositifs d'écoute électronique dans la nouvelle demeure d'Ian. Le travail de Farrell consistait à rencontrer les membres de l'équipe du CST devant l'édifice et à les escorter dans son appartement. Six ingénieurs et techniciens du CST d'Ottawa arrivèrent de l'aéroport Pearson dans une fourgonnette louée. Ils portaient des jeans, des mocassins coûteux et des chemises à collet ouvert. Farrell était assis sur le bord du trottoir, la tête penchée, quand la grosse fourgonnette carrée arriva dans l'allée. Il portait une veste d'armée verte, une casquette de base-ball tournée vers l'arrière, et des tennis blancs neufs, pour tâcher de se fondre dans l'environnement. D'un autre côté, les techniciens ressemblaient à une bande de policiers en civil embrouillés par l'alcool. Farrell s'approcha d'eux en murmurant: «Hé! les gars, vous voulez acheter de la drogue? Qu'est-ce que vous cherchez? Dites-le, je l'ai.»

Les techniciens effrayés détalèrent et se réfugièrent dans leur fourgonnette. L'un d'eux cria à Farrell d'aller se faire voir ailleurs pendant que les autres attendaient nerveusement l'arrivée de leur tardive escorte du SCRS.

«Je blague. Je suis ici pour vous rencontrer. Mon nom et John.»

Farrell et les techniciens du CST montèrent à l'appartement de John en portant plusieurs valises en aluminium. Ouvrir un défilé d'espions électroniques avec leur équipement commençait à devenir une habitude pour Farrell. Mais cette fois-là son œil se fixa sur une pièce de machinerie inhabituelle. Les techniciens avaient apporté un dispositif qui ressemblait à un petit réfrigérateur et qui était assez lourd pour qu'ils aient besoin d'un chariot pour le monter à l'appartement. Il supposa que le monolithe était une sorte de superdispositif d'écoute.

Les techniciens mirent plus de quatre heures à installer tous leur bidules électroniques. Ils branchèrent aussi dans la chambre de Farrell un système de sécurité de pointe qui signalerait instantanément au Service toute tentative de jouer avec l'équipement.

(Le trafic des ondes radio émises par l'encombrant équipement du CST attira l'attention d'un facteur qui livrait le courrier d'Ian au The Parisienne. Ce travailleur postal était aussi un radioamateur mordu dont la demeure était remplie d'équipement radio haut de gamme. Un jour que Farrell interceptait le courrier d'Ian dans un bureau de poste du voisinage, le facteur vint lui faire remarquer que le trafic radio avait récemment décuplé dans le voisinage. De plus, dit le facteur, il captait ce qui semblait être des télécommunications gouvernementales ou militaires de véhicules autour du The Parisienne. Farrell feignit l'ignorance, insistant qu'il ne faisait qu'enquêter sur une fraude.)

En sortant de chez Farrell, les techniciens du CST essuyèrent leurs pieds à tour de rôle et vérifièrent les semelles de leurs souliers pour s'assurer qu'elles ne portaient pas d'œufs de coquerelle.

* * *

Farrell passa plusieurs nuits inconfortables à l'appartement de Gilder Drive, surveillant l'équipement du CST et espionnant Ian à partir de son salon. Le SCRS s'intéressait particulièrement à la voiture sport d'Ian, car le Service projetait de voler la Mazda Precidia MX-3 sport rouge 1993 à six cylindres pour la remplacer temporairement par une copie parfaite durant le sommeil de son propriétaire. Pendant le temps que la voiture substitutive donnerait le change, les techniciens du SCRS installeraient des dispositifs de surveillance électronique et de localisation sous la voiture d'Ian.

Lunau demanda à Farrell de noter, depuis son perchoir du septième étage, les moments pendant lesquels Ian laissait sa voiture sans surveillance. Lunau avait aussi besoin de savoir si la petite lumière rouge clignotante dans la voiture faisait partie d'un coûteux système d'alarme destiné à repousser les voleurs et les espions curieux. (Il s'avéra que cette lumière faisait partie du coûteux système stéréo de la voiture et non d'une alarme.) Lunau et l'équipe du SCRS attendirent bien après que les lumières dans la chambre d'Ian se furent éteintes pour bondir. Tommy Birkett obtint une clé pour la voiture d'Ian d'une source chez un concessionnaire Mazda de Toronto. À l'aide de cette clé, un agent du

SCRS ouvrit la portière du chauffeur, se glissa dans la voiture et sortit du parc de stationnement. Une seconde Mazda au moteur ronronnant prit rapidement sa place.

Les techniciens du SCRS mirent plusieurs heures à installer des dispositifs d'écoute et un système de localisation global (Global Positioning System, GPS), qui permettait au Service non seulement d'écouter Ian mais aussi de suivre ses déplacements dans la ville. Le matin suivant, on remit discrètement à sa place la voiture sport, bourrée de dispositifs d'espionnage invisibles. L'opération s'était déroulée sans anicroche. Ian Lambert ne se douta jamais que le SCRS avait transformé sa voiture en gros radiophare.

* * *

En août 1995, tout content de son succès récent, Lunau commença à planifier l'entrée clandestine dans le condo d'Ian au The Parisienne. Parce que Farrell et le Service n'avaient pu louer un appartement dans l'édifice, l'exécution de cette mission poserait des problèmes. La solution de Lunau: ordonner à Farrell de dérober une clé de la Couronne. À l'usage des facteurs, cette clé peut ouvrir la porte principale de presque tous les immeubles résidentiels et plusieurs boîtes aux lettres. Cette petite clé facile à dissimuler peut être très utile entre les mains des espions et des voleurs.

Les bandits compétents sont de plus en plus intéressés par les boîtes aux lettres car elles peuvent renfermer un butin facile. De l'agent, des bijoux, des cartes de crédit et d'autres valeurs se promènent régulièrement par courrier, d'un pays ou d'un continent à un autre. La police américaine croit que des gangs de rue sans vergogne ont délaissé les vols de banque et préfèrent plutôt voler des clés de la Couronne. Ainsi, des gangs de Los Angeles ont terrorisé des facteurs en les menaçant d'un revolver ou d'un couteau et ont exigé les clés de la Couronne attachées à leur sac de courrier. Les gangs ont utilisé les clés pour dérober des dizaines de pièces de courrier. En 1995, deux voleurs de Winnipeg ont tenté de confectionner leurs propres clés de la Couronne pour pouvoir voler des cartes de crédit dans des boîtes aux lettres mais ils ont été pris par la police.

Le vol d'une clé de la Couronne constitue un crime sérieux et est passible de dix ans de prison. Mais cela ne découragea pas

Lunau, qui était acquis à la loi non officielle des usages et coutumes du Service: s'il y avait une façon d'accomplir les choses, les moyens importaient peu. Farrell aussi y croyait.

Lunau aborda le sujet du vol de la clé durant le lunch avec Farrell en lui disant qu'il avait lu un article de journal sur la manière dont les gangs de motards faisaient dans les clés de la Couronne illégales.

Il demanda à Farrell à quoi pouvaient servir ces clés.

Farrell répondit à Lunau qu'à part d'ouvrir les boîtes postales, ces clés pouvaient être très utiles aux équipes du SOS qui suivent un suspect. «Je lui ai dit que dans le cas où un suspect entrait dans un immeuble résidentiel, on n'avait alors pas besoin d'attendre qu'on sonne; on pouvait utiliser la clé pour ouvrir la porte principale et avoir l'air d'habiter l'immeuble.»

Lunau demanda ensuite comment le SOS pouvait s'en procurer une.

Farrell dit à son patron que les facteurs attachaient les clés à une longue chaîne accrochée à leur sac de courrier. Les clés sont aussi entreposées dans de petits placards, verrouillés ou non, dans les bureaux de poste, mais il était improbable qu'un gérant le laisse signer pour prendre une clé.

S'ils voulaient mettre la main sur une clé, ils allaient devoir la voler.

«Pas de problème, dit Lunau; trouve-m'en une.»

Le jour suivant, Farrell se rendit au dépôt postal 1 au 340 Matheson Boulevard East, à Mississauga. En route, il repassa dans sa tête la manière dont il pourrait s'y prendre pour dérober une clé de la Couronne. Il prépara aussi un plan de rechange au cas où un gérant ou un postier viendrait à découvrir ce qu'il manigançait: courir.

En fait, il décida de voler deux clés de la Couronne – une pour l'usage de Lunau et une pour lui-même, à utiliser lors des opérations du SOS – dans un petit placard dans le bureau du gérant. Si cela ne fonctionnait pas, il était préparé à utiliser une paire de cisailles pour dérober les clés au sac de facteurs préoccupés par autre chose.

Il y avait deux gros dépôts de courrier sur Matheson Boulevard et les deux fourmillaient de postiers; les bureaux des gérants étaient généralement comme des ruches. Du point de vue d'un voleur, plus il y a d'achalandage, mieux c'est. Farrell s'attendait à se glisser au milieu de la confusion et à cueillir les clés de la Couronne sans que personne s'en aperçoive. Le placard du dépôt 1, qui contenait jusqu'à quarante clés de la Couronne et clés de relais, était souvent laissé ouvert de façon invitante.

Cela se passa comme Farrell l'avait prévu. Il cueillit deux clés de la Couronne dans le placard ouvert, les mit dans la poche de pantalon de randonnée et sortit tout simplement. Il lui avait fallu moins d'une minute.

Quand il travaillait comme inspecteur des postes, Farrell avait découvert que dans plusieurs bureaux de poste on n'enregistrait pas les numéros de série des clés de la Couronne, ce qui rendait ardu le travail de recouvrement des clés dérobées. De plus, on ne faisait que de rapides vérifications d'antécédents quand on embauchait des travailleurs auxiliaires, mal payés mais portant tous des clés de la Couronne. En fait, un cadre supérieur de Postes Canada à Scarborough lui demanda un jour de procéder de façon urgente à une vérification sur cinq cents travailleurs postaux auxiliaires qui étaient déjà au travail depuis six mois. Farrell apprit qu'on soumettait les facteurs aux mêmes vérifications sommaires d'antécédents[2].

Par précaution supplémentaire, Farrell alla chez lui et, à l'aide d'une perceuse sans fil et d'un morceau de béton, il lima le numéro de série sur une des clés. Il se rendit ensuite à un bureau de poste de l'est de Toronto pour rencontrer les inspecteurs auxiliaires avant de se diriger vers le *Rose & Crown Pub* pour prendre le lunch avec Lunau. Son patron s'y trouvait déjà quand il arriva. Farrell s'assit et lui glissa une enveloppe marquée « D.L. personnel ». À l'intérieur, son patron trouva une clé de la Couronne sans numéro de série.

Farrell dit à Lunau qu'il en avait aussi volé une pour lui-même et Lunau hocha la tête. Ce vol était leur secret dans un métier rempli de secrets. (Farrell utilisa sa clé de la Couronne pour le travail, particulièrement quand il lui fallait trouver des appartements pour le SCRS. Il utilisait la clé pour entrer et écor-

2. Plusieurs travailleurs auxiliaires ont prétendu avoir perdu des clés de la Couronne en livrant des prospectus. Selon Farrell, souvent on ne rapportait pas ces pertes chez Postes Canada.

nifler sans que le concierge le sache.) Après le lunch, les deux compères quittèrent le pub séparément avant de se rencontrer à nouveau sur un terrain de stationnement municipal du voisinage, où ils échangèrent des piles de courrier. D'après Farrell, Lunau était impatient d'essayer la clé. Ils se rencontrèrent donc plus tard devant un immeuble résidentiel près du condo d'Ian, où Farrell enseigna patiemment à son patron le maniement de cette clé. Au début, Lunau tourna la clé dans le mauvais sens, mais il fit mieux lors du second essai. Farrell lui dit que dans certains immeubles la clé servait de passe-partout et ouvrait toutes les boîtes aux lettres en même temps. Cette perspective captiva Lunau et lui plut. Quelques jours plus tard, les deux se rendirent à un complexe d'habitation près du nouvel appartement de Laurie et s'exercèrent à l'usage de la clé en ouvrant des boîtes aux lettres.

Le service de sécurité de la GRC s'était effondré sous le poids de révélations accablantes selon lesquelles ses membres avaient dérobé les listes de membres d'un parti politique et de la dynamite. Le vol d'une petite clé de la Couronne n'est peut-être pas aussi spectaculaire que le vol de dynamite, mais c'était néanmoins un acte abusif. D'après Farrell, il avait été commandé par le cadre supérieur d'un service d'espionnage qui a promis de toujours respecter la loi et d'empêcher la répétition des abus du passé.

Mais la clé de la Couronne n'était pas la seule propriété de Postes Canada dont Lunau ordonna le vol à Farrell.

* * *

Denis Leyne était un banquier canadien qui avait du succès et qui partageait son temps entre une rutilante tour à bureaux au centre-ville de Toronto et sa demeure d'un million de dollars dans l'ouest de Toronto. Cet homme costaud de cinquante ans incarnait l'esprit et l'humour irlandais ; il aimait prendre un verre et appréciait la compagnie de sa famille et de ses amis. Ses amis disent que Leyne nourrissait une fierté farouche pour l'Irlande et une passion pour l'histoire de son pays, pour sa langue gaélique et ses ancêtres Cork. Il n'avait aucun amour pour les Anglais. Le SCRS croyait que le vice-président supérieur de la Banque canadienne impériale de commerce (CIBC) [en charge des activités de la banque pour l'Ontario à l'exclusion de Toronto] menait une double vie et était un terroriste associé à l'impitoyable Armée républicaine irlandaise (IRA).

Les soupçons sur Leyne et ses rapports avec l'IRA remontent à 1973, quand la police le questionna sur ses liens avec un autre homme de Toronto reconnu coupable d'avoir essayé d'acheter un missile Stinger d'un agent du FBI qui l'avait piégé. En 1991, la CIBC avait congédié Leyne abruptement, déclarant que le banquier, qui avait patiemment passé trente-cinq ans à monter jusqu'aux échelons supérieurs de l'industrie, ne figurait tout simplement plus dans les plans. Leyne soupçonnait que son renvoi avait été provoqué par une enquête policière internationale sur les achats d'armes et de munitions pour l'IRA. Puis, en 1992, on arrêta Leynes à sa descente d'un vol en provenance de Toronto à l'aéroport La Guardia de New York. On l'accusa, en compagnie de cinq autres hommes, d'une série de crimes liés à l'achat, à une firme de Tucson, en Arizona, d'un missile Stinger sol-air à tête chercheuse et de deux mille neuf cents détonateurs. Leyne et les autres prévenus nièrent les accusations et, en 1994, un jury les acquitta.

Leyne retourna à sa demeure de Toronto aigri et en colère, et il dénonça son procès comme faisant partie d'une campagne orchestrée pour mater un Canadien irlandais qui supportait paisiblement la «juste cause» de l'IRA. Il désigna le SCRS et la GRC comme étant ceux qui menaient la campagne pour discréditer la communauté irlandaise. Il raconta au *Winnipeg Free Press*: «La GRC et le SCRS ont été très actifs au sein de la communauté irlandaise, assistant à des événements sociaux, des groupes publics [...] partout où ils croient pouvoir recueillir de l'information. C'est une tentative orchestrée pour effrayer la communauté [en leur disant] de ne pas s'en faire, de ne rien faire, de se la fermer.»

L'acquittement de Leyne et ses cinglantes accusations ne dissuadèrent pas le Service de l'espionner. Un des agents qui gardaient l'œil sur Leyne était Don Lunau, qui enrôla Farrell, à la fin de 1994, pour intercepter le courrier de Leyne. Mais cette fois, pour des raisons inconnues, Lunau ne voulait pas que Farrell aille dans un bureau de poste pour le faire et il lui demanda s'il n'y avait pas une autre manière de s'emparer du courrier. Farrell dit à Lunau qu'on pouvait s'emparer du courrier de Leyne dans une boîte de relais avant qu'il ne soit ramassé par le facteur. Il y avait habituellement une fenêtre de vingt minutes entre le temps où on déposait le courrier trié dans la boîte de relais et celui où le facteur arrivait pour le prendre et le livrer. Pour avoir accès à la boîte, le facteur utilisait une clé de relais. Le message de Lunau à Farrell était on ne peut plus clair: il voulait que Farrell vole une clé de relais. Mais, cette fois-là, Farrell eut chaud.

Il choisit un petit bureau de poste situé au 2985 Lakeshore Boulevard West, dans l'ouest de Toronto, comme étant le meilleur endroit pour voler ce genre de clé[3]. Montrant son badge d'inspecteur des postes, il s'identifia comme un enquêteur de Postes Canada et engagea une conversation amicale avec le gérant, qui se tenait trop près du placard contenant les clés pour qu'il puisse risquer le vol. Il dit au gérant qu'il était dans le coin pour faire sa tournée et vérifier la sécurité des clés de relais et qu'il arrêterait le lendemain matin.

Avant le retour de Farrell le matin suivant, le gérant reçut un appel inattendu du centre de contrôle de York, qui surveille les déplacements du courrier et des postiers dans la ville. Il mentionna qu'il avait tout juste reçu la visite d'un type se nommant Farrell, qui s'intéressait aux clés de relais et qui portait un badge d'inspecteur des postes. Un cadre de Postes Canada lui dit que Farrell avait quitté la société de la Couronne plusieurs années auparavant.

«Qu'est-ce qui se passe ici? demanda-t-il à Farrell quand celui-ci entra. Tu ne travailles plus pour Postes Canada.»

Maudissant sa malchance, Farrell insista en disant qu'il travaillait encore pour Postes Canada et demanda au gérant d'appeler les services de sécurité et d'enquête au 491-4472 pour se le faire confirmer. C'était une réaction irréfléchie, mais Farrell sentait qu'il n'avait d'autre choix que de se fier à la bonne grâce de ses anciens collègues pour se sortir du pétrin. Quand on put obtenir la communication, Terry Panel, un secrétaire des services de sécurité et d'enquête, se porta garant de Farrell. Celui-ci inspecta le bureau de poste jusqu'à ce qu'il puisse voler une clé.

* * *

3. C'est maintenant un magasin *Goodwill.*

Farrell passa deux jours à surveiller la boîte de relais contenant les lettres de Leyne, notant minutieusement le moment où on déposait le courrier et celui où le facteur arrivait. Farrell estimait pouvoir ouvrir la boîte en toute sécurité entre neuf heures et neuf heures et demie du matin. Portant un t-shirt, une casquette de base-ball et une veste de Postes Canada, Farrell utilisa la mince clé pour ouvrir la boîte de relais située au milieu d'une petite butte gazonnée près de la résidence de Leyne à Etobicoke. (La boîte n'y est plus.) Il prit tout le sac de courrier, le mit dans sa voiture et s'en alla dans le parc de stationnement d'une école située tout près, où il éplucha rapidement le courrier pour en retirer celui de Leyne. Il passa les deux semaines suivantes à intercepter ainsi le courrier de Leyne dans la boîte de relais. Toute l'opération empestait la criminalité, à partir du fait de personnifier un inspecteur des postes et de porter des vêtements de Postes Canada jusqu'à voler la clé de relais et ouvrir la boîte. Selon Farrell, tout cela fut accompli avec le consentement, la connaissance et l'approbation de Don Lunau.

Farrell plaça le courrier de Leyne avec celui des autres inspecteurs auxiliaires dans une enveloppe de papier kraft qu'il remit à Lunau dans le parc de stationnement souterrain de Front Street. Lunau demanda à Farrell d'être à l'affût des colis et du courrier recommandé adressés à Leyne. Une fois l'opération terminée, Farrell se glissa dans le bureau de poste et retourna la clé de relais. Il n'avait pas à prendre ce risque puisque personne n'avait rapporté le vol de cette clé. En février 1995, Leyne mourut dans sa demeure, d'une crise cardiaque foudroyante. Denis Leyne ne présentait plus aucun intérêt pour le SCRS.

* * *

Lunau réunit à nouveau l'équipe du SOS qui était entrée dans l'appartement de Roehampton Avenue, pour essayer d'entrer subrepticement dans la nouvelle et humide demeure d'Ian. Mais cette fois Tommy Birkett et Ray Murphy étaient du nombre. La bande d'espions, incluant Farrell, Tessier, Lunau, Yu et Weber, se rencontra dans un grand parc de stationnement directement en face du condo d'Ian, à onze heures trente par un chaud matin d'août 1995. Les agents de renseignements et les techniciens arrivèrent séparément avant de s'entasser dans une grosse fourgonnette grise pour recevoir leurs instructions. On envoya Birkett chercher du café et des beignes.

Lunau dit à son équipe qu'il y aurait deux entrées. La première vague filmerait sur vidéo tout l'appartement et choisirait les meilleurs endroits pour implanter les dispositifs de surveillance électroniques. La seconde vague installerait ces dispositifs. Lunau dit qu'une équipe de surveillants était disposée autour de l'immeuble. Les techniciens avaient coupé une série de clés pour l'appartement d'Ian. Tessier et Farrell, prétendant être un couple intéressé à acheter un condo, entreraient dans l'immeuble d'Ian en se servant de la clé de la Couronne. (Lunau remit la clé à Tessier en parlant.) Personne dans le Service ne demanda comment celui-ci avait mis la main sur une clé de Postes Canada; cela demeura le petit secret de Farrell et de Lunau. Une fois que le couple aurait vérifié qu'Ian et son colocataire n'étaient pas là, les autres agents suivraient rapidement. On avait à nouveau équipé Tessier d'un petit micro et d'un écouteur pour communiquer avec Lunau. Tout était prêt. Lunau donna le signal à Farrell et à Tessier d'y aller.

Marchant main dans la main, ils traversèrent Midland Avenue et se dirigèrent vers l'entrée principale de l'immeuble. Une petite voiture attira l'attention de Farrell. Il se retourna avec horreur et étonnement tandis que sa mère et son frère Greg passaient en klaxonnant à tout rompre. Mary salua son fils surpris avec enthousiasme, mais Farrell n'arrêta pas.

— Qui était-ce? demanda Tessier.

— Oh! juste ma mère et mon frère, dit Farrell.

Énervée par cet incident, Tessier manipula nerveusement la clé de la Couronne en arrivant à la porte d'entrée. Farrell sortit brusquement un petit porte-clés.

«Permets-moi», dit-il en ouvrant la porte avec sa propre clé.

Tessier était étonnée, mais elle avait trop d'expérience pour poser des questions stupides.

Lunau et deux autres agents de renseignements attendaient patiemment tandis que Farrell et Tessier traversaient une aire d'accueil déserte, descendaient un escalier et arrivaient à l'entrée arrière, où ils ouvrirent la porte. Lunau et les autres se glissèrent dans l'immeuble. Tessier et Farrell se dépêchèrent vers le sixième étage. Ils frappèrent à la porte d'Ian pour s'assurer qu'il n'y avait personne, et prirent position dans la cage de l'escalier de secours entre le cinquième et le sixième étage. Tessier approcha alors de sa bouche le micro dissimulé dans le poignet de sa chemise et murmura à Lunau que la voie était libre.

Mais, comme Lunau et les autres membres du SOS allaient entrer dans un ascenseur qui les attendait, ils entendirent un autre ascenseur qui venait juste de se mettre en route. Il arrêta au sixième étage, où un troupeau de gens entrèrent. Lunau attendit que cet ascenseur s'arrête au rez-de-chaussée. Le chef du SOS allait annoncer que la voie était à nouveau libre quand Farrell crut entendre un bruissement à un étage inférieur. Il descendit discrètement l'escalier et entrouvrit la porte pour apercevoir un concierge en train de remplacer des ampoules dans le corridor. Il regarda en silence le concierge se diriger à pied vers le quatrième étage. Tessier alerta Lunau, qui se rua vers le quatrième étage et vit le concierge en train de changer des ampoules. Lunau maudit silencieusement le concierge et annula l'opération.

Les membres du SOS se réunirent pour une rapide mise au point dans un parc de stationnement tout près. Lunau décida de faire une autre tentative après le lunch. Cette fois-là, dit-il à l'équipe, il prévoyait d'utiliser une paire de portes pliantes non teintées qu'il avait achetées dans une quincaillerie plus tôt ce matin-là, afin de dissimuler l'entrée clandestine. Farrell secoua la tête. Sur Roehampton, il avait dû brandir un matelas pneumatique, et maintenant Lunau lui demandait de porter une porte. Il estimait cette idée débile.

Alors que l'équipe se préparait à se diriger vers un restaurant *Kenny Rogers* tout près, Lunau décida de placer ses portes flambant neuves dans l'antichambre près du bureau du concierge au sous-sol. Farrell, en voleur expérimenté, savait que son patron faisait une grosse erreur.

— Donnie, tu peux faire une croix sur les portes, dit Farrell.

— Que veux-tu dire?

— Elles vont se faire voler. Si tu laisses quoi que ce soit ici, tu vas te le faire piquer.

— John, tu es un vrai paranoïaque. Allons manger.

Les huit membres du SOS réquisitionnèrent une grande table au restaurant. Le lunch dura quatre-vingt-dix minutes. Lunau s'inquiétait tout en mangeant son poulet et ses frites et songeait ouvertement à annuler l'opération. Mais Ottawa était impatient d'avoir des résultats. Après s'être entretenu avec McDonald au téléphone, Lunau décida d'aller de l'avant et de tenter l'entrée. Farrell murmura à Tessier et à Birkett que les portes auraient disparu au retour.

Tessier utilisa la clé de la Couronne pour pénétrer dans l'immeuble. Farrell se rua vers la porte arrière et fit entrer le reste de l'équipe, tandis que Tessier prenait position dans les escaliers. Farrell et Birkett se dirigèrent rapidement vers le bureau du concierge.

«Merde! les portes ont disparu», dit Birkett, essayant de cacher un sourire. Lunau ne put réprimer un petit glapissement.

Farrell dit: «Je ne prends pas plaisir à te dire "je te l'avais bien dit", Donnie, mais je te l'avais bien dit.»

Lunau appela immédiatement Murphy, qui attendait impatiemment dans le parc de stationnement.

«Les maudites portes sont parties. On sort», gémit-il.

Lunau et Murphy mirent dix minutes à réviser leurs options de plus en plus restreintes avant d'appeler Ottawa pour expliquer que l'opération avait avorté pour des raisons «non expliquées». Farrell n'avait jamais vu son patron si abrupt avec son équipe.

Lunau dit à Farrell qu'il essaierait à nouveau de pénétrer chez Ian, mais que cette fois il ne l'inviterait pas. À la place, Farrell pourrait être mis en disponibilité pour prêter assistance lors d'autres entrées clandestines. Il lui arrivait de passer des journées entières dans des comptoirs de beignes ou des restaurants-traîteurs de la ville en compagnie de Birkett et de Dean Weber, le serrurier du SCRS. Les trois mâchonnaient leurs beignes et se tournaient les pouces en attendant un appel de Lunau.

* * *

John Farrell connaissait Tom Geiger en tant que chef des services de soutien technique, qui aidaient l'unité du SOS. (Geiger devint plus tard le directeur général de la région de Toronto, portant ainsi le chapeau d'espion en chef de la région.) Geiger connaissait le rôle de Farrell avec le SOS et son implication dans l'interception de courrier. Un jour, il l'appela, désespéré; il était tellement en peine qu'il n'observa pas le protocole, selon lequel il aurait dû appeler d'abord Lunau. Les surveillants avaient vu Laurie jeter une lettre dans une boîte aux lettres du Centre Eaton, au centre-ville de Toronto, et une autre dans une boîte de University Avenue, près de la compagnie d'assurances pour laquelle elle travaillait. Il voulait qu'on s'empare des sacs de courrier et qu'on intercepte ces lettres de Laurie sur-le-champ.

L'appel de Geiger surprit Farrell. Curieux, il demanda à Geiger comment il avait obtenu son numéro de téléphone. La réponse? Le nom de Farrell était listé dans le bottin du personnel du SCRS avec, à côté, la mention «mandats judiciaires pour courrier». L'appel de Geiger constitue une autre preuve que le programme des inspecteurs des postes auxiliaires, apparemment dirigé par Postes Canada, était en fait géré par le SCRS. John Farrell avait beau recevoir des chèques de la société de la Couronne, c'est le SCRS qui était le caissier.

Farrell dit à Geiger qu'il le rappellerait dans quelques minutes et il se rua sur un téléphone public pour informer Lunau de la demande peu orthodoxe de Geiger. «Cet appel est pour toi, Donnie; que veux-tu que je fasse?»

Prenant la mouche, Lunau lui dit de ne pas aider Geiger.

* * *

L'appel pressant de Geiger à Farrell survint au moment où l'opération Coupe Stanley arrivait à son point culminant. Malgré leur séparation, Laurie et Ian Lambert s'étaient rendus ensemble au centre du SVR à Moscou au début de 1996. Ce voyage signifiait soit que la paire d'agents en sommeil s'apprêtait à décamper pour de bon, soit qu'on allait enfin les activer. Murphy pariait qu'ils quittaient le pays; cela semblait être un pari sûr, car les deux fermèrent précipitamment leurs comptes bancaires dès leur retour de Moscou.

La mission des Lambert traînait de la patte. La façade minutieusement préparée d'un couple marié et heureux s'était effondrée. Après le départ d'Ian, Laurie s'était éprise du docteur Peter Miller, un médecin de Toronto qui croyait que la femme avec qui il sortait était suédoise. Ils s'étaient rencontrés lors d'un dîner en l'honneur du whisky écossais pur malt.

Ian passait la plus grande partie de son temps chez Keyes; ils coulaient des moments tranquilles ensemble et partageaient occasionnellement une cigarette de marijuana.

Tandis qu'Ian et Laurie trouvaient refuge chez leurs nouveaux amants, le SCRS, incité par le fait qu'Ian avait raconté à des collègues de travail qu'il projetait de déménager en Suisse, se préparait à faire une descente et à participer à l'arrestation des Lambert avant qu'ils n'aient eu le temps de quitter à nouveau le pays. Le SRCS loua une maison à quelques pas de celle de Keyes, afin de garder Ian et sa petite amie à l'œil. La maison était située juste au-dessus de l'entrée du garage souterrain où Ian garait sa voiture sport. Les surveillants omniprésents étaient aussi sur les traces de Laurie alors qu'elle faisait la navette entre le travail et son appartement de Manhattan Towers.

Lunau appela Farrell chez lui deux jours avant l'arrestation prévue d'Ian et de Laurie. Il fut abrupt: «John, je ne veux pas que tu ailles près des demeures d'Ian et de Laurie pendant les prochains jours. Ils vont être tous deux arrêtés. Il se peut qu'il y ait beaucoup de médias autour et je ne veux personne près d'eux ou de leurs appartements.»

Lunau dit aussi à Farrell qu'on avait avisé les autres membres du SOS du démantèlement imminent de cette filière.

* * *

Le 22 mai 1996 commença de manière agréable pour Ian Lambert. Il se réveilla dans le lit d'eau d'Anita Keyes et y demeura tandis que son amante prenait sa douche et s'habillait. Keyes fut étonné quand Lambert se rapporta malade au travail, car il n'avait jamais fait cela auparavant. Elle partit pour le bureau, où une autre surprise l'attendait. Un homme et une femme étaient assis dans une voiture dans le parc de stationnement de la compagnie et semblaient la surveiller.

Après le départ de Keyes, Ian sauta hors du lit et enfila un jeans et un t-shirt. Il préparait son petit déjeuner quand le téléphone sonna. Léonard, le concierge de l'immeuble, était au bout du fil et demanda à Ian de bien vouloir descendre dans le parc de stationnement des visiteurs pour déplacer sa voiture car des travailleurs devaient commencer à refaire l'asphalte du terrain[4].

4. Léonard s'excusa plus tard à Keyes pour son rôle dans cette ruse.

Ian s'empara de ses clés de voiture et sortit, en souriant et en saluant les voisins. Arrivé à sa voiture, il en ouvrit la portière et s'assit. Étrangement, ses clés n'entraient pas dans la serrure de démarrage. Il jeta un regard autour de la colonne de direction, pour y regarder de plus près. On y avait installé une serrure pour l'empêcher de démarrer la voiture. Avant qu'il ne puisse bouger, un groupe de policiers de la GRC et d'agents d'immigration bien armés jaillirent d'une fourgonnette à côté et l'entourèrent. On le tira hors de sa voiture tandis que la police lui criait qu'il était en état d'arrestation. Le SCRS n'est pas un corps de police et par conséquent ses agents ne peuvent porter des armes ni procéder à des arrestations. De plus, les agents de la GRC possèdent l'entraînement tactique nécessaire pour faire face à des arrestations délicates et possiblement violentes. Le petit et costaud colonel russe se débattit; après la lutte, il était sérieusement contusionné. On le jeta finalement dans une fourgonnette de police qui s'éloigna rapidement. Des agents du SCRS étaient également présents, pour s'assurer que les jours d'Ian Lambert en tant qu'espion au Canada étaient bel et bien terminés.

Laurie Lambert était loin de se douter que son ex-mari était en train de se faire embarquer par la GRC tandis qu'elle se préparait pour une autre journée de travail à la compagnie Gerling Global Life Insurance. Employée dévouée et appréciée, Laurie avait obtenu une promotion et elle était devenue membre de l'équipe des projets spéciaux, qui travaillait à l'amélioration de la productivité de la compagnie. Les agents de la GRC et les agents d'immigration fondirent sur elle alors qu'elle marchait sur Broadway Avenue en direction du métro. Contrairement à Ian, elle ne résista pas et accepta son sort calmement. Sa vie secrète en tant qu'agent russe en sommeil venait elle aussi de prendre fin abruptement.

Comme une armée de fourmis, les agents du SCRS saisirent l'ordinateur et les dossiers personnels de Laurie au travail et firent une perquisition dans son appartement. Rose Haslam dit que, peu de temps après son arrestation, jusqu'à six agents transportèrent presque toutes les possessions de Laurie dans des boîtes. «Ils ont tout emporté, sauf quelques meubles», dit Haslam. Plus tard, le petit ami de Laurie, le docteur Miller, revint pour récupérer ce que le SCRS avait laissé derrière.

* * *

Le 27 mai 1996, Neil MacDonald, un reporter de la télévision du réseau CBC doté de solides relations dans le Service, annonça l'arrestation des Lambert en primeur. Sa description des espions, des intrigues et des trahisons stupéfia et divertit le pays pendant les deux semaines qui suivirent. D'autres reporters se démenèrent pour déterrer d'autres détails sur les mystérieux espions russes. L'éclaboussure engendrée par cette histoire régénéra le moral au SCRS.

Entre-temps, le gouvernement fédéral faisait diligence pour déporter les Lambert. Mais Ottawa faisait face à un gros problème : on n'avait que peu de preuves que le couple s'était livré à de véritables activités d'espionnage durant leurs années au Canada. De plus, bien que Keyes, apparemment victime de ce jeu inhumain appelé espionnage, décidât de garder le silence, Miller, quelques jours après les arrestations, entreprit une fougueuse campagne publique pour que Laurie puisse demeurer au Canada. Il prétendit que, peu de temps après son arrestation, le SCRS avait promis à Laurie un refuge au pays, pour revenir sur son offre après que des politiciens capricieux eurent opposé leur veto. Laurie Lambert embaucha Clayton Ruby, un avocat en vue de Toronto, pour s'opposer vigoureusement aux efforts entrepris pour les expulser du pays, elle et Ian. Ruby argua que l'arrestation et la détention des Lambert étaient inconstitutionnelles, car on s'apprêtait à déporter le couple avant que les avocats de la défense n'aient eu la chance de contester sérieusement les preuves du gouvernement contre eux. Il semblait que les Lambert se préparaient à un long et coûteux combat pour demeurer au pays.

Puis, le 6 juin, les Russes agitèrent le drapeau blanc. Accompagnés de leurs avocats, ils comparurent brièvement devant la Cour fédérale à Toronto. Ils admirent qu'ils étaient des espions et ne contestaient plus les efforts d'Ottawa pour les réexpédier en Russie. Par leur avocat, ils dirent, dans une salle d'audience remplie à craquer, qu'ils souhaitaient retourner chez eux plutôt que de passer des années en prison pendant que leur guerre juridique suivrait lentement son cours devant les tribunaux. Laurie, dans un débardeur blanc et une longue robe fleurie, salua Miller, qui murmura : « Je te reverrai. » Laurie haussa les épaules et leva les mains dans sa direction, les doigts tendus, avant d'être menée en cellule. Ian quitta la cour en silence, les mains menottées dans le dos. Keyes se tint loin des procédures et de la frénésie médiatique. En dehors de la cour, Miller dit que les Lambert avaient pris la meilleure décision. Il déclara à une foule de reporters: «C'est le choix le plus sûr pour eux, leur meilleure chance de recommencer leur vie, ce qu'ils souhaitent.»

Le 7 juin, un juge de la Cour d'immigration déclara que les Lambert n'étaient «ni des citoyens canadiens ni des résidents permanents mais des gens qui, selon toute probabilité, sont ou étaient membres d'une organisation qui [...] est ou était engagée dans des activités d'espionnage et de subversion contre le gouvernement démocratique». Les Lambert, cette fois habillés dans le bleu foncé des prisonniers, bavardaient tranquillement, riant parfois, en attendant que le juge scelle leur sort. Leur épreuve publique semblait avoir jeté un baume sur les plaies qui avaient mené à leur séparation. À un certain moment durant l'audience, Laurie se pencha vers Ian et lui frotta les joues avec les doigts de ses mains menottées[5]. Un convoi de véhicules de la GRC ramena les espions en prison. Quatre jours plus tard, un avion transportant Yelena Olshevskaya et Dmitriy Olshevsky atterrissait à Moscou au moment où le tonnerre, les éclairs et la pluie s'abattaient sur l'aéroport. On emmena précipitamment la paire d'espions dans une fourgonnette aux vitres sombres et ils disparurent vers un destin inconnu[6].

Farrell apprit la nouvelle du retour des Lambert à Moscou par la radio de sa voiture alors qu'il s'en allait courir le marathon. Il monta le volume et écouta le bulletin de nouvelles qui révélait les grandes lignes de cette saga d'espionnage. Pendant un moment, il se sentit bien. Il pensa à son père Joseph, qui était mort en 1992. Il aurait été fier de la contribution de son fils à l'opération qui avait permis d'épingler deux espions russes. Puis Farrell éteignit la radio.

---

5. Harold Levy et Dale Brazao, «Russian spies ordered deported. Couple – and their secrets – leasing "as soon as possible"», *Toronto Star*, 8 juillet 1996, page A13.
6. Olivia Ward, «Deported spies return to Russia», *Toronto Star*, 12 juillet 1996, page A1.

Lunau réunit Farrell et l'équipe du SOS, même les techniciens du CST d'Ottawa, pour un lunch de célébration au restaurant *Chick'n' Deli* sur Mount Pleasant Road dans le centre-ville torontois. Le groupe de douze porta un toast à leur succès en enfilant bière après bière et, à un certain moment, Lunau s'avança vers Farrell pour le féliciter encore pour son superbe travail.

Il lui dit: «John, tu as accompli un travail extraordinaire. Je te suis très redevable.»

Les deux se serrèrent la main. Murphy dit à Farrell qu'il était l'as de l'unité et que le Service n'aurait pas pu mener cette opération à terme sans lui. «Tu as accompli un travail exceptionnel pour nous, John. Nous sommes vraiment fiers de toi», lui dit Murphy en lui tapant dans le dos.

* * *

L'un des mystères entourant le séjour des Lambert au Canada est de savoir comment le SCRS eut vent de leur présence à Toronto. Les opérations de renseignements impliquant des résidents illégaux sont voilées d'un secret extraordinaire. Seule une poignée d'agents du SVR connaissaient leurs véritables identités et leur mission. Les résidences illégales sont des opérations qui consomment énormément de temps et exigent normalement plusieurs années d'entraînement minutieux et une planification méticuleuse. Le coût de ces missions est énorme, tout comme l'est le coût d'un échec; une telle révélation entraîne habituellement des retombées diplomatiques déplaisantes. On investit du temps et de l'argent dans des résidents illégaux pour qu'ils réussissent, non pour qu'ils échouent. Alors comment les Lambert ont-ils échoué? Ont-ils été trahis par un inconnu du SVR ou ont-ils tout simplement glissé sur une pelure de banane et attiré les soupçons qui les ont finalement menés à être démasqués comme espions?

Les documents soumis par le SCRS en cour au moment où Ottawa tentait de déporter le couple fournissent des indices à ce sujet. «Le service a eut vent qu'on préparait des "histoires" en vue d'une future opération du Conseil de direction S fondée sur les informations personnelles d'Ian Mackenzie Lambert et de Laurie Catherine Mary Brodie, deux Canadiens décédés», écrivit le SCRS dans son résumé de vingt-quatre pages présenté en Cour fédérale du Canada. Leur sentence somme toute enviable suggère que les Lambert ont été trahis.

Mais la réponse à l'énigme de la manière dont on a démasqué les Lambert est plus complexe que les phrases ambiguës du SCRS ne le laissent entendre. Des sources du milieu du renseignement qui sont familières avec l'opération Coupe Stanley confirment que c'est une combinaison d'événements qui a permis de découvrir les Lambert. Un transfuge russe, selon ces sources, a fourni des informations selon lesquelles on mettait sur pied une opération impliquant des résidents illégaux au Canada. Mais le transfuge ne connaissait pas l'identité des agents du SVR introduits dans ce pays. Les dénicher équivalait à trouver la légendaire aiguille dans la non moins légendaire botte de foin.

Laurie et Ian avaient fait leurs demandes de passeport canadien les 3 et 6 juin 1994 respectivement. Leurs photos de passeport les montraient soigneusement coiffés et arborant un sourire forcé. David Nimmo, un professeur de longue date et le directeur du collège de Woodsworth, signa comme garant d'Ian. Laurie demanda au docteur Fraser Tudiver, un médecin du Sunnybrook Health Science Centre, d'être son garant et il l'obligea. La demande de Laurie ne comportait aucune erreur. Mais Ian avait des difficultés avec la sienne. Il dut corriger l'orthographe de «Lambert» sur la toute première ligne de la demande, une erreur exceptionnelle pour n'importe qui. Plus loin, il raya «Toronto» comme lieu de naissance et le remplaça par «East York» en lettres majuscules. Il écrivit aussi «étudiant» comme occupation. Mais les étranges erreurs d'Ian ne furent pas suffisantes pour conduire le SCRS sur la piste des agents. Selon Anita Keyes, la chance a souri au Service lorsqu'un employé municipal du Québec, qui mettait à jour des informations sur les naissances et les morts sur un ordinateur, tapa la date de la mort de la véritable Laurie Catherine Mary Brodie. L'employé fut étonné lorsqu'un numéro d'assurance sociale apparut à l'écran pour Laurie Lambert (née Brodie). Le numéro d'assurance sociale était 275 008 482. Un bébé décédé depuis longtemps et possédant un numéro d'assurance sociale: ce fait étrange mais important finit par aboutir dans les mains reconnaissantes du SCRS.

Au lieu de ramasser les Lambert tout de suite, le Service attendit et observa, certain que les deux espions avaient des complices travaillant avec eux au Canada. En même temps que les Lambert, le SCRS arrêta une femme de quatre-vingts ans de Verdun, au Québec, que le Service soupçonnait d'avoir espionné pour les Russes depuis la guerre civile d'Espagne. Étant donné son âge et l'inconfort ressenti à l'idée d'accuser d'espionnage une personne âgée, Ottawa décida de ne pas la poursuivre. Le Service soupçonnait que le chef de ce réseau était un dentiste de Toronto qui vivait et pratiquait à proximité des Lambert.

La presse ne rapporta que l'arrestation des Lambert, divulguée au moment précis où Ottawa venait de sabrer de façon draconienne dans le budget du Service. L'histoire des Lambert eut un autre résultat important : elle rappela aux Canadiens que même si la guerre froide était terminée, le pays était encore vulnérable aux opérations clandestines.

Mais il s'avéra que l'opération Coupe Stanley se termina presque en queue de poisson. Quelques jours seulement avant l'arrestation des Lambert, deux agents du SCRS arrivèrent à la porte du dentiste, pendant qu'il recevait des amis à dîner. Les deux agents l'accusèrent d'être à la tête d'un réseau d'espions russes au Canada et exigèrent de connaître le genre de relations qu'il entretenait avec les Lambert. Il appert que le service soupçonnait le dentiste d'avoir implanté des secrets dans les dents d'Ian. Tout en admettant qu'il connaissait les Lambert, le dentiste étonné remit les dossiers dentaires de ceux-ci et persuada les agents du SCRS qu'ils avaient commis une terrible erreur. Miraculeusement, cette malheureuse et inopportune embuscade ne sabota pas l'opération clandestine de contre-espionnage en cours depuis deux ans.

* * *

L'opération Coupe Stanley fut un triomphe coûteux. On a consacré énormément de ressources du service de renseignements à la capture de deux espions russes très humains. Tessier, Birkett, Hatcher, Murphy et Lunau reçurent tous une promotion. Yu, Weber et les autres techniciens gagnèrent des milliers de dollars en temps supplémentaire. On envoya Murphy à Ottawa pour occuper le poste de directeur national de l'entraînement des recrues du SOS et Lunau devint le chef des Opérations spéciales à Toronto, le travail auquel on l'avait préparé depuis qu'il s'était joint au service, le seul emploi, selon Farrell, que son patron ait jamais vraiment désiré.

Pour Farrell, il n'y eut pas de promotion. Lunau lui promit un travail permanent avec le SOS, mais Farrell commençait à réaliser que c'était là une promesse creuse.

10
DIMA ET LE TRANSFUGE

Assise devant sa table de cuisine en bois, Anita Keyes tire doucement une bouffée de sa cigarette en tenant un verre de scotch tandis qu'elle revoit les jours frénétiques où elle se trouvait au centre d'une histoire d'espionnage qui a stupéfié la nation. Durant les années qui se sont écoulées depuis que sa relation avec un espion russe a alimenté les titres des journaux, beaucoup d'éléments ont changé dans sa vie. Une chose demeure pourtant constante : l'image publique d'Anita Keyes, femme déconfite et blessée, et qui a eu le cœur brisé par la fourberie et la trahison.

Cette image sympathique est vraie, jusqu'à un certain point. Il est clair que Keyes a été profondément consternée par l'arrestation d'Ian Lambert, mais non pas par le fait que son amant ait été un espion. Elle fut surprise qu'il se soit fait prendre. Keyes avait roulé autant le SCRS que les médias. Plusieurs mois avant l'arrestation d'Ian, elle savait qu'il était un espion. Elle a gardé le silence parce que, dit-elle, elle était amoureuse.

* * *

Cette aventure extraordinaire avait connu un début ordinaire. Keyes et Ian Lambert se sont rencontrés en travaillant pour

Black Photo, à Markham, Ontario. À cette époque, Keyes sortait d'un mariage raté. La bataille habituelle autour de la garde des enfants l'avait drainée financièrement et émotionnellement ; elle cherchait du réconfort au travail et dans la compagnie d'amis et de collègues. Chez Black, elle dirigeait une équipe d'employés spécialisés dans l'imagerie électronique. Ian Lambert était l'un des membres de cette équipe.

Elle avait remarqué la courtoise et la beauté de ce jeune homme. Quelques moments de bavardage dans les corridors et dans la petite salle de lunch finirent par susciter une proposition : Keyes demanda à Lambert s'il voulait aller prendre un verre après le travail. L'esprit vif et la maturité de Keyes enchantaient Lambert. De son côté, elle trouvait que sa capacité d'écoute constituait un antidote apaisant aux douloureuses séquelles d'un mariage raté. Leurs rapides fréquentations fleurirent autour d'un agréable mélange de rencontres intimes et de longues marches. Dès leur deuxième rendez-vous, Lambert laissa échapper : « Je vais t'épouser. » Étonnée, Keyes se contenta de sourire.

Lambert lui raconta que son mariage se désintégrait et que sa présence dans sa vie était voulue par le destin. Cette relation était certainement une aubaine pour un espion. Il savait que Keyes, une femme seule, était vulnérable aux propositions d'un jeune homme habile à jouer plusieurs rôles. Keyes reconnaît que Lambert était un caméléon accompli. Le voile de duplicité qui l'entourait était si convaincant qu'elle ne douta pas un moment que son nouvel amant était un Canadien. Un jour, après quelques verres de scotch, elle remarqua un subtil changement dans son accent et l'interrogea à la blague là-dessus. Elle dit : « Il raconta que, jeune, il avait vécu en Allemagne et qu'il avait eu une nourrice allemande qui lui avait laissé des traces d'accent. » Elle le crut.

Ils se mirent bientôt à faire des voyages de week-end à Syracuse et à Rochester, dans le nord de l'État de New York ; ils visitaient des boutiques d'artisanat et des musées, et demeuraient dans de chic lieux de villégiature[1]. Keyes accompagnait même Lambert à ses cours à l'université de Toronto. Elle se souvient : « Je me suis assise avec lui durant les cours d'histoire et de psycholo-

1. D'après Keyes, le SCRS n'a jamais avisé le FBI de la présence de Lambert aux États-Unis.

gie. J'adorais cela.» Elle croyait Lambert excellent à l'université. Il ne l'était pas. Elle était aussi à ses côtés lorsqu'il demanda au professeur Nimmo de signer pour son passeport. Ils dînaient souvent ensemble chez *Gio's*, un restaurant italien de la rue Yonge qui, avec ses murs couverts de graffitis, sa musique forte et son ambiance chaleureuse, devint un de leurs repaires favoris. Cette aventure a peut-être revigoré son moral, mais elle lui occasionna aussi des soucis imprévus au travail. Elle dit que Black Photo lui a servi – à elle, pas à Lambert – un ultimatum: mettre fin à la relation ou quitter la compagnie.

Keyes dit: «J'ai tout simplement craqué et leur ai dit que j'en avais assez de cet endroit, et je suis partie.»

D'après Keyes, quand Laurie a découvert leur aventure, elle a agressé Ian, lui a donné des coups de poing et l'a mordu à l'oreille. Après la querelle, il est accouru chez Anita pour montrer la multitude de coupures, de contusions et de morsures à son visage, sur son dos et sur son oreille.

Après ce violent affrontement avec Laurie, Ian décida non seulement de la laisser mais aussi d'abandonner sa carrière d'espion. Il se mit à faire l'école buissonnière à Mexico, quelques mois après l'éclatement de son couple. (Il raconta à Keyes qu'il allait rencontrer sa mère.) Les maîtres espions nerveux de Russie ne pouvaient joindre leur agent manquant. L'opération d'espionnage russe échoua non à cause des millions de dollars engloutis par le SCRS dans l'opération Coupe Stanley, mais parce qu'un homme était tombé amoureux d'une femme, même si cette charmante vérité n'eut pas d'écho dans les reportages de la presse, qui était dithyrambique à propos du SCRS et de son prétendu beau coup.

À son retour de Mexico, Ian déménagea dans la maison de Keyes. Peu après le début de leur vie commune, Keyes remarqua un cliquetis inhabituel dans son téléphone et demanda à Bell Canada de vérifier cela. L'inspection révéla que la ligne était peut-être sous écoute. «J'en ai fait part à Ian à l'époque», dit-elle. Curieusement, cette découverte ne sembla pas le perturber. Plusieurs jours plus tard, le propriétaire remit un mot à Keyes, l'avisant que des techniciens d'Hydro-Ontario allaient devoir entrer chez elle pour effectuer une inspection.

Keyes dit: «Bien sûr, j'ai réalisé plus tard que c'était une ruse du SCRS pour implanter des dispositifs d'écoute dans la maison.»

La relation d'Ian avec Keyes ne fit pas que secouer Laurie, elle mit ses patrons inquiets en colère. Au début de 1996, on rappela les deux espions au centre du SVR après près de sept ans au Canada. (Pourquoi le SCRS risqua de voir les deux espions lui glisser entre les doigts de façon définitive demeure un mystère.) Ian raconta à son patron qu'il était amoureux de Keyes et voulait en finir avec la vie d'espion. Ses supérieurs lui offrirent deux options également dures à avaler : soit qu'il laisse tomber Keyes, soit qu'il la recrute pour travailler avec lui comme espionne. Keyes rit à la pensée d'être recrutée comme espionne.

Elle dit : « C'est ridicule. C'est absolument ridicule. »

Ian dit à ses supérieurs ne pouvoir envisager aucune des deux options. Moscou lui ordonna d'en finir avec cette aventure. Il refusa et on leur ordonna, à lui et à Laurie, de foutre le camp du Canada sur-le-champ. De fait, à leur retour du centre, Laurie s'occupa de fermer leurs comptes en banque et de payer les factures importantes.

Mais où les espions s'en allaient-ils? Keyes croit qu'ils partaient probablement pour Israël avec leurs passeports canadiens, pour voler des secrets commerciaux. D'après Keyes, la décision du SVR de retirer leurs agents a forcé la main au SCRS. « C'est à cause de cela qu'ils [le SCRS] ont bondi. »

Mais avant de partir, Ian décida de dire la vérité à Keyes.

* * *

C'est à l'exclusif *Camberley Club*, situé dans les hauteurs du Scotia Plaza, au 40 King Street West, au centre-ville de Toronto, qu'il choisit de se confesser. Ce club, qui recevait de riches hommes d'affaires et des acteurs de Hollywood en quête d'intimité, occupait les vingt-huitième et vingt-neuvième étages de la tour de la banque Scotia. (Il a fermé ses portes en 1999.) Les suites du club étaient grandes et décorées avec goût, mais le plus important est que le *Camberley* assurait ses invités qu'ils ne seraient pas dérangés.

Keyes croyait que Lambert avait simplement préparé une autre romantique escapade de week-end, jusqu'à ce qu'Ian, dans un torrent de larmes, avoue être un espion russe. À genoux, il raconta à la femme qu'il l'aimait, que son mariage avec Laurie était une supercherie et qu'on les avait envoyés au Canada, lui et sa femme, en tant qu'espions en sommeil. Il lui divulgua son vrai nom, son rang dans l'armée russe (il est la plus jeune personne à avoir atteint le grade de colonel dans l'armée russe) et quelques détails de son entraînement d'espion. Dmitriy Olshevsky dit à Keyes être tombé amoureux d'elle et vraiment vouloir l'épouser. Il lui demanda de lui pardonner. Keyes était stupéfaite.

Keyes raconte: «La plupart des gens, je crois, cherchent l'amour véritable toute leur vie et je croyais vraiment l'avoir trouvé en le rencontrant. Alors, qu'il me dise soudainement ne pas être celui que je croyais, eh bien, il m'aurait été bien moins douloureux qu'il saisisse un couteau et me poignarde.»

Elle frappa son amant et pleura de façon incontrôlable pendant plusieurs minutes avec rage, remplie d'un insupportable sentiment de trahison. Mais la colère s'étiola. Bien que blessée par sa montagne de mensonges, Keyes dit à Olshevsky – ou Dima, comme elle l'appelait affectueusement – que leur amour était plus fort que sa tromperie.

Quand on lui demande pourquoi elle est restée avec Dima et pourquoi elle l'a protégé, Keyes répond: «Je l'aimais.» Mais il ne fait aucun doute que la vie secrète de Dima, pleine d'intrigues et de risques, ne l'amusait pas.

Dima dit à Keyes qu'il était un espion à contrecœur. Des agents de renseignements russes supérieurs l'avaient cueilli dans un cours universitaire à Saint-Pétesbourg, où il étudiait le journalisme. Il avait capté leur attention lors d'un séjour de deux ans dans l'armée. Il ne pouvait guère refuser l'appel de ces puissants cadres. Keyes dit: «Dima a dit que si on refusait ce genre de demande, on pouvait faire une croix sur sa carrière.»

Yelena Olshevskaya était une des plus brillantes étudiantes du groupe d'étude à l'université. Ils sortirent brièvement ensemble avant que les chefs du renseignement ne les persuadent de se marier et de servir leur pays outre-mer. Keyes souligne qu'«il n'était pas amoureux d'elle. Mais Yelena est tombée amoureuse de Dima».

Le couple passa quelques mois à Vancouver et à Québec, perfectionnant leur français et leur anglais avant de s'établir à Toronto. Keyes dit: «Ils se familiarisaient avec le pays.» Dima raconta même à Keyes ses visites clandestines au Mexique en

1993 et à Zurich en 1994, où il rencontra des cadres supérieurs du Conseil de direction S pour discuter d'opérations d'espionnage et obtenir des documents de voyage contrefaits. Mais Dima ne dit pas tout à Keyes. Elle confesse: «Nous avons très tôt décidé que je ne poserais pas trop de questions.»

Pourtant Keyes n'avait jamais envisagé que son amant puisse être arrêté et se retrouver en prison. C'est seulement lorsque le SCRS l'appela qu'elle comprit vraiment les profondes répercussions que l'arrestation de Dima aurait dans sa vie. Keyes était penchée au-dessus d'une photocopieuse dans les bureaux d'une firme de comptables quand deux agents de contre-espionnage, Frank Ayres et Elena Pascual, se faufilèrent discrètement à travers la sécurité et s'approchèrent d'elle pour lui demander s'ils pouvaient lui parler un moment.

— C'est à quel sujet?

— Anita, nous travaillons pour le Service canadien du renseignement de sécurité, dit Ayres tandis que lui et Pascual lui montraient leurs cartes.

Avant l'arrivée des agents, Keyes ne savait pas grand-chose du service de contre-espionnage du Canada ni des pouvoirs étendus dont il jouit.

Keyes ricana: «C'est une blague?»

Une femme de ménage se tenait derrière Keyes, passionnée par ce qui se passait.

Ayres dit: «Écoutez, y a-t-il un endroit où nous pourrions parler?» Keyes dirigea les agents de renseignements vers son bureau.

Ayres s'enquit du travail de Keyes chez Black Photo, puis la bombarda de questions sur Dima. Keyes exigea de savoir ce qui se passait. Pascual s'apercevait que Keyes commençait à être affectée et elle tira une petite bouteille de jus de son sac.

«Ça va?» demanda-t-elle en lui tendant la bouteille de jus.

Le Service savait Keyes diabétique et Pascual avait acheté le jus en chemin au cas où Keyes tomberait en état de choc. À ce moment, Keyes réalisa qu'elle avait été surveillée. Elle comprit aussi pourquoi ses ordures, comprenant ses seringues jetables et ses boîtes de médicaments vides, disparaissaient régulièrement de son perron d'en avant. Elle avait même fait mention de ces disparitions à Dima.

Ayres dit à Keyes que son petit ami était un espion russe et produisit une pile de documents, dont le certificat de décès du véritable Ian Lambert. Keyes ne dit rien tandis qu'Ayres faisait parader les preuves du subterfuge de Dima devant ses yeux. L'agent du SCRS mit Keyes en colère une seule fois, lorsqu'il mentionna que Dima voyait encore Yelena. Alors qu'Ayres poursuivait son interrogatoire de Keyes, un collègue de travail se montra la tête par la porte de son bureau et dit qu'un M. Fudge était au téléphone et exigeait de lui parler de toute urgence.

— Je ne connais personne du nom de M. Fudge et je ne peux parler à personne maintenant, dit Keyes.

— Anita, il dit qu'il ne laissera pas de message, insista son collègue.

C'était Dima qui appelait. Il essayait désespérément de joindre Keyes depuis la prison de Toronto où on le détenait depuis son arrestation. Comme elle ne s'en doutait pas, elle ne prit pas l'appel.

Quelques heures plus tard, un groupe d'agents du SCRS et de policiers de la GRC envahirent la maison de Keyes, à la recherche de preuves. Keyes regarda en silence les agents du gouvernement saisir la plus grande partie de son mobilier de chambre, des CD, des ordinateurs, une imprimante, une machine expresso, des lampes, des téléphones, ses collections de porte-clés et de boîtes d'allumettes qui lui étaient chères, deux horloges murales, un magnétoscope, des bureaux et un appareil stéréo. Ils trouvèrent aussi d'anciens numéros d'un bulletin du SCRS auquel Dima s'était abonné et ils les apportèrent. Les agents ouvrirent les murs et l'isolation partout dans la maison. Ils enlevèrent la couverture du matelas à ressorts dans la chambre de sa fille et vidèrent le lit d'eau, croyant que Dima aurait pu cacher des documents compromettants en dessous. Ils mirent les plafonds en pièces et fouillèrent le congélateur et le réfrigérateur, où ils trouvèrent une petite quantité de marijuana et de hashish. (Keyes dit qu'elle et Dima fumaient ces drogues en faisant l'amour afin d'augmenter leurs orgasmes.) Les agents trouvèrent aussi huit mille dollars américains cachés sous un bureau. Ils mirent la voiture sport rouge que Dima aimait tant dans un camion, l'emportèrent et la démantelèrent au complet. Keyes dit: «Ce n'était pas une expérience agréable.»

Le SCRS donna à Keyes des reçus pour la voiture d'Ian et pour toutes ses possessions à elle. Le Service et la GRC lui retournèrent presque tout, y compris les drogues et l'argent.

Pour atténuer le choc de l'arrestation de Dima et pour se faire bien voir d'elle, le SCRS l'installa avec ses enfants au Prince Hotel pendant quelques nuits. Keyes apprécia en grande part son séjour à l'hôtel; elle y invita des amis et commanda le service de chambre. Pourquoi ne se serait-elle pas gâtée aux dépens du Service, pensait-elle, alors que le SCRS avait abruptement envahi sa vie heureuse?

À l'hôtel, Bill Walker, en charge des sources humaines à Toronto (un département du SCRS qui entretient et paye des sources qui fournissent des informations au Service), Ayres, Pascual et Alan Jones, un agent du département de la sécurité interne du SCRS, la questionnèrent à tour de rôle; Ayres et Pascual le premier jour, Walker et Jones les autres jours. Keyes dit que le SCRS connaissait des détails intimes de sa vie d'avant sa rencontre avec Dima et qu'ils la pressèrent de questions sur ce qu'elle savait des activités de Dima. Ayres dit à Keyes que le Service les avait surveillés depuis plus de deux ans. Elle ne le crut pas. (C'était pourtant vrai.) Keyes dit: «Ils dirent qu'il était encore actif, toujours en contact avec Yelena. Ils dirent qu'il m'avait menti pendant tout ce temps.»

Tandis qu'on interrogeait Keyes dans une confortable chambre d'hôtel, Dima et Yelena se retrouvaient dans des quartiers beaucoup moins invitants: le centre de détention de Metro West. Keyes rendit visite à Dima plusieurs fois avant qu'il ne l'implore de ne plus le faire. Il était certain qu'il y avait un micro caché dans la cellule.

Keyes dit que son interrogatoire par le SCRS tourna en négociation: le Service essayait d'en venir à une entente avec Dima afin de pouvoir lui soutirer des informations sur les activités d'espionnage russe et leur savoir-faire en échange d'un statut de résident au Canada. Keyes et son avocat jouèrent le rôle de relais en transmettant des informations à Dima, pendant que lui et Yelena attendaient en prison, inquiets.

Keyes et le docteur Miller, le petit ami de Yelena, conclurent un pacte durant leurs longues discussions avec le SCRS: le Service devait accepter d'accorder l'asile à Dima et à Yelena, sinon il n'y aurait pas d'entente. Keyes dit: «Nous avons décidé très tôt de nous soutenir mutuellement tous les quatre. C'était tous pour un, un pour tous.» Keyes éprouve de la gratitude pour Miller, un médecin ayant étudié à l'université d'Oxford, parce qu'il l'a soutenue durant les jours tumultueux qui ont suivi l'arrestation de Dima.

Durant les négociations, il devint clair, d'après Keyes, que le Service avait les yeux sur Dima à cause de son grade élevé dans le SVR. Elle dit que Walker avait peine à contenir sa joie à l'idée d'épingler un espion russe de haut rang. Son travail consistait à recruter des informateurs et Dima serait une prise inestimable. Le vétéran du SCRS dit à Keyes que son rôle dans l'opération serait le couronnement de sa longue carrière. Keyes dit qu'«il était comme un enfant dans un magasin de bombons». Walker lui dit: «J'ai cherché cela pendant vingt-cinq ans. C'était mon rêve d'être impliqué dans une histoire de ce genre: attraper un espion.»

Pour avoir une chance de mettre la main sur ce prix convoité, le SCRS savait que la collaboration de Keyes était essentielle. Elle dit: «Je savais qu'ils allaient m'utiliser pour l'inciter à jouer pour Équipe Canada.» Walker lui offrit même de l'argent en échange de sa collaboration. «Il était en fait plutôt comique. Il commença par mettre de l'argent sur la table.» L'agent de haut rang du SCRS dit à Keyes que cet argent était à elle sans condition. Keyes lança un regard méprisant à Walker en raflant les trois mille dollars en liquide sur la table. Le Service lui fit signer un reçu.

Walker l'assura que le Service comprenait qu'elle était la victime innocente d'une parfaite fourberie perpétrée par un agent d'espionnage expérimenté. (Quand l'affaire fit son apparition dans les journaux, deux agents du SCRS emmenèrent Keyes rencontrer son ancien mari afin de le réassurer qu'elle n'avait pas coopéré avec l'espion mais avait été dupée. Encore une fois, Keyes garda le silence.)

Le SCRS n'était pas le seul service de renseignements intéressé à Dima. Le FBI lui fit aussi une proposition. Keyes dit que le SCRS lui refila une enveloppe dont le dos portait le nom de deux agents du FBI impatients de rencontrer Dima. Les agents rencontrèrent plus tard son avocat et offrirent à Dima une nouvelle vie, une nouvelle identité, un nouveau travail en échange d'informations précieuses. À la fin, Keyes et Dima déclinèrent l'offre du FBI pour une raison importante : elle ne voulait pas déraciner ses enfants.

Keyes dit que le SCRS a conclu une entente avec Dima. Le Service voulait le séquestrer dans un repaire clandestin pendant six mois et l'interroger sur son entraînement de même que sur les techniques du SVR et sur les opérations au Canada et outre-mer. Il paraderait aussi devant les services de renseignements américain et britannique, qui procéderaient à de nouveaux interrogatoires. En échange d'informations et de sa collaboration, le Service acceptait de fournir à Dima une nouvelle identité et l'asile au Canada pour lui ainsi que pour Keyes et ses enfants. On ferait la même offre à Yelena. Cet arrangement minutieusement préparé s'effondra cependant car des politiciens nerveux à Ottawa refusèrent de l'approuver. Cette décision anéantit Keyes, Miller et le service de sécurité. Keyes exigea de Walker une explication pour cette volte-face abrupte. Traumatisé, l'agent du SCRS dit à Keyes que la politique avait prévalu sur les principes et qu'Ottawa ne voulait pas contrarier les Russes en incitant à la défection deux de leurs espions.

Le SCRS avait ramené une grosse prise, mais Ottawa voulait qu'il la remette à l'eau. Les espions en chef du Canada secouèrent la tête de stupéfaction et de colère. Même s'il était prêt à conclure une entente, on s'apprêtait à remettre Dima aux Russes reconnaissants et vengeurs. Quelques jours à peine après l'échec des négociations, on laissa filtrer dans la presse la nouvelle de l'arrestation de deux espions russes. Il semble que le SCRS devait récupérer quelque chose de la tentative d'attirer Dima à jouer, comme le dit Keyes, « pour Équipe Canada ».

Sans autre option qu'une bataille juridique, Dima et Yelena capitulèrent en cour. Le séjour inconfortable de Dima en prison contribua aussi, selon Keyes, à sa décision d'abandonner la bataille juridique pour demeurer au Canada. Ses camarades de travail chez Black Photo essayèrent bien de lui remonter le moral en lui envoyant une bande vidéo de musique remplie de messages de soutien chantés sur l'air du thème musical très populaire de *Mission : Impossible*. Cela n'eut que peu d'effet. D'après Keyes, Dima devint déprimé dans sa petite cellule du centre de détention Metro West.

La rétribution pour leur échec au Canada fut rapide et dure. Non seulement les espions russes furent-ils disgraciés, mais ils avaient aussi embarrassé leur ambassade à Ottawa d'une facture d'avocat de quarante mille dollars avant de jeter la serviette et de prendre le vol d'Aeroflot. Après quelques semaines d'exténuants interrogatoires à Moscou, on força Dima et Yelena à payer de substantielles amendes, qui, à toutes fins utiles, vidèrent leurs comptes en banque. On leur retira leurs documents de voyage et on leur interdit de quitter le pays pour cinq ans. La presse russe était remplie d'articles peu flatteurs sur ce fiasco en matière d'espionnage. Keyes dit : « On écrivit des articles très méchants sur leur faillite, leur trahison et le coût très élevé pour le public. On ne voyait pas Dima comme un héros. »

Mais après que se fut évanouie la frénésie médiatique au Canada, Keyes prit discrètement des dispositions pour visiter son amant en Russie. En août 1996, à peine dix semaines après la soudaine arrestation de Dima, elle prit l'avion pour Saint-Pétersbourg, avec une escale à Francfort, en Allemagne. Dans un étrange rebondissement, les autorités russes lui permirent de reprendre sa relation avec l'espion humilié. C'était la première de plusieurs visites qu'elle effectua en Russie. Au moment où elle arriva, Dima et Yelena avaient tous deux démissionné du SVR.

Cette première réunion à l'aéroport de Saint-Pétersbourg remplit encore de larmes les yeux de Keyes. « Quand il m'a rencontrée, alors que je traversais les douanes, il m'a prise dans ses bras et m'a embrassée si longtemps et avec tellement de passion que tout le monde dans l'aéroport a applaudi. » Deux autres personnes étaient là pour l'accueillir : Miller, qui était arrivé en Russie une semaine plus tôt, et la femme de Dima. Keyes était convaincue que Yelena était encore très amoureuse de Dima, mais elle n'avait pas à s'en faire. Yelena l'embrassa.

Un agent de renseignements de haut rang entra en contact avec Keyes peu de temps après son arrivée et lui demanda poliment si elle avait besoin de quoi que ce soit ou s'il pouvait faire quelque chose pour rendre son séjour plus agréable. Malgré l'hospitalité de surface, des agents de renseignements russes suivirent le couple. (Quand elle revint au pays, Keyes apprit que le SVR voulait récupérer la voiture sport rouge de Dima. Elle dut trouver l'argent pour payer le satané fonctionnaire russe pour la voiture[2].)

2. Keyes vendit la voiture sport à un ami au début de 2002 pour cinq mille dollars.

Le voyage de Keyes en Russie en août était dérangeant. La famille de Dima l'accueillit dans son monde à bras ouverts, mais quel monde! La Russie ne s'était pas encore remise de la transition cataclysmique entre le communisme et le capitalisme: la corruption et le crime l'inondaient. L'expérience de première main de l'anarchie qui caractérisait la nouvelle Russie était déroutante pour Keyes. Dima se battait pour bâtir une nouvelle vie, dit-elle, à partir des cendres de sa carrière d'espion. Il avait projeté d'ouvrir un studio de photographie. Mais pour démarrer ses affaires, il dut payer des pots-de-vin à toute une coterie de bureaucrates.

Elle pensa que si elle et Dima devaient vivre ensemble, il fallait que ce soit au Canada, non en Russie.

* * *

Pourtant, au début de 1999, Keyes se rendit à nouveau en Russie pour épouser Dima. Le mariage fut célébré le 16 janvier au *Palais des mariages*, un restaurant avec une salle de danse, dans le village natal de Dima, Pskov, dans le nord-ouest de la Russie. Pskov est une ville d'une beauté à couper le souffle, avec des églises imposantes, des monastères et une forteresse épique reconstruite après la dévastation de la Deuxième Guerre mondiale. Keyes envoya même une invitation pour le mariage à Michelle Gagné, un jeune agent de contre-espionnage, et à un autre agent du SCRS avec lequel elle s'était liée d'amitié plusieurs années auparavant; mais ils ne vinrent pas.

Parmi les invités d'honneur du resplendissant couple de Pskov, on comptait l'avocat torontois de Keyes, Mark Trenholme, Miller et Yelena. Deux ans plus tôt, Miller s'était rendu en Russie pour épouser son amoureuse. Ils étaient maintenant heureux d'être les témoins du mariage de Keyes et de Dima.

Dans le monde impitoyable de l'espionnage, ces fréquentations et ces mariages doubles étaient une première. Pour Keyes, c'était la conclusion qu'il fallait à des relations nées dans la tromperie mais alimentées par l'amour. Keyes dit, avec un sourire: «Le monde nous a peut-être oubliés, mais nous n'avons jamais abandonné notre amour l'un pour l'autre. Peter a épousé Yelena et j'ai épousé Dima. Pourquoi pas?»

Lors de la cérémonie de mariage à Pskov, on prit une photo des deux couples mariés. Sur cette photo, Miller arbore un léger sourire alors que Yelena, l'air discret et sérieux, serre la main de son mari. Dima et Keyes, bras dessus bras dessous, se tiennent à côté des Miller. C'est une image incroyable. Trois ans plus tôt, les mains des Russes étaient prises dans des menottes alors qu'on les faisait entrer et sortir de prison. Maintenant ces mains portaient des alliances échangées en Russie, cette même nation qui avait dépêché les espions engagés dans «des actes d'espionnage et de subversion contre un gouvernement démocratique[3]».

C'était une scène idyllique. Une couche de neige était tombée sur Pskov la nuit précédant la cérémonie, conférant à la salle de mariage un air de carte postale. La longue cérémonie de mariage fut célébrée en russe. Le beau-frère de Dima, Misha, se tenait à côté de Keyes et lui chuchotait la traduction à l'oreille. La mariée, les cheveux teints en blond et coupés courts, portait un élégant ensemble crème au lieu d'une robe de mariage formelle. Le marié avait opté pour une veste verte à trois boutons, une cravate et un pantalon sombre. Yelena était en noir. La sœur de Dima, Anya, était la dame d'honneur, tandis que Dima avait demandé à un ami, Oleg, d'être son témoin. La cérémonie regorgeait de symbolisme et de traditions. Dima et Keyes passèrent sous une serviette tissée à la main qui représentait leur union et leur passage à un nouveau chapitre de leurs vies. Ils trempèrent des petits morceaux de pain fraîchement cuits, un symbole d'abondance en Russie, dans du sel, en souvenir des amères leçons de la vie, avant d'en prendre une bouchée enthousiaste. Ils échangèrent des toasts au champagne et brisèrent leurs verres. Les applaudissements et les acclamations fusèrent tandis qu'ils glissaient chacun dans le doigt de l'autre une alliance simple faite sur mesure et échangeaient un long baiser. Après la cérémonie, le groupe effectua un bref pèlerinage au monument aux Russes morts à la guerre, une coutume observée par tous les couples mariés depuis la fin de la guerre. Ce geste solennel avait une signification spéciale pour Dima, ancien colonel et espion malgré lui.

---

3. Cathy Simmie était le juge d'immigration qui présidait à l'audience de déportation des Lambert. «Je suis satisfaite que vous ne disposiez d'aucun droit de demeurer au Canada», a-t-elle déclaré aux deux espions.

Lors de la somptueuse réception, l'atmosphère de morosité se dissipa rapidement. Les quarante invités, y compris les parents de Dima et sa jeune sœur, s'assirent à une longue table ornée de porcelaine sobre, de verres en cristal et de serviettes de table bleu, blanc, rouge, en l'honneur du drapeau russe. La famille de Dima remit à la nouvelle mariée un bouquet de roses, un geste d'amour et d'amitié. Personne de la famille de Keyes ne se rendit à la cérémonie. Son frère Kevin, un avocat de Calgary, voulait y aller, mais son cabinet d'avocats, prudent, lui interdit de se rendre en Russie, pour des raisons de sécurité. Ses parents, qui jouissent d'une tranquille retraite sur une ferme à Morrisburg, près de Cornwall, en Ontario, demeurèrent distants. Keyes dit, avec regret : « Ils ne se sont pas intéressés à ma vie depuis mes dix-huit ans. »

Des invités un peu pompettes, dont Miller, vinrent à tour de rôle donner la sérénade au couple avec des versions frustres de chansons du terroir russe. Keyes donna à Dima un surnom – homard – parce que ces crustacés s'accouplent pour la vie. Dima fit préparer par un pâtissier local un gâteau spécial symbolisant les deux nations unies par le mariage. La base du gâteau arborait un drapeau russe et une feuille d'érable. Deux cœurs décoraient le dessus.

* * *

Après le mariage, Miller et Keyes entreprirent le long et frustrant procédé d'obtention de la citoyenneté canadienne pour leurs conjoints. Keyes dit que les autorités russes levèrent finalement l'interdiction faite en 1996 à Dima et à Yelena de voyager à l'étranger. D'après Keyes, libérer les deux anciens espions de leur exil intérieur est une étape critique sur l'imprévisible chemin du retour au Canada.

Au début de mars 2002, Yelena se rendit à Londres, en Angleterre, pour passer une semaine avec son mari et sa famille. Il s'agissait de son premier voyage depuis son arrestation. Dès son arrivée, des agents du MI5, le service d'espionnage domestique britannique, tentèrent d'entrer en contact avec elle pour organiser une rencontre. Miller repoussa cette tentative poliment mais fermement.

Encouragés par le voyage de Yelena, Miller et Keyes ont approché des fonctionnaires canadiens en Russie et au Canada pour les persuader que Dima et Yelena ne faisaient plus courir aucun risque à la sécurité du pays et qu'on devrait leur accorder la citoyenneté. En fait, au début de 2000, des fonctionnaires de l'immigration canadienne en Russie ont questionné Yelena pendant quarante-cinq minutes sur la possibilité d'émigrer. Keyes dit que les fonctionnaires ont remis en question la légitimité de son mariage avec Miller. (Dima devait rencontrer des fonctionnaires de l'ambassade canadienne à Moscou en février 2000 afin de discuter de ses perspectives de retour au Canada. La rencontre fut reportée.)

Est-il possible que Dima et Yelena soient encore partants dans une ruse complexe mise au point par les maîtres espions russes et que leurs mariages à Keyes et à Miller soient des stratagèmes diaboliques pour permettre aux anciens espions de revenir au pays et de reprendre leur travail clandestin ou de voyager outre-mer grâce à leur passeport canadien? Cela paraît invraisemblable. Tout d'abord, la couverture de Dima et de Yelena est disparue à jamais. Le SCRS sait que les anciens espions tentent de revenir au Canada, cette fois-ci légalement. S'ils réussissent à émigrer, il est tout probable qu'on les surveillera avec le même zèle que celui avec lequel on les avait accueillis lors de leur séjour illégal. Deuxièmement, seul un maniaque des conspirations pourrait croire que les mariages sont des subterfuges. Même si de l'extérieur leurs décisions peuvent laisser songeur et paraître naïves, Miller et Keyes ne sont pas des idiots.

Keyes se hérisse à la moindre insinuation que son mari puisse encore être un espion. «C'est un mensonge, dit-elle avec colère. Quand il m'a rencontrée, il a quitté son travail. Toute sa vie a changé quand il m'a rencontré.» On ne trouve guère de raison de contester ce cri du cœur.

Finalement, si Dima et Yelena retournent au Canada – ce qui semble hautement improbable étant donné la tempête que cela soulèverait –, cela se ferait seulement avec la bénédiction du SCRS. C'est en fin de compte le Service qui décidera du sort du couple. Si le Service avertit le gouvernement canadien que les anciens espions posent toujours un risque pour la sécurité nationale du Canada, on ne leur permettra pas de revenir au pays.

C'est aussi simple que cela. Si le SCRS veut une autre chance d'interroger les ex-espions sans les projecteurs des médias sur eux, alors la porte du Canada pourrait s'ouvrir toute grande.

Keyes dit que le SCRS est encore très désireux de fouiller le cerveau de son mari au sujet des services de renseignements russes. Le Service était si désireux de mettre la main sur Dima, ajoute-t-elle, qu'ils la conseillèrent plusieurs fois sur la manière de préparer sa fuite de Russie. Keyes dit, tout en refusant d'élaborer: «Plusieurs personnes, dont des agents du SCRS, m'ont conseillée sur la manière de le sortir de là.» Le Service a tenté de la convaincre en lui envoyant des cartes et des présents à chaque Noël – même une bouteille de scotch pour envoyer à Dima.

Keyes est devenue proche de ceux qui s'occupaient d'elle au SCRS, particulièrement Gagné, un agent subalterne de Toronto. Mais cette amitié se termina quand Keyes amorça ses tentatives pour que Dima la rejoigne au Canada par des voies officielles. Le Service est devenu méchant et menaça de bloquer toute tentative de voir son mari obtenir la citoyenneté canadienne.

Cependant, son combat reçut un stimulant inattendu le 15 décembre 2001 lorsque la sœur de Dima, Anya (qui parle cinq langues et travaille comme interprète à Toronto), et son mari Misha arrivèrent à Toronto avec des visas de travail. Keyes parraina les nouveaux immigrants, qui demeurèrent brièvement chez elle. Le couple a depuis déménagé à Burlington, Ontario, et Anya attend son premier enfant.

Pourtant, selon Keyes, l'incertitude quant à l'avenir de Dima commence à mettre à l'épreuve la solidité de leur relation. Vivre avec le «Dima russe» épuise sa patience. C'est maintenant Keyes qui mène une double vie: une à Pskov avec Dima et son cocker américain dans leur petite *dacha*, l'autre à Toronto avec ses enfants et son travail. Ses voyages transatlantiques et la séparation d'avec son mari ont indéniablement fait des ravages. Keyes est dans une situation financière précaire et croule sous une montagne de dettes et de questions non résolues. Mais elle ne regrette rien.

Elle murmure: «Il s'est produit tellement d'événements surréalistes que je me demande parfois si c'est réel ou si j'ai rêvé. Je suis bénie avec deux enfants. J'ai aussi un amoureux tellement merveilleux que ça vaut la peine de l'attendre cinq ou dix ans s'il le faut.»

Si on doit qualifier Anita Keyes, il faut dire qu'elle est une femme déterminée.

Les transfuges sont aux services de renseignements ce que les dénonciateurs sont aux reporters : une espèce recherchée. En retour pour leur unique trésor – de l'information –, ils font face à une rétribution qui peut changer leur vie. Ils perdent souvent leurs économies, leur famille, leur identité, même leur vie. On les rejette et on détruit leur réputation. Ils peuvent sombrer dans la dépression et envisager le suicide. On remet en question leurs motifs et leur loyauté. Quand ils ne sont plus utiles, souvent on les abandonne.

C'est la perspective peu enviable que Dmitriy Olshevsky et Yelena Olshevskaya considéraient durant leurs infructueuses négociations pour demeurer au Canada. Les espions russes avaient sûrement compris que leur seule valeur aux yeux de leurs prétendants était la propriété intellectuelle qu'ils pouvaient vendre ou échanger : les secrets emmagasinés dans leur esprit. Ils savaient qu'on allait se les passer d'un service de renseignements à l'autre comme des objets, dépendant sans cesse de leurs maîtres pour recevoir une certaine assurance et des marques de gentillesse destinées à les manipuler. Pour le reste de leur vie, rendue plus confortable par leurs nouveaux alliés, il allaient probablement vivre dans le doute, les regrets et une peur certaine.

Ce fut à coup sûr le sort du plus célèbre transfuge de l'Union soviétique au Canada, Igor Sergeievich Gouzenko, un commis de vingt-six ans affecté au codage, à qui on attribue le déclenchement de la guerre froide après qu'il se fut échappé de l'ambassade de son pays à Ottawa le 5 septembre 1945, avec plus de cent documents dissimulés sous son t-shirt. Les documents subtilisés par Gouzenko mirent à jour un vaste réseau d'espions soviétiques à l'œuvre au Canada. Gouzenko emporta son trésor de documents aux bureaux du ministère de la Justice et au *Ottawa Journal*; aux deux endroits, on lui dit de revenir le lendemain.

Avec des agents de sécurité soviétiques à ses trousses et à celles des documents compromettants qu'il avait volés, Gouzenko retourna consciencieusement à l'incrédule ministère et aux bureaux du journal le lendemain, demandant de la protection. On le repoussa une nouvelle fois. Des agents surexcités du KGB mirent à sac son appartement, tandis que Gouzenko et son épouse effrayée trouvaient refuge chez un voisin. Finalement, juste avant minuit le 7 septembre, la police locale secourut Gouzenko et sa femme, et leur offrit sa protection.

Gouzenko choisit de faire défection quand il apprit que lui et sa famille allaient être forcés de retourner dans la mère patrie. Leur seule monnaie à offrir aux autorités canadiennes était les documents qu'il avait mis de côté. En plus de divulguer l'existence d'un nid d'espions qui lorgnaient les secrets atomiques du Canada, les documents de Gouzenko refroidirent les relations entre le Canada et l'Union soviétique, engendrèrent des tensions et paralysèrent les activités d'espionnage soviétique dans ce pays jusqu'au début des années soixante. En échange de son témoignage et de ses papiers secrets, on accorda à Gouzenko une nouvelle identité et la protection de la police. Lors de rares apparitions publiques, Gouzenko portait un masque bizarre fait d'un sac avec des trous pour les yeux et la bouche. Pour le reste de sa longue vie, il a dû se prémunir contre les espions soviétiques qui cherchaient à le tuer. Au début des années soixante-dix, une fois sa notoriété évanouie et ses révélations ayant perdu leur lustre d'antan, Gouzenko harcelait les journalistes avec des preuves fantômes de nouvelles conspirations, dans une tentative désespérée de revivre l'époque où il était un homme important. Il mourut en juin 1982 près de Toronto, âgé, aveugle et en grande partie oublié par les Canadiens.

La mort de Gouzenko dans l'obscurité ne peut diminuer, encore aujourd'hui, l'importance de sa défection dans l'histoire du rôle du Canada dans les guerres d'espionnage. L'arrestation et la déportation d'Olshevsky et d'Olshevskaya constituent aussi un autre chapitre célèbre dans le monde de l'espionnage. Mais si le Service avait enrôlé les deux espions, le couple aurait pu rivaliser avec Gouzenko quant aux informations qu'ils auraient pu transmettre sur les activités et les techniques d'espionnage russes.

* * *

Gouzenko ne fut pas le seul Russe à faire défection au Canada. En 1986, peu après la naissance du SCRS, la fortune sourit au service d'espionnage. Cette histoire ne fut jamais révélée, mais un diplomate soviétique mécontent alla voir la GRC à Ottawa et se dit prêt à conclure un marché extraordinaire : en échange de l'asile politique, il était prêt à révéler des détails intimes sur les activités du KGB et à identifier une multitude d'agents de renseignements soviétiques de haut niveau à l'œuvre au Canada. Cette fois-là, on ne dit pas au transfuge potentiel de revenir le lendemain. Dans le jargon de l'espionnage, le diplomate était un « marcheur », un espion qui, délibérément et littéralement, marche dans les bras sceptiques et incrédules d'un service de renseignements rival et offre ses connaissances, même si c'est à fort prix.

Gayduk, qui travaillait comme agent commercial, était en réalité un major du KGB dont l'activité était basée à la mission soviétique à Ottawa. Il était jeune et marié avec des enfants ; de plus, il était l'agent de la Ligne X du KGB, ce qui signifie qu'il était responsable de recueillir des secrets scientifiques et technologiques au Canada. Le protocole demandait aux agents de la GRC de remettre le « marcheur » au SCRS. C'était au Service à décider si l'agent était un transfuge sincère ou un appât agité devant les maîtres espions pour leur faire croire qu'un trésor était à leur portée : un agent double.

L'espion soviétique était sincère et il se trouva être la plus grosse prise en matière d'espionnage depuis Gouzenko. Cette fois, le motif du transfuge n'était pas la désillusion par rapport à la dictature soviétique répressive, mais l'avidité. Pour prévenir le genre de séisme politique et diplomatique engendré par les révélations publiques de Gouzenko, le SCRS décida de faire de cette défection un secret bien gardé[4].

L'agent de la Ligne X donna au SCRS la liste complète des « résidents » du KGB à Ottawa ; il identifia tous les principaux espions soviétiques travaillant à l'ambassade sous couvert diplomatique. « C'était une grande gueule et un impudent, mais il a montré du doigt un tas de gars », se rappelle un vétéran du contre-espionnage. Il révéla l'identité du « résident » ou chef de succursale

4. Curieusement, le nom de Gayduk n'apparaît dans aucun des registres fournis par le ministère des Affaires étrangères où sont listés les noms des fonctionnaires consulaires, des attachés commerciaux et autres diplomates travaillant à l'ambassade ou aux consulats soviétiques ou russes respectivement à Ottawa et à Montréal.

à Montréal, Victor Baturov. Il donna aussi le résident du KGB à Ottawa, un type renfrogné du nom de Bocharnikov. Les informations du transfuge et d'autres sources ont révélé les contacts inquiétants entre Bocharnikov et un agent supérieur du SCRS. Plusieurs années plus tard, un autre vétéran du SCRS découvrit que le même cadre avait des contacts secrets et non autorisés avec l'ambassade soviétique à Ottawa. Malgré la sonnette d'alarme tirée au sujet de ces contacts surprenants et intermittents, le service n'enquêta pas sur les inquiétudes de l'agent et permit à l'espion de prendre une retraite confortable. (Il faisait partie du «club des beaux blonds».)

On fit appel à des agents de divers départements du Service pour mener l'interrogation du transfuge. Un agent de renseignements connaissait cette histoire dit que le nouveau service civil a semblé pris de court par cette soudaine bénédiction et par la somme d'informations qu'il avait offerte. L'agent dit: «Le SCRS était pris avec lui et ne savait pas quoi en faire.» Par exemple, durant les interrogatoires, le transfuge identifia Valentin Izbitskiy comme l'agent de la Ligne N du KGB, qui était responsable du soutien aux résidents illégaux, ou agents en sommeil, à l'œuvre au Canada. L'informateur dit que non seulement le transfuge a fourni une mine d'informations sur les activités du KGB au Canada, mais qu'il a aussi corroboré des informations fournies à d'autres services de renseignements occidentaux par un autre transfuge important, Oleg Gordievsky. Celui-ci était le résident, ou chef de succursale, du KGB à Londres.

Comme pour Gordievsky, qui a secrètement collaboré avec les services britanniques entre 1974 et 1985, on offrit le major du KGB à des agences d'espionnage sœurs aux États-Unis, en Grande-Bretagne et en Australie, pour qu'elles fouillent son cerveau. D'après les informateurs, en retour de sa collaboration et de sa tournée des capitales occidentales, le service paya grassement l'agent du KGB. Mais étonnamment on ne toucha pas vraiment aux espions soviétiques au Canada identifiés par le transfuge. Un agent du SCRS dit: «Quand le transfuge identifia ces [agents de renseignements soviétiques], il ne se passa rien.»

Des vétérans du SCRS estiment que l'inaction du gouvernement est peut-être attribuable aux doutes qu'entretenait la direction au sujet du transfuge. Un agent de contre-espionnage dit: «Ils ont toujours eu des doutes à son sujet. » On offrit une nouvelle identité et de la protection au transfuge, que ses contacts au SCRS détestaient parce qu'il était paresseux et arrogant. On croit qu'il vit encore au Canada.

* * *

Des sources bien informées dans le domaine du renseignement affirment que la feuille de route du SCRS en matière d'incitation à la défection d'autres agents russes est au mieux erratique. Alors qu'on a consacré des millions de dollars et des ressources sans limite pour filer, surveiller et finalement arrêter Ian et Laurie Lambert, il se trouve qu'après l'effondrement de l'Union soviétique au début des années 1990 d'autres recrues de haute valeur offraient de simplement se jeter dans les bras du SCRS. Mais les chefs espions du pays rejetèrent ces ouvertures prometteuses encore et encore ; en privé, ils concluaient que les services de renseignements russes, jadis dynamiques, même s'ils pouvaient encore menacer la sécurité nationale du Canada, étaient désorientés et incertains de leur rôle au sein de la nouvelle Russie. Les autorités canadiennes et le SCRS se tournaient vers Moscou pour combattre une nouvelle menace grandissante : l'impitoyable pègre russe. D'après certains experts, Ottawa ne désirait absolument pas aliéner ses nouveaux alliés dans la guerre contre le crime organisé. Un vieil agent dit : « Ils [le SCRS] ne voulaient pas soulever de vagues. Ce que les Russes voulaient, ils l'obtenaient. »

En accord avec le nouvel esprit de collaboration, les deux services procédèrent mutuellement à des visites bien médiatisées dans leurs capitales respectives, afin d'échanger des informations et de discuter de la manière d'unir leurs forces. Bien sûr, publiquement le SCRS recevait de grands éloges et jouissait d'une grande gloire pour avoir pincé deux espions russes.

L'une des recrues transfuges que le Service laissa filer, selon des informateurs du monde du renseignement, fut Sergei Tretyakov. Travaillant sous couvert diplomatique à l'ambassade soviétique à Ottawa durant les années quatre-vingt, Tretyakov devint l'espion en chef du KGB au Canada après que son prédécesseur, Leonid Ponamerenko, eut été apparemment compromis par Gordievsky.

Tretyakov était fait pour l'espionnage. Son père était un diplomate de carrière et avait occupé de nombreux postes à l'étranger. En fait, Tretyakov est né aux États-Unis. Dans son enfance, il a appris l'anglais et le français; il parlait les deux langues couramment et sans aucune trace d'accent. Il a de toute évidence suivi les traces de son père en se joignant au corps diplomatique russe, tout en travaillant pour le KGB.

Quand l'Union soviétique a commencé à s'effriter, des agents de haut niveau, comme Tretyakov, commencèrent à offrir au SCRS leurs services, leur expertise et leurs connaissances en échange de l'asile politique au Canada. En tant que résident du KGB au Canada, Tretyakov était au courant de la plupart des opérations d'espionnage qui s'y déroulaient. Au grand regret de plusieurs agents de renseignements, on ne le recruta jamais. Un vieil agent dit: «Nous avons offert [Tretyakov] au Service [SCRS] sur un plateau d'argent mais ils n'ont pas voulu le prendre. Il était prêt à les rencontrer, il était prêt à parler. Il avait compris que sa carrière était finie, mais on nous a dit de le laisser aller parce que le Service croyait qu'il nous faisait marcher et que nous n'avions pas l'argent voulu.»

En octobre 2000, Tretyakov décida de tenter sa chance avec les Américains. À l'époque, cet homme de quarante-quatre ans, de bonne taille, bien charpenté et à la calvitie progressive, servait comme premier secrétaire à la mission russe des Nations unies. Au milieu de toute l'activité de la mission diplomatique, il demeurait effacé; il semble que peu de diplomates aient réellement eu quelque chose à voir avec l'espion, qui partageait un appartement dans le Bronx avec sa femme et sa fille adolescente. Contrairement à leurs confrères canadiens, les membres des services de renseignements américains n'ont pas perdu de temps avant de recruter Tretyakov après qu'il eut décidé, en compagnie de sa famille, de ne pas retourner à Moscou. Sa défection se transforma rapidement en un beau coup en matière de renseignement. Peu de temps après qu'on eut accepté Tretyakov dans le programme de réinsertion pour transfuges de haut niveau de la CIA, le FBI obtint le contenu d'un dossier du KGB qui les amena à identifier Robert Hanssen, l'un des chasseurs d'espions les plus en vue du Bureau, comme une taupe. On arrêta ce vétéran de vingt-cinq ans au FBI le 17 février 2001 et on l'accusa d'avoir espionné pour les Russes depuis le début des années quatre-vingt.

Bien que Louis Freeh, le directeur du FBI à cette époque, niât l'existence d'un lien entre la défection de Tretyakov et l'arrestation de Hanssen, les experts en renseignements des deux côtés de l'Atlantique créditèrent l'espion russe de carrière de la découverte de la coûteuse trahison de l'agent du FBI. (Deux mois après la défection de Tretyakov, Evgeny Toropov, un diplomate russe à Ottawa, fit aussi défection et se rendit aux États-Unis, alimentant les spéculations voulant qu'il aurait lui aussi joué un rôle dans la dénonciation de Hanssen.)

Pendant ses deux décennies comme agent russe, Hanssen a révélé l'identité de plus de cinquante personnes qui ont espionné pour les États-Unis. Plusieurs d'entre eux ont été emprisonnés et au moins deux ont été exécutés. On lui versa un million quatre cent mille dollars américains en liquide et en diamants pour ses informations. Il utilisa la plus grande partie de son argent pour payer sa chic résidence et les frais de scolarité à l'école privée pour ses six enfants. (Cet homme marié et catholique dépensa aussi une somme totale d'environ quatre vingt mille dollars pour faire la fête avec une effeuilleuse.)

En plus des coûts humains, la trahison de Hanssen a compromis de coûteuses opérations de contre-espionnage. Ainsi, Hanssen a informé ses correspondants russes de l'existence d'un tunnel de surveillance de cinq cents millions de dollars sous l'immeuble de la mission diplomatique à Washington, D.C. Mais le plus dommageable fut que l'agent du FBI a vendu à la Russie les détails d'un plan ultrasecret sur la manière dont le président américain, le Congrès et le gouvernement fédéral opéreraient en cas d'attaque nucléaire.

Bourde monumentale, le FBI n'enquêta pas sur Hanssen même après que son beau-frère et collègue agent au FBI, Mark Wauck, fut allé trouver des agents supérieurs du FBI en 1990 pour leur déclarer qu'il soupçonnait le mari de sa sœur d'être un espion russe. Wauck dit à ses supérieurs que Hanssen gardait des milliers de dollars cachés dans son sous-sol et dépensait trop d'argent pour quelqu'un gagnant le salaire d'un agent du FBI. Les patrons firent la sourde oreille à cet avertissement et Hanssen continua de divulguer des secrets aux Russes pendant une autre décennie.

La défection de Tretyakov ne surprit pas les agents de renseignements canadiens qui s'étaient liés d'amitié avec lui lors de son séjour au Canada. Mais cela les mit en colère. Un agent dit: «Nous aurions pu l'avoir plusieurs années plus tôt. Il connaissait peut-être les rapports entre Hanssen et le KGB quand il est venu nous trouver au début. Nous aurions peut-être pu sauver des vies et des opérations.»

Au milieu des années quatre-vingt-dix, un autre agent de renseignements russe de haut niveau qui travaillait au Canada fit clairement savoir qu'il était lui aussi prêt à changer de camp. Le colonel Alexander Alexendovitch Fedossev était le résident du GRU au Canada, c'est-à-dire le chef local du renseignement militaire russe. (Les rapports entre le GRU et l'ancien KGB étaient mauvais, c'était de notoriété publique. L'animosité, la jalousie et l'amertume entre les deux services de renseignements russes faisaient contrepoids aux relations tendues du SCRS avec la GRC.) Après le grave accident de voiture de sa jeune fille lors d'une brève visite en Russie, le colonel Fedossev approcha discrètement un agent de contre-espionnage. Il avait ramené sa fillette handicapée avec lui au Canada et dit qu'il ferait n'importe quoi pour l'aider, y compris trahir son pays. L'agent canadien, excité, rapporta cette offre à ses supérieurs à Ottawa, qui ordonnèrent une évaluation psychologique du résident du GRU afin de déterminer si c'était une ruse ou si son offre était sincère. Un agent du SCRS dit: «Ils l'ont laissé attendre une réponse.»

Un an plus tard, le Service décida de ne pas recruter Fedossev; il coûterait trop cher, disaient-ils, et les Américains étaient sceptiques. Un agent de contre-espionnage dit: «Ils ne lui ont jamais parlé, mais ils pensaient être devant un pari risqué et croyaient que le Service en pâtirait.»

Puis, alors que Fedossev et sa famille faisaient route vers l'aéroport de Mirabel pour quitter le Canada pour de bon, le Service fit une volte-face soudaine et inexplicable: il demanda à son agent de le relancer, c'est-à-dire d'offrir au colonel une invitation tardive à travailler pour le SCRS. Fedossev était en compagnie d'agents du GRU et de son successeur quand l'agent du SCRS arriva à l'aéroport. Même s'il savait que c'était trop tard, l'agent du SCRS l'approcha. Fedossev tendit la main et dit: «C'est bien.»

Des officiers de contre-espionnage qui virent plus tard le Service engloutir des ressources dans l'opération Coupe Stanley étaient médusés par l'indécision de leurs supérieurs à recruter Fedossev. «Recruter le résident du GRU aurait été comme recruter Dieu», dit un agent qui est encore en colère devant l'hésitation du Service à faire une offre plus tôt au colonel. «Les informations qu'il aurait pu nous fournir auraient fait pâlir tout ce que les Lambert auraient pu nous révéler.»

Sergei Machine, un autre agent du GRU qui travaillait comme vice-consul de la mission russe à Montréal et qui apportait du soutien aux résidents illégaux qui opéraient au Québec, voulut lui aussi faire défection au Canada au début des années quatre-vingt-dix. «Il voulait rester à tout prix, dit un agent exaspéré. Nous aurions pu le recruter mille fois, mais le SCRS ne voulait pas lui toucher.»

Les agents du SCRS devenaient de plus en plus frustrés par la timidité d'Ottawa face aux agents de renseignements russes en opération au Canada. Il arrivait que les Russes aient tellement de mépris pour leurs hôtes canadiens qu'ils refusaient de façon éhontée de rapatrier des agents quand Ottawa le leur demandait poliment. Par exemple: Gannadiy Matveyev était un agent du KGB travaillant au bureau d'Aeroflot à Montréal au milieu des années quatre-vingt-dix. Plusieurs agents de contre-espionnage identifièrent Matveyev comme un agent du KGB de rang moyen, mais, malgré des requêtes répétées pour l'expulser, les Russes snobèrent tout simplement les autorités canadiennes et l'espion demeura au Canada.

Aux yeux de plusieurs agents du SCRS qui avaient mené la longue et silencieuse lutte contre l'Union soviétique, le Service abandonnait sa mission jadis célèbre – capturer des espions russes – d'une manière pitoyable. Igor Gouzenko n'aurait pas trouvé cela drôle.

11
HOUSTON, NOUS AVONS UN PROBLÈME

Dans le sillage de l'opération Coupe Stanley, le SCRS reçut d'exceptionnelles louanges. Les cadres supérieurs du service de renseignements ne firent pas beaucoup de déclarations publiques sur le rôle du Service dans la capture des deux agents russes amoureux. Ce n'était pas nécessaire. Le Service savait pouvoir compter sur une petite chapelle d'anciens agents et d'universitaires sympathiques pour répandre la nouvelle; dans les jours qui suivirent l'arrestation d'Ian et Laurie Lambert, ces gens ne le déçurent pas. David Harris, brièvement chef de la planification stratégique du SCRS avant de devenir un favori des médias, proclama que l'opération avait été un triomphe total. Harris déclara au *Toronto Star*: «Leur capture est tout un accomplissement.»

Harris ne connaissait sans doute pas la liste des transfuges importants que le Service avait négligé d'exploiter. Il ne pouvait savoir que, dans ses efforts tant célébrés pour prendre les deux Russes, le SCRS avait illégalement intercepté le courrier d'une multitude de Canadiens qui vivaient dans les immeubles où habitaient Ian et Laurie Lambert; que le Service avait mené des enquêtes d'antécédents poussées sur un nombre non divulgué de Canadiens ignorant tout, dans un futile effort pour savoir si les espions avaient des complices travaillant avec eux; qu'un agent supérieur du SCRS avait ordonné à John Farrell de voler des clés de la Couronne qui furent utilisées lors d'une tentative avortée d'introduction dans l'appartement d'Ian; qu'un autre agent du SCRS l'avait aussi encouragé à séduire Laurie dans un plan pour extraire de l'information de l'espionne russe esseulée; ni que, quelques jours avant l'arrestation de Lambert, le Service avait bien failli ruiner toute l'opération de contre-espionnage en interrogeant un dentiste stupéfié.

Farrell connaissait ces malheureuses histoires liées à l'opération Coupe Stanley et bien davantage. Il était agacé de ce que tous ceux qui avaient été associés à ce coup en bénéficient, quelles que soient les gaffes qu'ils avaient commises. Il se rappelle encore avec incrédulité avoir, en juillet 1996, rencontré Sandy Brown, une membre du SOS, alors qu'elle faisait du patin en ligne avec son garçon de sept ans, Zack, près d'une piscine extérieure le long de la tortueuse promenade au bord du lac à Toronto. Brown dit à Farrell qu'elle s'était servie et avait emporté un souvenir de l'opération Coupe Stanley, qui tirait à sa fin: les nouveaux patins à roulettes alignées de Laurie. Farrell comprenait le réflexe de garder un souvenir d'une opération clandestine mémorable, mais ce geste était irréfléchi et stupide. Comment se pouvait-il que Brown ait réussi à devenir agent de renseignements et pas lui? (Brown rendit les patins après qu'une vérification d'inventaire des possessions des Lambert saisies par le SCRS après leur arrestation eut révélé qu'ils manquaient. On retourna les patins à l'ambassade russe à Ottawa.)

Lunau semblait deviner l'humeur de Farrell et tentait de s'assurer que son fidèle lieutenant n'avait pas trop de temps pour ronchonner. Une autre crise couvait dans l'opération Vulve, impliquant Kenny Baker, l'ancien inspecteur des postes et inspecteur auxiliaire qui avait entraîné Farrell. Les premiers indices filtrèrent vers la fin de 1995, au moment où la santé déjà fragile de Baker commençait à se détériorer. Un jour, Farrell dut le chercher alors qu'il errait dans les toilettes d'un centre commercial achalandé, après s'être égaré en route vers un bureau de poste. Les inquiétudes de Farrell augmentèrent quand le joyeux ancien combattant de la Deuxième Guerre mondiale se mit à l'appeler «sergent». Souvent Farrell devait crier pour attirer l'attention de son collègue.

Les habitudes de conduite de Baker se détériorèrent encore davantage. Un matin, alors que Farrell se rendait à un bureau de poste le long des voies rapides de l'autoroute 401, il remarqua de nombreux automobilistes en colère dans les voies du collecteur, klaxonnant à qui mieux mieux et faisant de dangereux écarts pour éviter une voiture qui semblait s'être presque arrêtée. Farrell regarda dans les voies et vit Baker serpentant lentement d'une voie à l'autre, apparemment inconscient de tout le reste. Dans une tentative pour sauver la vie de Baker, Farrell se précipita vers un point de cette autoroute achalandée, là où les voies rapides et celles du collecteur se fondent, klaxonnant et criant au vétéran débordé de se ranger sur la voie de secours. Quand Farrell arriva finalement à rejoindre un Baker confus et qu'il vit le désarroi sur le visage du vieil homme, il fut désolé pour lui.

Après vingt-cinq ans de service avec Postes Canada et le SCRS, c'est sans cérémonie qu'on largua Baker du programme d'interception de courrier. C'est Patrick Bishop, un ancien policier militaire devenu chef de la sécurité corporative de Postes Canada à Toronto, qui lui annonça la mauvaise nouvelle. Il appela Baker chez lui pour lui signifier qu'il était congédié. La veuve de Baker, Pat, se souvient de cet appel. Elle dit: «Cela l'a beaucoup bouleversé. Il aurait beaucoup mieux valu qu'on le fasse venir dans un bureau, qu'on s'assoie avec lui et qu'on lui parle, au lieu d'attendre qu'il soit revenu chez lui et de lui téléphoner en lui disant: "C'est tout: tu es renvoyé."»

Baker appela Farrell pour lui dire combien il était blessé par le coup de téléphone de Bishop. Il jura de se venger de la manière mesquine et cavalière dont on venait de le traiter; le vieil inspecteur des postes auxiliaire disposait d'assez de munitions pour causer beaucoup d'ennuis à Postes Canada et au SCRS. Ces munitions, il les avait soigneusement rangées dans ses petits calepins noirs arborant un gros insigne or et les mots «Inspecteur des postes de Postes Canada». Ces calepins contenant les comptes rendus du travail hautement confidentiel de Baker comme inspecteur des postes auxiliaire étaient rangés dans une serviette en cuir dans sa voiture. Il y avait consigné tous les détails importants de chaque interception de courrier qu'il avait menée dans le cadre de l'opération Vulve depuis qu'il s'était joint au SCRS en 1989. Baker avait noté les heures travaillées sur le programme ultrasecret, les noms et les adresses des suspects, les numéros de mandats, les heures et les jours où il avait rencontré Farrell, Lunau et d'autres agents du SCRS pour remettre et prendre du courrier, même les noms des agents du SCRS qui avaient participé à des *parties* sur le bord de sa piscine dans sa cour et, bien sûr, les adresses de chaque bureau de poste où il avait intercepté du courrier. Calepin après calepin, c'était plein d'informations confidentielles du genre à provoquer des questions troublantes sur les rapports intimes entre Postes Canada et le SCRS ainsi que sur les activités et la présence du Service dans les bureaux de poste de tout le pays.

Baker était si en colère qu'il affronta Bishop à son bureau de Mississauga le lendemain de son congédiement. Agitant une pile de calepins, Baker menaça de torpiller l'opération Vulve. «Écoute, je possède ces documents», cria-t-il.

Baker avertit aussi Bishop qu'il était prêt à divulguer les douteux arrangements financiers entre le SCRS et Postes Canada, par lesquels les inspecteurs des postes auxiliaires gagnaient des milliers de dollars chaque année sans payer un seul cent d'impôt. Baker jura qu'il allait personnellement remettre ses calepins compromettants aux dirigeants du syndicat du supercentre de tri postal du 280 Progress Avenue. Sa veuve affirme: «Il allait tout torpiller.»

Farrell avait compris dès le premier jour de son entraînement que Baker posait un risque à la sécurité; il avait vu avec stupéfaction Baker compromettre quotidiennement le secret du programme d'interception de courrier. Il avait averti Lunau qu'il jouait avec le feu en embauchant des copains et des inspecteurs des postes fatigués. Le SCRS pourrait toujours nier ses rapports avec un inspecteur malade et à la mémoire déficiente, mais il ne pourrait pas faire fi des preuves en sa possession. Patricia Baker savait que les calepins de son mari étaient explosifs: «Postes Canada ne veut pas que [le public] sache qu'ils étaient impliqués dans les opérations [du SCRS], dit-elle. Le SCRS a très mauvaise réputation dans ce pays.»

Farrell apprit que Baker, après avoir vu Bishop, avait rencontré au moins deux chefs syndicaux au 280 Progress Avenue pour parler de son rôle important dans l'opération Vulve. Baker demeura réservé avec eux et ne dit pas grand-chose du programme ni de l'existence de ses calepins. Les dirigeants syndicaux étaient réceptifs mais déconcertés. Baker leur paraissait confus et ils n'arrivaient pas à saisir le sens de ses vagues allusions. Le SCRS fut très chanceux. Farrell appela Lunau pour discuter de l'ouverture nébuleuse faite par Baker aux chefs syndicaux.

Il dit à son patron: «Houston, nous avons un problème. Kenny est très affecté et il menace de faire des révélations publiques.»

Pour jeter un baume sur la fierté blessée de Baker, Lunau décida de lui offrir une tape dans le dos, un toast de félicitations et peut-être même une plaque. Bishop s'était comporté de manière cruelle avec Baker. C'était à Lunau de réparer les dégâts.

En un premier temps, Lunau offrit à Baker un sursis lui permettant de travailler deux autres semaines. Il n'allait plus intercepter de courrier, mais on lui verserait son salaire habituel de vingt dollars de l'heure. Entre-temps, Lunau s'occupait d'évaluer les préjudices que les calepins de Baker pourraient causer au Service s'ils tombaient dans les mains des médias ou des dirigeants syndicaux; il était clair qu'il fallait que le SCRS récupère les embarrassants calepins de Baker et les détruise.

Une fois de plus, Lunau se tourna vers Farrell. Le chef du SOS l'appela à la maison pour discuter de sa prochaine mission.

Pour être sûr, Farrell demanda à Lunau comment il devait se procurer les calepins.

«De n'importe quelle manière», répliqua Lunau.

Farrell réfléchit un moment sur les possibilités, avant de suggérer qu'il pourrait s'introduire dans la voiture de Baker et voler les calepins tandis que le vieil inspecteur auxiliaire savourerait une rafraîchissante bière avec lui au bar.

«Parfait, dit Lunau à Farrell. Peu importe comment tu t'y prendras, John, mets la main sur ces damnés calepins.»

* * *

Farrell donna rendez-vous à Baker au *O'Tooles Roadhouse and Restaurant* près de l'intersection de Kennedy et Ellesmere à Scarborough. (Ce bar a fermé ses portes.) Les inspecteurs auxiliaires rencontraient parfois Lunau à ce bar sportif enfumé pour partager quelques verres et des potins. Le bar se trouvait aussi à faible distance de voiture de chez Farrell. Celui-ci était certain que

Baker s'y sentirait en confiance et qu'il réduirait sa vigilance, ce qui faciliterait le vol des calepins. Baker aimait Farrell et croyait que son jeune patron était son ami. De son côté, Farrell avait été gentil avec Baker, tolérant sa lenteur d'escargot au travail et ses factures de dépenses gonflées. Ils s'étaient rencontrés tous les deux pendant trois ans pour échanger du courrier et ils étaient proches. Mais, au bout du compte, Farrell devait son allégeance au cadre du SCRS qui le payait: Don Lunau

Baker se présenta au pub non rasé et portant un blouson bleu d'aviateur. Il se faufila vers le bar et accueillit son ami. Farrell le consola de la manière peu élégante dont Bishop et le SCRS l'avaient traité. Baker enleva son blouson et commanda deux pintes de sa bière anglaise favorite. Alors qu'il était à mi-chemin de la première, Farrell plongea la main dans son blouson et en retira les clés de la Mercury Grand Marquis grise que Baker avait garée devant le pub. Tandis que Baker sirotait sa bière, Farrell s'excusa en prétextant qu'il devait aller aux toilettes. Il s'éclipsa hors du bar, ouvrit la portière de la voiture de Baker, saisit les quinze calepins et tous les documents qu'il put trouver, et entassa le tout dans un petit sac en cuir qu'il jeta ensuite dans sa voiture compacte commodément garée à côté de la grosse voiture de Baker.

Il y mit moins d'une minute[1].

Il revint dans le pub et s'assit à côté de Baker, lui offrant un rapide toast avant d'avaler une bonne gorgée de sa bière. Baker remercia Farrell de sa générosité et d'avoir pris le temps de le rencontrer.

«Pas de problème, Kenny, dit Farrell. Je déteste voir un bon homme comme toi se faire traiter ainsi.» Puis Farrell prétendit que son téléavertisseur avait sonné et s'excusa encore. Une fois sorti du pub, il appela Lunau, qui attendait nerveusement à son téléphone au quartier général du SCRS.

---

1. Au cas où Baker l'aurait surpris dans sa voiture, Farrell avait apporté un petit cadeau (une plume) et une carte d'adieu signée par Lunau et lui-même. Il se serait alors excusé auprès de Baker pour lui avoir subtilisé ses clés et lui aurait expliqué, l'air gêné, que Lunau et lui avaient voulu faire une surprise à l'ancien inspecteur des postes auxiliaire en lui laissant une preuve de leur amitié.

— Donnie, j'ai tout. Qu'est-ce que tu veux que je fasse avec? demanda Farrell à son patron.

— Détruis-moi ça.

— Tu n'en veux pas?

— Non, dit Lunau.

— Veux-tu que je les lise?

— Non. Détruis tout.

Quand Farrel s'assit à nouveau à côté de Baker, il s'excusa pour l'interruption et lui offrit le lunch. Baker s'excusa, disant avoir l'estomac à l'envers. Ils bavardèrent encore un peu avant que Farrell ne dise à Baker devoir retourner au travail.

— Tu es un bon gars, John, dit Baker à Farrell.

— Ne deviens pas sentimental avec moi, répondit Farrell. Je vais te rejoindre plus tard.

Farrell se rendit chez lui et déchira chacun des calepins en deux avant de les passer dans une déchiqueteuse que le SCRS lui avait achetée et qu'il avait placée dans sa chambre à coucher. En moins de deux minutes, le long historique de Baker avec le Service venait d'être détruit. On pouvait désormais le balayer du revers de la main comme étant un homme lunatique et amer ayant des comptes à régler.

Baker ne se rendit compte de la disparition de ses calepins que plusieurs jours après son lunch avec Farrell. Le sort de ses calepins demeurait un mystère pour lui, mais, selon sa veuve, il n'a jamais soupçonné son bon ami John.

Une semaine après le vol, Lunau demanda à Farrell d'organiser un lunch d'adieu pour Baker et sa femme au *St. Andrew's Fish & Chips* à Scarborough. Ce restaurant chaleureux géré par une famille dans un petit centre commercial de banlieue près de chez Baker était un des endroits favoris de Kenny. Lunau voulait que Farrell organise la chose car il craignait la colère de Mme Baker. Elle avait appelé Farrell plusieurs fois pour maudire le Service pour la manière «dégueulasse» dont on avait traité son mari qui travaillait si fort. Lunau emmena Farrell avec lui au lunch pour sa protection.

Il cueillit Farrell en route vers le restaurant et semblait mal à l'aise en arrivant au centre commercial. Il ne montra cependant aucun signe de nervosité, en accueillant Baker et sa femme avec une chaleureuse poignée de main et un sourire. Il usa de son charme et dit à Baker que le Service lui serait toujours redevable pour sa contribution au programme.

— Tu as accompli un beau travail pour nous, Kenny.

— Merci beaucoup, Don. J'apprécie cela, répliqua Baker.

Lui et sa femme avaient les larmes aux yeux. Farrell était ému par la réaction de Baker et par la comédie de Lunau. Celui-ci promit même à Baker de lui présenter une plaque pour commémorer son travail pour le Service. Personne n'osa aborder ce qui les avait réunis: les calepins de Baker. Mme Baker prétend qu'avant le lunch son mari avait décidé de ne pas torpiller le Service, par peur de la tempête et des réactions que ces révélations ne manqueraient pas de provoquer. Elle dit: «J'avais peur qu'il pose ce geste. Pour être bien franche, je ne pense pas qu'il aurait pu passer à travers le stress engendré par cela. Ils ne lui auraient pas rendu la tâche facile.»

Après avoir apaisé Baker, Lunau était impatient de partir. Mais le lunch s'étira sur quatre-vingt-dix minutes. Quand tout fut fini, Lunau dit au revoir aux Baker et s'éclipsa dans un magasin d'équipement sportif juste à côté pour acheter un bâton de hockey et du ruban.

Quelques mois après son congédiement, on admit Baker à l'hôpital. Il était très malade et les médecins étaient confus. Malgré une batterie de tests, ils n'arrivaient pas à formuler un diagnostic. L'état de Baker empira. Une toux persistante le laissait parfois hors d'haleine. Il fallut finalement lui amputer les deux jambes. (Lunau blaguait, d'après Farrell, en disant que Baker ne pourrait plus traîner le SCRS en cour car «il ne pouvait plus s'appuyer sur quoi que ce soit».) Personne du SCRS ni de Postes Canada ne visita Baker à l'hôpital. Il mourut la veille de l'annonce du «triomphe» du SCRS: l'arrestation d'Ian et Laurie Lambert, en mai 1996.

Farrell était en Floride quand il apprit la mort de Baker. L'homme en charge de l'opération Vulve pour la plus grande partie du sud de l'Ontario prenait un bref moment de répit loin de ses obligations secrètes afin de se remettre d'une mortalité dans sa famille. Farrell espérait que le chaud soleil de Floride l'aiderait à alléger la peine engendrée par le suicide de sa sœur aînée, Carmelita Rose Farrell. La mort de Baker fit monter une bouffée de regrets en Farrell. Au cœur de sa propre douleur, il envoya une carte de condoléances à Mme Baker, signant: «De Don et des gars». Mais Kenny Baker ne reçut jamais sa plaque du SCRS.

12
CONSTRUIRE SON NID

Pendant près de cinq ans, John Farrell avait accompli sciemment et avec enthousiasme les basses œuvres de Don Lunau et du Service, mais on le payait encore vingt dollars de l'heure. Pendant ce temps, quelques-uns des dirigeants du SCRS semblaient traiter les vastes ressources de cette agence comme un trust privé. Il y avait du travail important à accomplir, mais, partout où Farrell posait les yeux, il semblait que quelqu'un au SCRS roulait les contribuables canadiens.

Dans le sillage de l'opération Coupe Stanley, la principale tâche de Farrell au sein du SOS consistait à louer des appartements pour en faire des postes d'observation des suspects du SCRS. Un des endroits qu'il loua pour le Service était un appartement de deux chambres à coucher infesté de coquerelles dans un triplex décrépit au 4040A Old Dundas Street, dans l'ouest de la ville. Cette suite du troisième étage était située juste en face du 4033 Old Dundas Street, un vieil immeuble de huit étages qui servait de résidence à un des principaux suspects de la brigade antiterroriste. Farrell se souvient d'avoir rejoint Alex Yu et Tommy Birkett sur le toit d'un immeuble voisin pour diriger une antenne vers la suite du suspect. Farrell dit: «J'étais là comme un paratonnerre humain: je tenais l'antenne tandis que Birkett recevait les instructions de Yu pour que je tourne un peu à droite, un peu à gauche. »

Avec Lunau, Farrell visitait aussi régulièrement le poste d'observation en face du consulat chinois au centre-ville de Toronto, où des surveillants et des agents de renseignements devaient garder l'œil sur les diplomates et les espions de Beijing. Farrell nota aussi que l'appartement du sous-sol de l'immeuble faisant face à la mission chinoise servait aussi de refuge aux agents de renseignements qui avaient besoin d'un endroit où demeurer gratuitement tandis qu'il se remettaient d'une gueule de bois ou d'un divorce éprouvant.

Lunau et Murphy demandèrent aussi à Farrell de prospecter afin de dénicher un espace à bureaux dans la tour Toronto Dominion, au cœur du district financier de la ville. Un gouvernement asiatique ami projetait de déménager son consulat dans cet édifice et Farrell dit que le SCRS voulait implanter des dispositifs d'écoute et d'autres équipements pour espionner les principaux partenaires commerciaux et alliés du Canada. Farrell se prétendait un consultant d'affaires cherchant un espace à bureaux. Curieusement, on lui demanda d'emmener quelqu'un avec lui : un petit homme gras, avec une mèche blanche et un fort accent grec, que Farrell croyait d'abord être membre des services de renseignements grecs. Il apprit plus tard que cet homme de cinquante-cinq ans aux mains rudes était un proche ami de quelques agents supérieurs, et un entrepreneur en construction qui avait rénové la maison de quelques membres du SOS. L'entrepreneur jouait à l'espion aux dépens des contribuables canadiens ; on le mit sur la liste de paie du SOS non parce qu'il avait quelque entraînement en matière de renseignement ou parce qu'il avait une habilitation de sécurité de niveau ultrasecret, mais parce que certains membres du SOS lui devaient de l'argent.

Lunau utilisa le certificat de naissance et le numéro d'assurance sociale de Farrell pour louer un appartement au 56 The Esplanade à Toronto (en juin 2002, cette suite était encore enregistrée au nom de Farrell) et il signa un tas de reçus au nom de Farrell pour couvrir les dépenses associées à ce poste d'observation. Mais Farrell ne vit pas beaucoup la couleur de cet argent, sauf pour les deux cents dollars que le service paya à sa mère pour nettoyer l'appartement déjà impeccable.

Le chef du SOS donna également instruction à son lieutenant de confiance de louer un appartement au 2142 Bloor Street West. Lunau expliqua que le Service avait besoin de cette suite pour garder l'œil sur un suspect important vivant tout près. Farrell se rendit à cet immeuble, mais, malheureusement pour Lunau, il n'y avait aucune suite de disponible. Il dut se contenter d'un appartement de deux chambres au 2146 Bloor Street West. Le 1er novembre 1996, Farrell signa un bail d'un an avec Robert S. Leung, le médecin à qui appartenait le petit immeuble de briques vieillissant, pour louer la suite 6 pour huit cent quarante-huit dollars par mois. L'appartement du troisième étage de ce quartier huppé était spacieux et faisait face à High Park, l'un des espaces verts les plus grands et les plus populaires de la ville. Lunau demanda à Farrell de convaincre M. Leung d'acheter un nouveau poêle et un nouveau réfrigérateur pour la suite. (Plus tard, Lunau inspecta les deux électroménagers.) Toujours consciencieux, Farrell prit les dispositions pour faire installer la télévision par câble et le téléphone. Lunau dit à Farrell que l'appartement, avec ses reluisants planchers de bois dur et sa vue sur l'animée Bloor Street, était un poste d'observation pour une opération de contre-espionnage cruciale. Farrell était médusé. Les techniciens ne visitèrent l'appartement qu'une seule fois et installèrent un dispositif d'écoute dans l'armoire du salon ainsi qu'une serrure de haute sécurité sur la porte d'entrée. Lunau se donna aussi la peine de visiter ce nouveau poste d'observation, geste rare de la part du chef du SOS.

À part ces deux visites, personne d'autre du SCRS, y compris les techniciens, les surveillants et les agents de renseignements, ne pénétra dans la suite. Farrell et ses inspecteurs des postes auxiliaires n'interceptaient aucun courrier dans le coin. Il se demandait donc pour qui le Service avait loué cette suite.

La réponse à cette question surprit Farrell mais elle confirma aussi son idée que ses supérieurs savaient comment veiller à leurs intérêts. Farrell découvrit que Heather McDonald, la fille de Keith McDonald, le directeur national du Service des opérations spéciales du SCRS à Ottawa, avait emménagé dans l'appartement avec une amie et, pour autant qu'il fût concerné, c'était le Service et non M. McDonald qui payait le loyer et les factures des services publics. Cet arrangement douillet agaçait Farrell, mais il savait que sa mission ne consistait pas à poser des questions mais à s'assurer que la séduisante et sympathique fille de McDonald soit aussi heureuse et confortable que possible dans son nouvel appartement.

Farrell apprit plus tard que Mlle McDonald avait passé un mauvais moment à Ottawa et qu'elle avait seulement besoin d'un endroit où crécher. Toronto est une destination populaire pour les jeunes femmes aventureuses, mais le taux d'inoccupation des logements y est notoirement bas. Le SCRS avait une solution innovatrice pour faire face à ce défi : transformer en auberge un appartement prétendument loué pour une opération de contre-espionnage ultrasecrète. D'après Farrell, Lunau choisit lui-même l'ameublement pour l'appartement dans l'entrepôt bien garni du SCRS à Newmarket.

Mais, comme plusieurs jeunes gens disposant de beaucoup d'énergie à brûler, Heather aimait écouter de la musique à fort volume, parler avec son petit ami à Ottawa pendant des heures au téléphone et donner des soirées et danser sur les planchers en bois dur. Le grabuge dérangeait ses calmes voisins, qui préféraient la compagnie de leurs tranquilles chats et un bon livre plutôt que l'incessant martèlement des haut-parleurs et le bruit de marteau-piqueur des souliers à talons hauts. Comme les demandes polies de baisser le volume de la musique et de porter des pantoufles ne donnèrent aucun résultat, la femme du propriétaire appela Farrell plusieurs fois. Farrell s'excusa pour le bruit et promit de parler à ses « cousines » à propos de leurs habitudes agaçantes. La propriétaire voulait aussi savoir pourquoi Farrell ne semblait jamais être à l'appartement. Mme Leung dit : « Nous avons loué l'appartement à vous et non à deux filles. » Et pourquoi avait-il changé les serrures? Farrell dit à sa propriétaire curieuse qu'il était souvent en voyage d'affaires à Vancouver et qu'il avait installé une serrure de haute sécurité car il craignait d'être volé.

Farrell appela Heather et lui demanda poliment d'éviter de causer davantage de problèmes. Mais elle n'était pas du tout d'humeur à écouter et elle accusa ses voisins d'être guindés. Heather continua à faire la fête et les voisins continuèrent à se plaindre. Farrell craignait que bientôt les policiers n'arrivent à la porte de Heather et ne posent des questions embarrassantes.

Après la deuxième plainte, Farrell appela Murphy, qui s'apprêtait à partir pour Ottawa pour occuper ses nouvelles fonctions. D'après Farrell, Murphy était davantage agacé qu'en colère: «Merde! cette fille ne peut-elle pas se contrôler?»

Farrell dit: «Ray, j'ai déjà assez de plats sur le feu.» Il ne croyait pas avoir été embauché pour loger des enfants des cadres supérieurs du SCRS et s'occuper d'eux. Murphy lui dit que le séjour de Heather à Toronto tirait à sa fin et qu'il devait prendre son mal en patience.

Farrell apprit plus tard pourquoi Murphy était réticent à expulser Heather de l'appartement. D'après Farrell, les cadres supérieurs du SCRS avaient conclu une entente secrète qui permettait à leurs enfants, lorsqu'ils étaient loin de chez eux ou lorsqu'ils étudiaient à l'université, de demeurer dans des appartements prétendument loués par le Service dans le cadre d'opérations clandestines. Ainsi, les enfants de cadres supérieurs du SCRS à Ottawa demeuraient dans des appartements à Toronto et les enfants d'agents de renseignements de haut niveau de Toronto pouvaient demeurer dans des repaires ou des postes d'observation contrôlés par le SCRS à Ottawa. Ces appartements n'étaient pas mis à la disposition des simples soldats de la base du Service.

Bien que Farrell continuât de payer le loyer de Heather chaque mois, on le releva bientôt de sa responsabilité de chaperon de la fille du grand patron du SOS. C'est Sandy Brown qui obtint cette affectation et pendant un certain temps elle passa des jours à tenter de contrôler Heather: elle payait les factures qui s'accumulaient, allait au cinéma et s'occupait des voisins en colère. Brown eut à peu près autant de succès que Farrell à essayer de dompter Heather et son amie. L'agent du SCRS s'ennuyait et passait le temps à sabler une armoire dans l'appartement; elle l'aurait bien apportée chez elle. Pleines de compassion, Heather et son amie demeurèrent dans l'appartement pendant seulement une année.

Farrell conservait un carnet de chèques séparé pour tenir à jour les détails concernant tous les appartements qu'il avait loués pour le SCRS. (Il inscrivait le code postal de l'appartement quand il y notait quelque chose, de manière à garder secrète l'adresse, au cas où le carnet de chèques serait perdu ou volé.) Ses dossiers montrent qu'il a loué l'appartement de Bloor Street pendant quinze mois, jusqu'à la fin de janvier 1998. Au total, le Service a déboursé douze mille sept cent vingt dollars pour un appartement utilisé par la fille d'un de ses cadres les plus haut placés. Cette facture ne tient pas compte des notes de téléphone, de la télévision par câble et autres dépenses diverses. Farrell ignore si McDonald a jamais remboursé le Service pour ces dépenses, car on ne le lui a jamais dit.

Keith McDonald a refusé de répondre aux questions sur sa fille et le poste d'observation. Quand on a abordé le sujet du séjour de Heather dans l'appartement avec un membre du SCRS qui a récemment pris sa retraite, elle a dit: «Tout le monde était au courant. Il y avait des reçus signés. Il y avait des documents.» Quand on lui demande pourquoi on avait permis à Heather d'utiliser un appartement visiblement loué pour une opération clandestine, l'ancien agent dit: «Je ne sais pas... Ces opérations étaient secrètes et je ne veux pas en discuter.»

* * *

Nos chefs espions peuvent se comporter aussi impunément parce qu'ils savent qu'il leur est facile d'échapper à l'agence qui les surveille, le CSARS. L'appartement utilisé par Heather a été loué sous le nom de Farrell. Les factures de téléphone et de télévision par câble étaient faites au nom de Farrell. L'ameublement utilisé dans la suite provenait de l'entrepôt du SCRS. Il n'y avait aucun moyen de faire le lien entre l'appartement et McDonald à moins que quelqu'un ne sonne l'alarme. Mais si quelqu'un l'avait fait, Farrell n'était pas censé être un employé du Service mais un «contractuel» payé par Postes Canada. En tant que tel, il ne tombait pas sous la responsabilité ou le mandat du CSARS. Farrell dit: «Le CSARS est un tigre de papier. Lunau le savait. Murphy le savait. McDonald le savait. Bradley le savait et je suis sûr que maintenant Elcock le sait.»

Le CSARS prétend avoir accès à tous les dossiers du SCRS, mais cela ne constitue pas une supervision réelle et sérieuse. Farrell dit: «Le CSARS a beau examiner tous les documents qu'il veut, il ne trouvera aucun document disant: "Oh! en passant, nous utilisons des postes d'observation pour loger les enfants des cadres supérieurs du SCRS." Il ne trouvera certainement pas non plus un document leur démontrant qu'on m'a ordonné de voler une clé de la Couronne, d'intercepter du courrier sans mandat, d'effectuer des vérifications de courrier sans mandat, de voler une clé de relais, ou encore de voler les calepins de Baker. »

Les appartements gratuits n'étaient pas les seuls avantages dont jouissaient les enfants des cadres supérieurs du SCRS. Ils avaient aussi accès à l'importante flotte de voitures du Service. L'usage frauduleux des véhicules du SCRS par les gestionnaires de haut niveau est un secret de polichinelle dans le Service. Une enquête interne menée là-dessus au milieu des années quatre-vingt-dix a révélé que des cadres supérieurs du SCRS ont régulièrement utilisé les véhicules du gouvernement pour leur usage personnel, comme aller faire leurs courses, aller et revenir du travail et même partir en vacances avec leur famille. Cette enquête a mis au jour environ quarante cas d'usage irrégulier des voitures par des agents de renseignements de haut rang. (Un vieil agent qui a participé à l'enquête dit qu'il voulait fournir beaucoup d'autres exemples d'abus, mais qu'un cadre supérieur du SCRS lui a ordonné d'en limiter le nombre.) Dans un cas particulier, on a découvert qu'un agent de haut rang à Montréal utilisait une voiture du SCRS pour son usage personnel lorsqu'il s'est fait coller une contravention de stationnement. Il prétendit avoir utilisé la voiture lors d'une opération de surveillance, mais les vérificateurs n'ont pas pu trouver de traces de l'opération à laquelle devait servir le véhicule.

On a aussi régulièrement camouflé de sérieux accidents de la route impliquant des cadres supérieurs du SCRS au volant de voitures du gouvernement. Frank Pratt, le légendaire chasseur d'espions qui mourut en 2001 après une longue carrière au sein du Service, a été impliqué dans un accident presque mortel à Toronto. Le véhicule a été une perte totale et Pratt, l'ancien chef de la sécurité interne, s'est retrouvé à l'hôpital dans un état critique. Des gens bien informés du milieu du renseignement affirment que Pratt avait peut-être bu avant l'accident. Mais on ne porta aucune accusation et on étouffa l'affaire pour protéger la réputation du Service.

Une des filles de Ray Murphy a également été impliquée dans un sérieux accident au volant d'une voiture du Service de son père. Elle partait pour la soirée quand elle frappa une autre voiture après avoir grillé un feu rouge à une intersection importante dans la région de Durham, juste à l'extérieur de Toronto. La fille s'en tira, mais le véhicule fut gravement endommagé. Peu de temps après l'accident, Lunau reçut un appel désespéré de Murphy. Un appel à la police locale arrangea les choses et on ne porta aucune accusation.

Tommy Birkett ramenait la voiture du Service chez lui à Simcoe, Ontario, un soir de 1996, quand il fut impliqué dans un mystérieux accident. Birkett prétend qu'un chevreuil effrayé a bondi devant sa voiture et qu'il a fait un écart pour tenter de l'éviter. Ses collègues doutaient que Bambie ait pu être responsable de cet incident. Quelle que soit la raison, la voiture fut une perte totale. Selon certaines sources, David Beazley, l'ancien directeur général de la région de Toronto, a été impliqué dans pas moins de trois accidents avec des voitures du SCRS. Des cadres supérieurs du service d'espionnage ont tenté de camoufler tout cela, mais la nouvelle se répandit rapidement parmi les fantassins de la base que Beazley avait été impliqué dans des accidents et que quelques-unes des coûteuses voitures conduites par le super-espion avaient été directement envoyées à la casse.

L'enquête interne a aussi révélé de sérieuses irrégularités impliquant Tony Iachetta, un agent dont l'étoile montait rapidement à Edmonton. Iachetta était une vedette qui semblait posséder une facilité sans pareille à cultiver des sources de renseignements sérieuses et bien placées. Mais ses succès n'impressionnaient pas ses collègues des Prairies, qui soupçonnaient fortement l'ancien policier de la GRC d'avoir gonflé ses comptes de dépenses et inventé des sources de renseignements pour impressionner ses supérieurs naïfs. Ils le dénoncèrent, en fournissant aux vérificateurs des copies des reçus qu'Iachetta avait signés contre les paiements à ses informateurs. Les notes soulèvent des questions et on se demandait si Iachetta n'avait pas en fait inventé ces informateurs et empoché l'argent lui-même. Les enquêteurs se sont aussi penchés sur son usage non autorisé des véhicules du SCRS et ont découvert un long historique d'abus. On réussit à acheminer un rapport détaillant ses troublantes transgressions jusqu'au sommet de la hiérarchie, mais l'agent de renseignements vedette s'en tira sans réprimande. En juin 1995, Iachetta quitta le Service. Quelques mois plus tard, il se suicida au milieu des rumeurs qu'il vendait les secrets du Canada au plus offrant. Un fouille de son domicile après sa mort a permis de découvrir de nombreux documents secrets cachés dans un coffre-fort, même si Iachetta ne travaillait plus pour le SCRS. Un des vérificateurs qui ont démasqué Iachetta est encore éberlué que les chefs espions aient ignoré les avertissements. Le vieil agent dit: «Nous avons découvert de sérieux problèmes au sujet de Tony un an avant sa mort mais ils n'ont rien fait.»

La vérification exhaustive devait aussi porter sur l'utilisation d'un avion acheté par le Service pour véhiculer le directeur, Ward Elcock, et d'autres cadres supérieurs du SCRS à travers le pays. On a acheté le Piper bimoteur à six places d'un manufacturier aéronautique américain au coût de deux cent mille dollars américains. À peine quelques mois avant la livraison, il a fallu procéder à une révision majeure coûteuse à cause de problèmes aux moteurs et aussi parce que Transport Canada affirmait que les réservoirs de carburant n'étaient pas conformes aux normes canadiennes. Cet avion a provoqué beaucoup de ressentiment parmi les agents de renseignements, car on l'a acheté en 1990 après des compressions de trente-sept millions de dollars dans le budget et la mise à pied de sept cents employés. Des cadres supérieurs du SCRS ont tenté de justifier l'achat de l'avion en prétendant qu'il pourrait être utilisé lors d'opérations de surveillance. Mais des vétérans des unités de surveillance rejettent avec colère l'idée d'utiliser un avion pour suivre des suspects au sol; ils qualifient cette idée de stupide et, en privé, ils décrivent cet achat comme une extravagance inutile. Les vérificateurs avaient prévu de mentionner, dans leur examen exhaustif, plusieurs voyages effectués par des cadres supérieurs et leurs épouses à Halifax, à Montréal et à Toronto à bord de «l'avion de surveillance». Un agent du SCRS impliqué dans la vérification prétend que Bennet lui a ordonné d'enlever du document toute référence à l'avion controversé. «Bennet m'a dit d'enlever l'avion, affirme le cadre. Il a dit: "Cela ne fera pas partie de la vérification."»

* * *

Ward Elcock se hérisse lorsque des gens de l'extérieur, particulièrement des reporters, fouillent dans ses comptes de dépenses. Des documents rendus publics selon la Loi sur l'accès à l'information montrent qu'en 1999 le directeur du SCRS a dépensé vingt neuf mille dollars en repas, bière et services d'hospitalité et dix-neuf mille cinq cents dollars en voyages. Les endroits où notre espion en chef mange et voyage sont censés être un secret d'État. Mais j'ai obtenu des dossiers qui révèlent qu'Elcock a continué à s'adonner à sa passion pour les mets raffinés, le vin et le logement au nom d'une agence gouvernementale qui, selon des experts en renseignement et certains politiciens, a été privée de fonds.

Depuis la fin de 1999, Elcock a visité Washington, D.C., Londres, Paris, Amsterdam, Bruxelles, la Chine et le Brésil, entre autres destinations. Lors de ses déplacements outre-mer, Elcock fréquente habituellement les hôtels et les restaurants quatre-étoiles. Quelques mois après les attentats du 11 septembre 2001, par exemple, il était à Washington, D.C., et dépensait près de deux mille dollars en repas et boissons au *Capital Grille*, un endroit où se rendent les puissants et les élégantes pour voir et être vus. Il a réservé une chambre au Monarch Hotel, un hôtel de luxe au cœur de la capitale américaine, où les suites à taux réduit coûtent entre trois cents et quatre cents dollars par nuit. Au début de 2002, il était à Londres, où il a dîné au *J. Sheekey*, un restaurant de Covent Garden populaire auprès des riches et célèbres. Son addition s'est élevée à cinq cent quinze dollars.

De retour au bercail, à Ottawa, Elcock dîne dans de chic restaurants italiens et français. Ses repaires incluent *Fiori's*, *Fratelli's*, *Café Spiga*, *Trattoria Zingaro*, *Allegro*, *Chez Jean-Pierre* et *Les Fougères*, un restaurant favori des diplomates et des gens huppés de l'endroit, situé dans les collines de la Gatineau.

* * *

Heather McDonald n'était pas la seule fille d'un cadre supérieur du SCRS à qui on avait ordonné à Farrell de venir en aide. L'une, entre autres, était beaucoup plus près de lui. La fille de Ray Murphy, Renée, voulait désespérément entrer à la GRC et Murphy, un ancien sergent de la GRC, était tout aussi anxieux de voir sa fille poursuivre la tradition familiale. Après sa douzième année, Renée a erré dans des occupations bizarres, dont la vente de chevaux et d'équipement d'équitation dans un magasin près de la demeure familiale à Ajax, en Ontario. Pour Renée, le fait d'œuvrer au sein du fameux corps policier devait représenter le début d'une nouvelle vie et rendre son père fier. L'ennui est qu'elle préférait faire la fête plutôt qu'étudier et qu'elle avait éprouvé des difficultés lors du difficile examen d'admission. Elle avait également échoué à l'examen d'admission de plusieurs corps policiers de l'Ontario. Il semblait que Renée Murphy n'était pas destinée à suivre les traces de son père.

Murphy se tourna vers John Farrell pour qu'il l'aide. Au début de 1997, il lui demanda s'il pouvait aider sa fille à s'assurer un avantage sur de nombreuses autres recrues enthousiastes à l'idée de faire partie de la GRC, en obtenant une copie de l'examen d'admission, copie qui devait être bien protégée.

Murphy a abordé le délicat sujet prudemment, en faisant part à Farrell de ses inquiétudes au sujet de l'avenir de sa fille de vingt deux ans. «John, elle a de la difficulté», dit Murphy à Farrell dans le parc de stationnement souterrain du quartier général du SCRS. «Crois-tu que tu pourrais mettre la main sur une copie de l'examen? Cela l'aiderait énormément.»

Farrell promit à son ami et patron qu'il ferait de son mieux. Il entra en contact avec quelqu'un bien placé à la GRC et, deux semaines après la demande d'assistance de Murphy, Farrell avait en main une copie de l'examen d'admission de trente-cinq pages. (Le contact de Farrell le rencontra à la bibliothèque publique principale de Toronto, rue Yonge, afin de lui remettre le document.) Farrell appela Murphy immédiatement pour lui faire part de la bonne nouvelle.

Murphy dit à Farrell qu'il ne voulait pas voir la copie de l'examen et qu'il ne devait pas non plus la donner à Renée; il devait simplement la lui montrer au moment où elle étudierait avec lui. Murphy venait de désigner Farrell comme volontaire pour être le tuteur et l'entraîneur de sa fille. L'examen était divisé en neuf sections, avec une série de questions à choix multiples sur la logique, les mathématiques, la mémoire, la grammaire, l'orthographe, la compréhension d'un texte, le vocabulaire, le jugement et la persévérance. L'obtention de la copie d'examen n'était que la première étape dans une odyssée destinée à assurer un poste à Renée dans la GRC.

À contrecœur, Farrell devint pour Renée ce que Henry Higgins fut pour Eliza Doolittle : il passa de heures incalculables à lui donner des cours, tandis qu'elle tentait de mémoriser les réponses aux questions de l'examen. L'élève et le professeur se rencontrèrent régulièrement dans une bibliothèque de Pickering pour passer en revue chaque question de l'examen. Renée avait de la difficulté à se concentrer et elle était dépassée par les questions simples de mathématiques que comportait l'examen. Murphy engagea même un professeur de mathématiques pour sa fille.

D'autre part, Renée n'était pas en forme et elle avait un excédent de poids, mais elle devait passer un examen physique exténuant avant de pouvoir faire partie de la police fédérale. Farrell stimula la grande fumeuse et buveuse pour qu'elle se mette en forme au club de santé Curzon de Scarborough, où il lui arrangea temporairement une adhésion gratuite (de même qu'à Billingsley et à Lunau). Pour s'assurer que sa fille passe l'examen physique, Murphy bâtit un cheval d'arçons dans le garage de sa demeure d'Ajax. Pour plus de commodité, Farrell amena le gérant du club de santé à accepter qu'on installe le cheval de bois fait maison dans le gymnase du club, même si celui-ci regorgeait d'équipement haut de gamme pour aider à maigrir et à acquérir de l'endurance. Farrell entraîna patiemment son élève, qui manquait de coordination, à travers un parcours à obstacles de sa fabrication au club. Il demanda aussi l'aide d'un ami, Stan Gazmin, qui avait été admis à l'école de cadets de la GRC à Regina et qui avait raté de peu la promotion. Presque tous les jours, Murphy et sa fille accompagnaient Farrell et Gazmin pour une longue course sur la promenade le long des plages de Toronto. Renée avait de la difficulté à suivre le rythme lors de ces balades matinales et s'effondrait souvent, hors d'haleine. Quand le moral de Renée faiblit, Farrell lui acheta un t-shirt de la GRC.

Après plusieurs mois d'entraînement et d'études, Renée avait perdu sept kilos et elle était prête à passer l'examen d'admission. Farrell était pessimiste sur ses chances, même si cet examen était en tous points conforme à la copie qu'il avait obtenue de son contact au sein du corps policier. Renée réussit à passer de justesse. Pour montrer sa gratitude, elle arriva à la petite maison de Farrell avec un carton de six Sleeman. Ray Murphy, sa femme et sa fille célébrèrent avec Farrell au *Keg Steakhouse*, au 927 Dixon Road, près de l'aéroport, la veille du départ de Renée pour l'académie de formation de la GRC. Durant le dîner, Renée promit à Farrell de lui acheter un pull pour tous ses efforts et sa gentillesse.

Renée compléta avec succès le programme de vingt-deux semaines de la GRC au «Dépôt» de Regina. Lors de la cérémonie, c'est un Murphy rayonnant, portant une uniforme traditionnel à tunique rouge emprunté, qui présenta fièrement son badge de la GRC à sa fille. Personne dans la GRC n'a jamais su que Renée Murphy avait étudié une copie de l'examen d'admission grâce à la compétence et aux relations de l'ami de son père au SCRS.

La constable Renée Murphy est maintenant en congé de maternité d'un petit détachement de la GRC à Strathmore, en Alberta. Elle reconnaît que Farrell «a pu avoir» une copie de l'examen avant qu'elle ne le passe, mais elle nie avoir vu cette copie. «En aucun temps je n'ai vu une copie de l'examen ou je ne l'ai passé en revu avec lui. Absolument pas.» Elle confirme d'autres détails de la version de Farrell, y compris le fait que son père avait réquisitionné Farrell pour qu'il la force à se mettre en forme. Elle a refusé de me fournir le numéro de téléphone de Ray Murphy, car, dit-elle, «je ne sais pas ce qu'il vous dira».

Tandis que Renée Murphy se frayait un chemin à la GRC en trichant, Farrell était occupé à suivre de nombreux cours par correspondance. Il croyait que s'il obtenait les prérequis, Lunau finirait peut-être par honorer son engagement de faire de lui un membre à part entière du SOS. Au début de 1997, Farrell avait obtenu son B.A. général de l'université Simon Fraser et un diplôme en criminologie de l'école de criminologie de l'université.

Lunau avait aussi encouragé Farrell à suivre des cours spécialisés dans l'art de détecter les fraudes, de manière que son lieutenant puisse cultiver des contacts avec des agents d'organismes responsables du maintien de l'ordre au Canada et aux États-Unis, ce qui pourrait s'avérer utile dans le cadre de son travail avec le SOS. Lunau avait payé les frais de trois cents dollars pour que Farrell suive le cours de détection des fraudes au George Brown College de Toronto. On lui remit un certificat après qu'il eut complété le cours, en 1996. Lunau donna aussi quatre cents dollars pour qu'il postule un certificat de l'Association of Certified Fraud Examiners à Austin, au Texas. Le 7 février 1997, on remit ce certificat convoité à Farrell et il rejoignit les rangs de quinze mille inspecteurs des fraudes des secteurs privé et public qui s'affairent à combattre les crimes de fraude. Farrell est aussi devenu membre de l'International Association of Law Enforcement Intelligence Analysts et de l'Association canadienne de justice pénale, un groupe de criminologues dévoués à la prévention du crime et «au développement d'un système de justice plus humain, équitable et efficace pour le Canada».

Quand il eut terminé, la liste des diplômes et des adhésions de Farrell à des associations professionnelles dans le domaine du renseignement et de la fraude dépassait celle de tous les autres membres du SOS à Toronto, y compris Lunau et Murphy. La métamorphose du truand en criminologue était complète.

* * *

Juste comme Farrell avait décroché les diplômes dont il espérait qu'ils lui assureraient un poste au SOS, des compressions budgétaires au SCRS firent de ce rouage naguère indispensable dans l'unité d'élite un article jetable. Depuis 1994, Farrell avait été la fiable arme secrète de Lunau. Mais, à l'hiver 1997, Lunau et le Service commencèrent à le délester. Une fois de plus, l'argent, ou plutôt sa pénurie, dictait le cours de la vie de Farrell. Mike Thompson, l'ancien policier de Toronto et gérant des services de sécurité et d'enquête de Postes Canada, effectuait les lucratives interceptions de courrier à London, en Ontario, et il avait plus d'influence sur tout le programme d'interception de courrier.

Les tensions qui couvaient à cause des promesses brisées, des milliers de dollars de temps supplémentaire dont Farrell réclamait le paiement et de l'incertitude quant à son avenir au service explosèrent un soir quand Lunau laissa du courrier chez Farrell. Celui-ci tomba sur son patron, exigeant de savoir pourquoi on ne l'embauchait pas comme agent de renseignements dans l'unité SOS.

Lunau dit à Farrell avoir les mains liées, affirmant que le Service traversait une période difficile après avoir subi d'importantes compressions budgétaires. Farrell n'était pas convaincu. Il savait que ses chèques de «dépenses» hebdomadaires égratignaient à peine le trésor de guerre du Service et qu'une fraction de l'argent dépensé par l'unité en n'importe quel mois dans les bars de la ville couvrirait amplement son salaire en tant qu'agent de renseignements. Farrell dit à Lunau qu'il avait fini de travailler à vingt dollars de l'heure et que le Service ferait mieux de lui payer le temps supplémentaire qu'il lui devait, sinon il y aurait des ennuis.

Lunau essaya d'apaiser Farrell en lui réitérant l'offre qu'il lui avait faite peu de temps après le succès de l'opération Coupe Stanley : un emploi à plein temps dans le service de surveillance. Farrell rejeta avec colère ce prix de consolation et lui dit que la perspective de travailler dans l'unité de surveillance sous les ordres de Richard Garland, qui avait été promu superviseur, lui donnait envie de vomir.

La force de la colère de Farrell surprit Lunau.

« Mon Dieu ! John, je ne t'ai jamais vu aussi en colère », dit Lunau, qui suggéra à Farrell de prendre une semaine de congé. Farrell pensa que la préoccupation de Lunau à son endroit n'était pas trop réelle ; cela lui rappelait étrangement son comportement trop attentionné avec Kenny Baker après que le couperet eut tombé sur le cou du vieil inspecteur des postes auxiliaire.

Les rumeurs de la prise de bec se répandirent à travers le SOS. Jack Billingsley, l'agent de voyages et espion, appela Farrell et suggéra d'aller prendre une semaine ensemble à Cancún. Au début, Farrell lui dit d'aller se faire voir ailleurs. Mais Billingsley persista et Farrell finit par céder. Au retour de ses brèves vacances, Farrell rencontra Lunau et Murphy pour discuter de son avenir. Tandis que le trio marchait sur Front Street un après-midi frais mais ensoleillé de la fin de 1997, Lunau offrit à nouveau à Farrell un poste dans l'unité de surveillance.

— John, réfléchis bien, dit Murphy. Nous voulons prendre soin de toi.

— Mais vous ne prenez pas soin de moi, rétorqua Farrell. Ce n'est pas ce à quoi je m'attendais.

Farrell rappela ostensiblement à Lunau son engagement selon lequel, pour compenser tout son temps supplémentaire, le chef du SOS lui assurerait un poste au sein de l'unité. « Tu m'as menti, Donnie. »

Lunau et Murphy donnèrent à Farrell une journée pour prendre une décision. Farrell se tourna vers Cliff Hatcher, le seul autre membre du SOS en qui il avait confiance et qu'il respectait, et il lui demanda son avis. Ils se rencontrèrent dans le parc de stationnement souterrain du quartier général du SCRS et Hatcher dit à Farrell qu'il serait stupide d'accepter l'offre.

«Tu ne peux accepter cela, John, dit Hatcher à Farrell. Quel gaspillage de tes talents que de t'asseoir dans une voiture toute une journée! Tu mérites mieux. Le monde est à toi et il y a mieux dans la vie que d'être un stupide surveillant.»

Farrell savait que Hatcher avait raison. Travailler avec les surveillants n'était pas une solution. Il était blessé et déçu. Il avait accompli le sale travail de l'unité sans hésitation et telle était sa récompense. Ironiquement, quand il fit part de sa décision à Lunau et à Murphy, ils eurent aussi le cœur brisé.

«Ils ne pouvaient tout simplement pas comprendre pourquoi je rejetais leur offre», dit Farrell.

Farrell estimait avoir obligé Lunau et Murphy avec toutes ces années de loyauté indéfectible. Après tout, il avait été pour beaucoup dans les «succès» de quelques-unes des opérations les plus délicates et importantes, et c'est Lunau et Murphy – et même la fille de Murphy – qui récoltaient le prix de son travail acharné, de sa patience et de son ingéniosité. Ils lui avaient donné leur parole et il était déterminé à faire en sorte qu'ils la respectent.

Il obtint un congé sans solde de trois mois du SCRS et, muni de son diplôme universitaire et de son entraînement dans le domaine du renseignement, il commença à considérer sérieusement un poste au sein d'un corps policier. Lunau et Murphy l'encouragèrent dans cette direction; ils croyaient que Farrell ferait un excellent policier.

Farrell concentra ses recherches sur des corps de police prêts à payer pour son niveau de scolarité et qui lui permettraient de rapidement se joindre à une unité de renseignements. Il examina dix corps policiers municipaux de l'Ontario avant d'arrêter son choix sur le Service de police régionale de Durham, juste à l'extérieur de Toronto. Ce service était prêt à payer pour les livres et les cours durant l'entraînement, quelle que soit la discipline, à une condition: il fallait réussir le cours. Des centaines d'autres avaient postulé les quelques postes. Mais le curriculum impressionnant de Farrell stupéfia les recruteurs et il commença son entraînement à l'école de police de l'Ontario le 8 septembre 1997.

* * *

La veille de son départ pour l'école de police d'Aylmer, en Ontario, Farrell apprit la véritable raison pour laquelle Lunau et Murphy étaient si impatients de conclure son divorce d'avec le SCRS. Alan Whitson, un ancien de la GRC et l'ancien directeur national de la sécurité à Postes Canada, était tranquillement en train de prendre le contrôle de l'opération Vulve. Lunau raconta à Farrell, à l'occasion d'un lunch, que Postes Canada était impatient de prendre ses distances avec le service et le programme d'interception de courrier. Lunau expliqua que la société de la Couronne courtisait des entreprises privées, dont des banques et des trusts, afin d'établir un partenariat dans le florissant et lucratif domaine d'Internet. Postes Canada craignait que si ses rapports avec le SCRS venaient à être découverts, cela lui causerait des ennuis. C'est ici que Whitson entre en scène. « Ils [Postes Canada] veulent qu'un tiers vérifie les mandats et il semble que Whitson va décrocher le contrat, raconta Lunau à Farrell. Il semble que tu te retires juste à temps. »

Farrell était abasourdi. Le Service et Postes Canada s'apprêtaient à privatiser l'administration d'une des opérations de cueillette de renseignements les plus délicates et potentiellement lucratives au pays. Le favori n'était pas Farrell, qui avait effectivement été en charge de l'opération pendant des années, mais un ancien de la GRC et employé de Postes Canada.

Lunau dit à Farrell que Whitson ferait son argent en chargeant une commission pouvant aller jusqu'à cinq pour cent sur les « dépenses » totales réclamées par les innombrables inspecteurs des postes auxiliaires impliqués dans l'opération Vulve dans tout le pays. Comme il y avait des centaines de suspects, le travail secret pouvait se traduire par de grosses sommes pour Whitson.

Farrell se rappelait avoir croisé Whitson quand Postes Canada avait envoyé son ancien inspecteur des postes pour subir un entraînement en matière de renseignement à Ottawa. Il n'avait jamais imaginé travailler un jour pour l'obèse et chauve ancien membre de la GRC. Lunau, son confident et mentor, n'avait rien fait pour empêcher cela. En fait, Whitson avait déjà incorporé une compagnie à numéro – 3385710 Canada Inc. – pour gérer l'opération Vulve. La compagnie avait deux directeurs : Whitson et sa femme, Doris. Le siège social de la firme était enregistré au 8283 Forest Green Crescent, la grande résidence de style colonial des Whitson, située dans un secteur exclusif et pittoresque de Metcalfe, en Ontario, à quarante minutes de voiture d'Ottawa.

Il y eut presque une mutinerie lorsque la nouvelle du rôle de Whitson dans l'opération Vulve atteignit les autres inspecteurs auxiliaires. «Ils ont refusé de travailler pour ce gars-là», dit Farrell. Mais quand il appela Murphy à Ottawa pour lui annoncer cela, le nouveau directeur de l'entraînement pour les opérations spéciales dit à Farrell que la privatisation de l'opération Vulve n'était plus entre ses mains.

Farrell ramassa ses affaires et se dirigea vers l'école de police. Son séjour y serait toutefois de courte durée.

John Farrell, comme toujours, arriva à l'école de police résolu à réussir. Le régime quotidien d'allure militaire que subissaient les recrues potentielles produisit rapidement des amitiés durables. Farrell se démarquait de la masse de candidats inexpérimentés et passa rapidement à travers le processus d'élimination, enregistrant une moyenne de près de quatre-vingt-dix pour cent dans les cours. Mais le 4 décembre 1997, à peine neuf jours avant la fin de l'entraînement, on mit Farrell à la porte du collège. On l'accusait d'avoir montré ses fesses à deux reprises à d'autres cadets lors d'une soirée tapageuse dans un salon de police privé. Farrell était stupéfié. On prétendait que l'incident était survenu à son troisième jour au collège.

Farrell nia les accusations et plusieurs employés du collège se portèrent à sa défense, expliquant aux enquêteurs que Farrell avait gardé son pantalon toute la soirée. La gérante du salon, Shelly Rice, déclara aux enquêteurs: «Je n'ai rien vu d'inhabituel dans le salon. Personne n'est venu à moi pour me dire qu'il y avait un problème dans le salon. Quand John venait dans le salon, il me traitait toujours avec courtoisie et respect.» D'autres cadets interviewés par les enquêteurs corroborèrent la version de Rice.

Les enquêteurs conclurent que Farrell disait la vérité et recommandèrent de ne pas le réprimander. On déclencha une seconde enquête. Encore une fois, les enquêteurs trouvèrent que les allégations, d'abord l'œuvre d'une femme sergent de police, étaient «sans fondement» et qu'«il n'y avait ni témoin direct ni plainte».

On ordonna cependant une troisième enquête après qu'une femme sergent de police, qui avait entendu des rumeurs du prétendu incident, eut refusé de laisser mourir cette affaire. Le 13 novembre, on suspendit Farrell avec salaire (neuf cents dollars par deux semaines) en attendant une audience. Quatre jours plus tard, on l'informa que la force policière recommanderait son renvoi. Même la rumeur d'indécence était suffisante, semble-t-il, pour que les officiers supérieurs de la force policière empêchent Farrell de demeurer à l'école. Mais l'enquêteur affecté à l'affaire admit plus tard qu'il avait été «en état d'ébriété» juste avant de mener les interrogatoires de Farrell. La femme sergent impliquée dans l'enquête avoua plus tard avoir falsifié des rapports sur l'incident pour les rendre plus préjudiciables à Farrell. (Beaucoup plus tard, Farrell apprit que des officiers supérieurs de la police de Durham étaient impatients de se défaire d'un cadet ayant des liens avec le service de renseignements du Canada.)

Farrell était bouleversé. Ses espoirs de devenir policier avaient été anéantis par des accusations confuses et fausses selon lesquelles il s'était adonné à une blague d'adolescent. L'incident fut même mentionné dans les dernières pages du *Toronto Star*. Bientôt des allégations plus sérieuses impliquant le détournement d'armes, de drogues, de bijoux, de boisson et d'argent de la drogue résultant de saisies par des officiers supérieurs de la police de Durham firent la première page du journal. Mais c'était une faible consolation pour Farrell, qui n'avait d'autre choix que de retourner au SCRS, à Lunau et à Whitson.

13
LA RUPTURE

Quand Farrell retourna à Toronto après avoir quitté l'école de police, au début de 1998, la mainmise de Whitson sur l'administration quotidienne du programme d'interception du courrier du SCRS était un fait accompli. En janvier de cette année-là, Whitson incorpora une autre compagnie pour s'occuper de l'opération Vulve, une firme de consultants en matière de sécurité appelée Adava Consulting. Cette firme avait aussi enregistré son adresse au 8283 Forest Green Crescent. Farrell était à court d'argent et il sentait qu'il n'avait pas d'autre choix que de continuer de travailler à l'opération Vulve[1].

Le 5 janvier 1998, Farrell signa un contrat avec 3385710 Canada Inc. pour continuer de travailler comme inspecteur des postes auxiliaire. La signature de Whitson apparaît sur le contrat, qui porte la mention «secret» et qui le désigne comme président de la compagnie. Selon les termes du contrat, Farrell continuait à être rémunéré vingt dollars de l'heure et à pouvoir réclamer une

1. Farrell a recherché un autre emploi. Les Nations unies l'interviewèrent en téléconférence après qu'il eut été choisi avec les finalistes postulant un travail d'enquêteur pour le Tribunal pénal international en rapport avec l'ancienne Yougoslavie, à La Haye.

allocation fédérale de trente-trois cents le kilomètre pour ses déplacements. Mais au lieu de remplir ses factures pour «frais et dépenses» sur une base hebdomadaire, il devait soumettre des copies des factures détaillées à Whitson et à Lunau toutes les deux semaines. On attribua au contrat secret le numéro ADAVA09. Le document de dix pages était une copie presque conforme de tous les contrats que Farrell avait signés avec Postes Canada depuis 1992 et il comportait une clause de non-divulgation qui lui interdisait de révéler l'existence de son entente avec 3385710 Canada Inc. Farrell et les autres inspecteurs des postes auxiliaires n'étaient toujours pas obligés de déclarer le moindre revenu versé par la compagnie à numéro de Whitson[2].

Postes Canada n'était plus le mandataire du Service ; c'était désormais Whitson. Farrell était maintenant un «contractuel» qui travaillait, du moins sur papier, pour des compagnies contrôlées par Whitson et sa femme. Mais Farrell recevait toujours ses ordres directement de Lunau. La tâche de Whitson consistait à vérifier les mandats d'interception de courrier et les factures, et à émettre des chèques aux inspecteurs auxiliaires pour leurs prétendus services professionnels. Lunau tenta de rassurer Farrell : la prise en charge par Whitson ne lui occasionnerait que très peu d'inconvénients, à lui et aux autres inspecteurs auxiliaires. «John, tout va rester comme avant. C'est simplement que désormais tu vas recevoir tes chèques de Whitson au lieu de Postes Canada», dit Lunau.

Mais Farrell savait que tout avait changé. Il ne jouerait plus un rôle déterminant dans l'opération Vulve et cela voulait dire moins d'argent. Il y avait aussi le délicat problème de tout le temps supplémentaire impayé qu'il réclamait au Service. Qui allait s'acquitter de cette dette, maintenant que Murphy et Lunau avaient renié leur promesse d'en faire un membre officiel du SOS? Selon Farrell, Lunau refusait de répondre à cette question.

Le lien entre les inséparables collègues et amis de jadis s'effilochait au point de ne plus être réparable. Les querelles au sujet de l'argent et des promesses non tenues se firent plus fréquentes et plus intenses. Farrell blâmait une personne par-dessus tout : lui-même. «C'est un monde de duplicité, où la loyauté et l'amitié

---

2. Whitson n'a émis aucun feuillet T4 aux inspecteurs des postes auxiliaires qui travaillaient à l'opération Vulve.

ne veulent rien dire, dit-il. J'avais trahi des gens et maintenant j'étais trahi.»

Le mercenaire voulait son argent. Toutes les deux semaines, il remplissait consciencieusement ses factures pour Whitson et réclamait souvent jusqu'à mille huit cents dollars exempts d'impôts. (Farrell a gardé des copies de toutes les factures.) Whitson fit part à Lunau de ses doutes croissants quant à l'augmentation des dépenses «extravagantes» de Farrell. Mais il était forcé de payer, puisque Farrell pouvait rendre compte de chaque heure et de chaque kilomètre. Lunau et Farrell s'affrontèrent à nouveau au sujet de l'argent que Farrell réclamait toujours du Service. Il jura qu'à moins que le Service ouvre ses goussets, il ne s'impliquerait plus dans aucune mission pour le SOS.

* * *

Farrell savourait un bol de soupe aux légumes au restaurant *Sip*, au printemps 1998, lorsqu'il reçut un appel urgent de Jack Billingsley sur son téléavertisseur. Il demanda au gérant du restaurant s'il pouvait utiliser le téléphone.

— John, on a besoin que tu loues un appartement, dit Billingsley à Farrell.

— Tu n'as pas compris, Jack? Je ne fais plus cela, répliqua Farrell.

— John, on a besoin que tu entres quelque part.

— Donnie n'est-il pas au courant de cela?

— Oui, bien sûr. Mais il est à l'extérieur.

— Alors pourquoi ne m'appelle-t-il pas pour me demander de faire le travail? Vous ne voulez pas me payer équitablement. Allez vous faire foutre.

Billingsley dit à Farrell que Lunau avait dépêché une série d'agents de renseignements à l'appartement mais que, tout comme pour le fiasco de Roehampton Avenue, ils avaient tous échoué lamentablement. «On a besoin de toi», répéta Billingsley. Il laissa même entendre que le Service était prêt à payer le temps supplémentaire litigieux. En entendant cela, Farrell changea d'attitude.

Billingsley lui fit savoir que le Service avait besoin de lui pour louer un appartement de deux chambres à coucher dans le sous-sol de la demeure d'un sikh soupçonné de terrorisme. Le suspect avait fait paraître une petite annonce dans le journal pour louer cet appartement de sa demeure en briques de deux étages sur Nuffield Street, dans un tranquille quartier de classe moyenne de Brampton. Le Service voulait saisir l'occasion d'entrer dans la demeure du suspect pour y implanter des dispositifs d'écoute.

À peine quelques heures après sa brève conversation avec Billingsley, Farrell avait convenu d'une rencontre avec le terroriste appréhendé. Il retira deux mille dollars de son compte de chèques à un guichet automatique tout près, afin de payer le premier et le dernier mois de loyer, et il se dirigea vers l'appartement. Billingsley avait averti Farrell que le suspect était soupçonneux avec les non-sikhs et qu'il pouvait être dangereux. Farrell se présenta avec assurance chez cet homme d'âge moyen, qui était grand et portait une longue barbe noire, un turban et un poignard d'apparat à la ceinture. «L'endroit est parfait. Je le prends», dit-il tandis que les deux hommes faisaient le tour du minable appartement.

Farrell raconta calmement à son nouveau propriétaire qu'il travaillait à un bureau de poste pas très loin. Il fournit à l'important suspect du SCRS deux sources de références: un de ses amis, Don Hammond, et l'adresse et le numéro de téléphone d'une de ses compagnies bidon, Housing Unlimited. (Le suspect ne vérifia auprès d'aucune des sources.) Farrell signa un bail immédiatement et le suspect fut heureux de lui remettre un reçu pour l'argent du loyer (neuf cents dollars par mois). Farrell laissa un message sur le téléavertisseur de Lunau pour lui dire que l'appartement était entre les mains du Service.

Le jour suivant, Lunau visita Farrell chez lui pour le féliciter. Mais il avait aussi une requête: il voulait que Farrell emménage dans le sous-sol et surveille l'homme que le Service soupçonnait d'être un terroriste impitoyable et très bien entraîné. Farrell et Lunau discutèrent d'argent. Le chef du SOS dit à Farrell que Bob Gordon, le directeur général du Service pour la région de Toronto, était prêt à payer seulement trois heures, et cela trois jours par semaine. Farrell explosa.

— Donnie, tu veux que je vive dans le sous-sol d'un maudit terroriste pour soixante dollars par jour? Tu rigoles, dit Farrell. Pas question.

— John, notre budget est serré, expliqua Lunau.

— Va te faire foutre !

Il dit au chef du SOS que son seul temps de transport aller-retour vers l'appartement prendrait plusieurs heures par semaine et que l'idée de dormir au nez et à la barbe d'un terroriste potentiellement violent n'était pas invitante. « Comment sais-tu que personne ne va lui mettre la puce à l'oreille sur ma véritable identité et qu'il ne va pas s'introduire dans le sous-sol pour me trancher la gorge ? » Farrell mentionna aussi la promesse de Billingsley selon laquelle il serait payé pour le temps supplémentaire litigieux.

Lunau avait besoin d'un œil entraîné pour surveiller le sikh suspect et il promit donc d'arracher plus d'argent au Service. Farrell décida d'accorder au chef du SOS une dernière chance de s'amender et accepta d'emménager dans l'appartement.

Il réunit quelques meubles du SCRS, des vêtements qu'il utilisait pour les opérations spéciales et, avec l'aide de Hammond, il déménagea. Farrell commandait régulièrement des pizzas et s'envoyait des lettres à lui-même pour consolider l'impression qu'il était un locataire ordinaire. Une fois de plus, sa mère factura au SCRS deux cents dollars pour nettoyer le froid et humide appartement.

En préparation de l'implantation des dispositifs d'écoute dans la demeure du suspect, Lunau ordonna à Farrell de noter le nombre de personnes qui y vivaient, leurs déplacements, l'endroit où se trouvait la boîte d'entrée d'électricité, la marque et le modèle des serrures des portes, et il lui demanda aussi d'établir un plan détaillé de toute la maison. Farrell transmit les informations à Lunau lors de l'une de leurs rencontres régulières au pub *Rose & Crown*.

Farrell passait plusieurs soirées par semaine à l'appartement et elles étaient toutes inconfortables. Il demeurait souvent étendu, écoutant attentivement les déplacements du suspect au-dessus de lui. Un jour, il se réveilla en sursaut d'une sieste avec une montée d'adrénaline : le suspect était entré dans son appartement, à la recherche, prétendait-il, du robinet permettant de fermer l'entrée d'eau de la maison. Farrell ne fit plus jamais de sieste dans l'appartement.

Quatre semaines après que Farrell eut emménagé, Lunau donna le feu vert pour l'implantation des dispositifs d'écoute.

Farrell rencontra Alex Yu, Dean Weber et Sandy Brown dans un immense terrain de stationnement de Bramalea Community Park, à courte distance de voiture de la maison du suspect. Après de brèves instructions, il se rendit vérifier la maison pour s'assurer que le terroriste appréhendé et sa famille étaient partis. Il retourna au terrain de stationnement et donna à Brown le signal que la voie était libre. L'équipe du SOS s'entassa dans la voiture de Farrell en emportant trois valises noires et des sacs remplis d'outils et d'équipement. Farrell se gara dans le garage et ferma la porte derrière lui. L'équipe du SOS se glissa dans l'appartement de Farrell par une porte du garage. Yu et Weber retirèrent quelques panneaux du toit du sous-sol et, à l'aide d'une perceuse électrique, implantèrent un dispositif d'écoute, tandis que Farrell et Brown surveillaient. Au bout de quarante minutes, ils en avaient fini. L'équipe remballa ses affaires. Alors qu'ils sortaient, la femme du suspect arriva inopinément à la maison et vit l'agent du SCRS et les techniciens portant leurs valises et leurs sacs dans la petite voiture. Farrell sourit à la femme. Brown faillit s'évanouir.

Quelques jours plus tard, Lunau rencontra Farrell au *Mr. Slate Sports Bar* pour le remercier du rôle crucial qu'il avait joué lors de cette mission délicate et dangereuse. Farrell exigea son argent. Lunau rechigna et fit savoir à Farrell qu'il gagnait effectivement plus d'argent que tout autre membre du SOS ; il n'y aurait aucun argent supplémentaire ni pour la mission ni pour le temps supplémentaire perdu. C'était la trahison finale.

L'argent – son absence et le besoin d'en avoir – avait constamment hanté Farrell depuis ses jours à Parma Court. Les considérations monétaires pouvaient à coup sûr modifier son humeur. Son père et ses frères volaient de la nourriture, des vêtements et des médicaments parce qu'ils n'avaient pas d'argent. Sa sœur Joséphine avait besoin d'argent pour acheter la drogue qui l'amena finalement à une overdose. Farrell voyait sa mère, Mary, nettoyer les toilettes d'inconnus pour gagner de l'argent. Il n'y avait jamais assez d'argent. Farrell avait été à la tête d'un gang assoiffé d'argent. Postes Canada et le SCRS l'avaient payé pour violer la loi. Lunau le privait maintenant de l'argent pour lequel il avait, croyait-il, risqué sa vie.

Farrell était tellement en colère qu'il voulait frapper Lunau. Le chef du SOS tenta de le calmer en lui offrant de lui payer son repas et un verre.

— Non. Je ne mange et ne bois qu'avec des amis et je ne suis pas en compagnie d'amis présentement, dit Farrell sur un ton ferme.

— Johnny, nous avons été bons pour toi dans le passé, lui rappela Lunau.

— J'ai risqué ma vie. Je me suis occupé de la fille de Ray. Tu t'en souviens? Je me suis occupé de Heather. Tu t'en souviens? J'ai fait tout ce que tu m'a demandé de faire et maintenant tu ne veux pas me donner mon argent. C'est une tromperie! J'en ai assez. Je ne veux plus jouer là-dedans. C'est fini pour moi.

Farrell rappela à Lunau son voyage à Buffalo pour acheter de la boisson bon marché pour la réception de mariage d'une autre des filles de Murphy et une litanie d'autres services, petits et grands, qui avaient étiré les frontières de la rectitude. « Tous les autres au SOS traient la vache du système. Je suis le con qui fait tout le travail et voilà comment tu me traites. »

À la fin, Lunau avait l'air ébranlé et inquiet. Farrell incarnait soudain le pire cauchemar d'une agence d'espionnage : un agent au courant des plus grands secrets devenu apparemment hors de contrôle. Si Farrell rompait le silence, les conséquences se feraient probablement sentir à travers le Service et impliqueraient plusieurs des agents et les cadres les plus haut placés.

Quand ils quittèrent le pub, Lunau, se souvenant peut-être des croisades antérieures de Farrell, se tourna vers lui et lui demanda : « Hé! Johnny, tu ne vas pas aller dans les médias, n'est-ce pas? »

« Non, mais regarde-moi bien aller », fut la réponse de Farrell.

Quelques jours plus tard, Lunau lui donna instruction de mettre fin au bail de Brampton et Farrell fut heureux de l'obliger. Le fait d'avoir à s'adapter à des rôles différents avec sa famille, ses amis et sa nouvelle petite amie – une fille grande et mince née en Suisse et qu'il avait rencontrée lors d'un court voyage à Londres – contribuait à l'éloigner davantage de Lunau. Pour le SCRS, Farrell était un instrument utile. Pour sa mère, il était un fils vaillant qui contribuait à maintenir à flot les finances de la famille. Pour sa petite amie et un petit cercle d'amis, il vivait une vie étrange qui le faisait papillonner dans la ville à toutes heures et accomplir des courses sans fin pour ses mystérieux patrons. Tout cela faisait des ravages.

Farrell prépara une lettre pour aviser son propriétaire sikh qu'il n'avait plus besoin de l'appartement car il était soudainement muté à Vancouver. Sur ce mensonge, les jours de Farrell au sein des opérations spéciales prenaient fin; il ne loua plus d'appartements pour le Service, non plus qu'il n'exécuta d'entrées clandestines. Il continuait de jouer un rôle dans la coordination des opérations quotidiennes de l'opération Vulve et d'intercepter le courrier d'Ernest Zundel, le négateur de l'Holocauste, mais cela aussi allait bientôt prendre fin. À dix heures trente le 3 janvier 1999, Farrell et Lunau se rencontrèrent dans le parc de stationnement du *Boardwalk Cafe* dans l'est de Toronto. Le patron du SOS arriva dans une voiture du SCRS, une Toyota Corolla bleue à quatre portes. L'air mal à l'aise, il fait signe à Farrell de s'approcher de son véhicule, où il lui expliqua que, puisque le mandat pour saisir le courrier de Zundel avait expiré, on n'avait plus besoin de ses services.

Farrell se mit au téléphone. Il passa par-dessus la tête de Lunau et de Murphy, et présenta son cas directement à d'autres agents et cadres supérieurs du SCRS. Il parla plusieurs fois avec l'espion en chef de Toronto, Bob Gordon (qui avait succédé à deux autres anciens agents du SCRS, Jack Hooper et David Beazly, en tant que directeur général régional). Gordon connaissait très bien Farrell depuis l'opération Coupe Stanley et il tenta de le désarmer en lui racontant que d'autres membres du SOS avaient vanté son travail et avaient parlé de façon élogieuse de sa loyauté et de son patriotisme. «Ta réputation te précède», dit Grodon à Farrell. Il écouta les doléances de Farrell et promit d'appeler Ottawa afin d'essayer de régler la dispute monétaire et même de lui trouver un autre travail dans le Service.

Farrell joignit Keith McDonald sur son téléphone cellulaire à Ottawa pour dénoncer le traitement que lui infligeait le Service. Le directeur national ne fut pas ému par les protestations de Farrell et rejeta de façon abrupte son plaidoyer pour récupérer son argent. «Regarde, John, il arrive des choses que nous n'aimons pas et il faut y être préparé», dit-il. Le vétéran du SCRS dit à Farrell que son propre fils avait était devenu paralytique en jouant au hockey et que la vie était pleine de surprises désagréables et parfois tragiques. Farrell n'était pas intéressé à écouter un sermon sur l'art de gérer les aléas de la vie et rappela à McDonald le confortable séjour de sa fille dans l'appartement de High Park.

— Cela ne te regarde pas, dit McDonald en colère.

— Oh! que oui! Vous dites tous que vous n'avez pas d'argent pour me payer, mais le Service a dépensé des milliers de dollars pour loger vos enfants dans des appartements du Service des opérations spéciales à Toronto.

McDonald dit à Farrell que le Service était à court d'argent et qu'il ne pouvait pas grand-chose pour l'aider. Deux semaines plus tard, Lunau appela Farrell chez lui pour lui offrir une interception de courrier à Toronto: soixante dollars par jour, cinq jours par semaine. «Tu veux rire, Donnie, répondit Farrell. Je peux faire plus d'argent en travaillant chez McDonald.»

Ensuite, Gordon l'appela et lui dit qu'il essayait d'arranger une rencontre entre lui et Lunau pour régler la dispute. «J'espère pouvoir t'obtenir de l'argent», dit-il.

Le matin du 16 mars 1999, Lunau avait de la difficulté à trouver une chambre privée pour ce qui devait être sa dernière rencontre officielle avec John Farrell. Des délégués de conventions avaient envahi la ville comme une armée d'occupation et il n'y avait pas d'hôtel libre. Alors, comme il l'avait fait d'innombrables fois durant les sept dernières années quand il avait un problème à solutionner, Lunau appela Farrell. Celui-ci se mit en rapport avec un vieil ami, Mel George, le gérant des réservations au populaire Skydome Hotel, qui surplombait le quartier général du SCRS sur Front Street.

«Écoute, je suis pris et j'ai besoin d'un service», dit Farrell. Il connaissait George depuis l'époque où il louait des chambres et des loges de luxe au terrain-de-jeu-hôtel-stade-de-baseball pour des *parties* au cours desquelles l'alcool et la drogue circulaient librement. Organiser des *parties* était une façon agréable de garder les vieux amis heureux et d'en faire de nouveaux. Farrell changerait quelque peu les règles en chargeant un droit d'entrée.

«Pas de problème, John», dit George. Il dépêcha une femme de chambre pour préparer une chambre. Farrell remercia le gérant des réservations et lui dit qu'il venait de mériter un généreux pourboire. Farrell appela Lunau pour lui communiquer les détails: le Skydome Hotel, chambre 365, à onze heures trente.

* * *

Farrell s'empressa de sortir de sa petite maison de deux chambres à coucher de l'est de Toronto et sauta dans sa voiture. Le pied au plancher, il tricota dans la circulation exceptionnellement légère de ce matin de mars. Il s'était rendu des milliers de fois au centre-ville pour rencontrer Lunau, Murphy et d'autres membres du SOS et il aurait pu s'y rendre les yeux fermés.

Il laissa sa voiture aux soins d'un chasseur, se dirigea vers la réception, s'enregistra à onze heures vingt-cinq et prit la clé de sa chambre. Il retéléphona à Lunau pour lui rappeler qu'ils n'avaient la chambre que pour quelques heures et qu'il ferait mieux de s'y rendre le plus tôt possible.

Quelques minutes plus tard, on frappait à la porte. Farrell jeta un rapide regard par le judas et aperçut Lunau, l'air grave, accompagné d'Al Poulton, le directeur des finances et de l'administration du SCRS à Toronto. Poulton, un autre ancien de la GRC, achetait les fournitures, négociait et signait les baux, et payait les factures, y compris celles remplis par le SOS. Farrell connaissait Poulton par ses visites occasionnelles à la taverne Beverley.

Il ouvrit la porte et fit signe à Lunau d'entrer. Son ancien patron joua du charme. «Hé! Johnny, comment ça va?»

Farrell coupa court aux mondanités et s'assit au bout du large lit de la chambre. Lunau et Poulton tirèrent des chaises pour lui faire face. Lunau demanda à Farrell s'il était nerveux. Sans attendre une réponse, le chef du SOS regarda sous le lit pour voir si Farrell avait installé un dispositif d'enregistrement, puis essaya de s'en tirer en blaguant. Lunau se dirigea ensuite vers la salle de bains pour vérifier – Farrell en était convaincu – si son ancien protégé n'y avait pas installé de dispositif d'écoute. Farrell comptait en silence pour voir combien de temps cela prendrait à Lunau. Il se rendit à treize. Il n'y avait pas de dispositif d'écoute. Farrell supposa que la serviette que portait Poulton était équipée pour enregistrer la voix et peut-être même l'image. Il n'était ni surpris ni offusqué: il aurait fait la même chose s'il avait eu le temps et l'argent voulus. La confiance n'étouffait personne dans la chambre.

Ils en arrivèrent aux faits. C'est Poulton qui parla. Il vanta Farrell pour ses remarquables états de service mais dit que l'heure était venue pour une séparation à l'amiable. Le SCRS était prêt à lui offrir six mille dollars.

Farrell se tourna vers Lunau. «Qu'est-ce que c'est que ça, Donnie? Une avance pour les honoraires de mon avocat? Tu peux vraiment rester assis devant moi, me regarder dans les yeux et me dire que je vaux six mille dollars?»

« Si ça ne dépendait que de moi, Johnny, je t'en offrirais bien plus. »

Farrell sentit monter en lui un profond mépris pour Lunau. Il cria à son ancien patron: «C'est inacceptable. Six mille, ce n'est rien. »

Lunau dit que l'argent était un geste «humanitaire» du Service pour l'aider à joindre les deux bouts tandis qu'il rechercherait un autre emploi, en reconnaissance de son dévouement et de sa loyauté. Il s'agissait d'une proposition à prendre ou à laisser.

Farrell changea de tactique abruptement. Il demanda à Lunau s'ils lui paieraient les six mille dollars en liquide ou par chèque. Pris par surprise, Poulton dit à Farrell qu'ils n'avaient pas cette somme avec eux mais qu'ils étaient certainement prêts à se rendre à un guichet automatique tout près et à retirer l'argent. Farrell feignit d'être intéressé.

Poulton ajouta calmement qu'avant de pouvoir recevoir l'argent, Farrell devrait signer certains documents. Lunau demeurait apparemment impassible, mais Farrell avait cru noter des signes de peur chez son ancien patron. Farrell se vida. Il fit grand cas de son travail dans le cadre de l'opération Coupe Stanley, dans l'opération Vulve, les entrées clandestines, les vols, les faveurs, tout. Pendant dix minutes, Farrell admonesta Lunau et le SCRS pour leur trahison. Puis il changea encore de registre et demanda s'il pouvait toucher les six mille dollars en liquide.

«Bien sûr», dit Poulton, qui semblait avoir bon espoir que Farrell prenne tout simplement l'argent.

Poulton sortit un document de sa serviette. En échange de l'argent, Farrell devait signer une entente d'une page. Il y avait des conditions strictes. Il ne pourrait pas révéler ses rapports avec le Service. Il ne pourrait pas poursuivre le Service. L'argent n'était pas une admission que Farrell avait jamais travaillé pour le SCRS. Farrell lut l'entente avec attention et la lança à Poulton. La feuille atterrit sur la serviette.

« Allez vous faire foutre ! Que le SCRS aille se faire foutre ! dit Farrell. Je ne signe pas cela. Ce serait comme de signer mon arrêt de mort. Non. »

Poulton demanda à Farrell combien il désirait. Farrell demanda vingt mille dollars et une lettre de recommandation. Poulton dit qu'il transmettrait sa requête à Ward Elcock.

Farrell y alla d'un dernier appel auprès de son ancien ami. « Donnie, mets-toi à ma place, dit-il. Accepterais-tu cela ou irais-tu en cour ? »

Lunau, après une pause, répondit : « Je l'ignore, John, je l'ignore. »

« Je pense que tu le sais. Je ne signe pas cela, répliqua Farrell. C'est tout. C'est fini. »

La rencontre avait duré moins d'une heure. Le trio quitta la chambre et se dirigea vers l'ascenseur en silence. Quand Lunau arriva à la réception, il sortit son porte-monnaie et acquitta la facture en liquide ; il quittait la chambre à midi vingt-six. Il se tourna ensuite vers Farrell et demanda s'ils pourraient encore se retrouver pour prendre un verre à l'occasion. Farrell hocha la tête.

Mais Farrell avait fait à Lunau une dernière faveur. La chambre coûtait habituellement cent soixante-quinze dollars. Farrell l'avait eu à soixante-quinze dollars plus les taxes. En regardant Lunau s'éloigner, Farrell se dit en lui-même : « Merde ! Mel n'a pas eu son pourboire. »

14
ELCOCK ET L'ARGENT

Farrell puisait maintenant dans le même réservoir de détermination qui l'avait soutenu à l'occasion de ses batailles contre des cadres obstinés au Rotherglen Youth Detention Centre et au York Detention Centre de Toronto. Il avait eu gain de cause dans ces disputes qui avaient parfois dégénéré, mais le SCRS était un adversaire très différent : une institution considérable et puissante, disposant des vastes ressources du ministère fédéral de la Justice. Le 19 mars 1999, à peine trois jours après sa rencontre avec Lunau, Farrell écrivit à Ward Elcock une lettre conciliante dans laquelle il demandait au directeur du SCRS de « négocier un règlement équitable et raisonnable » pour ses réclamations encore pendantes à l'endroit du service.

« L'étendue de mon implication dans la communauté du renseignement durant les dix dernières années justifie, à mon avis, une offre juste et raisonnable, écrivit-il. Dans le cadre de mon emploi, je me suis montré très diligent, infatigable et méticuleux dans l'accomplissement de mes tâches et de mes obligations professionnelles. » Il ajouta : « J'ai beaucoup aimé mes devoirs et responsabilités, de même que la confiance dont on a fait preuve à mon endroit. » Farrell prétendait que le Service lui devait cinquante mille dollars en salaire impayé.

Elcock répondit à la lettre de Farrell en quelques jours. La réponse de deux pages, comportant trois cent dix-sept mots, était une tromperie méticuleusement fabriquée qui reconnaissait que Farrell avait eu une «relation de travail» avec le SCRS, mais qui dégageait le directeur et le Service de toute responsabilité pour les actes commis sur l'ordre d'agents de renseignements supérieurs, dont Lunau et Murphy. La lettre d'Elcock était aussi une couverture prudemment érigée pour protéger les agents et les cadres supérieurs du SCRS contre toute conséquence de leurs actes en rapport avec la longue et remarquable carrière de Farrell avec le Service. Malgré son ton poli et diplomatique, le message de la lettre était cynique et clair: selon Ward Elcock, le Service était immunisé contre tout compte à rendre.

Mais la lettre d'Elcock à Farrell comprenait aussi quelques admissions importantes qui pourraient revenir hanter l'espion en chef du Canada. Il y admet qu'il connaissait précisément John Farrell et savait que celui-ci était habituellement payé directement par le SCRS pour son travail clandestin. La lettre confirme que la connaissance de «la relation de travail» de Farrell avec le Service avait atteint le niveau le plus élevé et le plus influent dans le service de renseignements du Canada.

Elcock commençait sa lettre à Farrell par ce stupide rappel: «J'accepte et j'apprécie votre sensibilité à vos obligations de respecter la confidentialité sur laquelle nous vous avons fait confiance.» Dit simplement, Elcock rappelait à Farrell qu'il avait juré de se la fermer. «En grande partie, continuait Elcock, votre relation de travail avec le Service canadien du renseignement de sécurité s'est inscrite dans le cadre de votre habilitation en tant qu'employé contractuel de Postes Canada à l'intérieur du programme des inspecteurs des postes auxiliaires.» Le directeur du SCRS venait de faire sa première admission importante: Farrell a vraiment eu une «relation de travail» avec le Service. Mais il tenta ensuite d'embrouiller la véritable nature de la relation de Farrell avec le Service en le décrivant comme un «employé contractuel de Postes Canada». Depuis 1991, Farrell avait reçu ses ordres de deux hommes et s'était rapporté à eux. Tous deux étaient de vieux agents supérieurs du SCRS: Don Lunau et Ray Murphy. Pourtant, insiste Elcock, puisque Farrell était un employé de Postes Canada, le SCRS n'était responsable d'aucun de ses actes.

«Le Service n'a pas de comptes à rendre pour le travail que vous avez accompli pour Postes Canada et ne paiera pas pour cela», écrit Elcock.

Elcock tente de laisser croire que la «relation de travail» intime de Farrell avec le Service était un simple flirt temporaire: «Je reconnais que vous avez aidé le service d'autres manières de temps à autre et cela a été très apprécié. En ces occasions, vous avez été compensé directement par le SCRS en proportion de l'aide que vous avez apportée.» Cette prétention était également mensongère. Farrell avait été un membre loyal, dévoué et de longue date de l'unité d'élite des opérations spéciales de Lunau. Le chef du SOS s'était tourné vers Farrell en d'innombrables occasions depuis 1991. Farrell était l'homme de confiance de Lunau, accomplissant ses volontés là où d'autres agents de renseignements ne pouvaient ou ne voulaient pas le faire.

La tentative d'Elcock de mettre une distance entre le Service et Farrell n'était pas surprenante, étant donné qu'au début de 1999 Farrell était devenu une charge potentiellement gênante et une menace pour la mascarade du SCRS, qui se présentait comme un service de renseignements respectueux de la loi. Mais le directeur du SCRS a effectivement fait une autre admission significative lorsqu'il a reconnu que le Service avait payé Farrell «directement» pour ses services. Lunau avait en effet versé à Farrell des milliers de dollars en liquide et l'avait couvert de coûteux cadeaux, dont un manteau de cuir. On avait versé à Farrell d'intéressants paiements en liquide tout au long de sa carrière au sein du Service. Farrell n'était pas un simple informateur ni quelqu'un qui rêvait d'être un espion: il avait participé à part entière à quelques-unes des opérations les plus délicates ayant eu lieu dans ce pays.

Elcock concluait sa lettre en réitérant l'offre qu'avaient présentée Lunau et Poulton à Farrell au Skydome Hotel. «Étant donné que vous avez traversé une période de chômage, le Service vous a offert une assistance de six mille dollars pour vous aider dans ce moment de transition. Cette offre n'était pas destinée à constituer une reconnaissance de ce que vous décrivez comme un engagement à long terme dans les programmes du Service. Il s'agissait plutôt d'un geste humanitaire dans le but de vous aider à remplir vos obligations financières tandis que vous étiez au chômage. Vous avez refusé cette offre.»

Elcock se dépeint maintenant dans un rôle invraisemblable: un bienfaiteur qui vole au secours d'un chômeur. Le service d'espionnage du Canada s'est soudainement transformé en organisme de charité et Ward Elcock en est le patron. Il écrit: «Bien que je n'y sois pas obligé, je suis toujours prêt à vous fournir une assistance humanitaire selon le montant précédemment offert. Au cas où vous décideriez d'accepter, veuillez s'il vous plaît en aviser M. Bob Gordon dès que vous le pourrez.» Ernest Rovet, un avocat engagé par Farrell pour le représenter dans sa dispute avec le SCRS, était médusé par l'offre d'Elcock: «Selon mon expérience, les employeurs n'offrent pas aux gens de l'assistance humanitaire sans qu'il y ait de réclamation spécifique.»

La phrase qui souleva le plus l'ire de Farrell était celle-ci: «Cette offre n'était pas destinée à constituer une reconnaissance de ce que vous décrivez comme un engagement à long terme dans les programmes du Service.» Toute sa vie depuis 1991 avait été accaparée par les besoins et les exigences du SCRS, de Lunau et de Murphy. L'espion en chef du Canada suggérait maintenant que tout cela n'avait été que le fruit de son imagination. Farrell estimait qu'Elcock n'était que le dernier et le plus haut placé des cadres du SCRS à s'en remettre à de faciles faux-fuyants quand ils étaient confrontés à une vérité dérangeante: mentir, nier et feindre la surprise.

Elcock concluait en souhaitant à Farrell «bonne chance dans vos futures entreprises».

Le 7 avril 1999, Farrell envoya à Elcock une lettre de sept pages dans laquelle il disséquait la réponse du directeur du SCRS. Le ton de Farrell avait changé. La diplomatie qui avait caractérisé sa première missive avait fait place à la dureté des indéniables faits et à de nettes accusations.

Farrell décrivait d'abord l'historique de ses rapports avec le Service. « M. Lunau m'a informé qu'on m'avait accepté au sein du programme des inspecteurs des postes du SCRS et ce même agent du SCRS a été mon superviseur durant les dix dernières années. Durant cette période, je n'acceptais ni ne recevais aucune directive de quelque cadre de Postes Canada que ce soit ni d'Adava Consulting. Tous mes ordres et mon agenda quotidien étaient dictés par M. Lunau.»

Il servit à Elcock une description détaillée de ses responsabilités dans la gestion quotidienne de l'opération Vulve, afin de détourner le directeur du SCRS de l'idée qu'il avait seulement «aidé le service d'autres manières de temps à autre». Farrell mentionna le réseau de compagnies bidon qu'il avait dû mettre sur pied pour louer des appartements au nom du Service. Il décrivit en détail son implication vitale dans la dangereuse opération antiterroriste qui avait pour cible un terroriste sikh de Brampton. «J'ai été impliqué dans plus d'une douzaine de locations d'appartements en plus de mettre sur pied des compagnies fictives et d'autres activités», écrivit-il. Il souligna son rôle important dans la surveillance des Lambert : «En ce qui concerne l'opération Coupe Stanley, j'y ai investi plus de six heures par jour, sans compter que je dormais là, que je me livrais à de la surveillance et que je participais à des réunions.»

Il faisait aussi part de ses sérieuses préoccupations quant au fait qu'on avait embauché Whitson pour administrer le programme d'interception du courrier. Il glissa aussi un mot de plus sombres secrets, à savoir la manière dont le service de renseignements du Canada, censé être propre et net, agissait dans les faits. «J'ai aussi parlé à M. Lunau [lors de la rencontre au Skydome Hotel] du comportement contraire à la déontologie de M. Keith McDonald, qui permettait à sa fille de vivre dans un appartement payé par les impôts des contribuables.» Farrell implorait Elcock de régler le différend «le plus tôt possible [...] j'espère que le Service considérera mon offre comme raisonnable».

Trois semaines plus tard, Farrell reçut d'Elcock une réponse revêche. Dans sa lettre d'une seule page, le directeur du SCRS ne contestait pas un seul mot de la description qu'avait faite Farrell de la nature et de l'importance de son implication dans les activités du Service. Il ne faisait non plus aucune allusion à l'accusation soulevée par Farrell quand au fait que des cadres supérieurs du SCRS utilisaient des appartements consacrés à des opérations confidentielles de contre-espionnage pour héberger leurs enfants. Elcock demeurait impassible devant les appels de Farrell. «Les points que vous avez soulevés dans votre lettre ont fait l'objet d'un examen approfondi. En m'appuyant sur cet examen, j'ai conclu que vous aviez été traité correctement dans vos rapports avec cet organisme et que le Service n'a plus aucune obligation envers vous.»

Farrell avait demandé dans sa lettre qu'Elcock lui fournisse une copie des ententes qu'il avait signées avec Postes Canada et

Adava Consulting. Elcock répondit à Farrell que le Service n'avait pas l'information. Le directeur du SCRS ajoutait: «Il n'y a aucun accord signé entre vous et le Service canadien de renseignement de sécurité concernant une quelconque aide que vous auriez pu apporter dans le passé.» Traduction: il n'y avait pas de traces écrites pour étayer les réclamations de Farrell sur la nature et l'étendue de son implication dans les activités du Service.

Elcock termina sa lettre en suggérant à Farrell d'aller se plaindre au CSARS. Il semble que le directeur du SCRS était confiant que l'agence de surveillance ne serait pas très méchante envers le Service.

En dernier recours, Farrell tenta de joindre Elcock par téléphone. Au milieu d'un énorme terrain de stationnement du centre commercial de Scarborough Town, Farrell utilisa son téléphone cellulaire pour appeler le quartier général du SCRS à Ottawa. Une téléphoniste du SCRS transféra son appel au directeur adjoint, Tom Bradley, un fonctionnaire de carrière qui avait œuvré au sein de l'Agence canadienne de développement international avant d'arriver dans le monde de l'espionnage.

— C'est John Farrell de Toronto, dit Farrell

— Oh! Je sais tout sur vous, rigola Bradley.

Farrell raconta au directeur adjoint que le Service l'avait traité injustement et que l'offre de six mille dollars était inacceptable.

«Écoute, John, c'est à prendre ou à laisser, dit Bradley. Si tu n'aimes pas nos décisions, personnellement je m'en balance. Je te suggère d'appeler le CSARS si tu veux te plaindre.»

Farrell se demandait si Bradley, bien installé dans son bureau d'Ottawa, au sixième étage du quartier général du SCRS, avait déjà risqué sa vie pour protéger la sécurité nationale du Canada. Il se demandait si Bradley avait jamais habité le sous-sol d'un terroriste appréhendé, ou espionné des agents de renseignements russes. Il vint à Farrell de répondre à Bradley sur le même ton sec et cavalier, mais il ne succomba pas à la tentation.

Il appela plutôt une téléphoniste à Ottawa. «Puis-je avoir le numéro principal du Comité de surveillance des activités de renseignement de sécurité, s'il vous plaît?»

* * *

Le CSARS et le SCRS sont des jumeaux. Quand Ottawa a adopté la Loi sur le SCRS en 1984, qui donnait naissance au nouveau service d'espionnage civil du Canada, il a fait une place au CSARS. Le travail du comité de surveillance est de garder l'œil sur les espions pour s'assurer que nos agents de renseignements s'adonnent à leurs jeux secrets dans le cadre de la loi. L'agence de surveillance constitue aussi une voie d'appel pour les Canadiens qui estiment avoir été victimes d'abus de la part du Service ou croient que celui-ci leur a causé un préjudice. (Le CSARS consacre la plus grande part de ses énergies à répondre aux plaintes de candidats à la citoyenneté canadienne ou d'immigrants reçus qui prétendent que, dans son zèle à protéger la sécurité nationale, le Service leur a injustement refusé leur habilitation de sécurité.) Le CSARS doit aussi passer en revue les directives d'orientation émises par le Solliciteur général au SCRS. Les responsabilités du comité de surveillance ne sont pas seulement cruciales pour la gestion des services secrets canadiens, mais aussi elles coûtent cher.

Les deux agences entretiennent des rapports caractérisés à la fois par l'antagonisme et la coopération. Le CSARS est obligé de fouiller dans le monde ténébreux du Service et de dévoiler aux Canadiens ce qu'il découvre par l'entremise du Solliciteur général. À l'occasion de ses rapports annuels et de ses vérifications spéciales, le CSARS doit satisfaire le droit du public à savoir ce que trame le SCRS, tout en évitant de se faire de puissants ennemis au sein du Service ou de nuire à la sécurité de la nation.

Les deux agences ne sont pas sur un pied d'égalité. Le budget et la taille du SCRS donnent au CSARS l'allure d'un nain. Le SCRS dispose de milliers d'employés, de pouvoirs immenses et d'un budget de plusieurs millions de dollars. Le CSARS a cinq membres à temps partiel dans son comité (pour la plupart des avocats et d'ex-politiciens qui ne sont pas très familiarisés avec le monde du renseignement) et seulement seize employés pour s'occuper du travail de bureau, administratif et légal, en plus de faire la recherche et de parfois se transformer en porte-parole. Étant donné ce déséquilibre, le CSARS doit paradoxalement s'en remettre fortement au SCRS pour savoir comment celui-ci s'acquitte de sa tâche. Cette dépendance peut engendrer des relations étroites entre les deux agences. David Peel, un ancien inspecteur général, avertit que des agences de surveillance comme le CSARS sont sujettes à être récupérées par les services de renseignements qu'elles doivent surveiller. Il s'agit d'une sorte de syndrome de Stockholm au sein de la communauté du renseignement.

En fait, le CSARS sert souvent de bouclier au SCRS et au gouvernement fédéral lorsque le Service doit sortir de l'ombre et paraître sous les embarrassants projecteurs. Quand des scandales dérangent le SCRS – souvent déclenchés grâce au travail des journalistes et non grâce à celui du CSARS –, les maîtres espions du Service et le gouvernement refusent invariablement de répondre aux questions et assurent les Canadiens que l'agence de surveillance s'occupe du dossier. Étant donné ses ressources relativement modestes, le CSARS met des mois avant de faire un rapport sur ses découvertes et alors l'attention des médias et de l'opposition politique est tournée vers d'autres affaires pressantes. Le scandale de la veille, quelle que soit son importance, est relégué aux dernières pages et oublié de tous sauf de quelques satanés reporters et universitaires intéressés. Ironiquement, le CSARS est le meilleur ami du SCRS.

* * *

Tandis que John Farrell se préparait à un long combat solitaire contre le SCRS, au printemps de 1999, Jean-Luc Marchessault, sa femme Brigitte et leurs deux jeunes enfants ne s'étaient pas encore remis des séquelles de leur propre duel contre les services secrets canadiens. Marchessault avait été un agent fier et productif. Il était dévoué à son travail clandestin, populaire auprès de la plupart de ses collègues pour son sens de l'humour excentrique et admiré pour sa loyauté et son patriotisme. Il était maintenant un homme abattu, victime d'une campagne bien coordonnée de la part d'agents supérieurs du SCRS pour détruire sa réputation, soulever des doutes sur ses allégeances et le forcer à quitter le Service qu'il aimait.

Alors que des agents de haut rang et bien pistonnés du SCRS ont échappé à la punition malgré leur corruption et leurs violations de la loi, on a congédié Marchessault après une carrière qui couvrait une décennie parce qu'une poignée d'agents supérieurs avaient estimé que le rendement de l'agent n'atteignait pas les normes astreignantes du SCRS. Pourtant, ces mêmes agents du SCRS qui ont émis des jugements sur Marchessault ont toléré les beuveries endémiques, la paresse, les usages abusifs des véhicules du Service, les paris sur les ordinateurs du gouvernement, les vols dans les coffres de l'agence et l'utilisation des repaires pour des soirées privées, quand les coupables faisaient partie du «club des beaux blonds».

* * *

Jean-Luc Marchessault n'était pas un beau blond mais faisait partie de cette nouvelle race d'agents de renseignements dont le Service avait annoncé le recrutement dans ses premières années. Né à Montréal en 1959, Marchessault est le fils d'un pédiatre de renommée internationale. Il a connu une jeunesse remarquable, mis à part le fait qu'il a perdu l'usage de son œil gauche à cause d'un défaut congénital. Parfait bilingue et détenant un diplôme de sciences politiques et de journalisme de l'université de Montréal, il était séduit par la vision d'un nouveau service de renseignements né des cendres du service de sécurité discrédité de la GRC. Marchessault postula un poste d'espion en 1985. On lui fit passer de rigoureux examens de sécurité, une évaluation psychologique et un test obligatoire au détecteur de mensonge. On annonça alors un moratoire sur l'embauche de recrues et Marchessault dut attendre sa levée. On l'embaucha finalement le 3 avril 1989. Il venait juste de se marier et c'était son premier emploi à plein temps.

Il adorait le régime de l'entraînement de trois mois. Les journées étaient longues et remplies d'un large éventail de cours sur le contre-espionnage et les opérations antiterroristes, les techniques de surveillance et l'art de mener des interrogatoires. Marchessault savait que le travail de renseignement sérieux a peu à voir avec le monde caricatural d'un superhéros comme James Bond; il repose plutôt sur la patience, la diligence et la persévérance. Dans une première démonstration de la persévérance qui devait frustrer et mettre en colère ses supérieurs, Marchessault s'est allié à six autres membres de sa promotion pour protester contre son transfert à Toronto. Il était contrarié de ce que d'autres recrues bien pistonnées aient pu choisir leur affectation. Ce gambit ne fonctionna pas. La plupart des recrues furent expédiées à Toronto, une à Vancouver et seulement une demeura à Ottawa.

Marchessault passa ses deux premières années à faire des enquêtes de sécurité, le purgatoire du Service. Il mena des évaluations de sécurité sur un nombre incalculable de diplomates et de bureaucrates, et il aimait son travail. Il tomba bientôt sur des cas intéressants. Un des dossiers impliquait un associé de Gerald Bull, l'ingénieur et trafiquant d'armes qui soumissionnait pour un contrat du gouvernement. En 1990, des agents du Mossad[1], à ce qu'il semble, lui tirèrent cinq balles dans la tête hors de son appartement de Bruxelles afin de l'empêcher de vendre à l'Irak le super-canon qu'il avait mis au point. Un autre dossier intrigant que rencontra Marchessault impliquait un fonctionnaire du gouvernement ayant de possibles liens avec des gangs motorisés.

En juillet 1991, on le transféra à Toronto, où il se trouva dans la première vague d'agents francophones à déménager dans une région où le Service est dominé par des dinosaures de la GRC, un environnement anglophone. On ne lui fit pas un accueil particulièrement chaleureux. Il était un diplômé universitaire et francophone, ce qui représentait une double malédiction dans son nouveau poste. Les agents francophones travaillant hors Québec se voyaient accueillir par un courant souterrain de suspicion et de discrimination à peine voilée. Quand Marchessault entendit une sournoise mention de «frogs» (grenouilles)[2], il défia immédiatement la personne qui en était à l'origine. Mais il tâchait de ne pas laisser les petites insultes s'interposer entre lui et ses collègues. Pour recevoir de l'avancement au SCRS, il fallait qu'un agent soit aimé.

Marchessault changea plusieurs fois de poste à Toronto, une habitude destinée à permettre aux recrues de goûter à tous les aspects du travail de renseignement. Il fit un séjour de trois semaines comme superviseur dans le département de la lutte antiterroriste. Son patron à la très active et très importante section

1. Les services secrets israéliens.
2. Il s'agit d'une insulte populaire auprès des Canadiens anglais qui veulent exprimer leur mépris des francophones. (*N.d.T.*)

russe était Joe Fluke[3]. Marchessault aimait travailler pour ce bourreau de travail qu'était Fluke, dont la réputation de combativité et d'audace lui gagnait le cœur des recrues.

Marchessault avait touché à plusieurs affaires délicates alors qu'il travaillait pour Fluke aux affaires russes. Au début de 1991, un Russe et son fils arrivèrent à l'aéroport Pearson de Toronto et réclamèrent le statut de réfugié. Lors d'un interrogatoire de routine par les agents d'immigration, le Russe, qui était au milieu de la quarantaine, déclara détenir des informations qui pourraient intéresser les autorités canadiennes et britanniques en matière de renseignement. On dépêcha rapidement un agent de contre-espionnage pour interroger ce candidat prometteur au statut de réfugié. Le Russe dit à son interrogateur être lié au KGB et détenir des informations selon lesquelles l'agence d'espionnage soviétique avait réussi à infiltrer les ambassades britannique et canadienne à Moscou. Selon le Russe, deux agents du KGB s'étaient infiltrés dans ces importantes missions diplomatiques en tant qu'employés locaux et ils s'affairaient à cibler des diplomates canadiens et britanniques importants. Il était prêt à identifier les espions en retour d'un traitement de faveur de sa demande d'asile.

Ottawa et le SCRS tombèrent d'accord pour conclure le marché, tout en sachant que cette information explosive pourrait déclencher une querelle diplomatique. On séquestra le Russe dans un hôtel du centre-ville de Toronto et le service l'interrogea en profondeur. Le SCRS en vint à la conclusion qu'il disait la vérité. Les Britanniques envoyèrent une équipe d'agents de renseignements au Canada, dont deux agents de son service d'espionnage domestique, le MI5, et un agent de son agence d'espionnage extérieur, le MI6, afin de questionner l'homme. Le travail de Marchessault consistait à chaperonner ses pairs durant leur séjour au Canada.

---

3. On suspendit cet agent-vedette en 1997 après qu'il eut été pris dans une histoire de corruption. En août 1998, on l'accusa d'avoir accepté des cadeaux d'hommes d'affaires sans approbation officielle. On lui colla plus tard trois autres accusations de corruption. Puis, comme si un coup de baguette magique était intervenu, on laissa tomber les accusations. Fluke finit par démissionner du Service et travaille maintenant pour une firme de sécurité qui offre de la protection aux VIP.

On montra au Russe des photos de tous les employés travaillant aux deux ambassades et, fidèle à sa parole, il identifia les deux agents du KGB. Le SCRS s'amassa du crédit auprès de son frère britannique, reconnaissant d'avoir été mis au courant. Marchessault, Fluke et d'autres membres des affaires russes célébrèrent leur succès avec des agents du MI5 et du MI6 au *Alice Fazooli's Italian Crabshack*, rue Adélaïde, près du quartier général du Service au centre-ville. En échange de ses services inestimables, le SCRS paya mille dollars au demandeur d'asile russe. Insulté, celui-ci décida de retourner en Union soviétique avec son fils.

Les premières évaluations du rendement de Marchessault étaient remplies de superlatifs à propos de son attitude positive, de son empressement et de sa loyauté. Il devenait un enquêteur compétent, à défaut d'être spectaculaire, et semblait destiné à une longue et fructueuse carrière. En 1995, on le transféra du bureau des affaires russes au département de la lutte antiterroriste pour garder l'œil sur des présumés terroristes arméniens, soudanais, islamiques et irlandais vivant au Canada. Il déplora ce changement, car il avait cultivé un réseau de précieux informateurs, l'oxygène de tout service de renseignements, et il devait maintenant repartir à zéro dans un autre département.

Marchessault avait aussi commencé à remarquer les sordides dessous du Service. Il vit souvent des agents supérieurs revenir du lunch en titubant et d'autres ne pas revenir du tout. «Certains des superviseurs avec lesquels j'ai travaillé prenaient deux ou trois heures pour le lunch et revenaient en empestant comme une brasserie, dit-il. À quatre heures, le bureau était comme un village fantôme.» Il apprit que des agents supérieurs avaient été impliqués dans de sérieux accidents de voiture au volant de véhicules du SCRS. On étouffa ces affaires afin de préserver leur réputation et leur carrière. Il a vu des agents enjoliver leurs rapports avec des informations de provenance douteuse afin de gagner la faveur de leurs supérieurs. Il savait que de l'argent destiné à des opérations de renseignement avait servi à acheter des chaînes stéréo. Il a vu des repaires utilisés par des agents pour des rendez-vous galants nocturnes ou pour des escapades de week-end. Il apprit qu'un agent avait invité sa mère à assister à l'interrogatoire d'un informateur. Il connaissait un agent féminin qu'on avait placée sous résidence surveillée parce qu'elle souffrait d'une dépression; on l'avait plus tard arrêtée à l'aéroport en possession d'une arme et d'un passeport, semble-t-il. En fait, il a vu le même monde corrompu et inconvenant que Farrell avait lui-même observé. (Les deux hommes ne se sont jamais rencontrés et ne se connaissaient pas.)

«Il existe une entente, une tradition au SCRS, selon laquelle, pour être accepté, on doit participer, dit Marchessault. Les beuveries, la paresse, les vices, tout cela faisait partie des secrets de la fraternité.»

À l'été 1996, les assaut méthodiques du Service contre la réputation de Marchessault commencèrent après qu'il eut pris part à une rencontre à Ottawa entre des représentants des sept régions de l'association des employés du SCRS et des gestionnaires supérieurs du SCRS, y compris Elcock. (L'association des employés du Service est un syndicat informel constitué d'agents de renseignements et de membres du syndicat des postiers.) Marchessault se rendit à la rencontre en dépit du désaccord de quelques-uns de ses collègues de Toronto, qui voulaient être représentés par une chaise vide pour marquer leur mécontentement face à la manière dont les agents supérieurs géraient le Service. Marchessault estimait qu'une voix de protestation valait mieux que pas de voix du tout. Il apporta à la rencontre plusieurs des préoccupations qui couvaient à Toronto, particulièrement la perception qu'on y avait que les promotions étaient attribuées non pas au mérite mais par népotisme et favoritisme. Cette critique, qui visait certaines gens en particulier, ne fut pas bien reçue.

Les représailles ne se firent pas attendre. Dans l'évaluation de son rendement, on commença à soulever des doutes sur ses aptitudes à rédiger des rapports et sur ses capacités d'analyse. Le psychologue du Service laissa entendre qu'il souffrait de «déficits de perception». Marchessault était perplexe. Quelques mois plus tôt, il avait reçu un prix du directeur général de la région de Toronto, David Breazly, en reconnaissance «de ses efforts et de son dévouement enthousiaste à l'endroit des projets du Service».

Nerveux, Marchessault sollicita l'avis de Michel Gingras, le chef de l'association des employés. Gingras lui dit de quitter Toronto. Il avait vu d'autres carrières imploser sur un caprice de gestionnaires vindicatifs. Marchessault se retrouva assis entre deux chaises, s'étant aliéné à la fois les gestionnaires et les agents de la base. Mais il décida de ne pas bouger. «Je n'avais rien fait qui méritât un tel traitement», dit-il.

La campagne du Service contre lui prit de l'ampleur. On jugeait son rendement «insatisfaisant». On lui ordonna de satisfaire à un horaire de travail destiné, dit-il, à le faire échouer. Il fut sujet à des avalanches d'«examens», y compris un examen d'évaluation spéciale, un examen d'inconduite et de discipline et un rapport d'évaluation de rendement. Une montagne de papier s'éleva, érigée par un service de renseignements qui avait décidé de se débarrasser d'un jeune agent compétent. Marchessault ne comprenait pourtant toujours pas la raison de l'animosité du Service à son endroit, à part les mentions répétées de la «pauvreté» littéraire de ses mémos.

Puis vint le coup final. Le 17 juillet 1997, Marchessault devint la cible d'une enquête de sécurité interne. «C'était le baiser de la mort», dit-il. L'accusation: il avait examiné huit mille cinq cents documents secrets et en avait photocopié quatre cent soixante et onze. Réal Allard, un enquêteur du département de sécurité interne du service de Montréal, vint à Toronto pour mener l'enquête. On avertit Elcock du possible manquement à la sécurité et il approuva l'enquête. On suspendit Marchessault dans l'attente du résultat. «Je ne peux pas exprimer la profondeur de la douleur, de l'inquiétude et de l'angoisse que ces allégations ont soulevées en moi et dans ma famille, dit Marchessault. C'est une chose de se faire dire qu'on ne fait pas du bon travail, mais c'en est une autre de se faire accuser d'être un traître.»

Le 21 juillet 1997, Allard conclut «qu'aucun manquement à la sécurité n'était intervenu». Dans un rapport marqué «secret», Al Smith, le directeur général de la sécurité interne du Service, a accepté les conclusions d'Allard. «Je suis satisfait de l'enquête approfondie de Réal Allard sur cet incident et je peux affirmer qu'il est hautement improbable que des informations confidentielles du Service aient été dévoilées à des gens non autorisés en dehors du service», écrivit Smith.

Marchessault retourna au travail innocenté, du moins c'est ce qu'il croyait. Mais rien n'avait changé. Avec l'aide d'un avocat, son oncle, il se battit pour conserver son emploi, et il déposa grief après grief. Ce fut inutile. La veille de Noël en 1997, on lui annonça qu'il allait être congédié. Dans la lettre lui annonçant son congédiement, son patron jadis si fier de lui, David Beazly, écrivait : « La présence de monsieur Marchessault dans cette région constitue maintenant un élément perturbateur qui nuit à l'efficacité des opérations. »

Marchessault fit appel à Ward Elcock pour qu'il renverse cette décision. Dans une lettre passionnée de six pages au directeur, Marchessault avança qu'on l'avait injustement pris pour cible pour le punir et l'intimider, alors que des agents supérieurs qui avaient commis des infractions flagrantes jouissaient de l'immunité. « J'ai l'étrange sentiment que le Service revient aux vieilles habitudes de la GRC, écrivit Marchessault. Bien sûr, étant donné cette tendance, le Service deviendra l'objet d'une controverse grandissante. »

Elcock rejeta l'avertissement de Marchessault et son appel. Tandis que ses collègues regardaient en silence, Marchessault vida son bureau, remit sa carte d'identité du SCRS et fut escorté à l'extérieur de quartier général du Service sur Front Street, le 21 janvier 1998. « J'étais hébété », dit-il en se rappelant l'événement. La carrière qu'il aimait était terminée, mais pas sa bataille. « J'étais un employé loyal, dévoué à mon travail. J'arrivais tôt, je partais tard, je travaillais les soirs et je n'ai jamais réclamé de temps supplémentaire, parce que j'aimais mon travail. Je croyais que c'était important. »

Marchessault remplit requête après requête sous le couvert de la Loi sur l'accès à l'information afin d'amasser des documents, dans un dernier effort pour recouvrer son emploi en faisant appel à la Commission des relations de travail dans la fonction publique (CRTFP). Le SCRS prétendit ne pas pouvoir trouver plusieurs des documents demandés par Marchessault ; ces documents étaient cruciaux pour étayer l'argumentation de Marchessault alléguant qu'on l'avait injustement ciblé et qu'il était victime d'une campagne de la part d'agents supérieurs pour détruire sa réputation. Durant douze jours d'audience, il tenta de démontrer que les gestionnaires abusaient des privilèges du Service et agissaient impunément. Il allégua que Beazley utilisait les voitures du Service pour des usages non officiels et qu'il avait été impliqué dans deux accidents au volant d'une voiture du Service. Beazly admit que cela était vrai. Une victoire mince mais significative, pensa Marchessault. La CRTFP jugea finalement qu'elle n'avait pas juridiction sur la querelle au sujet du congédiement injuste. Marchessault était abattu. Il avait hypothéqué sa maison et dépensé trente mille dollars en frais d'avocats pour rien.

Après la décision de la commission, certains des documents apparurent comme par magie. Le 12 janvier 1999, Marchessault reçut une lettre du SCRS l'informant qu'« après de plus amples recherches, concernant [votre] banque d'informations personnelles, nous avons trouvé des informations additionnelles ». Parmi les documents « trouvés » figurait une courte note rédigée par un agent supérieur qui faisait référence à la stratégie du Service à l'endroit de Marchessault par l'expression « serrer la vis ». Marchessault adressa donc une plainte à Bruce Phillips, le Commissaire à la protection de la vie privée du Canada, un homme franc et direct. Le 14 décembre 1999, Phillips émit une rebuffade sans précédent et tranchante à l'endroit du Service. Il jugea que des cadres supérieurs avaient violé la loi en détruisant des documents liés au rendement au travail de Marchessault. On avait détruit quelques-unes des informations demandées par Marchessault, allant ainsi clairement contre les propres règles du Service en ce qui concerne la gestion des documents. Phillips jugea aussi que l'espion en chef de Toronto, David Beazly, avait illégalement obtenu des informations confidentielles sur Marchessault, dont ses dossiers médical et psychologique, l'historique de son crédit, ainsi que la correspondance entre le jeune agent et son avocat. « J'en suis venu à la conclusion que le dévoilement de vos informations personnelles à [Beazly] n'était pas régulier et qu'on a contrevenu à vos droits garantis par la Loi sur la vie privée », écrivit Phillips dans son jugement de six pages.

Phillips dit à Marchessault qu'il pouvait se consoler en pensant que le jugement pourrait empêcher le SCRS de violer la loi à l'avenir. « Malheureusement, mes conclusions ne changent pas le fait qu'un autre individu a été mis au courant de vos informations personnelles. Vous trouverez cependant peut-être quelque satisfaction à savoir que, grâce à votre plainte, d'autres seront peut-être épargnés et ne verront pas leur vie privée envahie. »

Marchessault avait perdu son emploi apparemment parce qu'il ne pouvait pas écrire correctement un rapport. Pourtant, Elcock et Beazley s'en tirèrent malgré que le Commissaire à la protection de la vie privée du Canada ait jugé que le Service avait violé la loi. On envoya Beazley à Londres en tant qu'officier de liaison du Service et on renouvela l'engagement d'Elcock en tant que directeur pour un autre mandat de cinq ans, ce qui lui permettait de demeurer confortablement perché dans son bureau du sixième étage de la «grosse maison» d'Ottawa.

Mais Marchessault demeurait sur un pied de guerre. «Ils ont voulu me briser, mais ils n'y sont pas arrivés. Le Service a dit que je ne pouvais pas accomplir mon travail mais c'était un mensonge. Ils se croient au-dessus de la loi, mais ils ne le sont pas. Ils agissent selon leurs propres règles et ils les établissent au fur et à mesure. Ils n'ont absolument aucun respect pour la loi et il est temps de demander des comptes au SCRS. Cela peut sembler naïf, mais je pense vraiment que la survie de l'État de droit est en jeu ici.»

L'épreuve subie par Marchessault affecta plusieurs de ses collègues. Ils assistèrent avec un mélange de résignation et de nervosité à la mise en pièces systématique de la carrière d'un agent de renseignements intelligent et dévoué par les gestionnaires du SCRS, dont David Beazly. Dick Lewis, l'ancien chef de l'association des employés, et Robert Christopher, un autre agent de renseignements de Toronto, témoignèrent en faveur de Marchessault lors de l'audience du CRTFP. Mais la plupart de ses collègues gardèrent le silence, par peur des représailles.

Un ex-agent de renseignements qui a tout vu a accepté de parler, à la condition que son nom ne soit pas divulgué. Cet agent à la retraite a refait sa vie loin du monde secret qu'il a jadis fréquenté. Mais il craint encore le bras vengeur des services secrets du Canada. «Il s'agit d'un organisme vindicatif qui ne reculera devant rien pour écraser ses critiques», dit le tranquille ex-agent. Il estime que Marchessault était précisément le genre d'agent que le Service doit garder dans ses rangs. «Contrairement aux agents sous lesquels il a servi, Jean-Luc était un agent de renseignements sincère, honnête et professionnel, dont l'intégrité était au-dessus de tout soupçon.» Il a vu Marchessault mettre ces qualités en application lors d'incursions dangereuses dans les communautés d'immigrés pour tirer des renseignements et recruter des informateurs. «Il gagnait la confiance des gens, dit l'ancien agent. Il était un bon agent de renseignements, mais on l'a ciblé et on l'a obligé à quitter le travail simplement parce qu'il s'est mis à dos les mauvaises personnes.»

Il dit que Marchessault avait œuvré dans une région qui souffrait d'un « sérieux malaise » qui a érodé le moral de nombreux agents de la base. Plusieurs agents, selon lui, estimaient qu'une grande partie de l'information générée par les départements du contre-espionnage et de la lutte antiterroriste du Service était habituellement rejetée par des politiciens pusillanimes qui voulaient désespérément éviter de s'aliéner des électeurs dans certains groupes ethniques importants et puissants. « Nous présentions souvent des informations au ministre et il répondait qu'ils allaient attendre après les élections pour agir. Les élections passées, nous représentions les preuves, mais ils n'agissaient toujours pas. C'était frustrant. »

Les frictions persistantes entre les recrues et la vieille garde de la GRC engendrent encore des problèmes. « Les anciens agents de la GRC se sentaient menacés et intimidés par les diplômés universitaires qui entraient dans le Service. Malheureusement, l'hostilité entre les deux camps ne s'est jamais atténuée. »

L'ancien agent dit que, plus que le malaise général affectant la région de Toronto, une maladie beaucoup plus grave encore infectait le SCRS : la paresse. « Il y avait des agents qui mettaient leurs pieds sur leur bureau et lisaient les journaux toute la journée. Il y en avait qui passaient entre trois et quatre heures par jour au gymnase. D'autres brassaient des affaires au travail. Certains agents allaient au bar et buvaient. D'autres refusaient tout simplement d'aller sur le terrain. Ils n'étaient jamais punis, dit-il en colère. Tout cela était incroyable. »

L'agent à la retraite dit que, même si on ne lui a jamais demandé d'accomplir quelque chose de dérogatoire, il connaissait des agents de renseignements engagés pour espionner leurs confrères. « On leur demandait de monter des dossiers sur leurs camarades de travail, dit-il. Les patrons demandaient aux employés d'espionner leurs bons amis et ils le faisaient. » On a demandé à l'ex-agent Gerry Baker, un vétéran de la lutte antiterroriste, de se parjurer alors que le CSARS le questionnait sur la conduite de ses camarades de travail. « Ils ont dit [à Baker] : "Voici la position adoptée par l'agence et c'est celle que nous voulons que tu prennes aussi." Baker a refusé de s'y plier. À cause de cela, il est tombé en disgrâce pour longtemps. »

La malhonnêteté et le fait que le Service n'avait pas de comptes à rendre le tenaillaient. « Les gens qui désiraient vraiment bien se comporter devaient céder devant la corruption, soit en gardant le silence, soit en suivant les ordres, afin de recevoir de l'avancement. Ça me dégoûtait, dit-il. C'est pour cela que je suis parti. Je ne pouvais plus digérer cela. »

15
LES COMPTES

Le coûteux, frustrant et parfois exaspérant duel de John Farrell avec le SCRS a commencé vraiment quand il est entré en contact avec Sylvia MacKenzie, une employée de haut niveau du CSARS chargée d'enquêter sur les plaintes. D'une voix calme mais ferme, Farrell brossa un tableau général de sa carrière au SCRS pour MacKenzie, en plein milieu du tentaculaire terrain de stationnement du centre commercial de Scarborough Town, son téléphone cellulaire collé sur son oreille. Il se demandait s'il ne perdait pas son temps. Il savait que Lunau, Murphy et bien d'autres membres du SOS se moquaient du CSARS. «Lunau estimait que le CSARS était aussi ennuyeux qu'une grippe de vingt-quatre heures», dit Farrell. Il se souvenait de la manière dont le chef du SOS faisait habituellement répéter leur histoire aux agents de renseignements, bien avant l'arrivée des jeunes enquêteurs inexpérimentés du CSARS.

Farrell demanda à MacKenzie si le CSARS lui rembourserait un bref voyage à Ottawa, de façon qu'ils puissent se rencontrer et discuter de son histoire compliquée et préoccupante. Pour la mettre en appétit, il lui offrit quelques indices sur les «services professionnels» qu'il avait rendus au SCRS depuis 1991. Mais MacKenzie ne l'obligea pas. Elle lui expliqua que le budget restreint du comité de surveillance ne couvrait pas les dépenses de voyage des plaignants potentiels. La très affairée enquêteuse dit alors à Farrell qu'elle devait prendre un appel important sur l'autre ligne et qu'elle lui reviendrait plus tard. Farrell était prêt à révéler quelques-uns des secrets les plus troublants et accablants et déjà on le faisait poiroter. Lunau avait raison, pensa Farrell : le CSARS est une farce.

MacKenzie finit par revenir à Farrell. Il s'avérait qu'elle devait assister à une conférence à Toronto et qu'ils pourraient se rencontrer à l'hôtel Royal York. Sur ses gardes, Farrell accepta d'y aller. Mais cela semblait irréel. Tout comme l'ancien chef de gang n'avait jamais imaginé devenir espion, Farrell n'avait jamais pensé tout raconter à un avocat du gouvernement.

Il arriva au rendez-vous en retard. MacKenzie devint si impatiente qu'elle le fit appeler par l'interphone public de l'hôtel, un geste pas très prudent. Le quartier général du SCRS se trouvait à un jet de pierre de là et cet hôtel bien connu regorgeait d'agents de renseignements. Le Service y utilisait couramment des chambres pour interroger des informateurs et versait de gros pourboires aux chasseurs et aux gardes de sécurité pour qu'ils le tiennent informés des allées et venues des gens louches.

Farrell avait souhaité que MacKenzie réserve une chambre, de façon à pouvoir discuter de manière confidentielle, mais l'enquêteuse du CSARS était pressée et elle l'emmena au café du rez-de-chaussée. MacKenzie était petite, faisant à peine un mètre cinquante-sept, avait des cheveux bruns aux épaules et parlait d'une voix douce au timbre élevé. Elle parlait anglais avec un fort accent français, ce qui obligeait Farrell à réfléchir pour découvrir le sens de quelques-unes de ses questions. De son côté, MacKenzie était surprise du jeune âge de Farrell.

Celui-ci passa en revue sa carrière au Service, depuis ses débuts alors qu'il était à l'essai dans l'opération Vulve jusqu'à sa profonde implication dans les activités du SOS. Il dit à MacKenzie que le Service lui devait des milliers de dollars en temps supplémentaire impayé. Il lui énuméra patiemment les compagnies bidon qu'il avait instaurées pour le Service, son rôle dans les entrées clandestines et les ordres qu'on lui avait donnés pour violer la loi, y compris le vol des calepins de notes de Baker. Il souleva aussi ses préoccupations par rapport à la privatisation du programme d'interception de courrier du SCRS.

MacKenzie finit par montrer quelque intérêt: «Ce sont là de sérieuses allégations.»

Farrell hocha la tête.

Elle s'arrêta un moment, pensive, et surprit alors Farrell complètement. Elle n'était pas certaine si sa plainte tombait sous le coup du mandat de l'agence de surveillance.

«Que voulez-vous dire, vous ne savez pas si ceci tombe sous votre mandat? Que voulez-vous de plus?»

Elle dit avoir le pouvoir d'examiner tous les dossiers du SCRS; le CSARS venait tout juste de terminer un examen qui avait blanchi le Service. Comme le comité avait «autorité absolue» pour fouiller tous les dossiers du Service, il savait tout ce qui se passait dans les glauques intestins du SCRS. Or, les allégations de Farrell, bien qu'intéressantes, ne cadraient pas.

— Vous voulez rire, n'est-ce pas? Bien sûr qu'ils vous cachent des choses, dit Farrell.

— Je suis enquêteuse depuis des années et nous voyons tout, rétorqua MacKenzie, visiblement blessée par la remarque de Farrell.

— N'essayez pas de jouer du gallon avec moi. J'ai travaillé pour le SCRS pendant dix damnées années et je n'ai pas besoin d'un sermon de votre part. Ils passent leur temps à cacher des choses au CSARS.

MacKenzie déclara que le CSARS pourrait peut-être arbitrer la dispute monétaire. Entre-temps, elle dit à Farrell qu'il devrait écrire une autre lettre à Elcock.

«À ce point, je pensais que ces gens n'étaient pas des chiens de garde, mais des chiens de salon», dit Farrell.

En moins d'une heure, la rencontre était terminée. MacKenzie était impatiente de monter dans la navette de l'hôtel qui l'emmènerait à l'aéroport et de retourner à Ottawa. «Nous vous contacterons», dit-elle. Farrell allait devoir prendre un numéro et attendre.

Il avait relevé le défi de Bradley et logé une plainte contre le SCRS auprès du CSARS. Son premier contact avec le CSARS lui avait enlevé des illusions. Il acheta donc un billet bon marché et s'envola pour aller visiter sa petite amie à Zurich. Il était physiquement et émotionnellement épuisé et la bataille pendante avec ses anciens alliés lui pesait. Il espérait que malgré, l'hésitation de MacKenzie, le comité examinerait son cas, accomplirait la tâche pour laquelle on leur avait donné des pouvoirs et l'aiderait à récupérer une partie de son argent. Il devrait attendre longtemps.

* * *

Le 1er juin 1999, Farrell reçut une lettre de Maurice Archdeacon, le directeur officieux aux manières de gentleman, lettre dans laquelle il l'informait que le comité était à préparer un «examen préliminaire» de sa plainte pour déterminer s'il avait «juridiction» sur le sujet.

Le même jour, Archdeacon prévint le SCRS que Farrell avait logé un plainte. Dans sa lettre au Service, Archdeacon faisait remarquer que Farrell avait essayé sans succès de régler sa dispute en entrant en contact avec Elcock. «Le plaignant a écrit au comité que depuis 1990 il a travaillé au programme des inspecteurs des postes auxiliaires du SCRS et qu'il a aidé à la coordination de ce programme hautement secret jusqu'au 2 janvier 1999, date à laquelle son contrat a pris fin sans raison valable, écrivait le directeur exécutif. Le plaignant prétend aussi qu'en plus de ses tâches en tant que coordinateur du programme des inspecteurs des postes du SCRS, il a travaillé comme agent secret directement pour le Service (sous contrat verbal) et qu'en cette qualité on ne l'a pas rémunéré à sa satisfaction. Le plaignant estime que la récente offre du Service de lui verser six mille dollars en aide humanitaire est insuffisante [...] le plaignant croit qu'on a mis fin à son contrat parce qu'il a refusé de mener des enquêtes clandestines pour le SOS du Service et parce qu'il a soulevé des objections publiquement lorsque le Service a arbitrairement accordé le contrat à une compagnie privée.»

Pendant qu'Archdeacon écrivait des lettres, Farrell s'affairait à appeler MacKenzie depuis les téléphones publics de Zurich, la harcelant sur le statut de sa plainte. MacKenzie dit à Farrell que le comité avait besoin de plus d'informations avant de décider d'aller de l'avant. Farrell était confus et déçu; il sentait qu'elle ne comprenait pas le risque qu'il avait pris en acceptant de la rencontrer et en trahissant des secrets que le SCRS n'avait jamais destinés au public. Farrell représentait la chance pour le CSARS de mettre au jour le fonctionnement réel des services secrets de ce pays et l'agence de surveillance paraissait ne pas trop savoir comment réagir.

Craignant que le CSARS ne s'apprêtât à l'abandonner, Farrell écrivit à plusieurs politiciens libéraux, leur demandant un examen indépendant de ses allégations. Il entra en contact avec son député, Tom Wappel, qui lui dit qu'il n'y pouvait pas grand-chose. Le 3 mai 1999, Farrell écrivit au Premier ministre Jean Chrétien, soulignant que ses tentatives d'en arriver à «une entente mutuelle» avec le SCRS avaient rencontré une «résistance constante». Il fournit à Chrétien une copie de sa lettre de sept pages à Elcock, dans laquelle il exposait les détails de sa longue carrière dans le Service. «Pour éviter de traîner cette affaire devant la cour et le public, j'aimerais que votre bureau l'examine», écrivit-il.

Le 7 juin 1999, Farrell reçut une réponse pour la forme de la part d'Angela Gillis, la préposée à la correspondance du Premier ministre. «Au nom du Premier ministre, je voudrais accuser réception de votre lettre du 3 mai au sujet de votre lien antérieur avec le Service canadien du renseignement de sécurité, écrivit Gillis. Soyez assuré qu'on s'est penché avec soin sur ce que vous avancez. Une copie de votre lettre a été envoyée à l'Honorable Lawrence MacAulay, Solliciteur général du Canada.» La lettre de Farrell circulait maintenant dans le carrousel bureaucratique d'Ottawa. Gillis ne précisait pas l'identité de la personne qui, dans le bureau du Premier ministre, s'était «penchée avec soin» sur la lettre. Elle ne laissait pas non plus entendre ce que comptait faire le bureau du Premier ministre en réaction à l'importante lettre de Farrell, à part de la glisser dans le courrier interne. (Le Premier ministre et le Solliciteur général ne peuvent pas dire que Farrell ne leur a pas donné un avertissement honnête.)

Farrell n'a pas cessé de tenter d'en venir à une entente qui protégerait le gouvernement de l'embarras, mais partout on l'a éconduit. En fin de compte, le 21 juillet 1999, il reçut une lettre de deux paragraphes de MacAulay. Comme il fallait s'y attendre, le Solliciteur général cherchait à s'abriter sous le jupes du CSARS. Il écrivait: «On m'a avisé que le Comité de surveillance des activités de renseignement du Canada est en train d'examiner cette affaire à votre demande.»

Les mois s'écoulaient et le comité ignorait toujours s'il allait agir dans le dossier de Farrell. Le 4 août 1999, exaspéré, Farrell écrivit à MacKenzie une longue lettre décrivant, encore une fois, la nature de son travail pour le Service. Il écrivit: «J'ai mis sur pied, géré et maintenu plusieurs compagnies bidon pour le SCRS. J'ai loué des appartements dans lesquels les cadres supérieurs du SCRS ont permis à leurs filles de vivre avec leurs amies. J'ai souvent enquêté sur des gens à la demande de Don Lunau. Un agent du SCRS m'a demandé de m'introduire dans une voiture pour y récupérer et détruire des informations qui auraient pu nuire au Service.» L'inaction du CSARS le déconcertait. «Je me demandais si je devais porter un insigne au néon disant "agent à qui le SCRS a ordonné de violer la loi" pour qu'ils sortent de leur torpeur», dit-il.

L'avocat de Farrell, Ernest Rovet, était troublé par la léthargie du CSARS. Ils sont demeurés passifs du début à la fin. Peu importe ce que John leur racontait, cela ne leur donnait pas le goût d'en savoir plus, dit Rovet. J'ai l'impression qu'ils ne faisaient qu'ajourner. Ils n'ont pas cessé de lever des obstacles et ils ne semblaient pas très intéressés par ce qu'il avait à dire.»

Pendant que le CSARS et le gouvernement libéral tergiversaient, la correspondance de Farrell avaient certainement attiré l'attention du Service. Dans sa longue lettre à MacKenzie, Farrell faisait remarquer qu'il était toujours en possession d'un ordinateur portable que le Service lui avait donné et qui était enregistré au nom du Solliciteur général. L'ordinateur et, ce qui est plus important, la montagne d'informations secrètes qu'il renfermait démontraient que la prétention d'Elcock selon laquelle Farrell n'avait travaillé avec le Service que «de temps à autre» était un mensonge. À la demande d'Elcock, on lui envoya des copies de toute la correspondance de Farrell avec des fonctionnaires des agences gouvernementales et avec des politiciens.

Après avoir examiné les lettres, un agent supérieur du SCRS avait noté sur un mémo interne: «[tandis que] les allégations de Farrell semblent être les mêmes, je voudrais attirer votre attention sur le fait que Farrell prétend détenir un ordinateur portable appartenant au SCRS.»

Le 14 octobre 1999, sept mois après sa rencontre avec MacKenzie au Royal York, Farrell reçut finalement la nouvelle qu'il attendait. Entre-temps, Maurice Archdeacon avait quitté le CSARS pour devenir inspecteur général pour le SCRS et le directeur intérimaire, Maurice Klein, informait Farrell par lettre que le comité avait décidé d'examiner sa plainte : « Après avoir mené une enquête préliminaire sur votre plainte, le comité a statué qu'il a juridiction sur votre dossier et il va de l'avant avec son enquête. »

Le long délai avait cependant érodé la confiance anémique de Farrell dans l'agence de surveillance et il se demandait combien de temps durerait l'enquête. Il décida de limiter ses pertes et écrivit au SCRS qu'il acceptait l'offre de six mille dollars. Mais le Service n'était plus d'humeur à poser un geste « humanitaire ». Dans une lettre abrupte à Farrell, le 22 novembre 1999, Tom Bradley fit remarquer que le CSARS « avait, à votre demande, entrepris une enquête sur les points que vous avez soulevés » et il était évident qu'il était vexé par les actions de l'ancien agent. Bradley écrivait : « Étant donné l'enquête en cours au CSARS et le temps considérable qui s'est écoulé depuis le dernier renouvellement de l'offre, le Service ne donnera pas suite à votre dernière demande d'assistance. »

* * *

Le CSARS demeurait l'unique espoir de Farrell et, à l'époque, j'écrivais des articles qui ébranlèrent le peu de confiance qu'il lui restait dans le comité de surveillance et ses rapports avec le SCRS. Le 12 novembre 1999, j'ai révélé, en première page du *Globe and Mail*, qu'un trio de drogués avait volé un document du SCRS hautement confidentiel dans la camionnette d'un agent qui assistait à une partie de hockey à Toronto. Le « plan des opérations » décrivait en détail les plans de match du Service pour la prochaine année. Phil Gibson, un porte-parole du SCRS, décrivit le vol comme la plus sérieuse entorse à la sécurité dans l'histoire du Service. Le Service admit ensuite avec réticence que l'information perdue aurait pu résulter en une grande menace à la sécurité nationale du Canada si elle était tombée dans de mauvaises mains.

J'étais un reporter, non un membre de la communauté du renseignement, mais j'ai entendu parler du vol de ce document hautement confidentiel avant le CSARS. Ward Elcock ne s'est pas donné la peine d'en informer la dirigeante du CSARS, Paule Gauthier; l'avocate de Québec entendit parler de cette grave trouée dans la sécurité en lisant le journal du matin. Il s'avéra plus tard que le Solliciteur général avait lui aussi négligé d'alerter le CSARS au sujet de cette brèche dans la sécurité.

Ce scandale ne constituait pas seulement une gifle pour l'agence de surveillance, mais il semblait démontrer que le SCRS était un joueur insignifiant dans le jeu du renseignement. Gauthier tenta de regagner un peu d'éclat en déclenchant une enquête sur l'incident et en argumentant que le CSARS aurait fini par découvrir le vol du document.

Mais le fiasco du document volé ne semblait pas être la seule controverse au sujet de laquelle le CSARS paraissait plongé dans les ténèbres. L'agence de surveillance apprit, par ma série de reportages dans le *Globe*, que plus de cent agents de renseignements actifs et retraités avaient mis sur pied une compagnie appelée X-MP Fund pour poursuivre le SCRS concernant des arrérages de paie et de bénéfices marginaux; que la GRC et le SCRS étaient engagés dans une guerre l'un contre l'autre au sujet du sort d'une enquête conjointe sur l'espionnage chinois au Canada, dont le nom de code était Projet Sidewinder; que l'ancien psychologue en chef du service, Brian Lynch, prétendait que des cadres supérieurs du SCRS faisaient régulièrement pression sur lui pour qu'il dévoile les dossiers médicaux de certains agents de la base; qu'un ancien agent avait avoué avoir détruit des preuves essentielles concernant l'enquête du Service en 1985 sur l'explosion d'un avion d'Air India qui avait tué trois cent vingt-neuf personnes; et que Michel Simard, un vétéran de trente-cinq ans tant de la GRC que du SCRS, avançait que le moral était en chute libre à l'agence et décrivait le Service comme «un trou de rats».

Le SCRS ne s'était pas encore remis des révélations qui avaient poussé des citoyens ordinaires, des journalistes éminents, des politiciens, d'anciens agents de renseignements et même Reid Morden, un ancien directeur du SCRS, à comparer l'agence assiégée au Keystone Kops[1] du monde de l'espionnage. Ron Atkey, un ancien président du CSARS, et d'autres experts en renseigne-

1. Une sorte d'inspecteur Clouseau.

ment exigèrent la démission de Ward Elcock. Un éditorialiste du *Globe* dit que le Service était en train d'imploser sous le poids des révélations embarrassantes. Dans un plaintif message de fin d'année aux employés, Elcock reconnaissait que le torrent d'articles peu flatteurs avait «tempéré les esprits» dans le Service. Mais il promettait de bientôt «clarifier les choses».

Pendant ce temps, le CSARS courait d'une enquête à l'autre, tentant de garder le pas avec ce flot ininterrompu d'articles qui avait mis l'agence de surveillance sur la défensive.

* * *

Pendant que le comité de surveillance était occupé à réagir aux crises presque quotidiennes qui tourbillonnaient autour du service de renseignements, l'enquête sur la plainte de Farrell traînait en longueur. Le CSARS prétendait que la réticence de Farrell à lui fournir plus de détails sur son séjour au SCRS l'avait rendu responsable, en partie, de l'état moribond de son enquête. Mais il était clair que dans le sillage des fuites, des scandales et de la révolte qui grondait dans les rangs du SCRS, Farrell n'était pas une priorité pour le CSARS. Pendant plusieurs mois, l'agence de surveillance laissa sa plainte pourrir.

Farrell était si découragé et à court d'argent qu'il considéra brièvement l'idée de se joindre à la GRC, allant jusqu'à passer l'examen d'admission (sans tricher). On lui offrit un poste, mais l'envie de faire partie de la GRC lui passa bientôt. Il choisit plutôt de renouveler son offensive contre le SCRS, avec ou sans l'aide du CSARS. Le 17 décembre 1999, il fit rédiger une lettre au SCRS par son avocat, menaçant l'agence de poursuite si elle ne lui payait pas le temps supplémentaire réclamé. Rovet écrivit: «Les tâches [de Farrell] dépassaient de loin la simple interception de courrier. Ses tâches additionnelles impliquaient un risque significatif pour sa santé et sa sécurité. Il croyait, sur la foi de promesses qu'on lui avait faites, qu'il serait compensé d'une manière équitable et raisonnable pour ces dangereuses affectations additionnelles.»

Trois semaines plus tard, le Service fit parvenir sa réponse, assortie d'une menace. Le 10 janvier 2000, Mary MacFadyen, une avocate du ministère de la Justice, lui écrivait au nom d'Elcock, que s'il rendait ses allégations publiques on le poursuivrait en vertu de la Loi sur les secrets officiels. MacFadyen faisait remarquer: «Quiconque divulgue sans autorisation des informations qu'un employé de la Couronne lui a confiées ou qu'il a obtenues dans le cadre d'une relation contractuelle avec la Couronne est coupable d'une infraction criminelle en vertu de la Loi sur les secrets officiels.» Elle rappelait aussi à Farrell que puisqu'il avait signé plusieurs ententes de non-divulgation – elle ne mentionnait pas avec qui – le SCRS l'encourageait à garder le silence. De toute façon, écrivait-elle, si Farrell poursuivait le Service, Ottawa essaierait d'étouffer l'affaire en arguant que cela pourrait causer un préjudice à la «sécurité nationale» du Canada. MacFadyen s'en tenait à la ligne du parti, à savoir que puisque Farrell avait signé des contrats avec Postes Canada, il n'était pas un employé du SCRS. Elle poussait alors la comédie un pas plus loin, en faisant allusion dans sa lettre à «l'implication présumée de Farrell dans les activités du Service canadien du renseignement de sécurité». Mais Elcock avait eu le bon sens de reconnaître que Farrell avait eu «une relation de travail» avec le SCRS. MacFadyen terminait la lettre en se contredisant: «M. Farrell a été traité équitablement dans ses rapports avec le Service.» Il semble que Farrell avait eu à faire avec le SCRS après tout.

Rovet riposta rapidement. Il accusa le Service d'essayer d'embrouiller sa relation avec Farrell afin de «tromper» le CSARS et d'«éviter de rendre des comptes» devant les cours de justice et l'agence de surveillance. «L'employeur apparent de M. Farrell a été Postes Canada ou une... agence créée par un ancien cadre supérieur de Postes Canada dans le but spécifique d'ajouter une autre couche de brouillard entre le SCRS et les gens qu'il voulait employer», écrivit-il dans une lettre à MacFadyen datée du 15 mars.

Il insistait sur le fait que Farrell ne se laisserait pas intimider par les menaces de poursuite en vertu de la Loi sur les secrets officiels. «Mon client ne sera pas dissuadé de faire respecter ses droits légaux, écrivit-il. Il n'hésitera pas non plus à rendre publiques ses inquiétudes sur la manière dont le SCRS mène ses affaires au nom du peuple canadien.» En dépit des menaces, dit Rovet à MacFadyen, Farrell était toujours prêt à «explorer... une entente négociée».

Deux semaines plus tard, MacFadyen rejetait l'offre de Rovet et suggérait que Farrell tente sa chance auprès du CSARS. «Je crois comprendre que la plainte de M. Farrell auprès du comité de surveillance des activités de renseignement du Canada concernant le même dossier est toujours pendante», écrivit-elle le 31 mars.

À cette étape, Farrell avait approché Lunau, Murphy, McDonald, Gordon, Bradley et Elcock pour tenter de régler la mésentente. Après avoir essuyé des rebuffades, il en avait appelé au Premier ministre, au Solliciteur général et au CSARS. Partout on lui avait dit soit d'aller se faire voir ailleurs ou de prendre un numéro. On le menaçait maintenant de la prison s'il parlait. En fin de compte, sa patience épuisée, il m'appela au *Globe and Mail* pour convenir d'un rendez-vous à l'hôtel Royal York.

La presse avait toujours été le dernier recours de Farrell. À Rotherglen, il avait parcouru de bas en haut la hiérarchie pour faire connaître ses préoccupations quant au traitement des prisonniers avant de transmettre des informations à la presse. Au centre de détention de York, il avait fait appel au cabinet provincial et au Premier ministre pour qu'on enquête sur les sérieuses allégations de corruption et d'agressions sexuelles à la prison avant de sonner l'alarme. Bien qu'on l'eût averti qu'il allait en pâtir, Farrell décida non seulement de parler ouvertement mais de traîner le Service devant la cour des petites créances. «Ils m'ont déclaré la guerre, dit-il. J'ai beau être catholique, je n'ai jamais présenté l'autre joue et je n'allais pas commencer maintenant.»

Farrell était en retard au rendez-vous, mais, contrairement au CSARS, j'avais réservé une chambre, commandé de la nourriture et des boissons, et réservé plusieurs heures pour qu'il me raconte son histoire. Et quelle histoire! Au début, Farrell était hésitant et essayait de nous évaluer, moi et un collègue d'Ottawa. Puis il leva lentement le voile sur son travail avec le SCRS. À la fin, il nous raconta la même histoire qu'il avait répétée au comité de surveillance du SCRS: «Il ne s'agit que de la pointe de l'iceberg.» Farrell promit que, le temps venu, il divulguerait tout si nous méritions sa confiance.

À la suite de la rencontre, il nous montra des documents pour corroborer la plus grande partie de son histoire d'intrigues, de trahisons, de tromperies et d'illégalités à l'intérieur du SCRS.

Dans un article à la une du 7 juillet 2000, le journal révélait que les services secrets du Canada entretenaient une unité des «sales besognes» avec Farrell comme un de ses éléments clés. Comme le disait Farrell, il ne s'agissait que de la pointe de l'iceberg, mais ce fut assez pour que la secousse touche le SCRS. Dans une tentative d'étouffer cette nouvelle controverse, le Service émit un court communiqué niant «catégoriquement que ses employés avaient violé la loi ou demandé à quiconque de le faire au nom du Service». Le SCRS nous avertissait aussi que le fait de désigner par leur nom des employés du Service constituait «une infraction criminelle passible de poursuites». Farrell ne fut pas surpris. «Rappelez-vous la devise du SCRS, dit-il: “Mentez, niez, puis faites comme si vous étiez surpris.”»

Don Lunau changea rapidement son numéro de téléphone au quartier général du SCRS de Toronto et sa femme m'évinça de leur demeure. J'ai joint MacAulay sur son téléphone cellulaire alors qu'il roulait vers un événement de nature politique dans son île du Prince-Édouard natale. «Vous voulez que j'attrape une contravention ou que j'aie un accident?» dit-il nerveusement en tentant de repousser les questions insistantes sur les longues relations de Farrell avec le Service. Le jeune ministre du cabinet promit de lire la nouvelle dans le journal et de commenter plus tard. Il ne l'a jamais fait.

Maurice Archdeacon, le nouvel inspecteur général du SCRS, se dit troublé par les allégations de Farrell. Mais il m'assura que les CSARS avait l'affaire bien en mains. La présidente habituellement imperturbable du CSARS, Paule Gauthier, nia que le comité de surveillance avait ignoré les allégations incriminantes de Farrell. «Le dossier est encore actif et nous savons ce que nous avons à faire», dit-elle, la voix remplie de colère et de frustration.

En fait, le dossier de Farrell avait été dans les mains du CSARS pendant plus d'un an et le comité de surveillance n'en avait à peu près rien fait. Encore une fois, il a fallu un journal pour inciter l'agence à agir. Deux jours après les révélations publiques de Farrell, MacKenzie commença à tenter de le joindre. «En l'espace de vingt-quatre heures, elle m'a laissé au moins quatre messages sur mon répondeur, dit Farrell. Elle se dit prête à prendre l'avion pour Toronto et à me rencontrer le plus tôt possible.»

MacKenzie refusa de répondre à mes questions sur l'enthousiasme qu'elle venait soudain de se découvrir pour interroger Farrell. Gauthier, piquée au vif par les accusations selon lesquelles le CSARS s'était traîné les pieds, défendit la gestion de la plainte par l'agence et répéta que Farrell était à blâmer pour les délais survenus dans le dossier. Ces accusations rendirent furieux l'avocat de Farrell. «Il a maintenu sa plainte active. Il a versé au dossier tout ce qu'il devait verser. Il y a eu révélation et [le CSARS] était censé enquêter mais ils n'ont rien fait», dit Rovet.

Le 29 juin 2000, à peine quelques jours après que j'eus approché le CSARS pour qu'ils commentent les allégations de Farrell, Susan Pollak, la directrice exécutive de l'agence, lui écrivit une lettre dans laquelle elle reconnaissait qu'il régnait «une certaine confusion quant au statut» de sa plainte. Pollak informa aussi Farrell qu'à la fin de 1999 le CSARS avait unilatéralement «suspendu» son enquête concernant sa plainte, bien que le CSARS n'en ait jamais informé Farrell. «Je suis confiante que nous pouvons clarifier toutes les ambiguïtés et tous les malentendus qui ont pu exister», écrivait Pollak. Il s'agissait de la première lettre du CSARS à Farrell depuis des mois. La raison pour laquelle le comité a attendu six mois pour «clarifier» le statut de sa plainte demeure un mystère car, comme le SCRS, le CSARS refuse de répondre aux questions concernant ses rapports avec l'ancien agent.

Le 11 juillet 2000, Farrell envoya une amère réponse à Pollak, dans laquelle il réprimandait le comité de révision pour son laxisme et son comportement outrageant. «Si confusion il y avait, elle était clairement de votre côté, écrivit-il. Je voulais voir aboutir cette enquête.» Il dit à Pollak avoir «perdu confiance» en la compétence du comité à enquêter sur les «méfaits» du Service. «Je suis sorti des rangs parce que je considère que le SCRS a été injuste envers moi et parce que le public doit connaître... ces choses très importantes, écrivit-il. Le comité de surveillance, insiste-t-il, n'a montré un intérêt nouveau pour ma plainte que parce que je suis allé en parler aux journalistes. Les récents comptes rendus des médias sur ma plainte vous ont incitée à poser les gestes que vous auriez dû poser il y a des mois», écrivit Farrell.

En même temps, Farrell courait, devant la cour des petites créances, après les six mille dollars que le SCRS lui avait offerts.

Dans une déclaration de six pages qu'il a rédigée lui-même, il affirme avoir rejeté l'offre originale du Service parce qu'Elcock avait spécifié qu'en échange de l'argent il devait renoncer à son droit de poursuivre le SCRS à l'avenir. Le Service et son directeur, selon Farrell, «ont agi [de manière] déraisonnable et malhonnête et ne devraient pas s'adonner à une conduite inéquitable». À première vue, la poursuite de Farrell semblait être une gaminerie. Mais il était très sérieux et Ottawa a certainement dû prendre l'affaire au sérieux. La possibilité que Farrell puisse forcer Lunau, Murphy, McDonald, Gordon et peut-être Elcock lui-même à témoigner en cour ou à remplir des affidavits sous serment a dû terroriser le SCRS. Charleen Brenzall, un autre avocat du ministère de la Justice agissant au nom du SCRS, soumit plusieurs requêtes, citant des précédents et de gros ouvrages de loi, pour que la cause soit rejetée avant que le gouvernement n'ait à présenter une défense.

Farrell est allé à la cour des petites créances pour deux raisons : généralement on y traite les causes rapidement – et donc à moindres frais – et aussi il avait une chance raisonnablement bonne d'y récupérer son argent. Quand le ministère de la Justice présenta finalement sa défense, Farrell découvrit que le gouvernement avait changé son histoire. La ministre de la Justice Anne McLellan niait l'existence de tout contrat entre Farrell et Postes Canada ou «tout mandataire ou agent de la Couronne». C'était une volte-face époustouflante. Elcock et le Service avaient constamment nié que Farrell avait été un employé du SCRS, affirmant plutôt qu'il avait signé des «accords contractuels» avec Postes Canada et ADAVA Consulting. Maintenant le gouvernement prétendait que ces contrats n'existaient pas. Selon McLellan, Farrell n'avait jamais été un employé du SCRS, non plus qu'il n'avait signé des contrats avec Postes Canada et Adava Consulting. Alors, pour qui John Farrell avait-il travaillé ? Devant les contradictions grandissantes dans l'histoire d'Ottawa, Farrell hochait la tête. «Ils mentaient tous, ils tentaient de m'échapper le plus vite possible, comme des rats quittant un navire en train de sombrer. Ils ont donc improvisé au fur et à mesure.»

Le SCRS et Brenzall ont employé tous les outils de leur arsenal pour étirer les procédures, dans l'espoir que Farrell arrive à bout de patience ou d'argent. À un certain moment, Brenzall tenta en vain de faire ajourner les procédures parce qu'il partait en vacances. Mais le SCRS et le ministère de la Justice avaient sous-estimé la détermination de Farrell. Quinze mois après avoir rempli sa plainte, Farrell persuada un juge de fixer une date pour le procès. Pendant que le SCRS sa battait pour ne pas aller en cour, Brenzall offrit à Farrell les six mille dollars qu'il voulait, à une condition : il devait signer une entente secrète préparée par un avocat haut placé au ministère de la Justice et accepter de garder le silence. De façon curieuse, la première entente stipulait qu'elle ne constituait « en aucun cas une admission ou une reconnaissance de l'existence de quelque forme de relation que ce soit » entre Farrell et le SCRS. Encore une fois, le ministère de la Justice n'était apparemment pas au courant que Farrell avait « une relation de travail » avec le Service.

Pendant que le SCRS et le ministère de la Justice essayaient de clarifier leurs versions, Farrell faisait face à une crise qui montre que sa bataille contre le Service avait pris une tournure sinistre. L'ordinateur portable auquel il avait fait référence dans une de ses nombreuses lettres aux autorités avait été volé à peine quelques jours après qu'il fut allé aux journaux avec les histoires de méfaits du SCRS.

Tout comme Kenny Baker avait conservé un journal écrit de son travail pour le Service, Farrell avait méthodiquement gardé des traces électroniques de son travail clandestin. Les noms et adresses de suspects importants de même qu'un compte rendu de son implication quotidienne dans les opérations Vulve et Coupe Stanley étaient emmagasinés dans l'ordinateur. Ironie du sort, en juin 1999, Farrell avait écrit à Bradley, demandant au Service de retrouver l'ordinateur – qui possédait le code barre 000634196 sur le côté – de même qu'un téléphone cellulaire et deux serviettes utilisés par le SOS. « Les éléments mentionnés plus haut m'ont été assignés par le SOS, en l'occurrence Don Lunau, dit Farrell à Bradley. Je dois partir pour Zurich, alors veuillez vous assurer que ces objets du SCRS seront retournés. » Bradley ne s'était jamais donné la peine de répondre à la demande de Farrell. L'ancien agent du SCRS cacha donc l'ordinateur dans un placard chez son ami Don Hammond.

Il y demeura jusqu'à ce que Farrell découvre sa disparition, le matin du 12 juillet. Il la rapporta promptement à la police.

Farrell dit au constable Al Dorkin de la division cinquante-quatre que l'ordinateur appartenait au Service canadien du renseignement de sécurité et qu'il contenait des informations hautement confidentielles sur les opérations et les méthodes du SCRS. Quand Dorkin réalisa enfin que Farrell ne blaguait pas, il promit d'ajouter une mention concernant l'ordinateur manquant dans l'ordinateur du Centre d'information de la police canadienne (CIPC). (Le SCRS a accès à cette banque de données.)

Farrell envoya alors par télécopie un mot à Elcock et à Bradley, leur demandant d'entrer immédiatement en contact avec son nouvel avocat, Paul Copeland, «car cette affaire exige une attention immédiate et touche à la sécurité nationale». Copeland, un avocat respecté de Toronto en matières criminelles et civiles, était une épine persistante dans le flanc du service. Farrell s'était tourné vers lui pour qu'il l'aide quand il n'arrivait plus à payer Rovet. (Copeland accepta de réduire substantiellement ses honoraires.) Farrell envoya ensuite par télécopie une deuxième lettre plus détaillée à Elcock et à Bradley, les avisant qu'il avait informé la police de Toronto du vol de l'ordinateur. «Je suis entré en contact plusieurs fois avec le SCRS, écrit Farrell, afin de prendre des arrangements pour le retour de cet équipement et personne n'a exprimé le moindre intérêt à le recouvrer.»

Elcock et Bradley attendirent sept jours avant de répondre aux urgentes lettres de Farrell et, quand ils le firent, ils déclarèrent avec assurance, par l'entremise de MacFadyen, que leur ancien agent n'avait jamais rapporté la perte d'un ordinateur à la police. «Nous concluons qu'aucun vol d'ordinateur n'a été rapporté à la police tel qu'affirmé par [Farrell]», dit MacFadyen dans une lettre à Copeland datée du 19 juillet 2000. Cette fois-ci, elle concédait que le Service avait donné un ordinateur à Farrell, ajoutant que cet ordinateur ne contenait aucune information de nature confidentielle. Ensuite, la confuse avocate demandait à Farrell de «décrire en détail les informations confidentielles que, selon lui, renfermait l'ordinateur». Reprenant leur sérieux après une explosion de rire incontrôlable, Farrell et son avocat convinrent que l'inspecteur Clouseau avait vraiment repris du service et faisait des heures supplémentaires. Copeland appela le constable Dorkin et put vérifier la version de Farrell. Le policier coopératif fournit même à l'avocat de Farrell le numéro d'événement: 2000/115 224.

Le 1er août 2000, Copeland envoya par télécopie une lettre à MacFadyen. « Je ne sais où ni comment le SCRS prends ses informations, commença Copeland. Aujourd'hui j'ai parlé avec le constable Dorkin [...] il m'a confirmé que le 12 juillet 2000 on a rapporté le vol d'un ordinateur ». Il porta alors le coup de grâce. « Vous pourriez peut-être m'expliquer comment le SRCS a conclu qu'aucun vol d'ordinateur n'a été rapporté à la police. Si le SCRS ne sait pas obtenir ce genre d'information du service de police de Toronto, je m'interroge sérieusement sur ses capacités à recueillir des informations en matière de sécurité nationale. » En fait, les fins limiers du Service ne s'étaient pas donné la peine d'appeler la police de Toronto ni même de consulter le Centre d'information de la police canadienne. S'ils l'avaient fait, ils auraient tout de suite appris que Farrell leur disait la vérité. Au lieu de cela – autre exemple de l'arrogance typique de la direction du Service –, on avait rejeté les appels de Farrell avec désinvolture.

Le 3 août, MacFadyen fit volte-face. « On décrit l'ordinateur comme portant un code barre que le Service reconnaît », écrivit-elle à Copeland. Le SRCS venait finalement de réaliser qu'un ordinateur très important manquait.

Afin d'évaluer les dommages, MacFadyen demandait à Copeland si Farrell aurait la gentillesse d'écrire une lettre au SCRS dans laquelle il décrirait en détail les informations confidentielles stockées dans l'ordinateur disparu. Farrell avait déjà fourni à Elcock et à Bradley la plus grande partie de ces informations et dit donc au ministère de la Justice d'aller se faire voir ailleurs. L'ordinateur, avec toutes ces informations hautement confidentielles, est toujours manquant.

Mais Farrell était prêt à rencontrer le SCRS pour remettre les serviettes de sécurité et un téléphone cellulaire que Lunau lui avait remis. La brève mais révélatrice rencontre, à laquelle j'ai assisté en compagnie d'un collègue et qui a été croquée par un photographe, révéla l'anxiété du SCRS dans ses efforts pour recouvrer une partie du matériel de service que Farrell avait essayé de leur retourner pendant plus d'un an.

La rencontre hâtivement arrangée se déroula par une chaude journée d'été, à quelques pas du quartier général du Service à Toronto, au milieu d'un troupeau de vendeurs d'arachides, de conducteurs de rickshaw et de touristes curieux. C'est Farrell qui organisa la rencontre. Il appela la secrétaire de Bob Gordon sur sa ligne personnelle et demanda qu'on lui passe l'espion en chef de Toronto. Gordon prit l'appel de Farrell sur-le-champ. Farrell dit à Gordon qu'il voulait lui remettre les serviettes et le téléphone cellulaire devant l'édifice de Front Street. Gordon répondit qu'il enverrait un agent le rencontrer dans un quart d'heure.

Farrell se rendit devant le quartier général du SCRS en voiture et attendit. Quelques minutes plus tard, un agent de renseignements, grand et bien habillé, s'avança vers lui. Farrell demanda à l'agent de montrer sa carte d'identité du SCRS et lui remit l'une des serviettes (il conserva l'autre) et le téléphone. L'agent refusa de m'expliquer pourquoi le Service était soudain intéressé à rencontrer un homme avec lequel il prétendait n'avoir eu qu'un rapport fugace et insignifiant.

* * *

Au moment où le CSARS ressuscitait son enquête sur la plainte de Farrell, l'ancien agent du SCRS se débattait avec un gros problème d'argent. Il avait dépensé des milliers de dollars de ses économies pour s'inscrire au baccalauréat en éducation à l'université York de Toronto. Il avait décidé de devenir professeur. Finie la vie aux frontières de la légalité, prétendument pour aider les bons. Bien que Copeland eût accepté de réduire son salaire, il commença à faire pression sur Farrell pour qu'il lui verse une avance ; à moins de trouver la somme, Farrell devrait affronter le SCRS seul. Farrell et Copeland firent appel au CSARS maintes fois pour qu'il contribue à défrayer l'avocat, mais le comité de surveillance refusa. « Le comité ne considère pas approprié de modifier sa pratique établie depuis longtemps de ne pas fournir une telle assistance », dit Susan Pollak à Copeland dans une lettre datée du 26 juillet 2000. Pollak rappelait à Farrell que « plusieurs plaignants soumettent et soutiennent leurs plaintes sans représentation juridique ». L'argument de Pollak – à savoir que puisque certaines personnes ne peuvent se permettre d'engager des avocats pour protéger leurs droits, Farrell devrait laisser tomber ce privilège – était un exemple de la mentalité tordue du comité.

Dans une lettre passionnée à Copeland, Farrell souligna que le SCRS comparaîtrait sûrement devant le comité de surveillance avec un détachement d'avocats du gouvernement à sa suite, tous payés par les deniers publics. Quant à lui, il semblait destiné à être seul. Il allait devoir préparer sa cause, questionner des témoins, se soumettre à des interrogatoires et contre-interroger les témoins du Service, tout cela sans le concours d'un avocat.

« Toute procédure qui oppose un individu à une bureaucratie étatique, toute comparution qui permet à tout le monde sauf au plaignant le recours à des conseillers juridiques aux frais des contribuables est en soi une procédure qui tourne à la farce, écrivit Farrell. C'est une procédure qui finira par me dépeindre comme un fauteur de troubles mécontent et désœuvré, dont le seul objectif est d'embarrasser ses supérieurs. Découvrir la vérité est le moindre de ses soucis. Il devrait être évident pour le CSARS et le gouvernement que s'ils instaurent une procédure permettant d'enquêter sur les méfaits d'hommes publics, ils doivent tout mettre en œuvre pour s'assurer que ce processus soit équitable. Cela signifie que tous ceux qui comparaissent devant un comité ou une commission d'enquête doivent avoir accès à une représentation juridique… Ce que dit le refus du CSARS de prendre en charge mes frais d'avocat est que le CSARS n'est pas vraiment intéressé à s'acquitter de son mandat envers les citoyens. »

Farrell faisait face à un autre problème, peut-être plus grave. S'il témoignait, il risquait des poursuites non seulement en vertu de la Loi sur les secrets officiels, mais aussi en vertu du Code criminel. Le CSARS lui avait donné l'assurance que son témoignage devant le comité ne pourrait être retenu contre lui par la police pour déposer des accusations criminelles. Mais Copeland n'était pas convaincu que Farrell jouissait d'une immunité à toute épreuve. Les deux parties se rencontrèrent le 12 juillet 2000 – le même jour que Farrell rapporta la disparition de l'ordinateur à la police – pour discuter du statut de la plainte et de l'immunité de Farrell.

Sylvia MacKenzie était accompagnée de Gordon Cameron, un ancien agent de police et un avocat chez Blake, Cassels & Graydon, une importante firme juridique qui agissait souvent comme conseil pour le CSARS lors des comparutions. La rencontre se déroula dans les luxueux bureaux de la firme dans

Commerce Court, au cœur du quartier financier de Toronto. MacKenzie, qui s'était teint les cheveux en blond, assura qu'on avait passé la salle au peigne fin pour vérifier s'il n'y avait pas de dispositifs d'écoute. Copeland demanda à Farrell de garder son calme. Mais lorsque MacKenzie présenta Cameron comme l'avocat du CSARS, Farrell explosa: «Vous pouvez vous payer des avocats de l'extérieur pour vous-mêmes, mais vous ne pouvez pas m'aider à régler mes propres frais d'avocat!» Cette éruption énerva MacKenzie, qui insista pour dire que la loi du CSARS empêchait le comité d'aider les plaignants à payer leurs frais d'avocat.

La rencontre, déjà tendue, dégénéra rapidement. MacKenzie dit que Farrell n'avait pas fourni beaucoup d'informations pour procéder. Il rétorqua: «En tant qu'enquêteuse, vous êtes une minus.» Farrell lui rappela lui avoir envoyé deux lettres détaillant les accusations contre le Service. Copeland demanda à MacKenzie si Farrell lui avait rapporté le vol des carnets de notes de Kenny Baker.

Elle répondit que oui.

«Que vous faut-il de plus?» demanda Copeland.

MacKenzie émit l'hypothèse que le SCRS avait peut-être obtenu un mandat pour pénétrer dans la voiture de Baker et voler les carnets.

«En avait-il un?» demanda Copeland.

MacKenzie refusa de répondre à la question.

«Il est scandaleux et grotesque de croire que le SCRS aurait pu obtenir un mandat judiciaire pour s'introduire dans une voiture et voler des carnets de notes dans l'intention de détruire des preuves», dit Copeland.

«Je ne pouvais le croire, dit Farrell. Elle laissait entendre que le SCRS avait obtenu un mandat pour s'introduire clandestinement dans la voiture d'un de ses propres agents.»

MacKenzie les choqua ensuite en offrant de se récuser; Copeland et Farrell se retirèrent dans un cabinet pour discuter de leur prochain coup. Quand ils en émergèrent, Copeland fit porter la discussion sur l'immunité de Farrell, pressant le CSARS de contacter le Procureur général de la province pour qu'il participe à la préparation d'un accord pour son client. Cameron et MacKenzie écoutèrent attentivement mais ne se compromirent pas. MacKenzie était certaine que la police ne pourrait pas retourner contre Farrell son témoignage devant le comité de surveillance. Mais Copeland conservait des doutes.

La rencontre n'arrangea rien. Le CSARS avait refusé d'aider Farrell pour ses frais d'avocat et maintenant l'agence de surveillance était réticente au sujet de l'immunité. «Je ne pouvais tout simplement pas comprendre pourquoi ils étaient si réticents à m'aider de quelque façon que ce soit», dit Farrell. Découragé, il approcha à nouveau Tom Bradley pour régler la dispute. Le directeur adjoint du Service rejeta cette ouverture.

Copeland entama des négociations avec le Procureur général de l'Ontario en vue d'en venir à une entente d'immunité pour Farrell. Le 17 juillet 2000, il écrivit une lettre à Murray Segal, un fonctionnaire supérieur du bureau du Procureur général, pour établir les assises d'une demande d'immunité. «J'estime que l'observance des lois par les représentants des agences de sécurité du Canada est un débat public important, écrivit Copeland. L'offre d'immunité faite à M. Farrell lui permettra de participer à une enquête sur la conduite du personnel du SCRS sans que M. Farrell ait en même temps à se soucier qu'en fin de compte il puisse être le seul à souffrir des conséquences découlant des preuves qu'il a fournies au CSARS.»

Le bureau du Procureur général était préparé à offrir l'immunité à Farrell en échange de ses informations. Mais, avant d'entamer des négociations sérieuses, il voulait davantage de détails sur les crimes que Farrell était censé avoir commis et il désirait aussi connaître la version du CSARS. Mais le comité de surveillance était réticent à faire des représentations auprès du Procureur général pour soutenir la demande d'immunité à moins que Farrell ne lui fournisse plus d'informations.

Farrell faisait face à un dilemme peu enviable. S'il fournissait plus de détails et que les négociations n'aboutissaient pas, il s'exposait à des poursuites. Mais s'il ne le faisait pas, il n'y aurait pas d'accord sur son immunité. Cette décision le tourmentait. Il était sans emploi, il étudiait pour devenir professeur, il partageait un petit appartement avec son ami Don Hammond et il était acculé à la faillite. Il n'était peut-être pas dans la meilleure position pour prendre la décision la plus importante de sa vie. C'est à contrecœur qu'il donna finalement le feu vert à Copeland pour qu'il envoie des lettres au CSARS et au Procureur général, dans lesquelles il fournirait plus de détails sur les actes illégaux qu'il avait commis sous les ordres d'agents supérieurs du SCRS. Le 3 janvier 2001, Copeland écrivit à Farrell pour l'informer que les lettres étaient prêtes. Tout ce dont il avait besoin, c'était le consentement de Farrell pour les expédier. Il rappelait aussi à son client démuni qu'il avait besoin de son avance, sinon, précisait-il, «je ne vous représenterai à aucune audience du CSARS». Farrell comprenait la frustration de Copeland. L'éminent avocat avait passé des heures sur son cas et il voulait maintenant être payé. Comme Farrell ne pouvait pas trouver d'argent pour l'avance de Copeland, les négociations en vue d'une immunité s'effondrèrent rapidement.

* * *

Farrell était fauché mais non abattu. Il fit appel à Rovet pour qu'il prenne à nouveau en charge sa cause. «John est un jeune homme très charmant et très persuasif», dit Rovet. Il accepta de l'aider pour une fraction de ses honoraires habituels.

Le 16 mai 2001, presque deux ans après qu'il eut approché le CSARS pour la première fois, Farrell et Rovet participaient à une téléconférence avec Ray Speaker, l'un des cinq membres à temps partiel du comité. Speaker, un ancien et respecté ministre du cabinet conservateur d'Enchant, en Alberta, et un homme à la voix douce, était accompagné, à l'occasion de cet appel, par Tom Dastous, le principal conseiller du comité. Il y avait aussi Mary MacFadyen, deux agents du SCRS non identifiés et d'autres fonctionnaires du CSARS. On avait arrangé la téléconférence pour discuter, encore une fois, du statut de la plainte de Farrell et d'une possible entente d'immunité avec le Procureur général de l'Ontario. Farrell avait attendu impatiemment d'exposer son cas directement à Speaker. «C'était la chance pour moi de peut-être obtenir quelques réponses à des questions laissées en suspens», dit-il. Mais ce fut Dastous qui posa la première question.

«Monsieur Farrell, avez-vous l'intention d'aller de l'avant avec la plainte que vous avez déposée auprès du CSARS?»

«Oui», répondit énergiquement Farrell, qui demanda ensuite pourquoi il devait essayer seul de concocter une entente d'immunité. «C'est dans l'intérêt public et conforme au mandat du CSARS d'aller au fond de cette enquête. Je me sens seul sur une branche si on ne m'accorde pas l'immunité. » Le comité ne fut pas ému par le plaidoyer de Farrell. Dastous insista sur le fait que le comité ne pouvait pas agir au nom des plaignants et que de toute façon la Loi sur le SCRS lui garantissait déjà une forme d'immunité. Farrell rappela à l'avocat du CSARS que le ministère de la Justice, agissant au nom du SCRS, lui avait demandé de garder le silence. « Mme MacFadyen m'a déjà exhorté, dans une lettre concernant la Loi sur les secrets officiels, à ne pas divulguer quelque méfait ni quoi que ce soit que j'avais accompli dans le cadre de mes fonctions », dit Farrell. Dastous demeura muet.

Rovet posa alors au comité la question qui se trouvait au cœur de la dispute de Farrell avec le SCRS et le CSARS. « Un autre sujet me trouble, dit Rovet, et cela concerne un citoyen solitaire sortant des rangs pour parler. Ce qui me trouble est que M. Farrell connaît des choses concernant la manière dont le SCRS mène ses affaires et nous voulons savoir si ces affaires ont été menées légalement au Canada. Cette question ne touche pas seulement M. Farrell. Cela affecte l'intégrité de nos institutions et la manière dont nous sommes gouvernés [...] mais il est un individu isolé et ce que je désire savoir de vous, c'est si, en allant de l'avant avec les procédures – ce que nous allons faire –, le mandat du CSARS est simplement de l'écouter en tant qu'individu ou si le CSARS désire lui-même connaître la vérité. »

Pendant un moment, le silence régna, tandis que la profonde question de Rovert faisait son chemin en chacun. Dastous répondit alors : « Le CSARS a deux mandats : premièrement, enquêter sur les plaintes. Deuxièmement, il doit examiner toutes les activités du Service. De plus, si, lors d'audiences, nous apprenons des faits qui pourraient mener à des projets d'enquête, bien sûr, le CSARS agit en conséquence. »

Avant que tout le monde ne raccroche, Farrell présenta une dernière requête : « J'ai une question à poser à monsieur Speaker. Je veux sa parole et son engagement à connaître la vérité et à aller au fond de cette affaire. »

« La tâche que j'ai acceptée consiste justement en cela et c'est bien mon intention », dit Speaker.

Malgré cette promesse de Speaker, les mois qui se sont écoulés depuis la téléconférence ont été remplis de délais procéduriers et d'accusations. Farrell n'est guère plus près de voir le comité de surveillance entendre sa plainte que la première fois qu'il a appelé Sylvia MacKenzie depuis le terrain de stationnement d'un centre commercial de Toronto. MacKenzie a accepté un autre emploi chez Transport Canada, se joignant à l'exode d'autres membres importants du personnel du CSARS.

Encouragé par ses succès à la cour des petites créances (après des mois de tractations, les deux parties ont conclu une entente hors cour), Farrell logea une poursuite de cent quatre-vingt-cinq mille dollars contre le SCRS pour congédiement arbitraire. Dans son énoncé de quatre pages, le Service se défend en répétant sa position: «Les services du plaignant ont été fournis en tant que contractuel indépendant à un tiers et non en tant qu'employé.»

Puis, en septembre 2001, le Service demanda au CSARS d'exclure Farrell et Rovet lorsque l'agence de renseignements témoignerait devant le comité, pour des raisons de «sécurité nationale». «La relation entre le Service et le plaignant était liée au mandat du Service d'enquêter sur des menaces à la sécurité du Canada, écrit le SCRS. Les preuves que le Service présentera lors de ces audiences seront de nature à mettre en évidence le fait que M. Farrell ou son conseiller compromettront la sécurité de ces informations et donc la sécurité du Canada.»

Farrell rit en lisant le document.

* * *

John Farrell réalisa un rêve le 4 septembre 2001. C'était le premier jour d'une nouvelle année scolaire; une journée chaude et ensoleillée, pleine d'espoir et de possibilités. En passant les même portes d'école grêlées qu'il avait jadis traversées en courant au temps où il était un jeune garçon turbulent, Farrell pensait aux aventures, aux surprises, aux frustrations et aux désappointements qui l'attendaient. Il retournait à une école élémentaire catholique au cœur de Parma Court, cette fois comme professeur. Lui et ses camarades de cours de l'université York avaient souvent imaginé le moment où ils se tiendraient dans leur propre salle de classe, devant leurs propres étudiants. Pour Farrell, ce jour était finalement arrivé. Alors qu'il entrait dans la petite salle 134, pleine de pupitres et de garçons de douze ans exubérants, le monde mesquin et fourbe des espions semblait être très, très loin.

John Farrell avait trouvé une nouvelle vie dans un environnement familier.

16
LEÇONS APPRISES

Ward Elcock est un homme chanceux. Le service de renseignements qu'il a dirigé depuis 1994 a été accablé par une série ininterrompue de scandales, depuis des histoires de documents secrets dérobés, d'illégalité et d'incompétence, jusqu'à la corruption et au népotisme de la part de cadres supérieurs du SCRS. Jusqu'à maintenant, la plupart de ces infractions ont été minutieusement cachées aux yeux des Canadiens. Pendant tout ce temps, Elcock et ses fidèles du Service, y compris son ancien directeur adjoint, Tom Bradley, n'ont jamais vraiment eu de comptes à rendre[1].

Elcock a écarté les critiques, les parlementaires et les reporters curieux du revers de la main et il a rejeté les questions sur son mandat controversé en tant que directeur du SCRS avec des promesses creuses et des réponses monosyllabiques. Il en est sorti indemne, en partie parce qu'il a habilement forgé des alliances avec des journalistes – particulièrement dans l'incestueux enclos d'Ottawa – et des universitaires qui, en échange de son oreille et d'informations, le défendent, lui et le

1. Bradley a pris sa retraite du service public en avril 2002.

Service[2]. Mais Elcock et le SCRS ont été dispensés d'avoir à rendre des comptes à cause de surveillants pour le moins peu tenaces et d'une succession de ministres de second ordre qui préfèrent jouer le rôle de marionnettes plutôt que de défendre l'intérêt public.

Mais la chance d'Elcock s'est peut-être finalement tarie. La saleté de son administration a été révélée non pas par le Comité de surveillance des activités de renseignement du Canada ni par l'Inspecteur général, mais par un jeune homme qui a loyalement servi le SCRS et Elcock pendant près d'une décennie: John Farrell. L'histoire de la vie de l'ancien agent du SCRS au sein de cette agence de renseignements est tellement accablante qu'elle exige une conséquence immédiate: la démission d'Elcock.

Il est important de rappeler que le premier directeur du SCRS, Ted Finn, avait été forcé de démissionner, en 1987, après que le Service eut fourni à un juge de la cour fédérale un affidavit frauduleux pour justifier une demande de mandat d'écoute électronique. Il n'y avait aucune preuve que Finn était directement ou indirectement impliqué dans des infractions à la loi, mais il savait n'avoir pas vraiment le choix quant à sa démission. Par sa démission, Finn a tracé une ligne de démarcation pour souligner le respect de la loi du Service dans son combat contre les menaces à la sécurité. Elcock et compagnie n'ont pas seulement franchi cette ligne, ils l'ont effacée.

Il est clair, à partir des preuves qu'a amassées Farrell, que les agents et cadres supérieurs du SCRS, y compris Elcock et Bradley, connaissaient très bien le jeune agent et le rôle important qu'il a joué pour le Service. La litanie des consternants méfaits qui se sont déroulés sous le regard d'Elcock s'étire sur des années et comprend beaucoup plus que des affidavits remplis de faussetés. Les deux hommes devraient prendre exemple sur Finn et assumer leur responsabilité pour la grave conduite du service se trouvant sous leur gouverne. Si Elcock refuse de s'en aller de son propre chef, alors on devrait promptement lui montrer la porte.

---

2. Elcock dîne souvent avec des membres importants de la galerie de la presse parlementaire à Ottawa. Il n'y a pas si longtemps, le directeur du SCRS a accordé des interviews «exclusives» à Stewart Bell, un reporter du *National Post*, alors que le Service venait d'être mis sur la sellette par d'autres reporters moins complaisants.

La démission d'un cadre hautain de l'agence de renseignements ne devrait être que le début d'un nécessaire examen qui doit à tout prix avoir lieu, car les répercussions du travail clandestin de Farrell en tant qu'agent payé par le gouvernement dépassent le SCRS.

L'espionnage systématique des chefs syndicaux par Farrell sous les ordres de ses supérieurs de Postes Canada a détruit le mythe que la société de la Couronne respecte les droits de ses employés et obéit à la loi. Ce qui est crucial dans la troublante histoire de Farrell sur la nature et l'étendue de sa cueillette de renseignements sur d'importants dirigeants syndicaux, c'est l'admission qu'il était directement et profondément impliqué dans cet espionnage. Farrell pointe un doigt accusateur non seulement vers Postes Canada mais aussi vers lui-même.

Ses révélations vont peut-être entraîner des enquêtes criminelles et des poursuites judiciaires. Mais ce qui est certain, c'est qu'André Ouellet, le président et directeur général de Postes Canada, et son patron, le ministre responsable des sociétés de la Couronne, David Collenette, auront à répondre à des questions difficiles sur les activités de Farrell en tant qu'agent de renseignements divisionnaire.

On dit du patron nominal d'Elcock, le Solliciteur général Lawrence MacAulay, qu'il est l'un des favoris du Premier ministre Jean Chrétien au cabinet, en partie à cause de son habileté à parer aux questions sur le SCRS à la Chambre des communes en adhérant de manière rigide à un script absurde qui dit: «Je ne peux pas m'impliquer dans les opérations quotidiennes du SCRS.» Entre-temps, le service de renseignements que MacAulay est obligé de surveiller en vertu de la loi a continué de violer la loi et traite les droits et libertés des Canadiens comme d'ennuyeux obstacles à écraser au nom de la sécurité nationale. Bien que ce soit improbable, étant donné le copinage qui caractérise de plus en plus le gouvernement Chrétien, il faut remplacer MacAulay par un politicien qui comprend la gravité des responsabilités du Solliciteur général et qui sert le public plutôt que le SCRS.

Les Canadiens ont aussi le droit de savoir pourquoi on a transféré l'administration de l'une des opérations de cueillette de renseignements les plus délicates du Service – le programme d'interception de courrier – à des firmes privées contrôlées par un cadre de Postes Canada qui a récemment pris sa retraite. Les Canadiens ont le droit de savoir à qui précisément Al Whitson, sa femme et leurs petites mais puissantes compagnies doivent rendre des comptes. Le Service a refusé de répondre à ces questions. Comme d'habitude, le CSARS et l'Inspecteur général semblent être dans d'épaisses ténèbres quant à la relation intime entre le SCRS et les deux firmes de Whitson: 3385710 Canada Inc. et Adava Consulting.

Il faut répondre à ces questions parce que les Canadiens estiment, avec raison, que la manutention de leur courrier est une tâche où la confiance est sacrée. Quelle assurance pouvons-nous avoir que le SCRS intercepte le courrier en accord avec la loi quand on a vendu l'administration du programme à une firme privée?

Si une seule vérité indéniable a émergé du long périple de Farrell dans le monde du service de renseignements de ce pays, c'est celle-ci: on lui a ordonné sans vergogne de violer la loi pour traquer des canailles; on lui a ordonné d'intercepter du courrier sans mandat de la cour; on lui a ordonné de voler une clé de la Couronne; on lui a ordonné de mener des vérifications de courrier sur un grand nombre de Canadiens sans aucun mandat de la cour.

Comment les Canadiens peuvent-ils s'attendre qu'il y ait un contrôle sérieux d'une agence de sécurité comme le SCRS, qui jure d'observer la loi en protégeant les Canadiens, alors qu'elle passe discrètement des responsabilités critiques à des firmes qui ne semblent être redevables à personne sauf le service pour lequel elles travaillent?

Whitson a refusé de répondre à cette question lorsque je me suis risqué à me rendre à la demeure de ce vétéran de la GRC pour m'enquérir de sa relation de travail avec le SCRS. L'ancien cadre de Postes Canada a entrouvert la porte et a crié: « Vous n'êtes pas le bienvenu sur ma propriété. Veuillez partir immédiatement, » tandis que trois gros chiens me mordillaient les chevilles. Quand je lui ai demandé pourquoi il y avait tant de secrets autour de la relation de sa compagnie avec le SCRS, Whitson s'est mis à bafouiller de rage. « Je n'ai pas de secrets. Vous n'avez rien à voir avec ma vie. Sortez-en tout simplement. Je ne veux pas vous parler. »

J'ai demandé à Whitson pourquoi le Service avait effectivement privatisé l'administration de l'opération Vulve. Il a répondu : «Je ne sais pas de quoi vous parlez. Au revoir. Merci beaucoup. Et je vous le dis : quittez ma propriété tout de suite.» Sur ce, il a claqué la porte.

Il faut aussi poser quelques questions précises au CSARS. Il est temps que les membres du Parlement examinent en profondeur le leadership et le rendement de l'agence de surveillance. À cause de son hésitation et de son inaction, le CSARS a laissé tomber Farrell et a manqué à ses engagements envers les Canadiens. On ne peut laisser la tâche de surveiller les surveillants à une poignée d'amis politiques à temps partiel, qui sont souvent préoccupés par leurs intérêts d'affaires, leur carrière juridique et d'autres poursuites.

Traditionnellement, l'agence de surveillance a servi de dépotoir pour d'anciens politiciens et membres des partis politiques à la recherche d'une activité divertissante pour remplir leurs loisirs. Avec la notable exception de Ron Atkey – le tenace premier président du CSARS –, la direction du CSARS a été très accommodante pour le SCRS et a bien pris garde de ne pas s'aliéner son puissant adversaire. Le dernier à avoir été nommé au comité est Gary Filmon, qui a longtemps servi comme Premier ministre du Manitoba. Il a rejoint deux anciens Premiers ministres – Bob Rae, de l'Ontario, et Franck McKenna, du Nouveau-Brunswick – dans le comité de surveillance[3]. La raison du choix de Filmon demeure un mystère. Ce qui est clair cependant, c'est qu'on l'a nommé sans que le public ou les parlementaires aient eu droit au chapitre ; cela ne cadre pas avec l'engagement à la transparence professé par l'agence.

La présidente du CSARS, Paule Gauthier, et les autres membres du comité possèdent des curriculum vitæ impressionnants, ils représentent les régions et les partis politiques les plus importants, et, sans aucun doute, partagent le désir de tenir en laisse le SCRS. Mais s'assurer que le service de renseignements obéisse à la loi et ne piétine pas les droits des Canadiens, des immigrants reçus et des réfugiés est un travail à plein temps, non pas une tâche à temps partiel à intercaler entre d'autres engagements.

3. Rae et McKenna ont démissionné du CSARS en avril 2002.

En fait, Gauthier a reconnu, lors d'une comparution devant un comité parlementaire sur la prétendue loi fédérale antiterroriste, que les ressources qu'Ottawa a fait pleuvoir sur la police et le SCRS après le 11 septembre allaient certainement résulter en une importante augmentation de travail pour l'agence de surveillance déjà pauvre en personnel. Pourtant, de façon inexplicable, elle n'a pas su conseiller vivement au gouvernement de fournir à l'agence de surveillance plus d'argent de façon à remplir ses obligations.

Le CSARS n'a pas l'expertise et les ressources nécessaires pour accomplir son travail. Gauthier et ses collègues du comité doivent s'en remettre à un personnel minuscule pour surveiller le SCRS. C'est la recette idéale pour aller au-devant d'échecs répétés. Plusieurs employés du CSARS, tout comme les membres du comité lui-même, n'ont aucune expérience, ou très peu, du travail d'enquêteur ou du monde du renseignement. C'est là un autre exemple de la regrettable timidité qui a caractérisé le mandat de Gauthier à la tête du comité.

La présidente du CSARS pourrait prendre une leçon de George Radwanski, qui a succédé à Bruce Phillips en tant que Commissaire à la protection de la vie privée du Canada, ou de John Reid, Commissaire à l'information du Canada, qui ne mâche pas ses mots lui non plus. Radwanski et Reid ont critiqué de façon vigoureuse et incisive la décision d'Ottawa, depuis le 11 septembre, de voiler le travail du SCRS de manière encore plus opaque. Ils ont utilisé efficacement leurs impressionnantes chaires pour dénoncer la politique du gouvernement et la législation, afin de protéger la vie privée et les droits des Canadiens.

Le CSARS est devenu un organisme docile et inefficace qui donne parfois un petit coup sur les doigts du Service. Paule Gauthier n'a pas vraiment montré qu'elle était prête à affronter la puissante bureaucratie du SCRS. Tout comme pour Elcock, l'heure du départ a sonné pour elle. L'affligeante gestion de l'histoire de Farrell par son comité est un exemple patent de son ineptie. Au lieu de reconnaître que Farrell avait une histoire urgente à raconter, l'organisme de surveillance a tergiversé et se l'est aliéné. Au lieu d'assurer Farrell qu'il ferait tout son possible pour le mettre à l'abri de poursuites en échange de son témoignage exceptionnel, il s'est contenté de gestes de soutien tièdes.

Au lieu d'accepter la responsabilité pour cette gestion lamentable, il a tenté de lui faire porter le blâme.

Le CSARS claironne qu'il est un «organisme indépendant» qui a «autorité absolue» pour examiner «toutes les informations concernant les activités du SCRS». La longue association de Farrell avec le SCRS dément cette assertion. Le SCRS et le Solliciteur général, ainsi que le montrent les dossiers, ont habituellement maintenu Gauthier et l'organisme de surveillance dans les ténèbres par rapport à une grande partie du travail du Service. Au lieu de protester vigoureusement, la présidente du CSARS et ses collègues sont demeurés plutôt silencieux. Ils ont plutôt choisi d'adopter plusieurs des habitudes inquiétantes du SCRS. Gauthier et Susan Pollak ont de plus en plus fait montre d'une mentalité d'assiégé, se hérissant au moindre soupçon de critique du travail du CSARS. Leur soudaine retraite dans le silence après qu'on eut soulevé des questions au sujet de la gestion de la plainte de Farrell par le comité de surveillance fait écho au penchant déraisonnable du SCRS pour le secret.

S'il était correctement dirigé, financé et constitué, le CSARS pourrait jouer un rôle essentiel dans la surveillance du SCRS et de son omnipotente direction. La première étape serait de faire de la participation au comité une occupation à plein temps au lieu d'un divertissement à temps partiel. On ne devrait pas limiter l'attribution des postes à une fraternité exclusive, à savoir le Conseil privé de la Reine; on devrait l'élargir à tous les Canadiens qualifiés qui possèdent une connaissance approfondie du monde du renseignement ainsi que des droits et libertés civils. Finalement, l'organisme de surveillance devrait harceler Ottawa pour qu'il augmente son budget, de façon à pouvoir embaucher une équipe d'enquêteurs expérimentés qui savent où, comment et quoi fouiller.

Mais la mise en application de ces réformes ne changerait pas grand-chose à la situation de John Farrell. Le CSARS a ni plus ni moins renoncé à enquêter sur sa plainte. Farrell était prêt à aider l'agence de surveillance à exciser le cancer minant le SCRS. On l'a fustigé.

Il a plutôt choisi de faire des admissions saisissantes dans cet ouvrage. Il sait l'énormité du risque qu'il a pris et cela lui a occasionné plusieurs nuits agitées. Son avenir et peut-être aussi sa liberté sont en jeu. Mais, en fin de compte, il a décidé de siffler encore une fois la fin de la récréation pour des agences et des fonctionnaires très puissants du gouvernement. Oui, il était un mercenaire consentant à la solde du gouvernement du Canada et d'une société de la Couronne. Pourtant il a fait ce que ses anciens employeurs n'ont pas osé faire: dire la vérité aux Canadiens.

Comme plusieurs dénonciateurs, Farrell sera probablement vilipendé par les fidèles alliés du Service comme un lâche inadapté et un mécontent. On soumettra probablement sa réputation, sa vie et son souvenir à des assauts cinglants dans le but de miner sa crédibilité et de le rendre plus vulnérable aux attaques. Le Service et Postes Canada vont diffamer Farrell parce que, en fin de compte, ils le craignent. Ils vont tenter de le détruire pour sauver leur peau. Cela ne doit pas arriver.

Un de ceux qui promettent de soutenir Farrell est Don Lunau. Farrell fit à son ancien patron une visite impromptue à sa demeure de Pickering, lors d'une journée chaude et humide de juillet 2002. Lunau accueillit Farrell avec un sourire, une poignée de main et un engagement: il lui promit de dire la vérité quant à son implication dans les activités du SCRS. «Je vais dire exactement ce qui s'est passé, dit Lunau énergiquement. Tout ce que je dirai sera la vérité, mais il se peut que je ne puisse pas tout dire.» Les dirigeants du SCRS ne le laisseraient pas tout dire. «Rappelle-toi que je t'avais dit, au début, que si tu allais dans cette direction [dans les médias], ce serait hors de mon contrôle... Crois-moi, c'est complètement hors de mon contrôle... C'est pour cela qu'ils ne me disent pas tout, parce qu'ils ne veulent pas que je m'implique.»

Lunau a semblé apprécier cette occasion de revoir Farrell et il a insisté avec beaucoup de nostalgie dans la voix sur le fait qu'il savait que leurs chemins se croiseraient à nouveau. Il lui dit que ses anciens camarades de l'unité SOS, dont Cliff Hatcher et Jack Billingsley, s'informaient souvent de lui: «Tout le monde a demandé de tes nouvelles.» Malgré le ton amical de la rencontre, Lunau a dit qu'il devrait informer ses supérieurs que Farrell était passé. «Je dois suivre les ordres», dit-il. J'en ai encore pour longtemps à servir.»

On ne doit pas poursuivre ou persécuter John Farrell pour être sorti du rang et avoir dit la vérité. On ne doit pas en faire le bouc émissaire des fautes des autres. Le bureau du Procureur général de l'Ontario doit agir promptement pour faire ce qu'il avait envisagé en 2000: accorder l'immunité à Farrell en échange de son aide, de ses conseils et de son témoignage. C'est seulement ainsi qu'on pourra commencer à extirper la mentalité d'impunité qui imprègne les plus hauts niveaux du SCRS. C'est seulement ainsi que les chefs espions de ce pays vont réaliser qu'ils ne sont pas au-dessus de la loi.

En 1981, la commission McDonald, qui enquêtait sur les méfaits du service de sécurité de la GRC, a servi cet avertissement aux Canadiens: «Permettre à une police nationale ou à une agence de sécurité d'adopter une politique qui implique des violations systématiques de lois "mineures" installe ces organismes en haut d'une pente glissante.» Le SCRS, son agence de surveillance et Ottawa ont failli et n'ont pas tenu compte de cet avertissement. Le résultat est que le Service a violé la loi avec désinvolture et a glissé jusqu'au bas de cette pente glissante. La question demeure: les Canadiens ont-ils la volonté de demander des comptes au SCRS?

UN MOT SUR LES SOURCES

Ce livre est le fruit d'interviews avec soixante-dix personnes. Certaines de ces personnes ont passé plusieurs heures avec l'auteur et ont accepté d'être interviewées à plusieurs reprises afin de corroborer des informations fournies par d'autres sources ou pour clarifier des remarques qu'elles avaient émises lors d'interviews précédents. Plusieurs des personnes interrogées, y compris des employés encore actifs et des anciens du SCRS et de Postes Canada, ont accepté de parler uniquement sous le couvert de l'anonymat. Conformément à ces règles bien établies, on peut utiliser l'information mais on ne peut dévoiler l'identité des sources.

Ce livre repose principalement sur des interviews réalisées avec John Farrell sur une période de onze mois qui a débuté en juin 2001. Ces interviews ont été menées surtout à Toronto et à Ottawa. M. Farrell a aussi fourni à l'auteur des documents originaux, des notes, des relevés bancaires, des registres, des factures, des enregistrements de conversations, et des éléments qui ont étayé sa description des événements et les informations qu'il livre avec force détails dans les interviews. Grâce à des sources confidentielles, j'ai obtenu d'autres documents qui confirment les informations secrètes consignées dans ce livre.

REMERCIEMENTS

Je n'aurais pas pu écrire un livre de cette nature sans le soutien de ma famille et de mes amis. Sans la profonde foi de mon père Xhelal dans le service public et la responsabilité du journaliste, je ne me serais jamais aventuré dans la carrière de journaliste d'enquête. Ma mère, Feruze, continue de m'enseigner que le travail acharné et la détermination sont récompensés. Si j'ai eu la chance d'hériter d'une partie de son courage et de sa force inépuisables, j'espère que ce livre en porte la marque. Greg, mon regretté beau-père, n'a jamais vacillé dans sa conviction que mon travail devait être accompli et il n'a jamais douté un instant de ma capacité à le faire. Je suis aussi redevable à Patricia, ma gentille et attentionnée belle-mère, pour son encouragement constant.

Tous les autres membres de ma grande famille ont également joué un rôle essentiel et sans faille pour m'aider à compléter ce livre. J'offre mes plus profonds remerciements à Darlene, Steve, Kayla, Arno et Maedla, Liane, Jerry, Eva, Dervish, Kimete, Ydriz, Aurélie, Sarah, Lolita, Nderim, Ilire, Kupi et Paul.

Au-delà de ma famille immédiate, il se trouve des amis extrêmement loyaux dont les bienveillants mots d'encouragement ont souvent consolidé ma détermination à terminer cet ouvrage. Je suis vraiment chanceux de compter Elliott Shiff, Jim Bronskill de *Southam News* et Rod Ellis de *CTV News* dans ce petit et précieux groupe. Peter Bouroukis, sa merveilleuse épouse Gina et leurs deux garçons, Dean et Theo, ont partagé leur cœur et leur demeure dans les bons et les mauvais moments. Sans l'aide de mon dévoué médecin, le docteur Vanna Schiralli, il m'aurait été beaucoup plus difficile de compléter ce livre. Je dois à Michel Juneau-Katsuya une énorme dette de reconnaissance. Ancien agent d'expérience du SCRS, Michel est un homme de principes et d'une rare intégrité. À vrai dire, il est le genre d'homme dont le service de renseignements du Canada a désespérément besoin. Comme Michel, Jean-Luc Marchessault est un homme de convictions. Lui et son épouse Brigitte ont mis leur confiance en moi. J'espère ne pas les avoir trahis.

Bien sûr, je n'aurais pu écrire ce livre sans l'encouragement de mon agent, Helen Heller. Helen a tout de suite compris pourquoi il fallait écrire ce livre. Brillante, elle a fait appel à la plus talentueuse des éditrices, Anne Collins, qui a guidé ce livre depuis sa conception jusqu'à la publication. Grâce à son œil superbement bien entraîné et à sa touche habile, elle a fait de mon volumineux manuscrit un livre. Je suis aussi redevable envers mon éditeur, Random House Canada, pour sa confiance, sa patience et sa compréhension. Stacey Cameron et Pamela Murray ont minutieusement édité le texte et Pamela Robertson, l'ancienne adjointe d'Anne, fut toujours serviable et gentille.

Je suis rempli de gratitude envers une petite équipe d'étudiants qui ont patiemment transcrit des heures d'interviews enregistrées pour ce livre : Alexis, Rosella, Maria et Michelle. Il y a aussi plusieurs personnes que je ne peux nommer, à cause de leur poste au gouvernement, et qui m'ont prodigué de sages conseils, leur confiance et leur commentaires. Je vous remercie tous.

Je veux remercier John Farrell pour m'avoir permis de raconter son histoire. En sortant des rangs, John prend le genre de risque que peu de gens osent prendre. En aucun moment lors de mes recherches en vue d'écrire ce livre, John ne m'a empêché de révéler la vérité. Pour cela, les Canadiens et moi-même lui devons notre gratitude.

Finalement, je dois remercier mon épouse Sharon et ma fille Sabrije. Sans vous, rien ne serait possible.

ANNEXE

Canada Post Corporation / Société canadienne des postes

20 Bay St., 7th Floor
Toronto, Ontario
M5J 1A1

Position No. DSS-3007
Resp. Code 01.360058.830

Date: September 19, 1989

Mr. John Farrell
66 Walpole Ave., Unit 22
Toronto, Ontario
M4L 2H9

Dear Mr. Farrell:

On behalf of Canada Post Corporation, we are pleased to offer you the position of Officer, Postal Inspection, York Division. Your salary on appointment under the Management (MGT) Pay Plan will be $33,600 per annum. The effective date of this appointment is October 2, 1989. Your probation will be of one year's duration. Confirmation of appointment will be conditional upon receiving Security Clearance to the level of Top Secret.

This position is covered under the Management Pay Plan. We have enclosed an overview of your Management Benefit package which outlines your new benefits. A representative of the Compensation and Benefits section will provide you with further information.

We take this opportunity to remind you that you are subject to this organization's Conflict of Interest Guidelines which require that you disclose any commercial, financial or business interests which could be in conflict with your new area of responsibility. No disclosure of Corporate information is permitted without the written consent of the designated Head Office Director or the Corporate Manager of Security & Investigation Services.

Please indicate your acceptance of this offer by signing and returning the duplicate copy of this offer. Since we cannot initiate further action until we receive your signed copy, we ask that it be returned as soon as possible.

We take this opportunity to wish you continued success in your career with Canada Post Corporation.

Yours very truly,
Canada Post Corporation

Michael Thompson
Divisional Manager
Security & Investigation Services
York Division

R. J. Stiff
Director Field Services West
Security & Investigation Services
Ottawa

I Accept: John Joseph Farrell

I Decline:

Signature

SIN: 482-444-056

c.c. Compensation & Benefits

Canada

La lettre de Mike Thompson offrant à Farrell un emploi d'inspecteur des postes.

Farrell rédigea cette lettre pour Thompson ; on y demande d'accélérer les procédures pour lui accorder l'habilitation de sécurité.

MAIL POSTE
Canada Post Corporation / Société canadienne des postes

20 Bay St., 7th Floor
Toronto, Ontario
M5J 1A1

February 5, 1990

File No. 780-FARRELL

TO WHOM IT MAY CONCERN:

Re: John Joseph FARRELL (D.O.B. 11.11.67)

File: 212260

This is to advise that John Joseph FARRELL is appointed pursuant to Section 18 of the Canada Post Corporation Act in the capacity of Postal Inspector. John has been employed with Canada Post Corporation since October 2, 1989 and is part of the management classification. John's daily activities bring him into frequent contact with classified police and government information.

To continue employment with Canada Post Security & Investigation Services, all Postal Inspectors require TOP SECRET CLEARANCE. The process takes approximately one year to complete and is granted by the Canadian Security Intelligence Service. John is presently at this stage and requires assistance in achieving his pardon as soon as possible.

Should you require any further information as to employment status, please feel free to contact the undersigned.

Yours very truly,
Canada Post Corporation

Michael Thompson
Divisional Manager
Security & Investigation Services
York Division
(416) 594-4476

SUBJECT ASSESSMENT PROFILE/PROFILE D'EVALUATION DU SUJET

CLASSI CATION : Confidental FILE/DOSSIER : D939-5-362642

NAME/NOM : John Farrell

DEPT. : Canada Post

LEVEL/NIVEAU : 3 (10 years)

PERIOD TO BE COVERED/PERIODE A COUVRIR : 1985-1990 (5 years)

a) CHECKS VERIFICATIONS	FAVOURABLE FAVORABLE	NOT FAVOURABLE* NON FAVORABLE	NOT APPLICABLE NON APPLICABLE
CPIC/CIPC		✓	
CSIS Indices/Données SCRS			
Fingerprint/Empreints digitales		✓	
Credit Bureau/Bureau de crédit	✓		
Foreign Agency Indices/ Données des Services étrangers			✓

b) Field/Enquête de sécurité

Subject Interview/Entrevue du sujet ✓
No. of sources interviewed ___ ; period covered (yrs) 20
Nombres de sources interviewés ___ ; periode couverte (années) ___

Source Quality/ Genre de source — Social/Sociale ___ Neighbour/Voisin ___ Work/Travail ___ Reference/Référence ___

c) COMMENTS/COMMENTAIRES

Sources commented favorably on subject's loyalty, reliability and character. A favorable subject interview was also held.

NOTE : If adverse information is surfaced, please address the following poin (where applicable) in your summary :/Si les informations derogatoires sont révélées, durant l'enquête s.v.p. considerez les points suivants :

Le premier contrat de Farrell avec le SCRS. C'est l'ancien agent Gordon Bell qui l'a rempli; il y évalue les risques de sécurité impliqués par l'embauche d'un jeune homme ayant un casier judiciaire.

CANADIAN SECURITY INTELLIGENCE SERVICE — SERVICE CANADIEN DU RENSEIGNEMENT DE SÉCURITÉ

P.O. BOX 9732, OTTAWA POSTAL TERMINAL, OTTAWA, ONTARIO, K1G 4G4 - B.P. 9732, TERMINUS POSTAL D'OTTAWA, OTTAWA, ONTARIO, K1K 4G4

CONFIDENTIAL - CONFIDENTIEL

Mr. Gordon Randall,
Corporate Manager,
Security & Investigation Services,
Canada Post Corporation.

D939-8-262642

1990-10-30

RE: OBJET: John FARRELL

This is further to our correspondence dated 1990-04-12. Please be advised that Mr. FARRELL has been granted a pardon in relation to convictions for criminal offences registered in Canada by the National Parole Board of Ottawa.

Please purge your records of any mention of Mr. FARRELL's criminal convictions in accordance with the **Criminal Records Act.**

Any further information desired concerning the granting of pardons and the various procedures associated therewith may be obtained from:

CLEMENCY AND PARDONS DIVISION
NATIONAL PAROLE BOARD
340 Laurier Avenue West
Ottawa, Ontario
K1A 0R1

Tel: (613) 995-1308 ext. 156

Pour faire suite à notre lettre du 1990-04-12 nous désirons vous informer que la Commission nationale des libérations conditionnelles, à Ottawa, a accordé son pardon à M. FARRELL pour le(s) délit(s) dont il a été reconnu coupable au Canada.

Conformément à la **Loi sur le casier judiciaire,** veuillez rayer de vos dossiers toute mention de la condamnation de M. FARRELL.

Pour de plus amples renseignements concernant les demandes de pardon et la procédure connexe, veuillez communiquer avec:

LA SECTION DE LA CLÉMENCE ET DES PARDONS
COMMISSION NATIONALE DES LIBÉRATIONS CONDITIONNELLES
340, rue Laurier ouest
Ottawa (Ontario)
K1A 0R1

Tél: (613) 995-1308 poste 156

For - Director General Security Screening
Pour - le Directeur général Filtrage de sécurité

La note confirmant le pardon accordé à Farrell.

INVOICE

Security & Investigation Services					PROTECTED	
Canada Post Corporation						
Xerox Building				DATE:	92-01-30	
785 Carling Ave.						
OTTAWA, Ontario				INVOICE #	JF-47	
K1A OB1						
For services rendered to Canada Post Corporation						
By:	John FARRELL, P.O.Box 51017 Eglinton Square Post Office					
	Scarborough, Ontario M1L 4T2					
Contract No:						
Expenditure Code:	308870-830-000-1430					
WARRANT NO:	CSIS	91-1				
Week Ending: 92-01-30	Date	Day	Time Started	Time Finished	# Hours	Km Travelled
	92-01-27	Monday	700	1030	3.5	84 km
	92-01-28	Tuesday	700	1030	3.5	84 km
	92-01-29	Wednesday	700	1200	5.0	143 km
	92-01-30	Thursday	600	1130	5.5	153 km
		Friday	DAY	OFF	—	—
	Totals:					
OTHER EXPENSES						$ 9.00
Total Kms @ .27 per km						$ 125.28
Hours (Minimum 3 hrs. @ $20.00)						$ 350.00
TOTAL Claimed This Week						$ 484.28
			Reviewed By:			
				Michael Thompson		
				Divisional Manager		
				Security & Investigation Services		

Une des premières factures de Farrell pour son travail d'interception de courrier pour le SCRS. Le numéro de mandat du SCRS apparaît au milieu de la facture. Farrell suggéra à Don Lunau pour des raisons de sécurité, d'éliminer cette information des factures.

MAIL POSTE

Canada Post Corporation / Société canadienne des postes

OTTAWA, Ontario
K1A 0B1

April 1, 1994

SECRET

John Joseph Farrell
24 Kenworthy Avenue
Scarborough, Ontario
M1L 3B2

CONTRACT NO: 586929
EXPENDITURE CODE: 290149-830-000-0430

JOHN JOSEPH FARRELL (the CONTRACTOR) agrees to provide to CANADA POST CORPORATION (the CORPORATION) on an as required basis the services of Auxiliary Postal Inspector (the "SERVICES"). Training and work shall be performed in close liaison with the Regional Director, Corporate Security, or an authorized representative.

1. The CONTRACTOR shall sign the Non-Disclosure Agreement set out in **Schedule C** to this agreement and the CORPORATION at it's sole discretion may withhold payments otherwise due under this Agreement until such signed copy is returned to the CORPORATION.

2. This contract shall commence on the 1st day of April 1994 and shall terminate upon two days notice or the 31st day of March 1995, whichever is soonest.

3. The total liability of the CORPORATION under this contract shall not exceed the maximum amount of twenty thousand dollars ($20,000.00) all inclusive.

4. The CORPORATION agrees to pay and the CONTRACTOR agrees to accept payment as follows:

   PROFESSIONAL FEES

   Fees are at a rate of $20.00 per hour. The minimum time will be three hours per day worked.

   EXPENSES

   The CORPORATION shall reimburse the CONTRACTOR for meals, mileage and incidental expenses incurred solely in connection with the performance of obligations under this contract, provided that all claims for expenses do not exceed current allowances granted by the CORPORATION to its employees and that all such expenses are supported by approved receipts.

La première page d'un des contrats de Farrell pour fournir des services en tant qu'inspecteur des postes auxiliaire.

METCALFE, Ontario
K0A 2P0

January 5, 1998 **SECRET**

John Farrell
24 Kenworthy Avenue
TORONTO ON M1L 3B2

CONTRACT NO: ADAVA09

John Farrell (the CONTRACTOR) agrees to provide to 3385710 CANADA INC (the CORPORATION) on an as required basis the services of Auxiliary Postal Inspector (the "SERVICES"). Training and work shall be performed in close liaison with the Regional Director, Corporate Security, Canada Post CORPORATION or an authorized representative.

1. The CONTRACTOR shall sign the Non-Disclosure AGREEMENT set out in **Schedule C** to this AGREEMENT and the CORPORATION at its sole discretion may withhold payments otherwise due under this AGREEMENT until such signed copy is returned to the CORPORATION. The CONTRACTOR also agrees to be bound by the Official Secrets Act of Canada as amended from time to time.

2. This contract shall commence on the 5th day of January 1998 and shall terminate upon two days notice or the 31st day of December 1998, whichever is soonest.

3. The total liability of the CORPORATION under this contract shall not exceed the maximum amount of twenty-thousand dollars ($20,000.00) all inclusive.

4. The CORPORATION agrees to pay and the CONTRACTOR agrees to accept payment as follows:

PROFESSIONAL FEES

Fees are at a rate of $20.00 per hour. The minimum time will be three hours per day worked.

EXPENSES

The CORPORATION shall reimburse the CONTRACTOR for meals, mileage and incidental expenses incurred solely in connection with the performance of obligations under this contract, provided that all claims for expenses do not exceed current allowances granted by the Federal Government to its employees and that all such expenses are supported by approved receipts.

La première page du contrat de Farrell avec Adava Consulting, la firme privée gérée par Alan Whitson, un ancien agent de la GRC et gérant de Postes Canada. Adava prit en charge la gestion du programme ultrasecret d'interception de courrier du SCRS.

Canada Post Corporation *Société canadienne des postes*

Corporate Security
Head Office
2701 Riverside Drive, Suite E0981
Ottawa ON K1A 0B1

96-08-26 File: 3838-1

Pat Bishop
Manager Central Region
Corporate Security
P.O. Box 312
Port Credit Post Office
Mississauga ON L5G 4L8

RE: SECURITY CLEARANCE RENEWAL

This will inform you that a security clearance renewal at level III is required in order to update our files for the following individuals:

Blaise Doddin
John Farrell
Doug Lamb
Francois Xavier Pillotte
Ken Pollit
Conrad A. Richter
Mike Thompson

You will find enclosed the necessary documents including a copy of the Personal History form you submitted at the time of the last request. A new set of fingerprints must also be acccompany the request.

Please contact myself or Ronald Couvrette ([illegible]) should you have any concerns or questions.

Thank you.

Allan Whtison
Manager,Loss Prevention and Special Project

In Business to Serve • En affaires pour vous servir

Le renouvellement de l'habilitation de sécurité de Farrell, qui donne la liste des autres inspecteurs des postes auxiliaires de la région de Toronto, dont Mike Thompson, son ancien patron à Postes Canada.

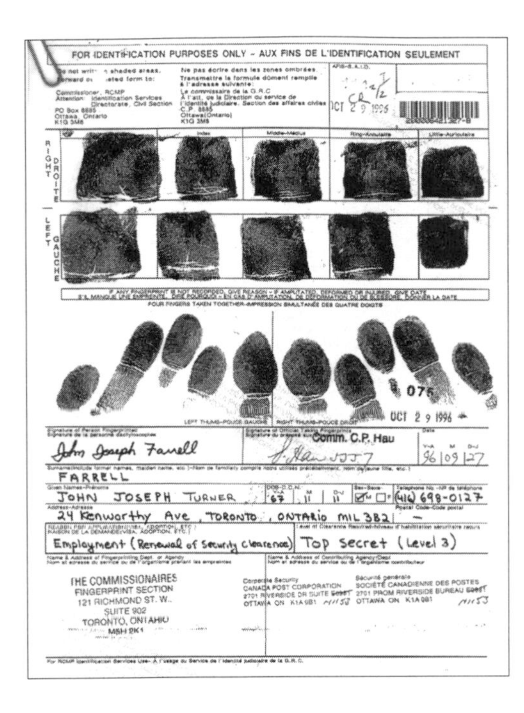
FOR IDENTIFICATION PURPOSES ONLY - AUX FINS DE L'IDENTIFICATION SEULEMENT

Commissioner, RCMP
Attention: Identification Services Directorate, Civil Section
PO Box 8885
Ottawa, Ontario
K1G 3M8

Le commissaire de la G.R.C
À l'att. de la Direction du service de l'identité judiciaire, Section des affaires civiles
C.P. 8885
Ottawa (Ontario)
K1G 3M8

OCT 29 1996

RIGHT - DROITE
LEFT - GAUCHE

IF ANY FINGERPRINT IS NOT RECORDED, GIVE REASON - IF AMPUTATED, DEFORMED OR INJURED, GIVE DATE

FOUR FINGERS TAKEN TOGETHER - IMPRESSION SIMULTANÉE DES QUATRE DOIGTS

075

OCT 29 1996

Signature of Person Fingerprinted: John Joseph Farrell

Signature of Official Taking Fingerprints: Comm. C.P. Hau

Date: 96 | 09 | 27

Surname: FARRELL

Given Names - Prénoms: JOHN JOSEPH TURNER

DOB - D.D.N.: 67 | 11 | 11

Telephone No: (416) 698-0127

Address - Adresse: 24 Kenworthy Ave, TORONTO, ONTARIO M1L 3B2

Reason: Employment (Renewal of Security Clearence)

Level of Clearance: Top Secret (Level 3)

THE COMMISSIONAIRES
FINGERPRINT SECTION
121 RICHMOND ST. W.
SUITE 902
TORONTO, ONTARIO
M5H 2K1

Corporate Security
CANADA POST CORPORATION
2701 RIVERSIDE DR SUITE
OTTAWA ON K1A 0B1

Sécurité générale
SOCIÉTÉ CANADIENNE DES POSTES
2701 PROM RIVERSIDE BUREAU
OTTAWA ON K1A 0B1

Le formulaire indiquant le renouvellement de l'habilitation de sécurité de niveau ultrasecret de Farrell.

Canadian Security Intelligence Service

Service canadien du renseignement de sécurité

AUG - 4 1995

Mr. Jesse Barry Barnes
P.O. Box 429
Walkerton, Ontario
N0G 2V0

Dear Mr. Barnes:

The office of the Solicitor General of Canada forwarded to us your letter of May 29, 1995, concerning the Canadian Security Intelligence Service (CSIS).

You will recall that, at your invitation, a CSIS representative met with you in April, 1995, and listened to your demands. The Service's position was made clear to you at that time. CSIS' position has not changed in the interim and I consider the matter closed.

Yours sincerely,

T.J. Bradley
Director General
Secretariat

P.O. Box 9732, Station "T", Ottawa, Ontario K1G 4G4 C.P. 9732, Succursale "T", Ottawa (Ontario) K1G 4G4

La lettre de Bradley à Jesse Barnes, qui confirme que Barnes a rencontré un agent du SCRS (Angela Jones) pour discuter des dossiers de surveillance manquants.

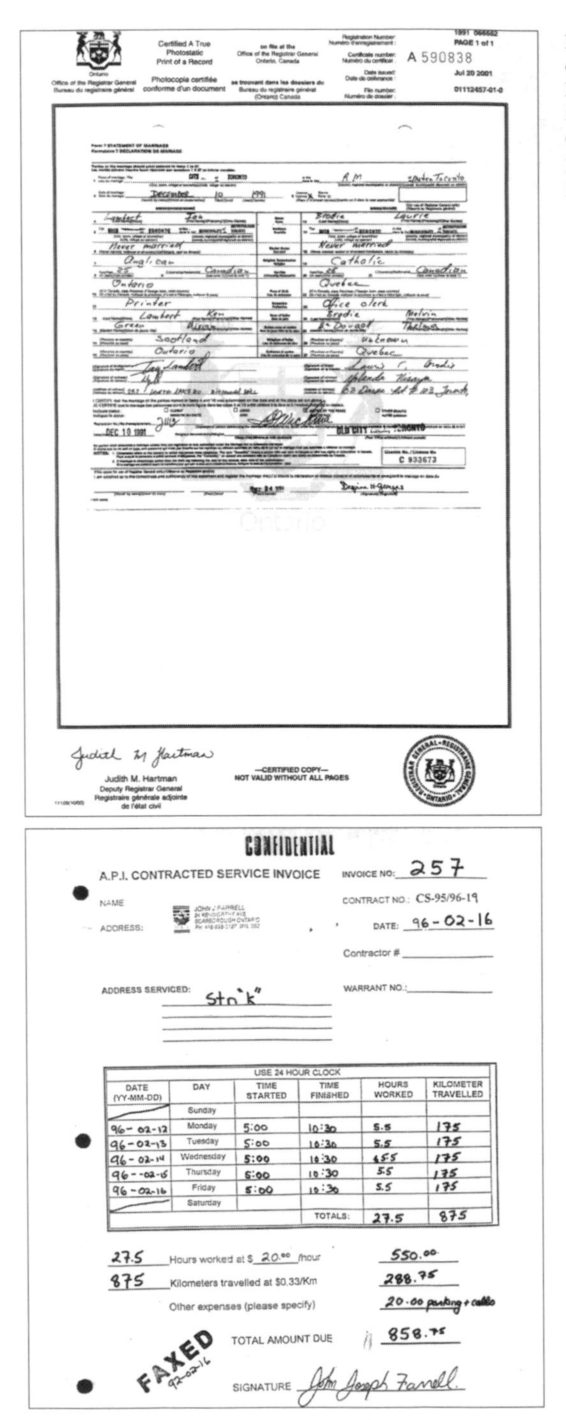

Certified A True Photostatic Print of a Record on file at the Office of the Registrar General Ontario, Canada

Photocopie certifiée conforme d'un document se trouvant dans les dossiers du Bureau du registraire général (Ontario) Canada

Ontario — Office of the Registrar General — Bureau du registraire général

Registration Number / Numéro d'enregistrement : 1991 066682 — PAGE 1 of 1

Certificate number / Numéro du certificat : A 590838

Date issued / Date de délivrance : Jul 20 2001

File number / Numéro de dossier : 01112457-01-0

Form 7 STATEMENT OF MARRIAGE
Formulaire 7 DÉCLARATION DE MARIAGE

CITY of TORONTO — Metro Toronto

December 10 1991

Lambert Ian	Brodie Laurie
Never married	Never married
Anglican	Catholic
25 — Canadian	26 — Canadian
Ontario	Quebec
Printer	Office clerk
Lambert Ken	Brodie Melvin
Green	McDougall Thelma
Scotland	Unknown
Ontario	Quebec

DEC 10 1991 — OLD CITY HALL, TORONTO

Licence No. / Licence No C 933673

Judith M. Hartman
Deputy Registrar General
Registraire générale adjointe de l'état civil

—CERTIFIED COPY—
NOT VALID WITHOUT ALL PAGES

La licence de mariage canadienne d'Ian et Laurie Lambert, sur laquelle Ian a inscrit la mauvaise profession et Laurie a inscrit «inconnu» pour le pays d'origine de ses parents.

CONFIDENTIAL

A.P.I. CONTRACTED SERVICE INVOICE

INVOICE NO: 257

NAME / ADDRESS: JOHN J FARRELL

CONTRACT NO.: CS-95/96-19

DATE: 96-02-16

Contractor #

ADDRESS SERVICED: Stn "k"

WARRANT NO.:

USE 24 HOUR CLOCK					
DATE (YY-MM-DD)	DAY	TIME STARTED	TIME FINISHED	HOURS WORKED	KILOMETER TRAVELLED
	Sunday				
96-02-12	Monday	5:00	10:30	5.5	175
96-02-13	Tuesday	5:00	10:30	5.5	175
96-02-14	Wednesday	5:00	10:30	5.5	175
96-02-15	Thursday	5:00	10:30	5.5	175
96-02-16	Friday	5:00	10:30	5.5	175
	Saturday				
			TOTALS:	27.5	875

27.5 Hours worked at $ 20.00 /hour — 550.00

875 Kilometers travelled at $0.33/Km — 288.75

Other expenses (please specify) — 20.00 parking + calls

TOTAL AMOUNT DUE — 858.75

FAXED 92-02-16

SIGNATURE John Joseph Farrell.

Une facture pour le travail de Farrell relatif à l'interception du courrier des Lambert à l'édifice abritant l'appartement de Roehampton.

Une copie du bail pour un appartement loué par Farrell, sous le nom de John Turner, afin de garder l'œil sur Laurie Lambert lorsqu'elle a déménagé dans Manhattan Towers, de même qu'une copie du bail de Laurie.

OFFER TO LEASE

RENEWAL ______ NEW TENANT ______

I/WE ______ hereby offer to lease from the Owner, Lessor, ______ the premises known as Suite No. ______ in the Lessor's Apartment Building at ______ for a term of ______ months, from the ______ day of ______, 19__ to the ______ day of ______, 19__ at a rental of $ ______ per month payable in advance on the ______ day of each month of the said term.

Possession of the said premises is to be given to me/us on the ______ day of ______, 19__ if ready for occupancy and the Lessor shall not be responsible for any damages or expenses suffered or incurred by me/us as a result of any delay in occupancy.

Payment herewith by me/us of the sum of $ ______ is to be held by the Lessor as Prepaid Rent.

I further understand that under no circumstances will I be permitted to keep domestic pets (dogs, cats, birds, etc.) in or on the premises.

Should the rent not be paid on the first day of the month as per lease the Lessee agrees to pay a penalty of $1.00 per day or not more than $5.00 per week.

I/We also agree to pay in addition the first month's rental of $ ______ in advance prior to taking possession of the apartment.

A prorated rent of $ ______ is to be paid in advance to cover the period from ______, 19__, to ______, 19__.

Such occupancy is subject to the terms and conditions of the Tenancy Agreement.

This offer upon acceptance shall constitute a binding agreement and the parties hereto agree to execute a lease on the Lessor's usual form within fourteen days from the date of the acceptance of this offer and before I/we take possession of the apartment premises. I/we hereby acknowledge that I/we have seen and read over a copy of the Lessor's usual lease including the rules and regulations thereto and that I/we understand the same in all respects.

I/We instruct you to provide me/us with the following additional services for which I/we hereby agree to pay as additional rent the amounts set forth opposite these services:

☐ Garage for ______ car only @ $ ______ per month.

☐ Outside Parking for ______ car only @ $ ______ per month.

Model of Car ______ Year ______ Colour ______ Licence No. ______

Model of Car ______ Year ______ Colour ______ Licence No. ______

I/We declare that I/we am/are over the age of 18 years.

It is understood and agreed that all representations made by the Lessor, its agents, servants and employees are set forth herein.

OFFER TO LEASE

RENEWAL ______ NEW TENANT ______

I/WE ______ hereby offer to lease from the Owner, Lessor, ______ the premises known as Suite No. ______ in the Lessor's Apartment Building at ______ for a term of ______ months, from the ______ day of ______, 19__ to the ______ day of ______, 19__ at a rental of $ ______ per month payable in advance on the ______ day of each month of the said term.

Possession of the said premises is to be given to me/us on the ______ day of ______, 19__ if ready for occupancy and the Lessor shall not be responsible for any damages or expenses suffered or incurred by me/us as a result of any delay in occupancy.

Payment herewith by me/us of the sum of $ ______ is to be held by the Lessor as Prepaid Rent.

I further understand that under no circumstances will I be permitted to keep domestic pets (dogs, cats, birds, etc.) in or on the premises.

Should the rent not be paid on the first day of the month as per lease the Lessee agrees to pay a penalty of $1.00 per day or not more than $5.00 per week.

I/We also agree to pay in addition the first month's rental of $ ______ in advance prior to taking possession of the apartment.

A prorated rent of $ ______ is to be paid in advance to cover the period from ______, 19__, to ______, 19__.

Such occupancy is subject to the terms and conditions of the Tenancy Agreement.

This offer upon acceptance shall constitute a binding agreement and the parties hereto agree to execute a lease on the Lessor's usual form within fourteen days from the date of the acceptance of this offer and before I/we take possession of the apartment premises. I/we hereby acknowledge that I/we have seen and read over a copy of the Lessor's usual lease including the rules and regulations thereto and that I/we understand the same in all respects.

I/We instruct you to provide me/us with the following additional services for which I/we hereby agree to pay as additional rent the amounts set forth opposite these services:

☑ Garage for ______ car only @ $ ______ per month.

☐ Outside Parking for ______ car only @ $ ______ per month.

Model of Car ______ Year ______ Colour ______ Licence No. ______

Model of Car ______ Year ______ Colour ______ Licence No. ______

I/We declare that I/we am/are over the age of 18 years.

It is understood and agreed that all representations made by the Lessor, its agents, servants and employees are set forth herein.

Une lettre du propriétaire confirmant que Farrell a loué l'appartement de Roehampton.

07/12/2001 17:43 4162265959 ELSERG IVESTMENTS PAGE 01

ELSERG INVESTMENTS LIMITED

24 ARGONNE CRESCENT, TORONTO, ONTARIO M2K 2K1
TELEPHONE (416) 226-1357

July 12, 2001

TO WHOM IT MAY CONCERN:

This is to advise that John Farrell was a tenant at 77 Roehampton Avenue, Suite 602, starting August 1st, 1994 and vacating the suite at the end of March 1995. For eight months he was paying $940.00 per month. Total amount paid $7,520.00.

Yours truly,

ELSERG INVESTMENTS LIMITED

Rae Tonelli

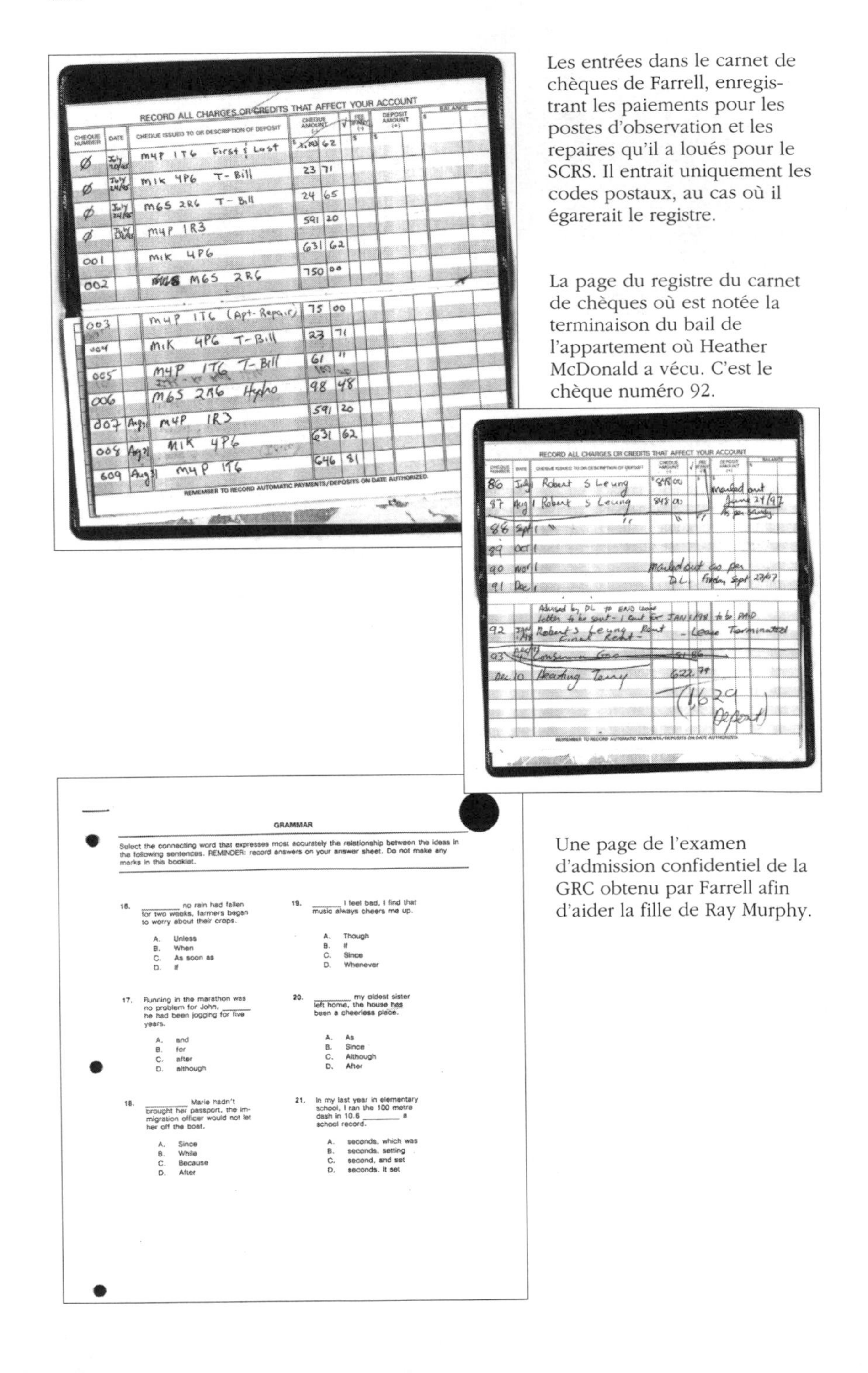

RECORD ALL CHARGES OR CREDITS THAT AFFECT YOUR ACCOUNT

CHEQUE NUMBER	DATE	CHEQUE ISSUED TO OR DESCRIPTION OF DEPOSIT	CHEQUE AMOUNT (-)	√	FEE (IF ANY) (-)	DEPOSIT AMOUNT (+)	BALANCE
Ø	July 20/95	M4P 1T6 First & Last	1,263 62				
Ø	July 24/95	M1K 4P6 T-Bill	23 71				
Ø	July 24/95	M6S 2R6 T-Bill	24 65				
Ø	July 24/95	M4P 1R3	591 20				
001		M1K 4P6	631 62				
002		M6S 2R6	750 00				
003		M4P 1T6 (Apt-Repair)	75 00				
004		M1K 4P6 T-Bill	23 71				
005		M4P 1T6 T-Bill	61 "				
006		M6S 2R6 Hydro	98 48				
007	Aug 31	M4P 1R3	591 20				
008	Aug 31	M1K 4P6	631 62				
009	Aug 31	M4P 1T6	646 81				

REMEMBER TO RECORD AUTOMATIC PAYMENTS/DEPOSITS ON DATE AUTHORIZED.

Les entrées dans le carnet de chèques de Farrell, enregistrant les paiements pour les postes d'observation et les repaires qu'il a loués pour le SCRS. Il entrait uniquement les codes postaux, au cas où il égarerait le registre.

RECORD ALL CHARGES OR CREDITS THAT AFFECT YOUR ACCOUNT

CHEQUE NUMBER	DATE	CHEQUE ISSUED TO OR DESCRIPTION OF DEPOSIT	CHEQUE AMOUNT (-)	√	FEE (IF ANY) (-)	DEPOSIT AMOUNT (+)	BALANCE
86	July	Robert S Leung	848 00			Mailed out	
87	Aug 1	Robert S Leung	848 00			June 24/97 As per Sandy	
88	Sept 1	"	"				
89	Oct 1						
90	Nov 1					Mailed out as per	
91	Dec 1					DL Friday Sept 27/97	
		Advised by DL to END Lease letter to be sent - I out for JAN 1/98 to be PAID					
92	Jan 1/98	Robert S Leung Rent - Final Rent - Lease Terminated					
93	Dec 4	Consumers Gas	41.86				
	Dec 10	Heating Tony	622.74				
			(1,629 Deposit)				

REMEMBER TO RECORD AUTOMATIC PAYMENTS/DEPOSITS ON DATE AUTHORIZED.

La page du registre du carnet de chèques où est notée la terminaison du bail de l'appartement où Heather McDonald a vécu. C'est le chèque numéro 92.

GRAMMAR

Select the connecting word that expresses most accurately the relationship between the ideas in the following sentences. REMINDER: record answers on your answer sheet. Do not make any marks in this booklet.

16. ________ no rain had fallen for two weeks, farmers began to worry about their crops.

A. Unless
B. When
C. As soon as
D. If

17. Running in the marathon was no problem for John, ________ he had been jogging for five years.

A. and
B. for
C. after
D. although

18. ________ Marie hadn't brought her passport, the immigration officer would not let her off the boat.

A. Since
B. While
C. Because
D. After

19. ________ I feel bad, I find that music always cheers me up.

A. Though
B. If
C. Since
D. Whenever

20. ________ my oldest sister left home, the house has been a cheerless place.

A. As
B. Since
C. Although
D. After

21. In my last year in elementary school, I ran the 100 metre dash in 10.6 ________ a school record.

A. seconds, which was
B. seconds, setting
C. second, and set
D. seconds. It set

Une page de l'examen d'admission confidentiel de la GRC obtenu par Farrell afin d'aider la fille de Ray Murphy.

La lettre du directeur Ward Elcock, offrant à Farrell six mille dollars en «aide humanitaire».

Canadian Security Intelligence Service — Service canadien du renseignement de sécurité

Director - Directeur

Mr. John Farrell
24 Kenworthy Avenue
Toronto, Ontario
M1L 3B2

Dear Mr. Farrell:

This will acknowledge receipt of your letter dated March 19, 1999.

I accept and appreciate that you are sensitive to your obligations to respect the confidentiality with which you have been entrusted.

For the most part, your working relationship with the Canadian Security Intelligence Service (CSIS) has been in your former capacity as a contract employee of Canada Post in the Auxiliary Postal Inspector Program. In January, 1999, you chose, of your own volition, to discontinue working in that capacity. The Service is not accountable for and will not provide additional remuneration for any work you performed as an employee of Canada Post.

I recognise that you have assisted the Service in other ways from time to time and this has been much appreciated. On those occasions you were compensated directly by CSIS, commensurate with the nature of assistance provided. However, the Service is under no further obligation to you in that regard.

Given that you had gone through a period of unemployment, the Service offered you financial assistance in the amount of $6,000 to assist you in this period of transition. This offer

.../2

P.O. Box 9732, Station 'T', Ottawa, Ontario K1G 4G4 — C.P. 9732, Succursale 'T', Ottawa (Ontario) K1G 4G4

- 2 -

was not intended to represent recognition of what you describe as your long term commitment to the programs of the Service. Rather is was meant to be a humanitarian gesture for the purpose of assisting you to fulfill financial obligations you would have incurred whilst unemployed. You refused to accept that offer.

For the reasons explained above, I do not share your view that your services merit a payment of $50,000. While not obliged to do so, I am prepared to again provide you with humanitarian assistance in the amount previously offered. In the event that you decide to accept, please notify Mr. Bob Gordon at your earliest convenience.

I wish you good luck in your future endeavours.

Yours sincerely,

W.P.D. Elcock

La lettre de l'ancien directeur adjoint du SCRS, Tom Bradley, rejetant l'appel de Farrell.

Canadian Security Intelligence Service — Service canadien du renseignement de sécurité

NOV 22 1999

Mr. John J. Farrell
3003 Danforth Avenue
Suite 3 - 557
Toronto Ontario
M4C 5R4

Dear Mr. Farrell:

This will acknowledge receipt of your letter dated November 7, 1999.

As your records will show, the offer of financial support was intended to assist you with the transitional difficulties you were experiencing during your period of unemployment in March 1999. Since that time, the Security Intelligence Review Committee (SIRC), has, at your request, initiated an inquiry into the issues you have raised.

In view of the ongoing SIRC inquiry and the significant time which has elapsed since this offer was last extended, the Service will not be acting upon your latest request for assistance.

Yours sincerely,

T.J. Bradley
Assistant Director
Secretariat

P.O. Box 9732, Station 'T', Ottawa, Ontario K1G 4G4 — C.P. 9732, Succursale 'T', Ottawa (Ontario) K1G 4G4

INDEX

G

H

I

J

K

T

U

V

TABLE

Cet ouvrage
composé en caractères Garamond corps 11
a été achevé d'imprimer
sur les presses de l'imprimerie Gauvin
à Hull
le neuf octobre deux mille deux
pour le compte des ÉDITIONS TRAIT D'UNION.